Excel 2007

Top 100

C'est simple

Trucs & Astuces

Denise Etheridge

1807 WILEY 2007
Wiley Publishing, Inc.

Excel 2007, C'est simple
Top 100 Trucs & Astuces

Publié par
Wiley Publishing, Inc.
111 River Street
Hoboken, NJ 07030-5774
États-Unis
www.wiley.com

Titre de l'édition originale : *Excel 2007 Top 100 Simplified Tips & Tricks*

Édition française publiée en accord avec Wiley Publishing, Inc. par :

© Éditions First, 2007
2 ter, rue des Chantiers
75005 Paris – France
Tél. 01 45 49 60 00
Fax 01 45 49 60 01
E-mail : firstinfo@efirst.com
Web : www.efirst.com

ISBN : 978-2-75400-468-8
Dépôt légal : 3e trimestre 2007

Imprimé en France

Traduction : François Basset et Colette Michel
Mise en page et adaptation graphique : MADmac

COMMENT UTILISER CE LIVRE

Excel 2007, C'est simple, Top 100 Trucs & Astuces propose les 100 tâches les plus intéressantes et les plus utiles, réalisables avec Excel 2007. Il vous livre de précieux secrets et des astuces qui vous feront gagner du temps et vous rendront beaucoup plus efficace.

Ce que vous apporte vraiment ce livre

Vous connaissez les techniques de base d'Excel 2007, mais vous voulez améliorer et compléter vos connaissances ? Passez au niveau supérieur grâce à ce livre.

Conventions utilisées dans ce livre

❶ Étapes
Chaque tâche est expliquée sous la forme d'une série d'étapes. Des puces numérotées pointent l'élément correspondant dans l'écran, illustrant visuellement l'action à accomplir.

❷ Trucs et astuces
Des astuces pratiques et amusantes répondent aux questions que vous vous êtes toujours posé. Dans cette rubrique, vous apprendrez aussi à accomplir des tâches que vous pensiez irréalisables.

❸ Numéros de tâches
Ces numéros indiquent le numéro de la tâche en cours parmi les 100 proposées dans ce livre.

❹ Niveaux de difficulté
Ces symboles permettent d'identifier en un clin d'œil le niveau de difficulté de chaque tâche.

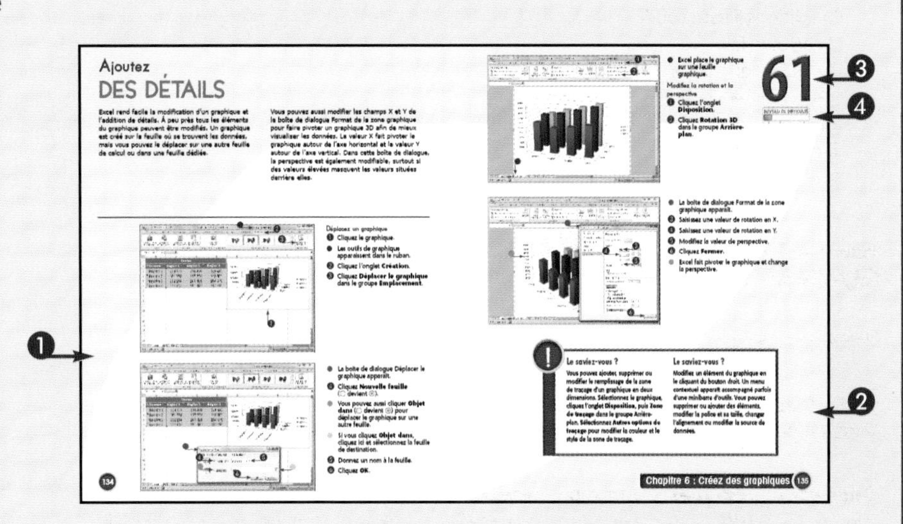

NIVEAU DE DIFFICULTÉ — Donne un nouveau regard sur une tâche courante

NIVEAU DE DIFFICULTÉ — Introduit une nouvelle compétence ou une tâche inédite

NIVEAU DE DIFFICULTÉ — Exploite plusieurs compétences qui demandent des connaissances déjà poussées

NIVEAU DE DIFFICULTÉ — Requiert des compétences multiples, impliquant parfois d'autres technologies

Table des matières

1 Gagnez en efficacité

2 Utilisez des formules et des fonctions

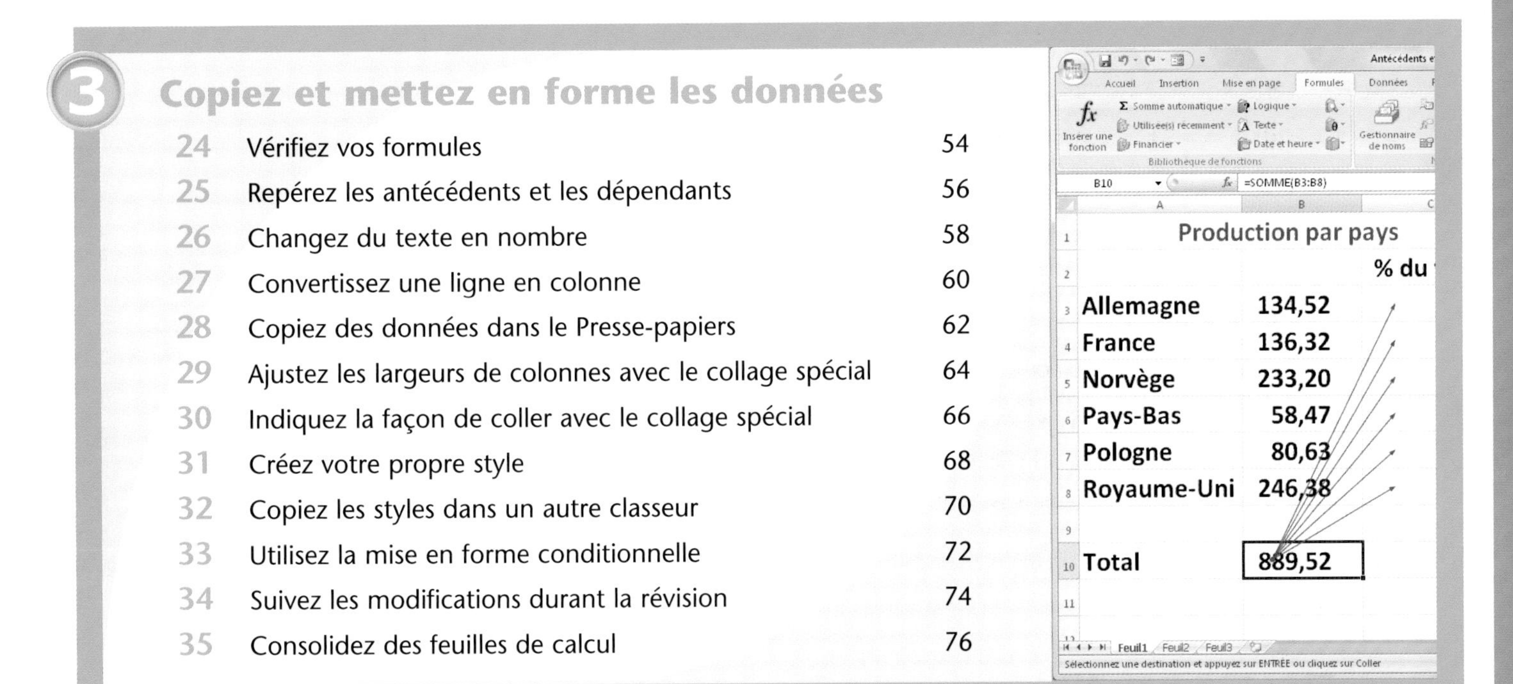

3 Copiez et mettez en forme les données

4 Manipulez des enregistrements

Table des matières

5 Découvrez les tendances dans vos données

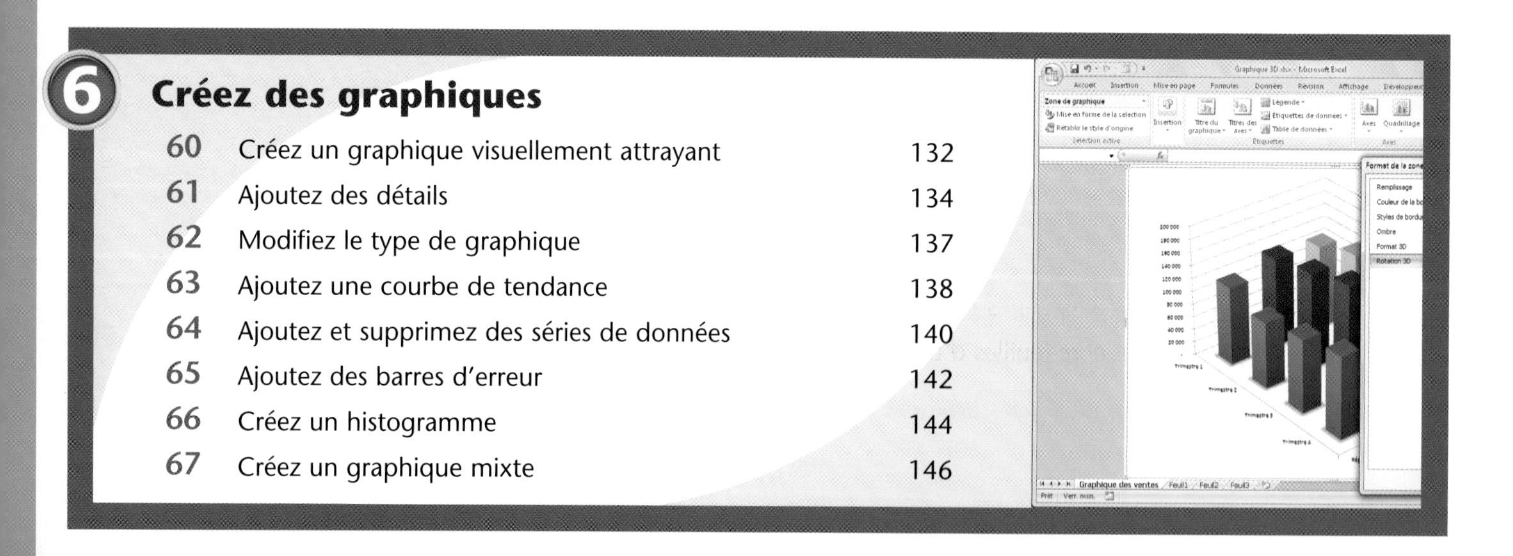

6 Créez des graphiques

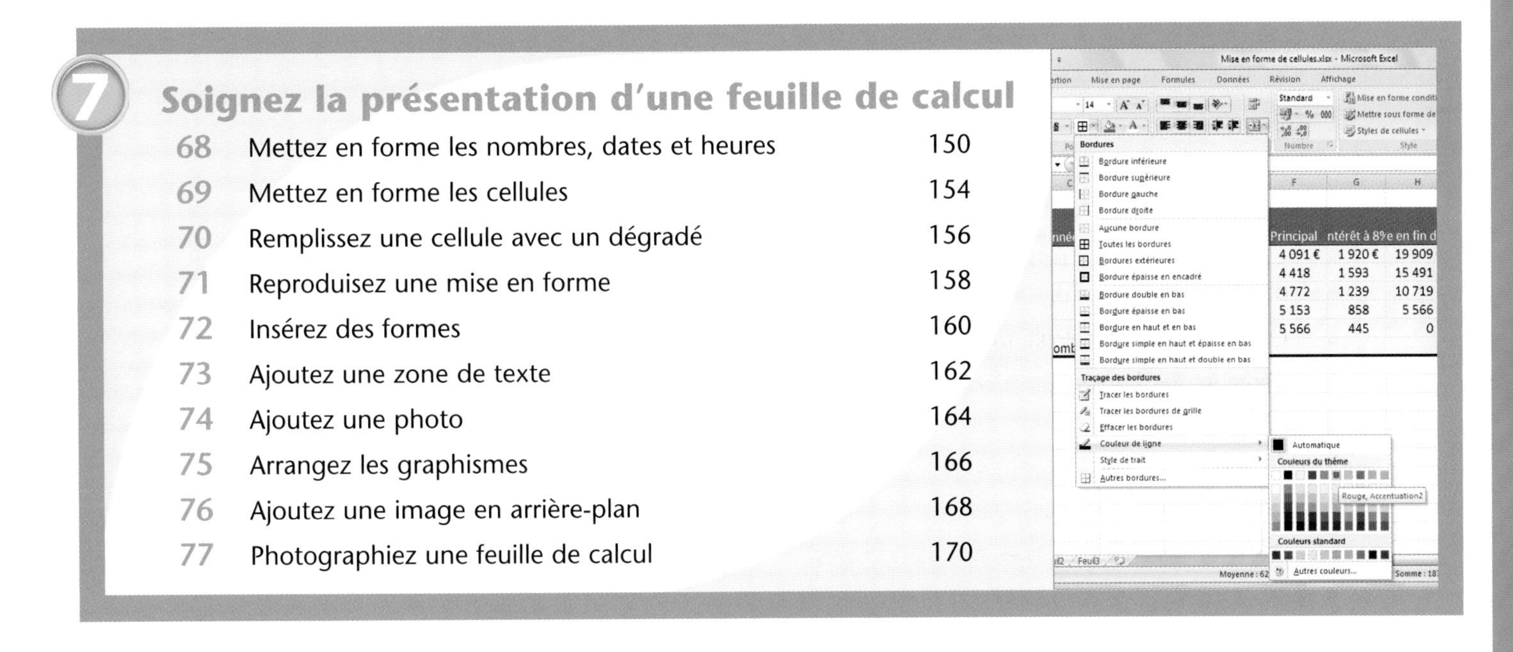

7 Soignez la présentation d'une feuille de calcul

8 Protégez, enregistrez et imprimez vos données

Trim 1 | Trim 2 | Trim 3 | Trim 4

Article 1 359 439 355 360 562 560 559 513

153 511 394 498 442

307 297 002 313 162

064 379 827 528 272

883 1 750 783 1 899 389

Table des matières

9 Associez Excel à d'autres programmes

10 Personnalisez Excel

Chapitre 1

Gagnez en efficacité

L'objectif premier d'Excel 2007 est de travailler avec les nombres. Si vous avez besoin d'utiliser des chiffres, que ce soit pour calculer vos impôts, gérer une petite entreprise ou pour tenir votre budget, Excel peut vous faire gagner du temps, vous faciliter le travail et le rendre plus précis.

Excel fournit de nombreuses façons de saisir, de présenter, d'explorer et d'analyser les données. Ce chapitre présente différentes méthodes pour améliorer l'efficacité de votre travail avec Excel. Apprenez à valider vos saisies, à insérer des symboles et des caractères spéciaux et à utiliser la recopie automatique. Cette dernière permet de remplir rapidement une ligne ou une colonne avec une série de valeurs numériques ou alphanumériques, de dates ou d'heures, générées à partir d'une ou de quelques valeurs saisies.

Vous pouvez vous servir du groupement et de la mise en plan pour masquer des parties de votre feuille de calcul afin de mettre en évidence des données particulières, rendant ainsi l'analyse plus facile. Lorsque plusieurs utilisateurs s'échangent une feuille de calcul, les commentaires sont un moyen de communication efficace.

Si vos données sont nombreuses et forment de longues listes, il n'est pas possible de toutes les afficher à l'écran. Figez une partie de la feuille de calcul lorsque vous faites défiler les données afin de conserver dans la fenêtre les titres des rangées ou convertissez vos données en tableau afin d'afficher automatiquement les titres des longues listes.

Top 100

Utilisez une LISTE DE VALIDATION

Excel permet de restreindre les valeurs qu'un utilisateur peut saisir dans une cellule. Durant la saisie des données, une liste de validation force l'utilisateur à sélectionner une valeur dans une liste déroulante au lieu de la taper. Ces restrictions assurent la validité des données saisies et des opérations effectuées. Ainsi, les listes de validation font gagner du temps et réduisent le risque d'erreurs.

Pour créer une liste de validation, saisissez les valeurs à inclure dans des cellules adjacentes d'une colonne ou d'une ligne. Il est possible de nommer cette plage (consultez la tâche n°11). Après avoir saisi les valeurs, utilisez la boîte de dialogue Validation des données pour les affecter à la liste de validation. Vous pouvez ensuite copier cette liste de validation dans toutes les cellules de saisie à l'aide de la commande Collage spécial.

La liste de validation peut être placée dans une autre partie de la feuille de calcul ou sur une autre feuille.

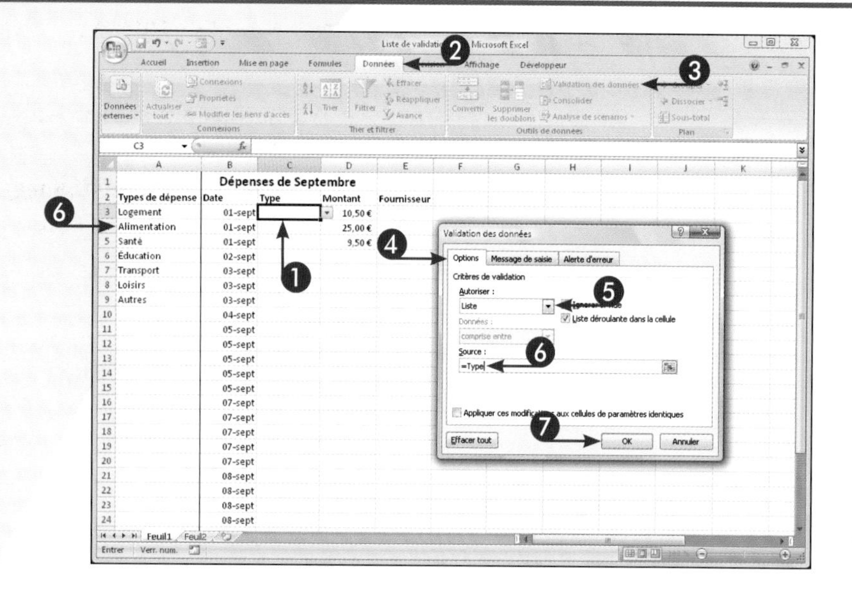

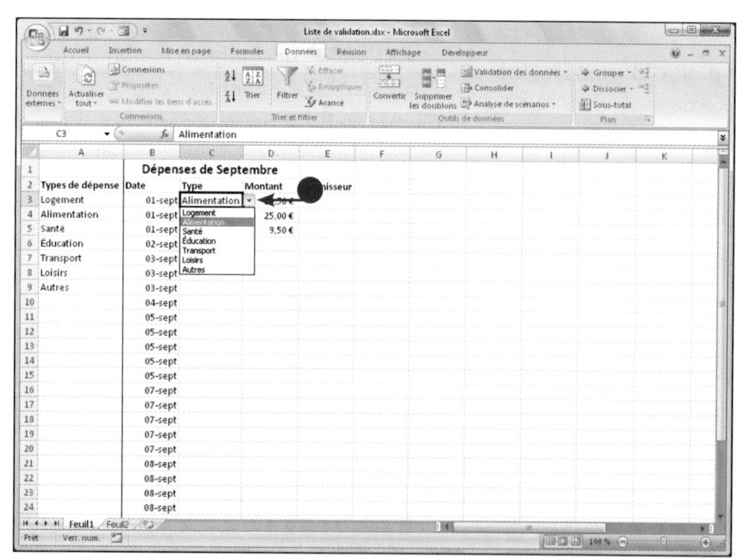

1. Cliquez la cellule dans laquelle vous voulez imposer une liste de validation.
2. Cliquez l'onglet **Données**.
3. Cliquez **Validation des données** dans le groupe **Outils de données**.

- La boîte de dialogue Validation des données apparaît.

4. Cliquez l'onglet **Options**.
5. Déroulez la liste **Autoriser** et sélectionnez **Liste**.
6. Cliquez dans la zone **Source** et faites glisser le pointeur pour sélectionner les valeurs valides ou tapez = suivi du nom de la plage.
7. Cliquez **OK**.

- Excel crée une liste de validation dans la cellule sélectionnée.

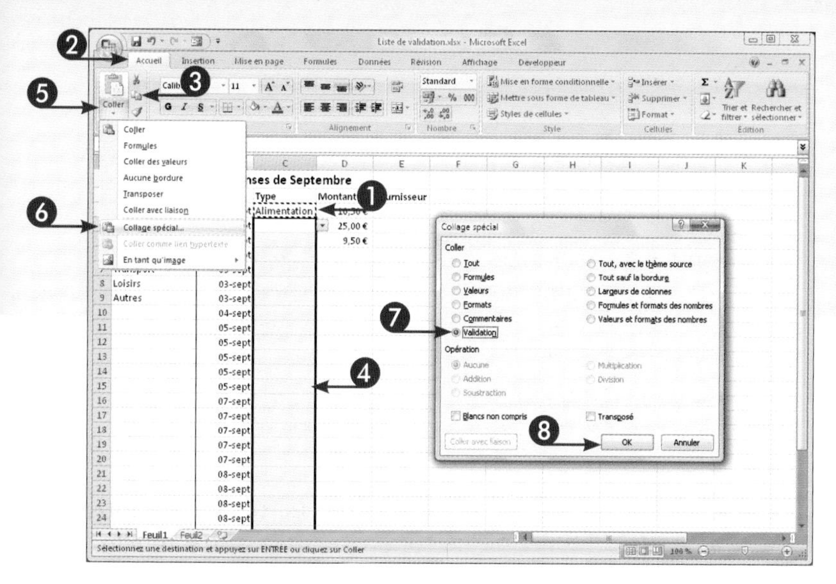

Collez la liste de validation

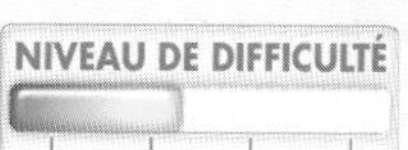

1. Cliquez dans la cellule contenant la liste de validation.
2. Cliquez l'onglet **Accueil**.
3. Cliquez **Copier** dans le groupe Presse-papiers.
4. Sélectionnez les cellules dans lesquelles placer la liste de validation.
5. Cliquez **Coller** dans le groupe Presse-papiers.

   Un menu s'ouvre.
6. Cliquez **Collage spécial**.

- La boîte de dialogue Collage spécial apparaît.

7. Cliquez **Validation** (○ devient ◉).
8. Cliquez **OK**.

   Excel place la liste de validation dans les cellules sélectionnées.

- Lorsque l'utilisateur veut saisir une donnée, il doit la choisir dans la liste.

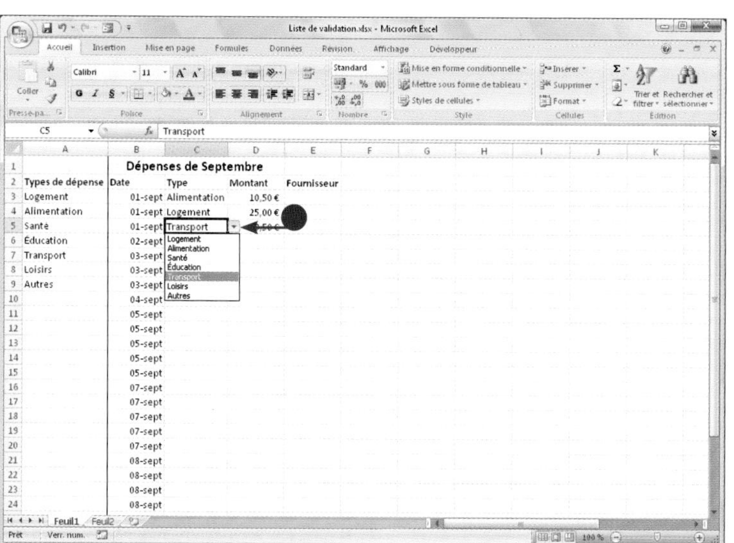

Le saviez-vous ?

La liste de validation peut comprendre des nombres, des noms de régions, d'employés, de produits, *etc.*

Pas d'éléments inutiles !

Pour supprimer une liste de validation, cliquez n'importe quelle cellule contenant la liste à supprimer, cliquez l'onglet **Accueil**, puis **Rechercher et sélectionner** dans le groupe **Édition**. Un menu s'ouvre. Cliquez **Sélectionner les cellules**. La boîte de dialogue Sélectionner les cellules apparaît. Cliquez **Validation des données**, puis **Identiques**, enfin cliquez **OK**. La boîte de dialogue se ferme. Cliquez l'onglet **Données** et **Validation des données** dans le groupe **Outils de données**. Un menu s'ouvre. Cliquez **Validation des données.** La boîte de dialogue Validation des données apparaît. Cliquez **Effacer tout**, puis **OK**.

Employez des RÈGLES DE VALIDATION

Vous pouvez créer des règles de validation afin de vous assurer que les données saisies ont le format correct et vous pouvez exiger des valeurs entières, des décimales, des dates, des heures ou un texte d'une longueur définie. Vous pouvez aussi imposer que les valeurs soient comprises entre, extérieures à, différentes de, égales à, supérieures à, inférieures à certaines limites définies.

Comme pour toute validation de données, vous pouvez créer un message de saisie affiché lorsque l'utilisateur sélectionne la cellule et un message d'alerte signalant une saisie incorrecte. Une alerte peut arrêter l'utilisateur, donner un avertissement ou simplement une information.

Après avoir créé une règle de saisie, copiez-la et collez-la dans les cellules appropriées grâce à l'option Validation du Collage spécial. Consultez la section « Collez la liste de validation » de la tâche n°1 pour voir comment coller la règle de validation.

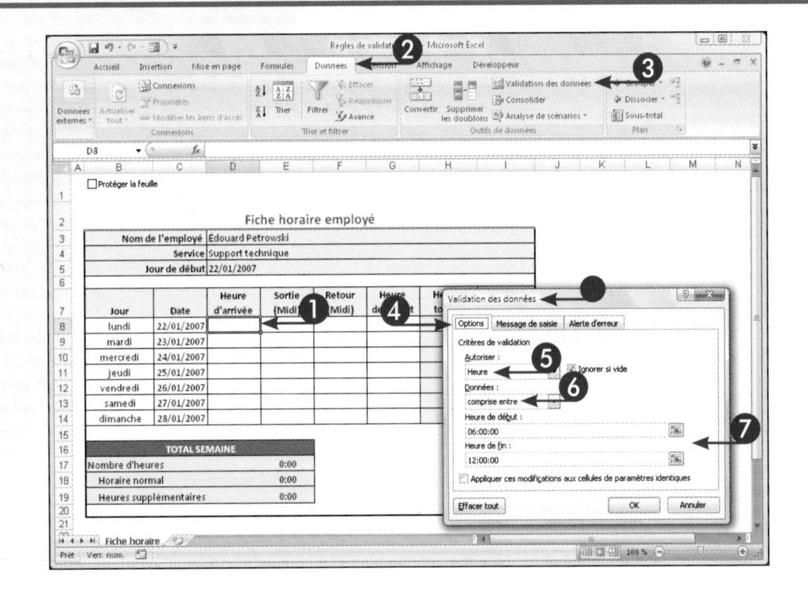

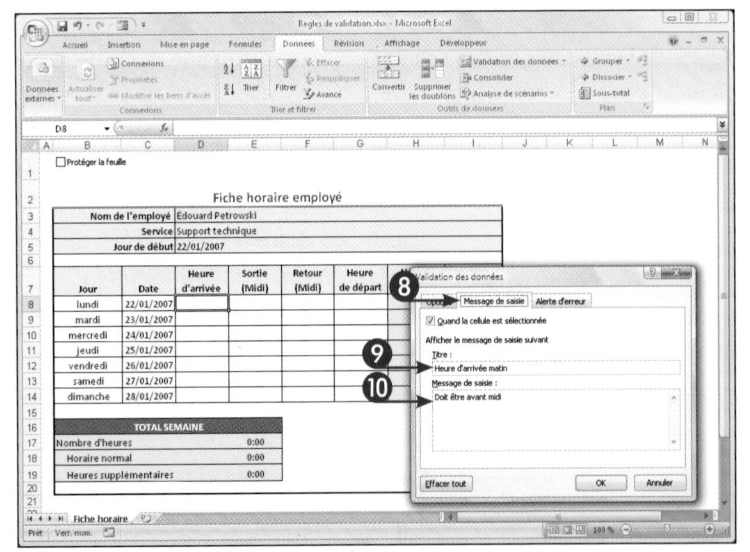

1. Cliquez dans la cellule qui recevra la règle de validation.
2. Cliquez l'onglet **Données**.
3. Cliquez **Validation des données** dans le groupe **Outils de données**.

- La boîte de dialogue Validation des données apparaît.

4. Cliquez l'onglet **Options**.
5. Déroulez la liste **Autoriser** et choisissez un critère de validation.
6. Déroulez la liste **Données** et choisissez la contrainte à imposer.
7. Dans chaque zone, saisissez la valeur limite ou sélectionnez la cellule contenant la valeur à utiliser.
8. Cliquez l'onglet **Message de saisie**.
9. Saisissez un titre de message.
10. Écrivez le texte du message.

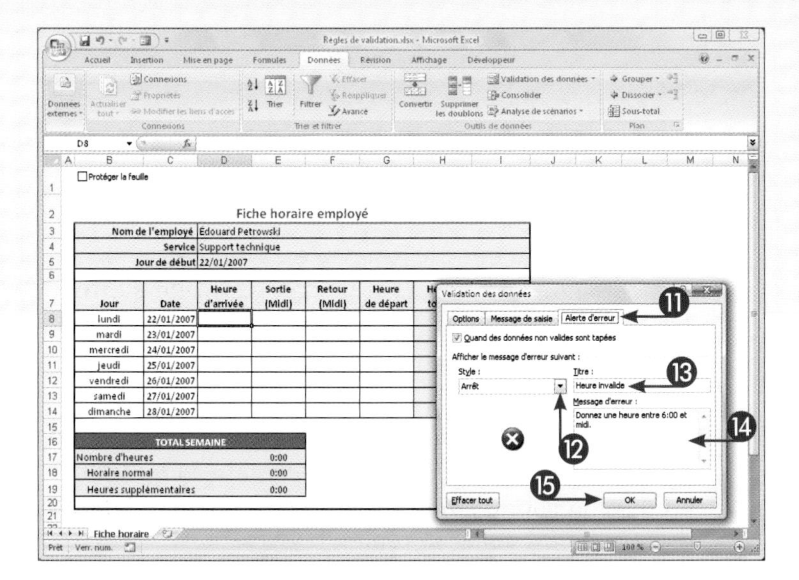

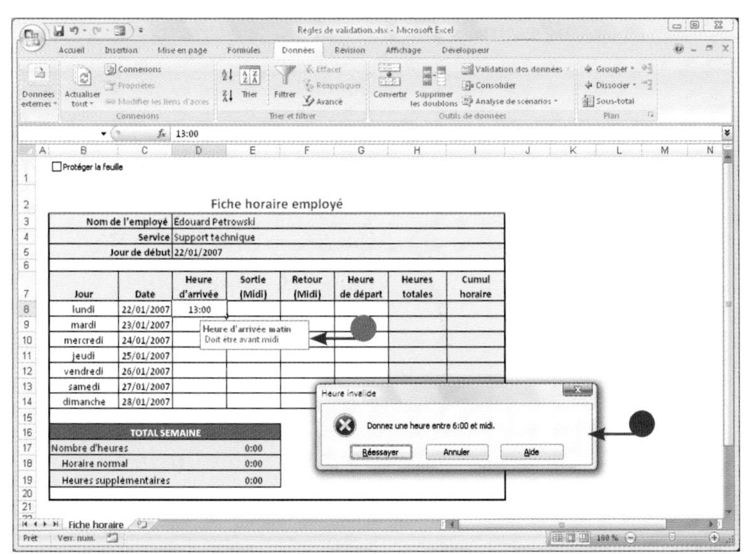

2

NIVEAU DE DIFFICULTÉ

⓫ Cliquez l'onglet **Alerte d'erreur**.

⓬ Déroulez la liste **Style** et choisissez un style.

Choisissez **Arrêt** pour interdire la saisie de données non valides.

Choisissez **Avertissement** pour afficher un avertissement sans empêcher la saisie.

Choisissez **Informations** pour afficher un message d'information.

⓭ Tapez un titre.

⓮ Écrivez le message d'erreur.

⓯ Cliquez **OK**.

Excel crée la règle de validation des données.

- Lorsque vous cliquez dans la cellule, Excel affiche le message de saisie.
- Lorsqu'une entrée n'est pas valide, Excel affiche l'alerte d'erreur.

Important !

Après avoir créé vos règles de validation de données, effectuez les étapes de la section « Collez la liste de validation » de la tâche n°1 pour appliquer vos règles de validation aux cellules voulues.

Le saviez-vous ?

Si vous utilisez des cellules pour définir les critères de validation à l'étape **7**, vous pouvez modifier les critères sans changer la règle de validation.

Le saviez-vous ?

Lorsqu'une saisie n'est pas valide, une alerte d'erreur affiche le message que vous avez défini. Si vous avez choisi le style **Arrêt**, les entrées ne correspondant pas aux critères seront refusées. Les styles Avertissement et Informations autorisent la saisie de données non valides.

Prolongez une série avec la RECOPIE AUTOMATIQUE

La recopie automatique fournit un moyen d'assurer la précision des données lorsqu'une série dispose d'un ordre intrinsèque, telle une série numérique ou la liste des jours de la semaine, des mois de l'année, *etc.*

Pour utiliser la recopie automatique, commencer par taper une ou plusieurs valeurs à partir desquelles les autres valeurs pourront être générées. Sélectionnez la ou les cellules commençant la série. La sélection de deux ou de plusieurs cellules définit l'incrément de la série qui servira à générer le contenu des cellules suivantes. Une fois les cellules sélectionnées, cliquez la poignée de recopie dans le coin inférieur droit et faites-la glisser. Lorsque vous relâchez le bouton de la souris, Excel remplit les cellules en complétant la série.

Après le remplissage de la série, Excel affiche un bouton de menu. Cliquer ce bouton ouvre un menu permettant de modifier le remplissage. Vous pouvez copier la valeur initiale, remplir la série un jour à la fois ou l'étendre d'après les jours de la semaine, les mois ou les années selon le type de remplissage.

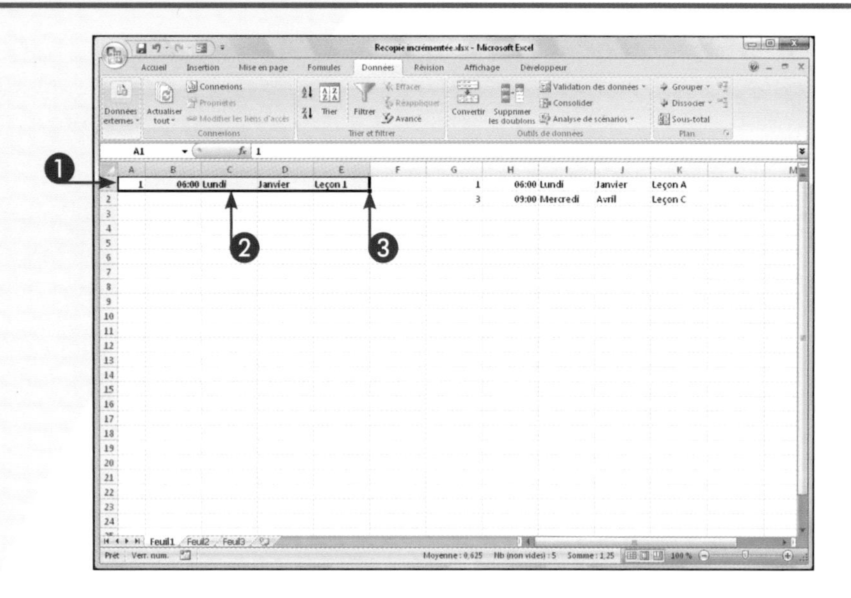

1. Tapez la première valeur de la série à créer.
2. Sélectionnez la ou les cellules.
3. Cliquez la poignée de recopie.

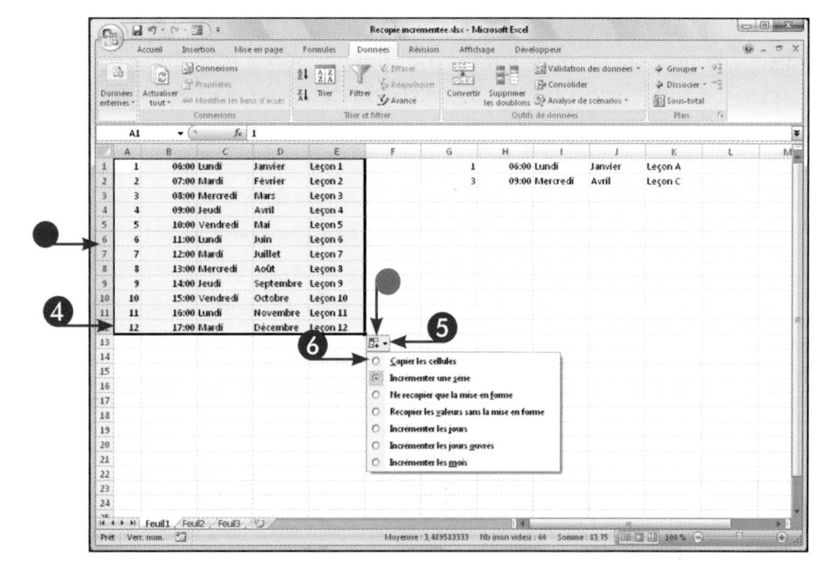

4. Faites glisser la poignée sur le nombre de cellules désiré et relâchez le bouton de la souris.

- Excel complète la ou les séries.
- Le bouton Options de recopie incrémentée apparaît.

5. Cliquez le bouton.

   Un menu apparaît.

6. Cliquez **Copier les cellules** (○ devient ◉).

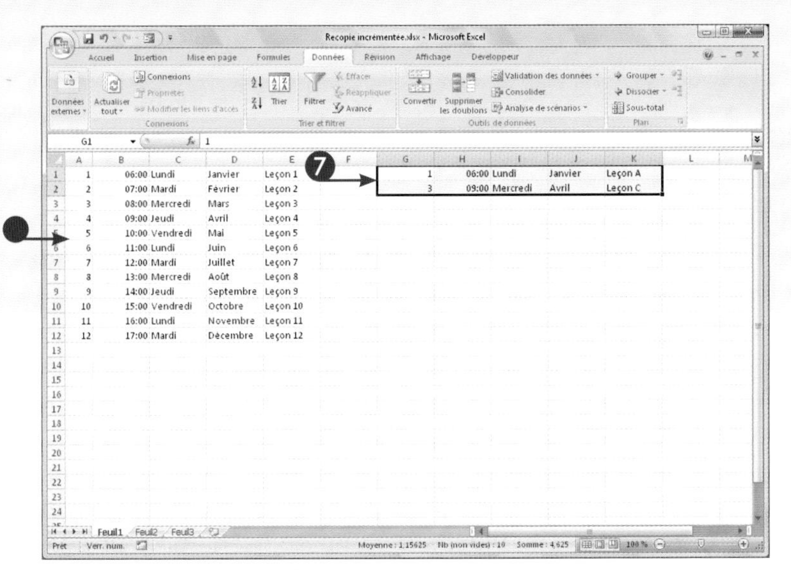

- Excel change chaque série en copie de la première cellule.

⑦ Tapez un modèle de saisie.

⑧ Répétez les étapes **2** à **4**.

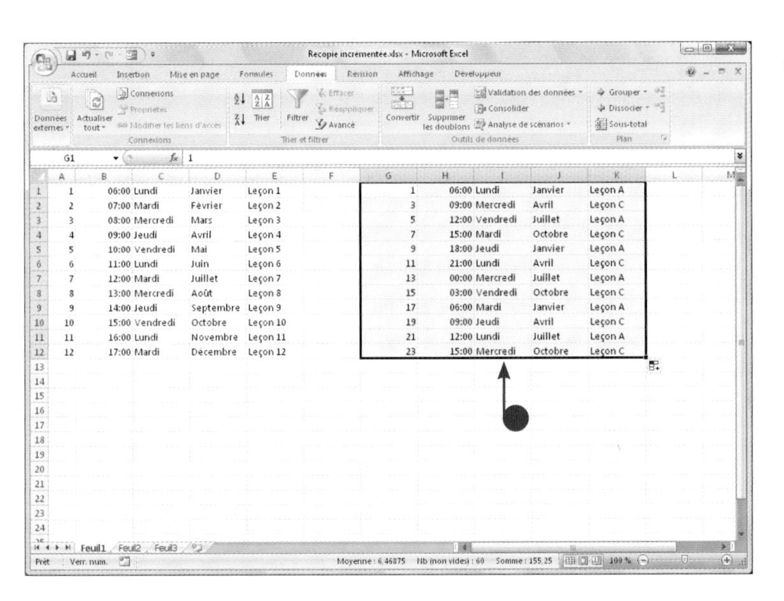

- Excel remplit les cellules selon le modèle.

Le saviez-vous ?

Lorsque vous relâchez le bouton de la souris après avoir créé une série, le bouton Options de recopie incrémentée () apparaît. Cliquez ce bouton pour afficher un menu d'options. Si vous souhaitez compléter la série avec les jours de la semaine, choisissez **Incrémenter les jours** ou **Incrémenter les jours ouvrés** pour compléter avec les jours du lundi au vendredi seulement (○ devient ◉). Vous pouvez aussi choisir l'option **Ne recopier que la mise en forme** ou l'option **Recopier les valeurs sans la mise en forme** (○ devient ◉) pour modifier seulement soit le contenu des cellules soit leur mise en forme. Une série peut être complétée dans n'importe quelle direction : le haut, le bas, la gauche ou la droite.

Insérez un symbole ou un CARACTÈRE SPÉCIAL

Excel ne vous restreint pas aux seuls caractères affichés sur votre clavier. Vous pouvez sélectionner parmi des centaines de caractères spéciaux, tels des lettres d'alphabets étrangers, des symboles mathématiques ou des symboles de devises comme le Yen (¥). Chaque police contient son propre jeu de caractères spéciaux. Un ensemble de caractères standard, appelés Symboles, est aussi toujours disponible. Il comprend notamment les tirets, traits d'union et autres signes de ponctuation.

Les symboles et les caractères spéciaux ont de multiples utilisations dans Excel. De nombreuses applications financières, par exemple, demandent des symboles de devises. Ces caractères sont aussi utilisés dans les titres descriptifs de lignes et de colonnes, par exemple *Valeur en $*.

Utiliser un symbole ou un caractère spécial dans une cellule conjointement avec une valeur comme un nombre ou une date peut empêcher celle-ci d'être utilisée dans une formule. Si vous devez placer un symbole dans une cellule utilisée par une formule, appliquez-lui un format de nombre. Pour créer un format de nombre personnalisé, consultez la tâche n°98.

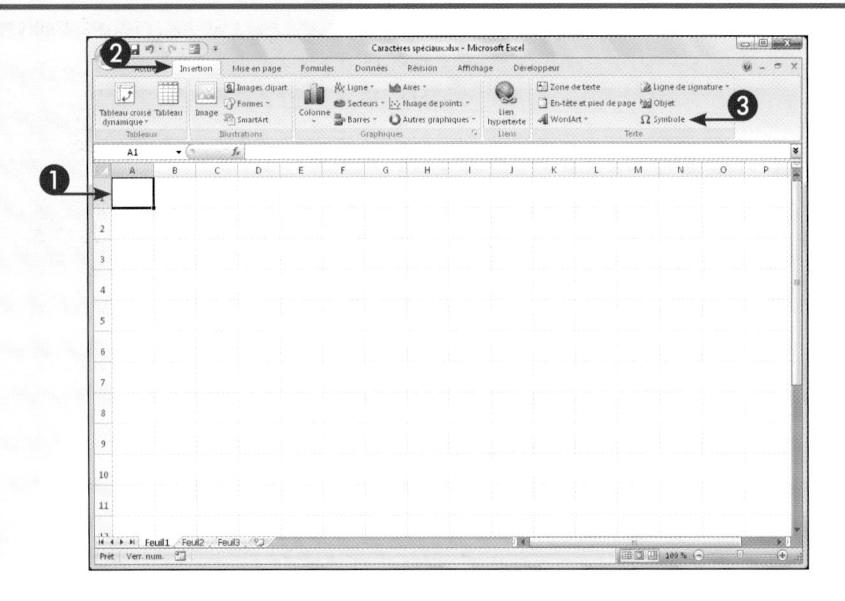

Ajoutez un symbole

1. Cliquez dans la cellule où insérer le symbole.
2. Cliquez l'onglet **Insertion**
3. Cliquez **Symbole** dans le groupe **Texte**.

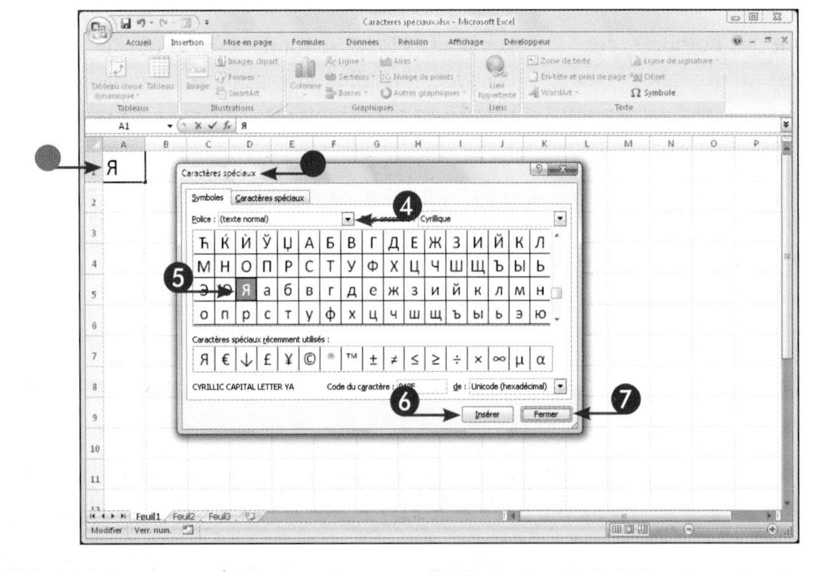

- La boîte de dialogue Symbole apparaît.

4. Déroulez la liste et sélectionnez une police.
5. Cliquez le symbole à utiliser.
6. Cliquez **Insérer**.

- Le caractère apparaît dans la cellule.

7. Cliquez **Fermer**.

La boîte de dialogue Symbole se ferme.

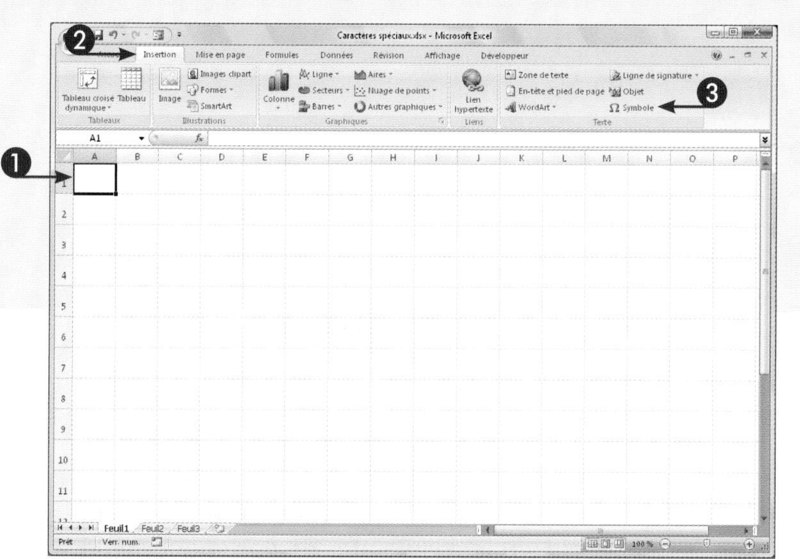

Ajoutez un caractère spécial

1. Cliquez dans la cellule où insérer le caractère.
2. Cliquez l'onglet **Insertion**.
3. Cliquez **Symbole** dans le groupe **Texte**.

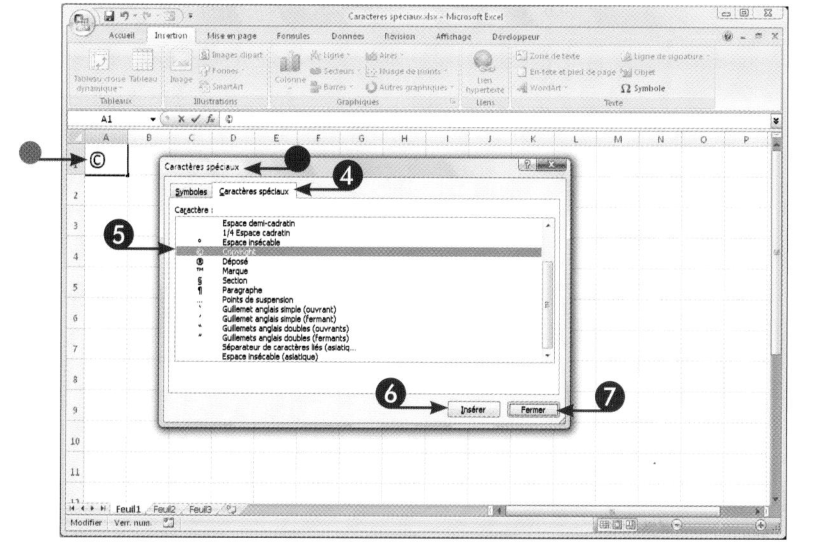

- La boîte de dialogue Symbole apparaît.

4. Cliquez l'onglet **Caractères spéciaux.**
5. Localisez dans la liste le caractère à utiliser et cliquez-le.
6. Cliquez **Insérer**.

- Le caractère apparaît dans la cellule.

7. Cliquez **Fermer**.

La boîte de dialogue Symbole se ferme.

Le saviez-vous ?

Avec Excel, les données sont des nombres, des dates, des heures, des lettres ou des caractères spéciaux. Les opérations numériques n'acceptent que des nombres, des dates ou des heures et traitent les lettres et les caractères spéciaux comme des cellules vides ou des zéros. Pour afficher un symbole monétaire, comme dans 500 €, et utiliser la valeur dans un calcul, vous devez appliquer un format monétaire, comptabilité ou personnalisé à la cellule.

Le saviez-vous ?

Les polices Excel se fondent sur la norme Unicode, identifiant des dizaines de milliers de caractères et permettant l'affichage d'au moins 80 langues, y compris celles qui se lisent de droite à gauche. Pour utiliser une autre langue, allez dans le Panneau de configuration pour définir les options régionales et procurez-vous le clavier approprié.

Masquez des lignes AVEC UN PLAN

Le mode Plan d'Excel peut être utilisé pour grouper et masquer des ensembles de lignes ou de colonnes. Par exemple, vous pouvez masquer les détails des chiffres d'affaires quotidiens pour pouvoir comparer les totaux par semaine ou par mois. Un plan peut comprendre jusqu'à huit niveaux de détail.

La création d'un plan depuis un ensemble de lignes ou de colonnes ajoute un bouton cliquable dans la bordure gauche ou supérieure de la feuille. Ce bouton affiche un signe plus ou moins, selon ce qui est affiché dans la feuille de calcul. Cliquez sur le signe moins pour masquer les lignes, et sur le signe plus pour les réafficher. À côté de ce bouton, la longueur de la ligne continue signale le nombre approximatif de lignes masquées.

Le mode plan a été conçu à l'origine pour les informations structurées, tels les tableaux, mais il peut être utilisé avec toute feuille de calcul, y compris avec les tableaux croisés dynamiques.

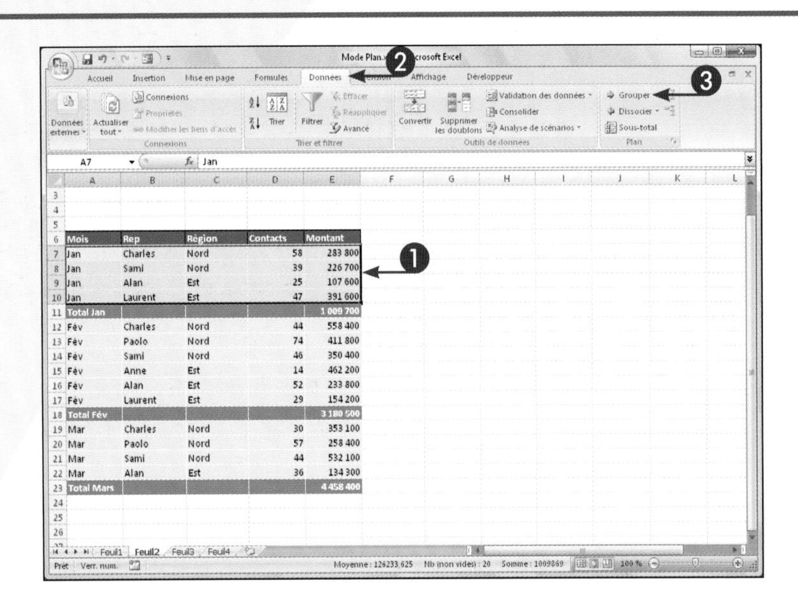

Ajoutez un groupe

1. Sélectionnez les cellules à masquer.
2. Cliquez l'onglet **Données**.
3. Cliquez **Grouper** dans le groupe **Plan**.

   Vous pouvez aussi sélectionner les cellules et appuyer sur **Maj+Alt+Flèche droite**.

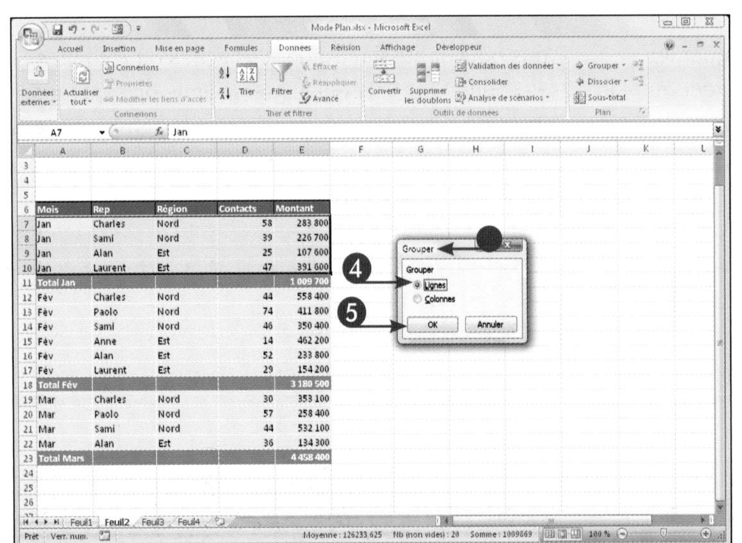

- La boîte de dialogue Grouper apparaît.

4. Sélectionnez **Lignes** ou **Colonnes** (◯ devient ◉).

   Cliquez **Lignes** pour grouper les lignes.

   Cliquez **Colonnes** pour grouper les colonnes.

5. Cliquez **OK**.

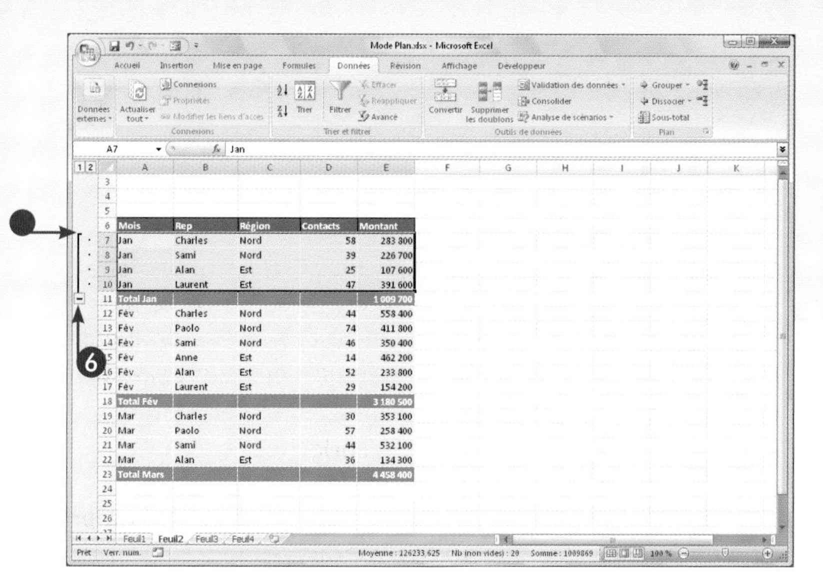

- Excel crée une nouvelle ligne en marge (gauche ou supérieure) contenant un signe moins.

6. Pour masquer les lignes, cliquez le signe moins.

   Les lignes sont masquées et le signe moins est remplacé par un plus.

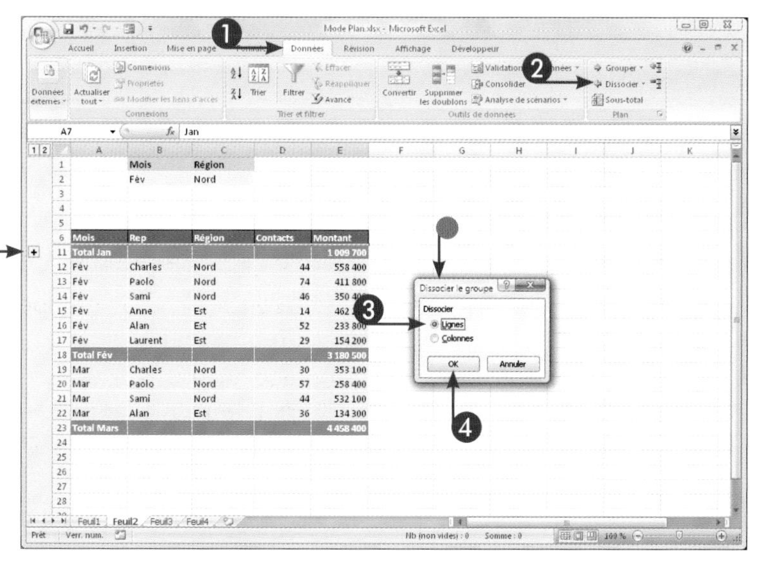

- Pour réafficher les lignes, cliquez le signe plus.

Supprimez un groupe

1. Cliquez l'onglet **Données**.
2. Cliquez **Dissocier**.
   - La boîte de dialogue Dissocier le groupe apparaît.
3. Cliquez **Lignes** ou **Colonnes** (○ devient ◉).

   Cliquez **Lignes** pour dissocier les lignes.

   Cliquez **Colonnes** pour dissocier les colonnes.
4. Cliquez **OK**.

   Excel supprime le groupe.

Le saviez-vous ?

Vous pouvez imbriquer les plans, c'est-à-dire créer un plan à l'intérieur d'un autre plan. Par exemple, dans les données d'une année, vous pouvez regrouper les données par mois et dans chaque mois, regrouper les semaines.

Le saviez-vous ?

Vous pouvez aussi masquer des lignes ou colonnes sélectionnées en faisant glisser la ligne de séparation des lettres de colonne ou des numéros de ligne pour réduire la largeur de colonne ou la hauteur de ligne. D'autre part, si vous cliquez du bouton droit des lettres de colonne ou des numéros de ligne sélectionnés, un menu apparaît. Cliquez **Masquer** pour masquer la sélection. Pour rendre visibles les lignes masquées, sélectionnez les en-têtes entourant les lignes masquées, cliquez la sélection du bouton droit et choisissez **Afficher** dans le menu.

RECHERCHEZ ET REMPLACEZ
des mises en forme

Chaque cellule peut contenir un nombre, un texte ou une formule, ainsi qu'un commentaire et un format. Vous pouvez rechercher tous ces éléments afin de les afficher, de les remplacer ou d'effectuer une action avec eux. Par exemple, vous pouvez rechercher et remplacer un texte pour corriger une faute d'orthographe ou encore rechercher une valeur pour lui ajouter un commentaire ou lui appliquer une mise en forme particulière.

La boîte de dialogue Rechercher et remplacer est accessible par le groupe Édition de l'onglet Accueil ou en appuyant sur Ctrl+H. L'outil Recherche est l'autre onglet de la même boîte de dialogue, accessible directement par Ctrl+F.

Pour rechercher et remplacer une mise en forme, précisez ce que vous cherchez et par quoi vous souhaitez le remplacer. Cliquez le bouton Options dans la boîte de dialogue Rechercher et remplacer pour définir des détails supplémentaires. La liste déroulante Dans permet d'étendre la recherche à tout le classeur. Le bouton Format permet de restreindre la recherche aux caractères ayant reçu une mise en forme particulière comme la mise en gras ou le format pourcentage.

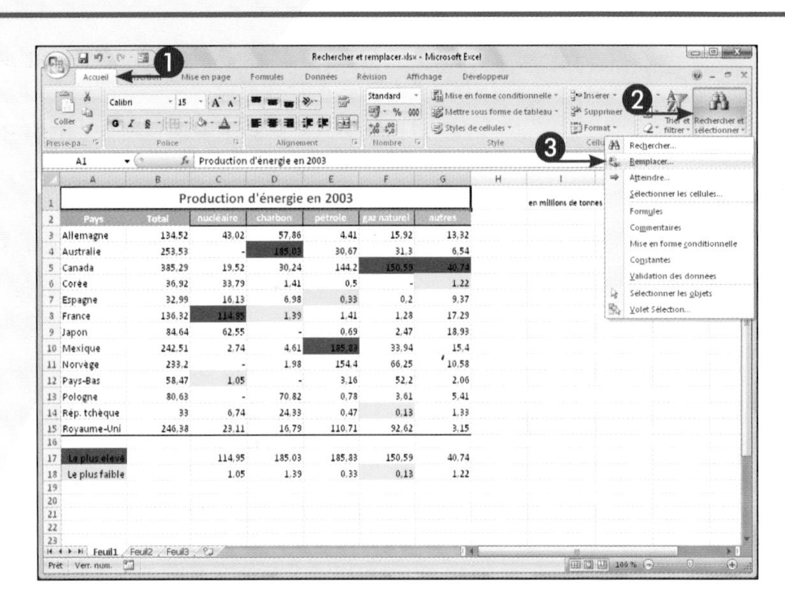

1. Cliquez l'onglet **Accueil**.
2. Cliquez **Rechercher et sélectionner** dans le groupe **Édition**.

   Un menu apparaît.
3. Cliquez **Remplacer**.

   Vous pouvez aussi appuyer sur **Ctrl+H** pour ouvrir la boîte de dialogue Rechercher et remplacer.

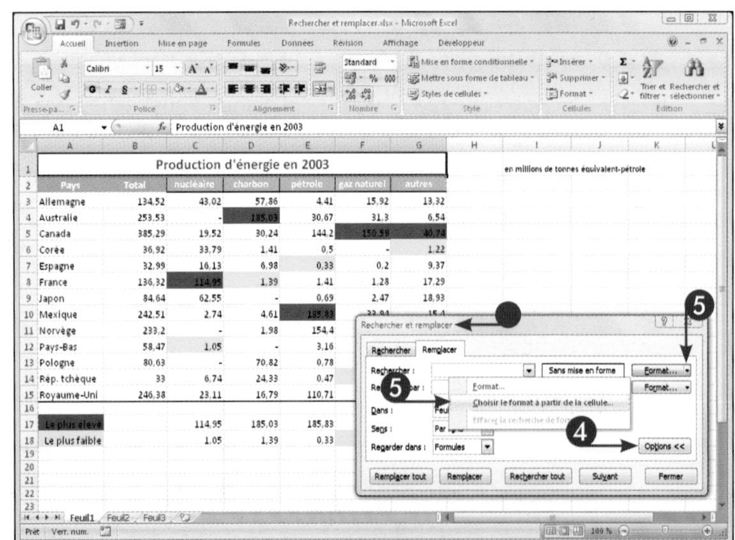

- La boîte de dialogue Rechercher et remplacer apparaît.

4. Cliquez **Options** si votre boîte de dialogue n'est pas semblable à celle de la figure.

   Note. *Le bouton Options vous permet de basculer entre les deux formats de la boîte de dialogue.*
5. Déroulez la liste **Format** et sélectionnez **Choisir le format à partir de la cellule**.

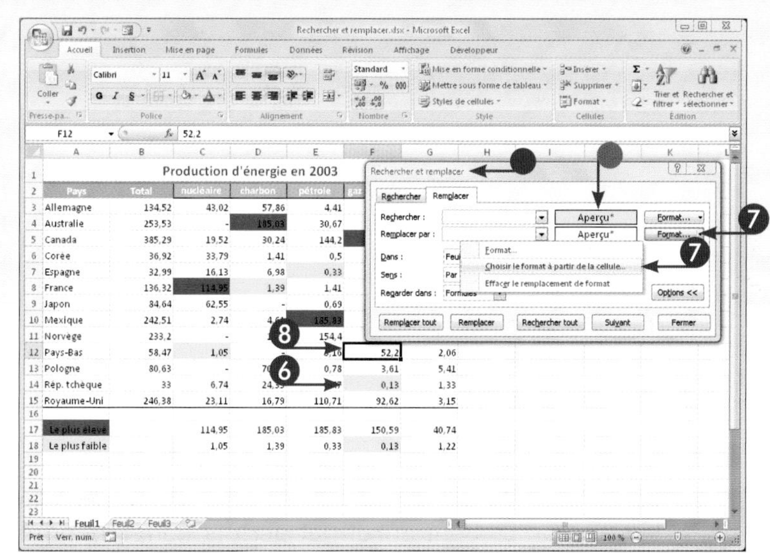

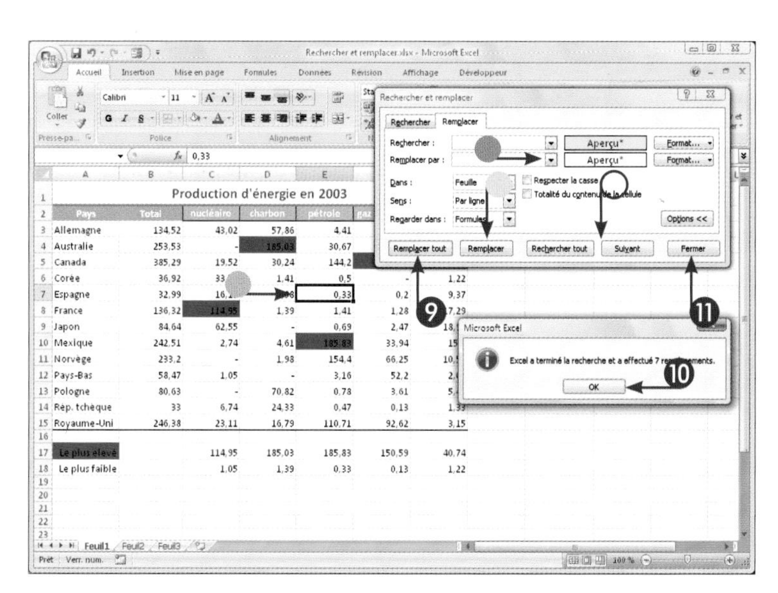

6

NIVEAU DE DIFFICULTÉ

La boîte de dialogue Rechercher et remplacer disparaît.

6. Cliquez dans une cellule présentant la mise en forme à rechercher.

   L'exemple sélectionne une cellule dont le remplissage est jaune.

- La boîte de dialogue Rechercher et remplacer réapparaît.
- La zone d'aperçu présente la mise en forme sélectionnée.

7. Déroulez la liste **Format** et sélectionnez **Choisir le format à partir de la cellule**.

   La boîte de dialogue Rechercher et remplacer disparaît.

8. Cliquez dans une cellule présentant la mise en forme à utiliser comme remplacement.

   Dans l'exemple, une cellule sans remplissage est sélectionnée.

   La boîte de dialogue Rechercher et remplacer réapparaît.

- La zone d'aperçu présente la mise en forme sélectionnée.

9. Cliquez **Remplacer tout**.

- Excel modifie la mise en forme des cellules.

  Les remplissages jaunes ont été supprimés.

10. Cliquez **OK**.
11. Cliquez **Fermer**.

- Vous pouvez cliquer Remplacer pour effectuer les modifications une à une.
- Si vous souhaitez seulement rechercher les cellules, utilisez **Rechercher** ou **Rechercher tout** pour sélectionner les cellules sans modifier la mise en forme.

Important !

Avant de lancer une nouvelle recherche, vérifiez qu'aucune mise en forme n'est restée définie pour la recherche ni pour le remplacement en déroulant les listes **Format** et en sélectionnant **Effacer la recherche de format** et **Effacer le remplacement de format**.

Le saviez-vous ?

Dans la boîte de dialogue Rechercher et remplacer, cliquer le bouton **Format** ouvre la boîte de dialogue Rechercher le format ou Remplacer le format. Ces boîtes de dialogue permettent de définir le format, l'alignement, la police, les bordures, le remplissage et la protection des cellules à rechercher/remplacer.

Le saviez-vous ?

Lorsque vous recherchez un texte ou une valeur, saisissez ce texte ou cette valeur dans la zone **Rechercher**. Saisissez le texte ou la valeur à remplacer dans la zone **Remplacer par**.

AJOUTEZ DES COMMENTAIRES
à vos feuilles de calcul

Un commentaire est un bref texte descriptif permettant de documenter votre travail. Si la feuille de calcul est utilisée par quelqu'un d'autre, des commentaires peuvent fournir une information très utile. Un commentaire peut être attaché à n'importe quelle cellule.

Les commentaires ne sont pas affichés automatiquement. Excel associe un commentaire à une cellule et indique sa présence par un petit triangle rouge dans le coin supérieur droit de celle-ci.

Vous afficherez un commentaire en cliquant dans la cellule ou en la survolant avec le pointeur. Pour voir tous les commentaires, cliquez l'onglet Révision et choisissez Afficher tous les commentaires.

Lorsque vous demandez le suivi des modifications, Excel génère automatiquement un commentaire chaque fois que vous copiez ou modifiez une cellule. Le commentaire enregistre la modification apportée à la cellule, l'auteur ainsi que la date et l'heure de la modification. Pour en savoir plus sur le suivi des modifications, consultez la tâche n°34.

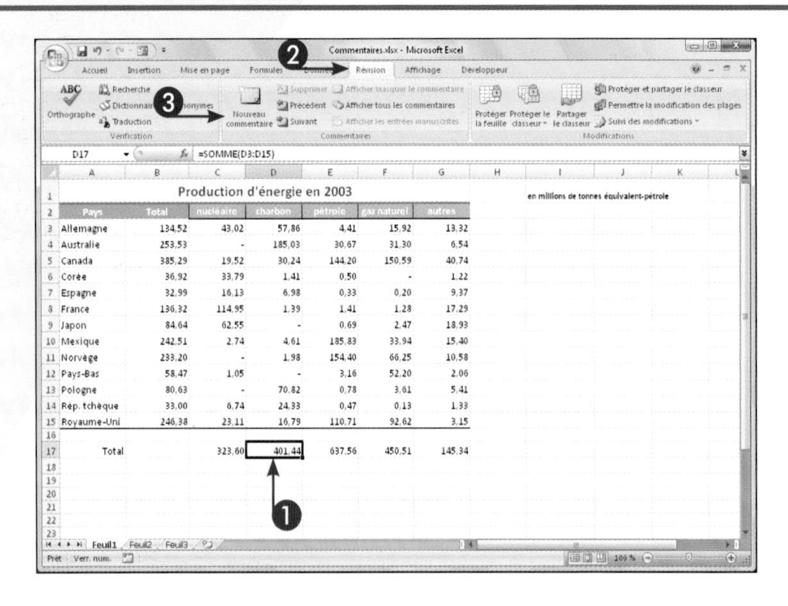

Production d'énergie en 2003 — en millions de tonnes équivalent-pétrole

Pays	Total	nucléaire	charbon	pétrole	gaz naturel	autres
Allemagne	134,52	43,02	57,86	4,41	15,92	13,32
Australie	253,53	-	185,03	30,67	31,30	6,54
Canada	385,29	19,52	30,24	144,20	150,59	40,74
Corée	36,92	33,79	1,41	0,50	-	1,22
Espagne	32,99	16,13	6,98	0,33	0,20	9,37
France	136,32	114,95	1,39	1,41	1,28	17,29
Japon	84,64	62,55	-	0,69	2,47	18,93
Mexique	242,51	2,74	4,61	185,83	33,94	15,40
Norvège	233,20	-	1,98	154,40	66,25	10,58
Pays-Bas	58,47	1,05	-	3,16	52,20	2,06
Pologne	80,63	-	70,82	0,78	3,61	5,41
Rép. tchèque	33,00	6,74	24,33	0,47	0,13	1,33
Royaume-Uni	246,38	23,11	16,79	110,71	92,62	3,15
Total		323,60	401,44	637,56	450,51	145,34

Ajoutez un commentaire

1. Cliquez la cellule à laquelle attacher un commentaire.
2. Cliquez l'onglet **Révision**.
3. Cliquez **Nouveau commentaire** dans le groupe **Commentaires**.

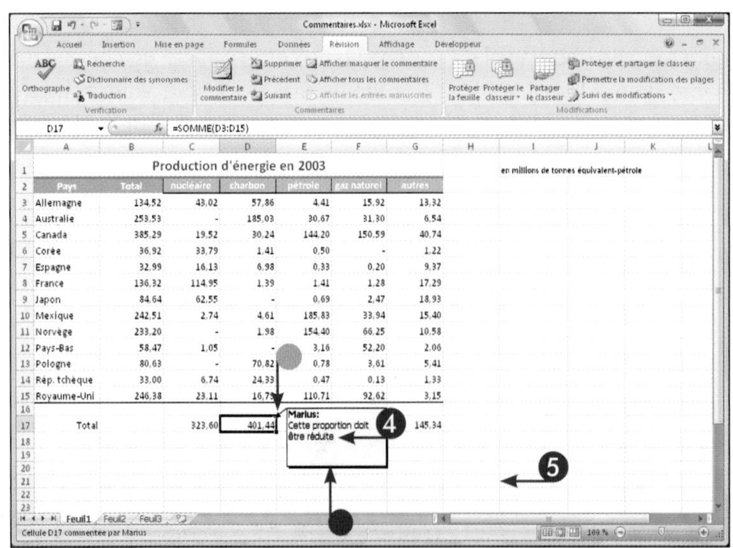

- Une zone de commentaire apparaît.
- Un petit triangle rouge apparaît dans le coin supérieur droit de la cellule.

4. Tapez votre commentaire.

   Note. *Pour appliquer une mise en forme, par exemple mettre un mot en gras, sélectionnez le texte, cliquez du bouton droit, puis Format de commentaire et appliquez la mise en forme voulue.*

5. Cliquez à l'extérieur de la zone de commentaire lorsque vous avez terminé.

   La zone de commentaire disparaît.

   Survolez la cellule avec le pointeur pour afficher le commentaire.

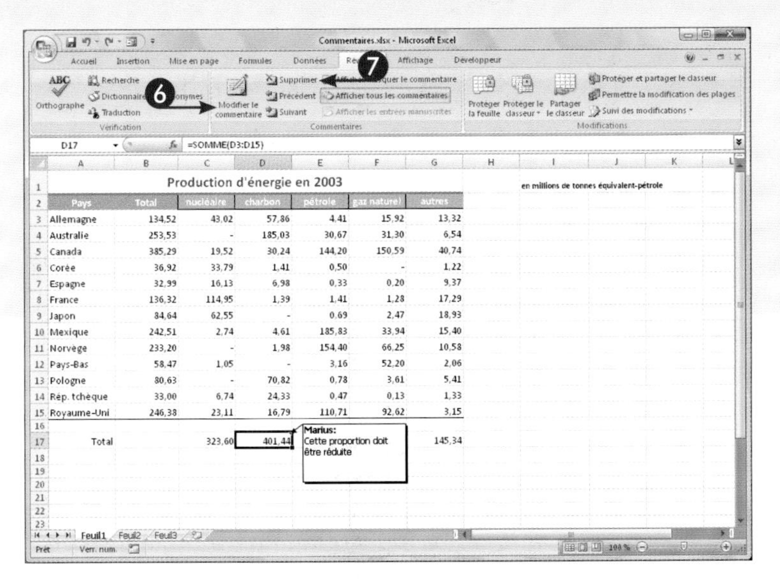

❻ Cliquez **Modifier le commentaire** dans le groupe **Commentaires** pour apporter une modification.

❼ Cliquez **Supprimer** dans le groupe **Commentaires** pour faire disparaître le commentaire.

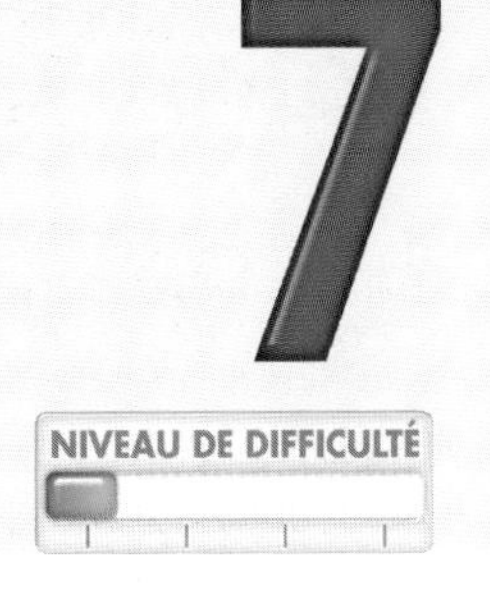

NIVEAU DE DIFFICULTÉ

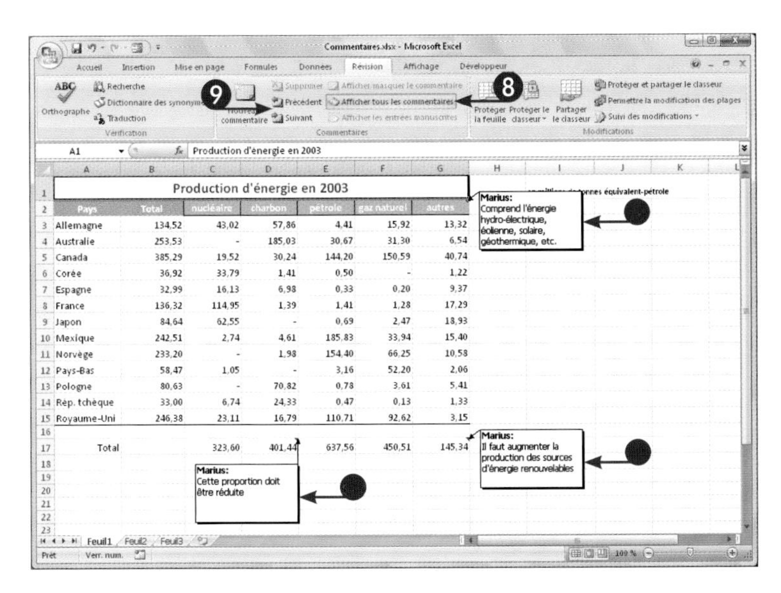

Affichez tous les commentaires

❽ Cliquez **Afficher tous les commentaires** dans le groupe **Commentaires**.

● Tous les commentaires de la feuille sont visibles.

Pour fermer les zones de commentaires, cliquez de nouveau **Afficher tous les commentaires**.

❾ Pour afficher les commentaires l'un après l'autre, cliquez **Suivant** ou **Précédent** dans le groupe **Commentaires**.

Le saviez-vous ?

Pour modifier le nom qui apparaît dans la zone de commentaire, cliquez le bouton **Office**, puis **Options Excel**. La boîte de dialogue correspondante apparaît. Dans l'onglet **Standard**, tapez le nom souhaité dans la zone **Nom d'utilisateur**.

Le saviez-vous ?

Lorsqu'un commentaire en chevauche un autre ou masque la vue, vous pouvez le déplacer. Placez le pointeur sur la bordure de la zone de commentaire. Avec le pointeur en forme de flèche à quatre pointes, cliquez et faites glisser le commentaire vers un meilleur emplacement, puis relâchez le bouton de la souris. Pour modifier sa taille, faites glisser une poignée de coin ou de côté.

Retrouvez facilement les CLASSEURS UTILISÉS RÉGULIÈREMENT

Bien souvent, lorsque vous démarrez Excel, vous souhaitez reprendre le travail commencé dans un classeur, que vous vouliez ajouter de nouvelles valeurs ou reprendre l'élaboration des formules ou l'analyse des données. Excel vous facilite la tâche en proposant dans le menu du bouton Office, la liste des derniers classeurs ouverts. Il est possible de figer les noms de certains classeurs afin qu'ils restent dans cette liste. Si vous utilisez régulièrement les mêmes classeurs, vous pouvez aussi demander à Excel d'ouvrir automatiquement les fichiers d'un dossier spécialement désigné au démarrage du programme au lieu d'ouvrir un classeur vierge.

Si vous souhaitez ouvrir rapidement un classeur alors qu'Excel n'est pas démarré, double-cliquez son nom pour ouvrir simultanément Excel et ce classeur. Pour le retrouver plus facilement, vous pouvez placer un raccourci vers ce classeur sur votre bureau en cliquant sur son nom du bouton droit et en choisissant Envoyer vers.

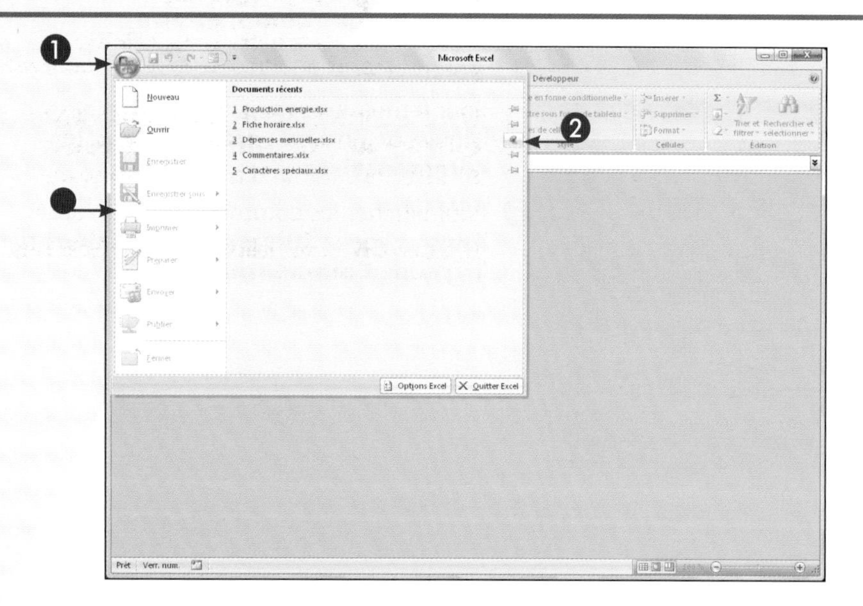

Fixez des noms dans la liste des documents récents

❶ Cliquez le bouton Office.

● Le menu Office apparaît.

❷ Cliquez la punaise à côté du classeur à conserver (devient).

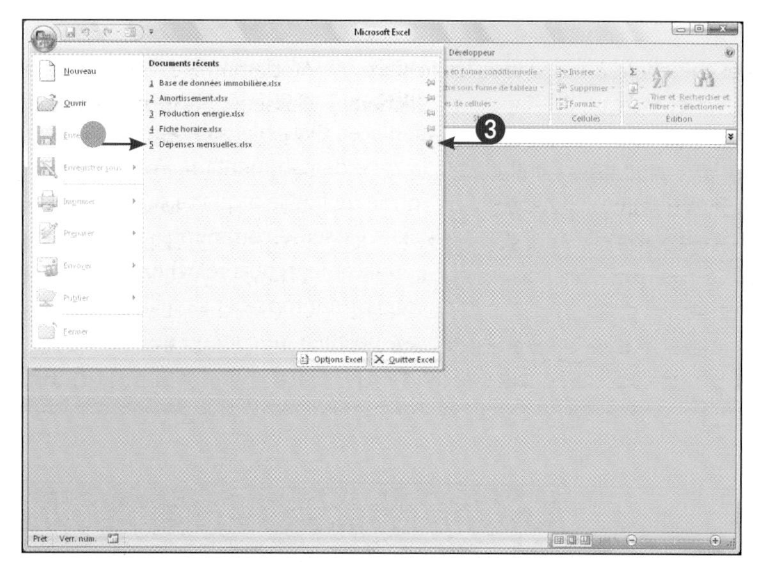

● Le classeur restera dans la liste, quel que soit le nombre de classeurs ouverts ensuite.

❸ Répétez l'étape **2** pour tous les classeurs à conserver dans la liste.

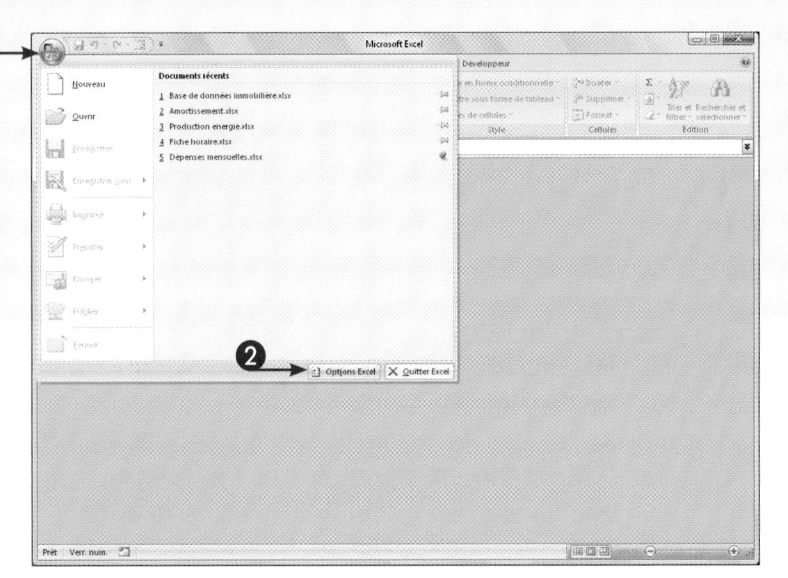

Ouvrez automatiquement des classeurs

NIVEAU DE DIFFICULTÉ

1. Cliquez le bouton Office.
2. Cliquez **Options Excel**.

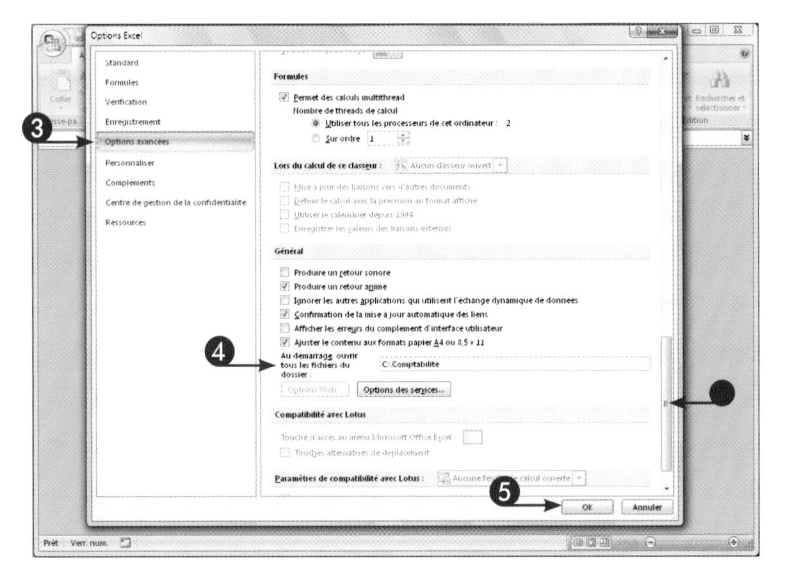

La fenêtre Options Excel apparaît.

3. Cliquez **Options avancées**.

- Faites défiler la fenêtre pour afficher la section Général.

4. Dans la zone de texte **Au démarrage, ouvrir tous les fichiers du dossier**, saisissez le chemin d'accès complet du dossier.
5. Cliquez **OK** pour valider les modifications.

Le saviez-vous ?

Par défaut, la liste des documents récents du menu Office contient 17 noms. Vous pouvez l'étendre jusqu'à 50 noms maximum en modifiant cette valeur dans la section Afficher du panneau Options avancées de la fenêtre Options Excel.

Attention !

Excel cherchera à ouvrir tous les fichiers du dossier indiqué à l'étape **4** et affichera un message d'avertissement s'il ne reconnaît pas le format d'un fichier. Il ouvrira automatiquement tous les fichiers reconnus même s'il ne s'agit pas de classeurs Excel, par exemple les documents `.pdf`, `.zip`, `.rtf`. Ne placez donc dans ce dossier que les classeurs qui doivent être ouverts au lancement d'Excel.

Le saviez-vous ?

Au démarrage, Excel ouvre aussi tous les classeurs présents dans le dossier XLSTART. Si votre système utilise une configuration par défaut, le chemin d'accès de ce dossier devrait être, avec Windows Vista, `C:\Program Files\Microsoft\Office\Office12\ XLStart` et avec Windows XP, `C:\Documents and Settings\nom_d_utilisateur\Application Data\Microsoft\Excel\XLStart`.

Créez une

LISTE DE TRI PERSONNALISÉE

Excel permet de trier les données alphabétiquement, par jour de la semaine ou par mois de l'année. Consultez le chapitre 4 pour en savoir plus sur les tris. Vous pouvez aussi compléter automatiquement des séries de jours de la semaine ou de mois de l'année à l'aide de l'outil de recopie automatique. Consultez la tâche n°3 pour plus de détails.

Si vous utilisez régulièrement une liste de données, vous pouvez créer une liste personnalisée et l'utiliser avec la recopie automatique ou pour trier une liste. Par exemple, vous enregistrez des données par région et vous souhaitez placer les régions toujours dans l'ordre suivant : Champagne, Lorraine, Alsace, Franche-Comté, Bourgogne. Vous pouvez créer une liste personnalisée permettant de compléter cette série et de trier selon cette liste.

Utilisez la boîte de dialogue Liste personnalisée pour créer votre liste. Vous pouvez saisir les données une à une ou les importer depuis des cellules d'une feuille de calcul. Vous utilisez une liste personnalisée de la même façon que n'importe quelle autre liste de recopie automatique.

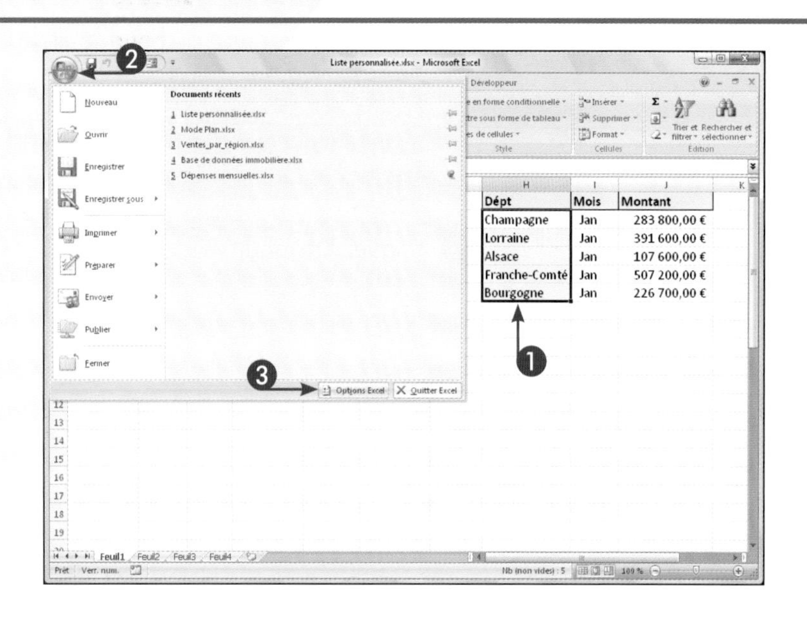

❶ Sélectionnez les cellules qui serviront à créer la liste personnalisée.

❷ Cliquez le bouton **Office**.

Un menu apparaît.

❸ Cliquez **Options Excel**.

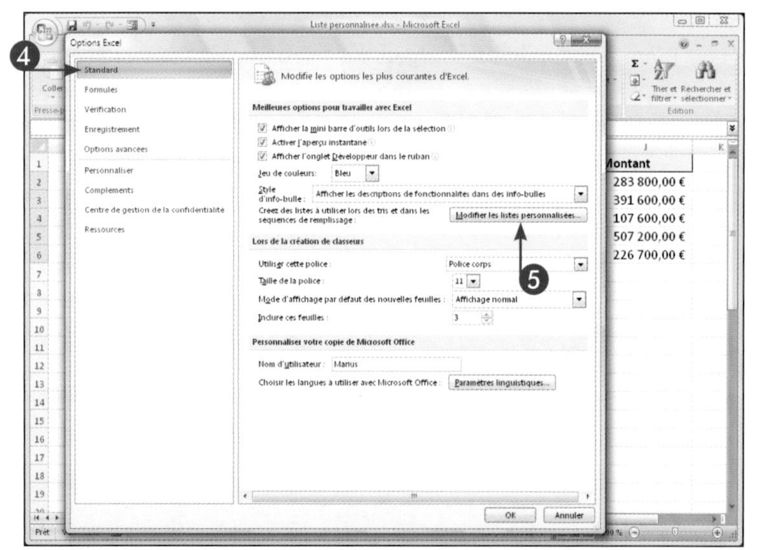

La boîte de dialogue Options Excel apparaît.

❹ Cliquez **Standard**.

❺ Cliquez le bouton **Modifier les listes personnalisées**.

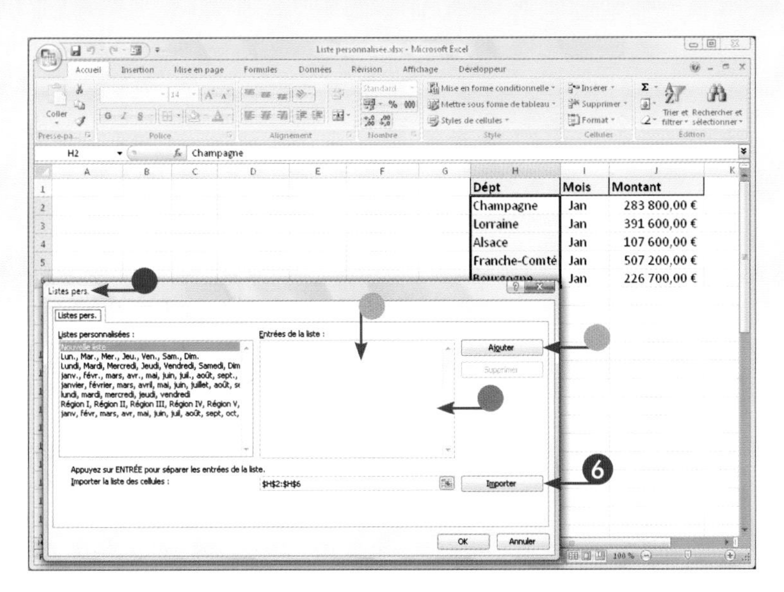

- La boîte de dialogue Listes pers. apparaît.
- La plage sélectionnée à l'étape **1** apparaît ici.

  Vous pouvez sélectionner la plage ou donner son adresse dans la zone Importer la liste des cellules.
- Vous pouvez aussi saisir directement les valeurs ici, puis cliquer **Ajouter**.

❻ Cliquez **Importer**.

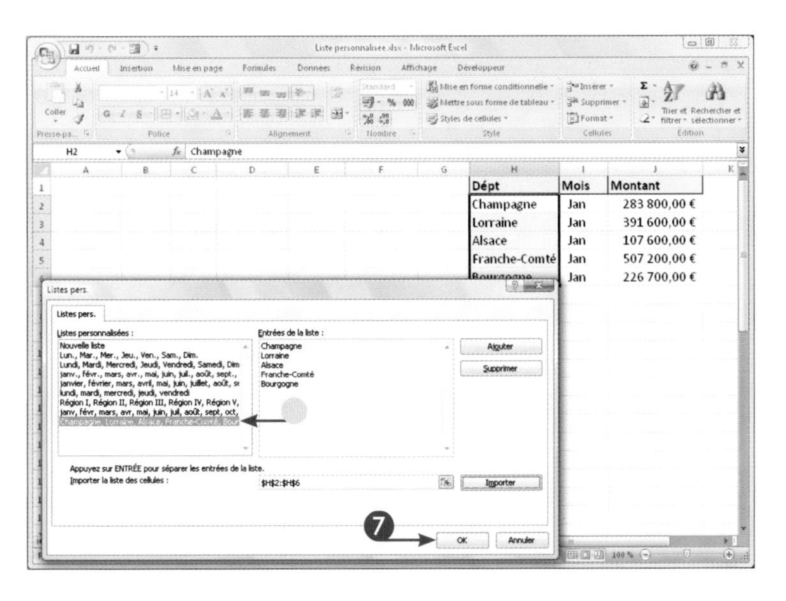

- Votre liste apparaît dans les listes personnalisées.

❼ Cliquez **OK**.

La liste est prête à l'emploi.

Le saviez-vous ?

Pour créer une recopie automatique utilisant votre liste personnalisée, tapez le premier élément de la liste. Cliquez et faites glisser la poignée de recopie située au coin inférieur droit de la cellule. Excel remplit les cellules avec les valeurs de la liste. Si Excel ne le fait pas, cliquez la balise active **Options de recopie incrémentée** (⊞▾) et sélectionnez **Incrémenter une série** (○ devient ◉).

Le saviez-vous ?

Pour trier selon une liste personnalisée, sélectionnez les éléments à trier. Cliquez l'onglet **Données** et choisissez **Trier** dans le groupe **Trier et filtrer**. La boîte de dialogue Tri apparaît. Dans le champ **Ordre**, sélectionnez **Liste personnalisée**. La boîte de dialogue Listes pers. apparaît. Cliquez votre liste, puis **OK**. Pour des instructions plus détaillées, consultez le chapitre 4.

Chapitre 2

Utilisez des formules et des fonctions

Excel fournit des outils pour stocker des nombres et d'autres types de données, mais sa vraie puissance se trouve dans leur manipulation. Les formules et les fonctions permettent d'effectuer des calculs dans Excel.

Plus de 300 fonctions intégrées vous permettent de réaliser toutes sortes de tâches, de l'addition de nombres au calcul du taux de rendement interne d'un investissement. Voyez une fonction comme une boîte noire dans laquelle vous insérez vos données et qui vous renvoie le résultat voulu sans vous imposer de connaître l'algorithme sous-jacent.

Chaque donnée fournie à une fonction est appelée un *argument*. Pour chaque fonction, un assistant vous guide dans l'écriture de chaque argument. Une formule est composée du signe égal, d'une ou de plusieurs fonctions et de leurs arguments, d'opérateurs tels les symboles de multiplication et de division, et de toute autre valeur nécessaire à l'opération.

Plusieurs fonctions sont spécialisées dans des calculs financiers, statistiques, mathématiques et d'ingénierie. Les fonctions sont classées en catégories pour être repérées plus facilement. Par exemple, la fonction VPM de la catégorie Finances calcule le remboursement d'un emprunt à partir du montant, du taux d'intérêt et de la durée de l'emprunt.

Ce chapitre présente des techniques utiles pour faciliter la création de formules et de fonctions, l'assistant de création et l'évaluateur de fonctions. Vous trouverez aussi des astuces pour rendre votre travail plus efficace en le documentant, en nommant des cellules, en créant des constantes. Enfin, vous obtiendrez des conseils sur la fonction SI et des fonctions spécialisées telles VPM et TRI (taux de rendement interne).

Top 100

Saisissez
UNE FORMULE

Trois méthodes permettent de réaliser des calculs simples avec Excel. La première consiste à utiliser les opérateurs d'addition (+), de soustraction (–), de multiplication (*) et de division (/). Écrivez une formule en tapant le signe égal, suivi des valeurs à additionner, soustraire, multiplier ou diviser en séparant chacune par un opérateur, par exemple =25 + 31. Appuyez sur Entrée et Excel effectue le calcul et affiche le résultat dans la cellule. Vous pouvez aussi taper le signe égal, cliquer dans la cellule contenant une des valeurs entrant dans le calcul, puis taper un opérateur.

Une deuxième méthode implique les fonctions. Les fonctions effectuent des calculs sur vos données et en renvoient le résultat. Pour utiliser une fonction, tapez le signe égal suivi du nom de la fonction ; par exemple, =SOMME(). Saisissez les nombres à additionner entre les parenthèses en les séparant par un point-virgule. Si les nombres se trouvent dans la feuille, cliquez dans les cellules. Une dernière méthode est l'utilisation de l'outil Somme automatique qui est un raccourci rapide vers plusieurs fonctions telles SOMME, MOYENNE et NB.

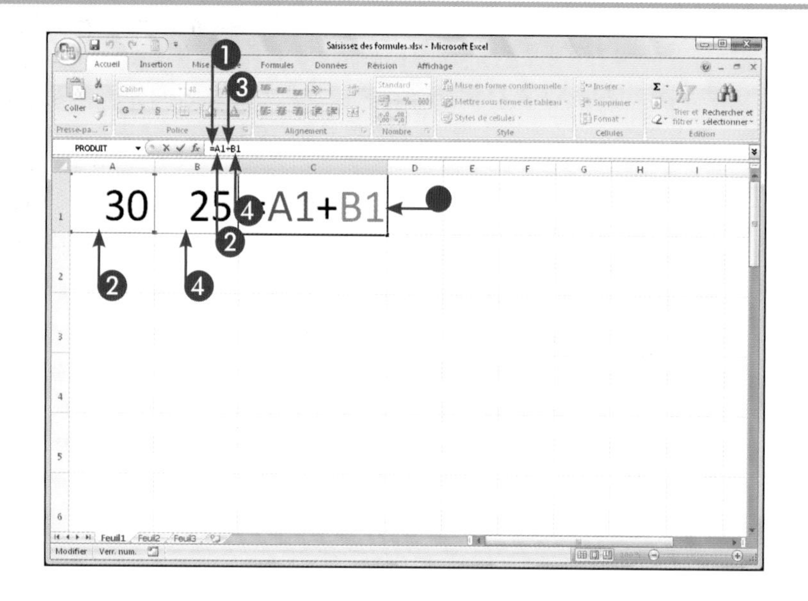

Calculez avec un opérateur

❶ Tapez =.

❷ Cliquez dans la cellule contenant la valeur à utiliser ou saisissez cette valeur.

❸ Tapez un opérateur tel + (addition), - (soustraction), * (multiplication) ou / (division).

❹ Cliquez dans la cellule contenant la valeur à utiliser ou saisissez la valeur suivante.

❺ Répétez les étapes **2** à **4** si nécessaire.

❻ Appuyez sur **Entrée**.

● Le résultat apparaît dans la cellule.

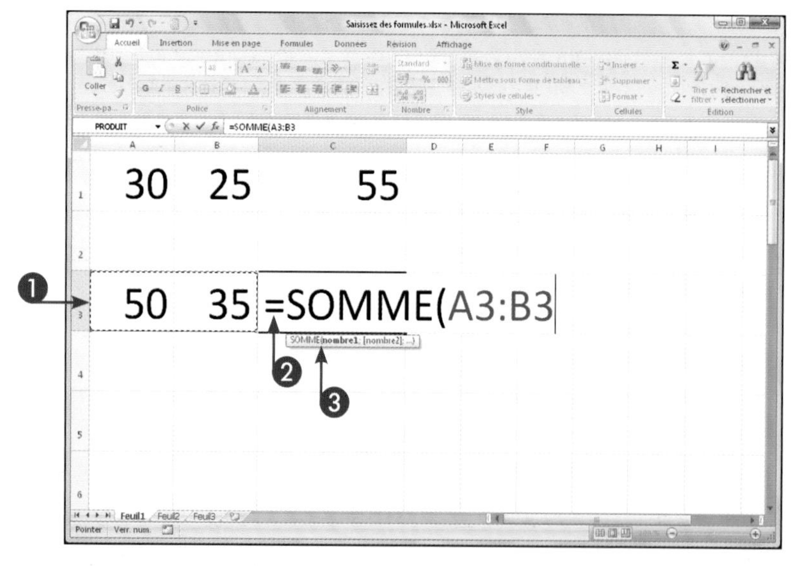

Calculez avec une fonction et des adresses de cellules

❶ Saisissez dans des cellules adjacentes les valeurs entrant dans le calcul.

❷ Dans une autre cellule, tapez = suivi des premières lettres de la fonction.

Une liste d'options apparaît.

❸ Double-cliquez l'option désirée.

❹ Sélectionnez les cellules à inclure dans la formule.

❺ Appuyez sur **Entrée**.

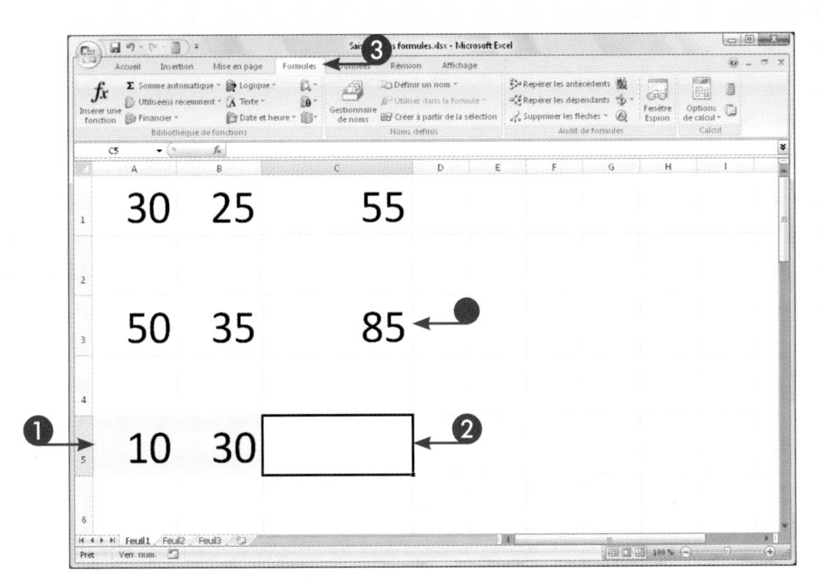

- Le résultat apparaît dans la cellule.

Calculez avec la somme automatique

1. Saisissez les valeurs dans des cellules adjacentes.
2. Cliquez dans la cellule qui contiendra le résultat.
3. Cliquez l'onglet **Formules**.

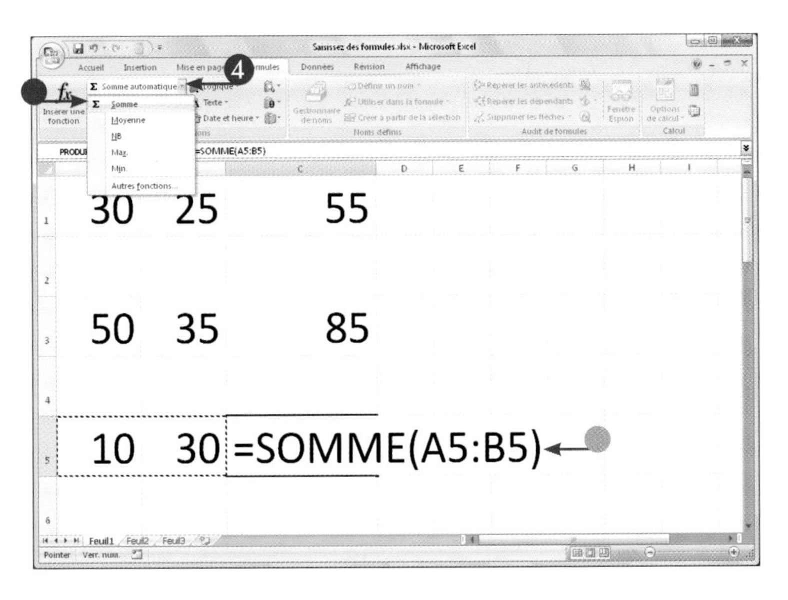

4. Cliquez ici et sélectionnez une option.

- Cet exemple utilise la fonction SOMME.
- Excel insère =SOMME() dans la cellule et propose des cellules à additionner.

5. Si vous acceptez les cellules proposées, appuyez sur **Entrée**.

   Pour modifier le choix de cellules, sélectionnez d'autres cellules et appuyez sur **Entrée**.

   Le résultat apparaît dans la cellule sélectionnée à l'étape **2**.

Le saviez-vous ?

Vous pouvez agrandir ou réduire la barre de formule en cliquant le chevron (⊡) à son extrémité droite. L'agrandissement de la barre de formule permet d'afficher en entier une grande formule.

Le saviez-vous ?

Lorsque vous sélectionnez des cellules, Excel affiche automatiquement la somme, la moyenne et le nombre de cellules non vides dans la barre d'état située au bas de la fenêtre d'Excel.

Le saviez-vous ?

Vous pouvez ajouter à la barre d'outils Accès rapide les boutons plus, moins, multiplier et diviser afin de saisir plus rapidement des formules. Pour ajouter des boutons à la barre Accès rapide, consultez la tâche n°95.

Nommez DES CELLULES ET DES PLAGES

Vous pouvez donner un nom à une cellule ou à une plage (un groupe de cellules). Il est plus facile de se rappeler la cellule *Taxe* ou la plage *Région_Nord* que les adresses correspondantes. Les noms de cellules ou de plages peuvent être utilisés dans des formules pour faire référence aux valeurs qu'elles contiennent. Lorsque vous déplacez une plage nommée, Excel met automatiquement à jour toute formule y faisant référence.

À la création d'un nom de plage, vous déterminez la portée du nom en précisant s'il sera reconnu dans la même feuille seulement ou dans tout le classeur. Plusieurs noms peuvent être créés en une seule étape par la commande Créer à partir de la sélection. Le gestionnaire de noms permet de supprimer des noms.

Un nom ne peut contenir plus de 255 caractères et doit commencer par une lettre. L'espace et les symboles sont interdits à l'exception du point et du caractère de soulignement. Mieux vaut utiliser des noms courts, faciles à mémoriser. Consultez la tâche n°13 sur l'utilisation d'une plage nommée.

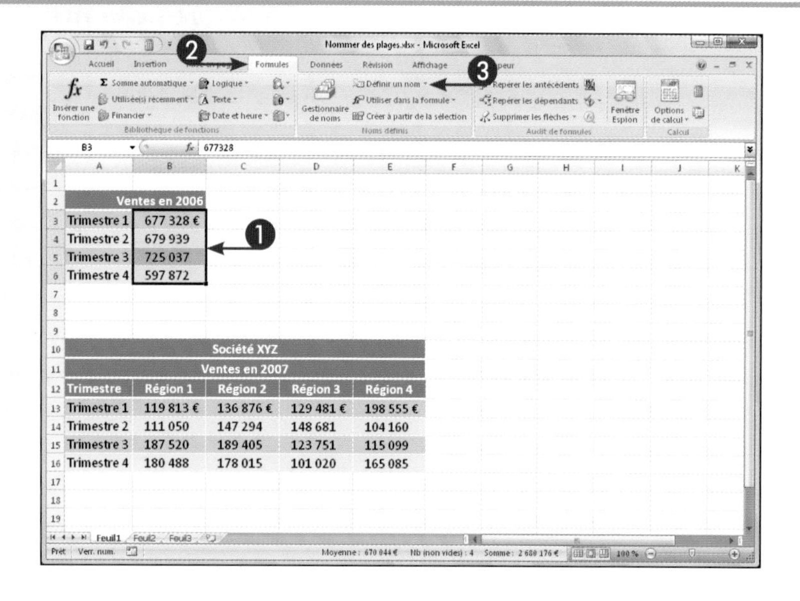

Nommez une plage

1. Sélectionnez les cellules à nommer.

   Pour nommer une cellule seulement, cliquez dans la cellule.

2. Cliquez l'onglet **Formules**.
3. Cliquez **Définir un nom**.

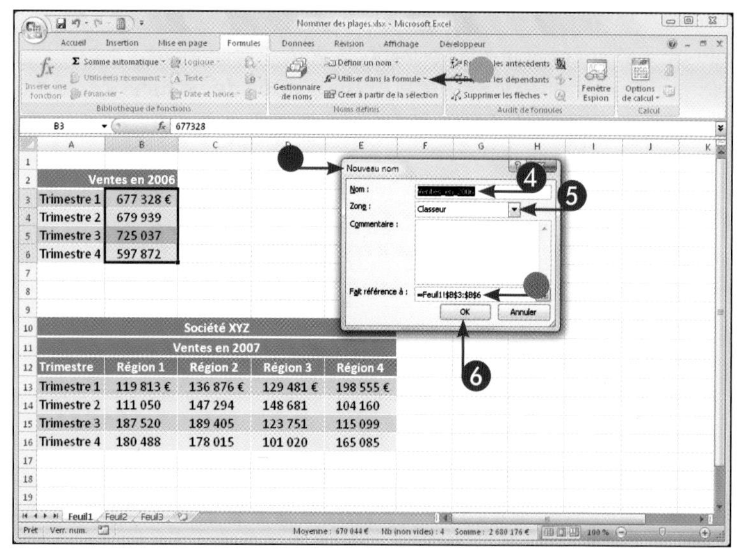

- La boîte de dialogue Créer un nom apparaît.

4. Saisissez le nom de la plage.
5. Déroulez la liste **Zone**, puis sélectionnez la portée du nom.

- La plage sélectionnée à l'étape **1** est indiquée ici.

6. Cliquez **OK**.

   Excel crée une plage nommée.

- Le nom défini est affiché lorsque vous cliquez **Utiliser dans la formule**.

Créez des plages nommées à partir d'une sélection

11

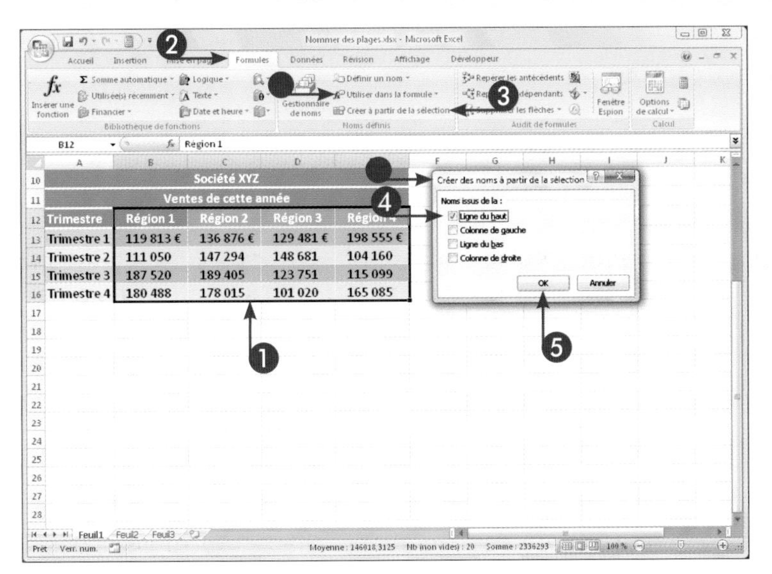

❶ Sélectionnez les cellules à inclure dans la plage nommée.

Sélectionnez aussi les en-têtes qui deviendront les noms des plages.

❷ Cliquez l'onglet **Formules**.

❸ Cliquez **Créer à partir de la sélection**.

● La boîte de dialogue Créer des noms à partir de la sélection apparaît.

❹ Cliquez l'emplacement des noms des plages (☐ devient ☑).

❺ Cliquez **OK**.

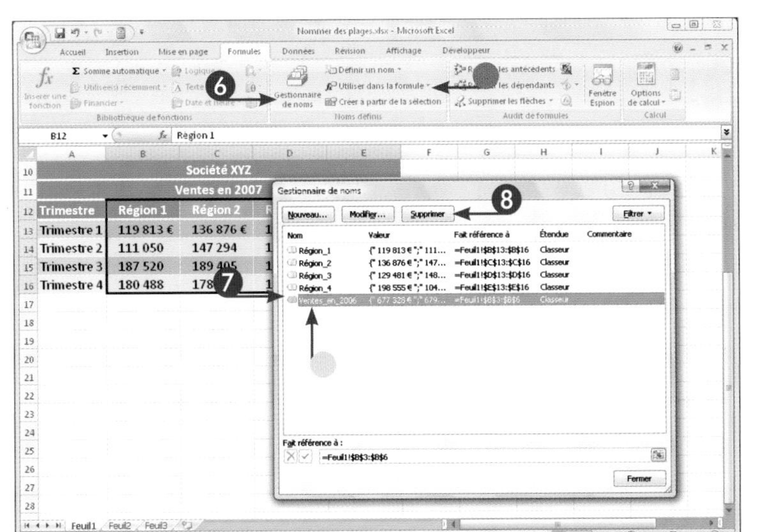

● Les noms définis sont affichés lorsque vous cliquez **Utiliser dans la formule**.

❻ Cliquez **Gestionnaire de noms**.

● Tous les noms de plage apparaissent dans le Gestionnaire de noms.

❼ Cliquez un nom.

❽ Cliquez **Supprimer**.

Excel supprime le nom de la plage.

!

Le saviez-vous ?

Cliquez **Modifier** dans la boîte de dialogue Gestionnaire de noms pour modifier la cellule ou la plage à laquelle le nom fait référence.

Le saviez-vous ?

Si vous cliquez la flèche de la zone Nom à gauche de la barre de formule, la liste des noms définis apparaît. Si vous cliquez un des noms définis, la cellule ou la plage correspondante est sélectionnée.

Le saviez-vous ?

Si vous sélectionnez un groupe de cellules pendant la création d'une formule et que la plage porte un nom, Excel utilise ce nom dans la formule au lieu des références.

Définissez une CONSTANTE

Utilisez une constante si vous voulez utiliser la même valeur dans plusieurs cellules ou formules. Vous pouvez faire référence à une valeur en utilisant le nom de la constante.

Les constantes se prêtent à de nombreuses applications. Par exemple, le taux de TVA est une constante familière qui, multipliée par le prix de l'achat, calcule le montant de la taxe. De même, les taux de taxe sur les tranches de revenu sont constants au cours d'une même année.

Pour créer une constante, vous devez saisir sa valeur dans la boîte de dialogue Nouveau nom, celle qui a servi à définir une plage à la tâche n°11. Lors de la définition, vous déterminez si la constante sera reconnue seulement dans une feuille ou dans toutes les feuilles du classeur. Vous pouvez ensuite utiliser le nom défini de la constante dans des formules.

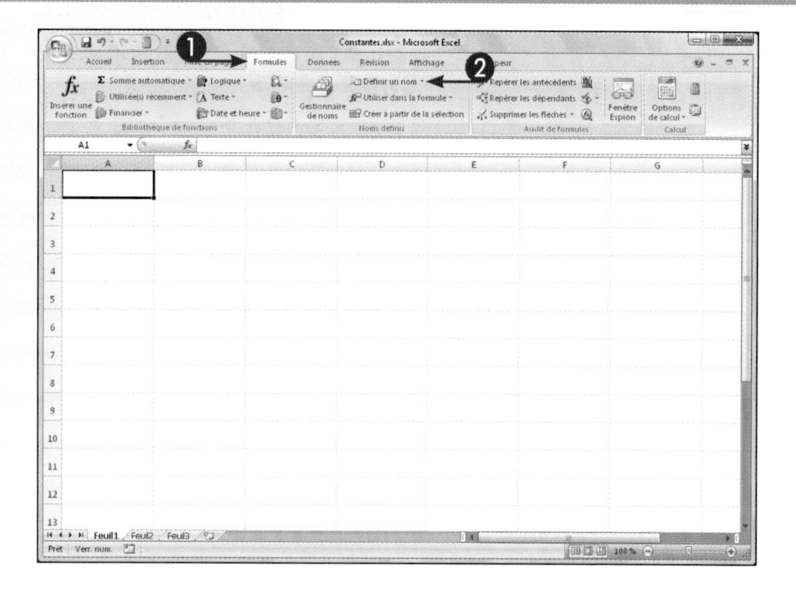

Définissez une constante

1. Cliquez l'onglet **Formules**.
2. Cliquez **Définir un nom**.

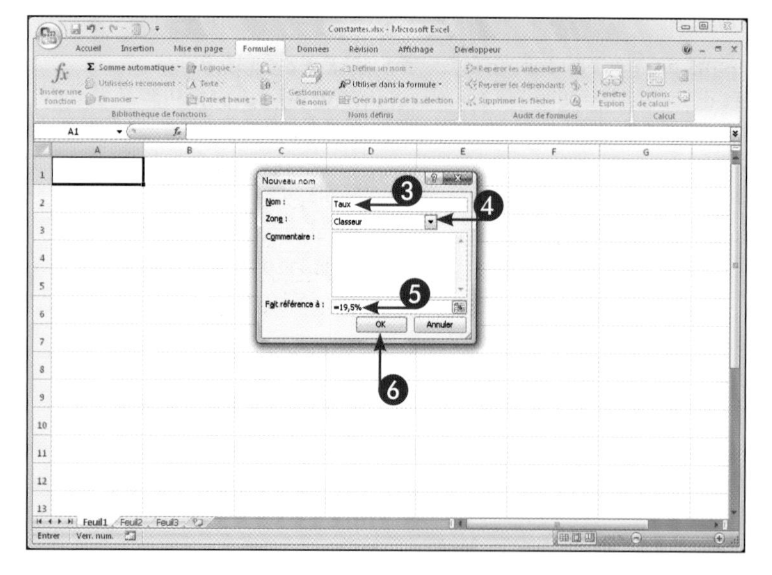

La boîte de dialogue Nouveau nom apparaît.

3. Saisissez le nom de la constante.
4. Déroulez **Zone** pour définir la portée de la constante.
5. Tapez le signe = suivi de la valeur de la constante.
6. Cliquez **OK**.

Vous pouvez maintenant utiliser la constante.

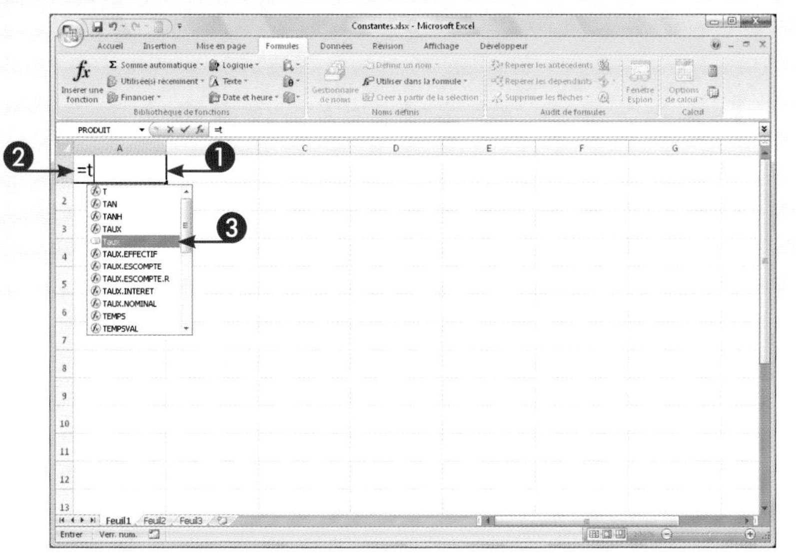

Affichez une constante

1. Cliquez dans une cellule.
2. Tapez le signe = et les premières lettres de la constante.

   Un menu apparaît.

   Note. *Si vous ne connaissez pas le nom de la constante, cliquez l'onglet* ***Formules****, puis* ***Utiliser dans la formule****. Cliquez le nom dans la liste et appuyez sur* ***Entrée****.*
3. Double-cliquez le nom de la constante.

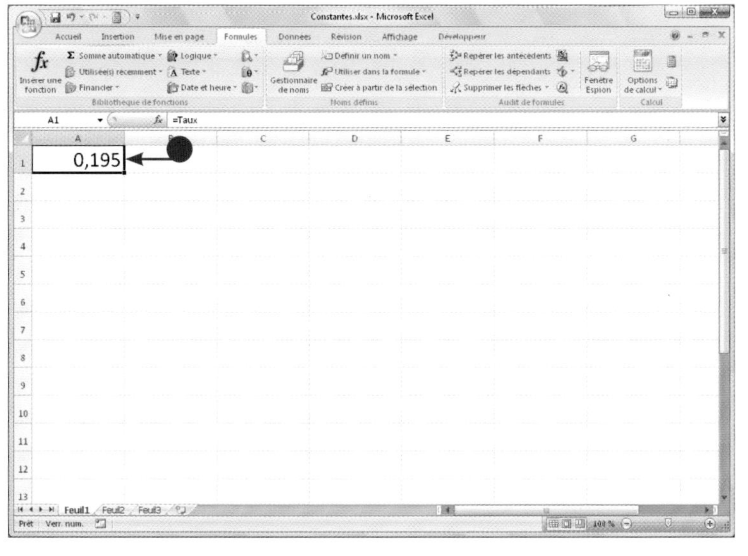

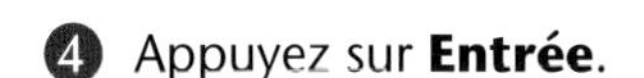

4. Appuyez sur **Entrée**.

- La valeur de la constante s'affiche dans la cellule.

  Note. *Voir la tâche n°13 pour plus d'informations sur l'utilisation des noms de plages et de constantes.*

Le saviez-vous ?

Le Gestionnaire de noms permet de renommer, de modifier et de supprimer des noms de plage et de constante. Cliquez **Gestionnaire de noms** dans l'onglet **Formules** pour ouvrir la boîte de dialogue Gestionnaire de noms. Double-cliquez le nom à modifier. Apportez les modifications voulues, puis cliquez **OK**. Pour supprimer une constante, cliquez son nom dans la boîte de dialogue Gestionnaire de noms, puis cliquez **Supprimer**. Cliquez **Nouveau** dans cette boîte de dialogue pour créer une nouvelle constante. Dans la boîte de dialogue Nouveau nom, saisissez le nom de la constante et sa valeur. Une constante peut contenir du texte : saisissez tout simplement le texte dans la zone **Fait référence à**.

CRÉEZ DES FORMULES
comprenant des noms

La construction d'une formule peut se compliquer lorsque plusieurs fonctions sont présentes ou qu'une fonction nécessite plusieurs arguments. L'utilisation de noms de constante ou de plage peut faciliter la création de formules et l'utilisation de fonctions en vous permettant d'employer des termes que vous avez définis pour identifier clairement une valeur ou une plage de valeurs. Un argument est une donnée fournie à une fonction pour effectuer un calcul. Un nom de constante fait référence à une valeur fréquemment utilisée (voir la tâche n°12). Un nom de plage fait référence à un groupe de cellules (voir la tâche n°11). Pour insérer un nom dans une formule ou comme argument d'une fonction, vous devez le saisir au complet, le sélectionner à l'aide du bouton Utiliser dans la formule ou le sélectionner dans la liste ouverte par la saisie semi-automatique.

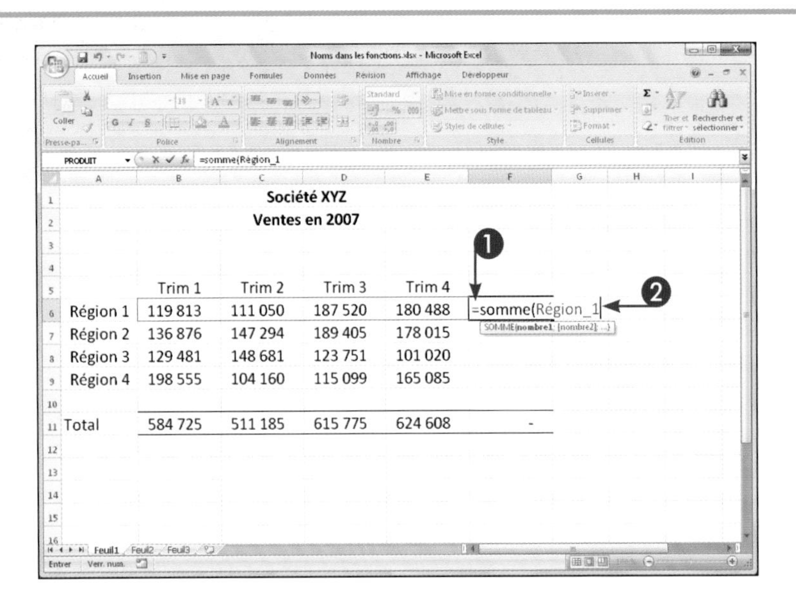

Utilisez un nom de plage ou de constante dans une formule

1. Placez le curseur dans la formule.
2. Tapez le nom de la constante ou de la plage.

   Au cours de la saisie du nom, une liste de noms apparaît. Double-cliquez un nom pour l'insérer dans la formule.
3. Appuyez sur **Entrée**.

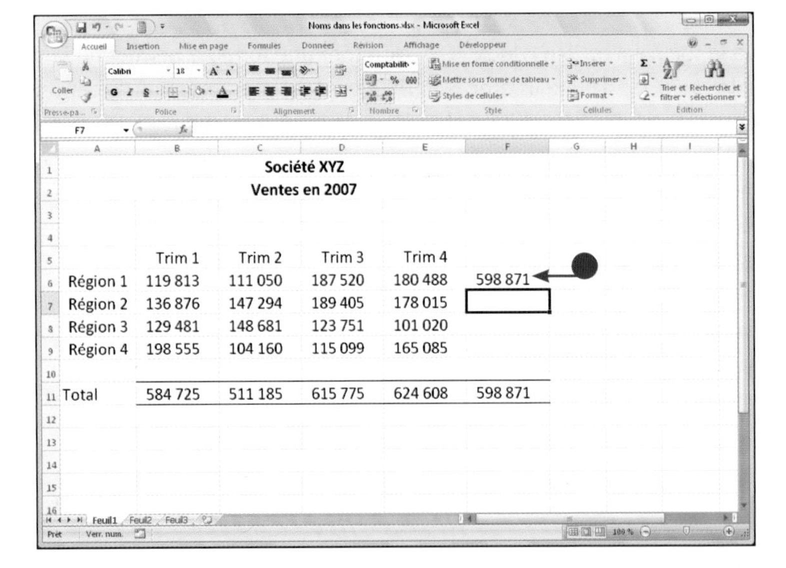

- Le résultat s'affiche dans la cellule.

Utilisez un nom de plage ou de constante dans une formule

Note. *Utilisez cette méthode si vous avez oublié le nom de la plage ou de la constante.*

Article	Qté	Prix un.	Total
Chemises (5)	2	8,67	17,34
Papier Laser	1	7,53	7,53
Stylo	2	4,00	8,00
Agrafeuse	1	15,84	15,84
	Total HT		48,71
	TVA à 19,6 %		=E7*TauxTVA
	Total TTC		48,71

1. Saisissez le début de la formule.
2. Cliquez l'onglet **Formules**.
3. Cliquez **Utiliser dans la formule**.

   Un menu apparaît.
4. Cliquez le nom de la constante ou de la plage.

Article	Qté	Prix un.	Total
Chemises (5)	2	8,67	17,34
Papier Laser	1	7,53	7,53
Stylo	2	4,00	8,00
Agrafeuse	1	15,84	15,84
	Total HT		48,71
	TVA à 19,6 %		9,55
	Total TTC		58,26

5. Terminez la saisie de la formule, puis appuyez sur **Entrée**.

- Excel insère le nom sélectionné dans la formule et le résultat du calcul est affiché dans la cellule.

Le saviez-vous ?

Pour créer plusieurs noms à la fois, placez dans deux colonnes adjacentes une liste de noms et une liste de valeurs. Sélectionnez les deux colonnes. Cliquez l'onglet **Formules**, puis **Créer à partir de la sélection**. La boîte de dialogue Créer des noms à partir de la sélection apparaît. Dans cette boîte de dialogue, cochez la case correspondant à l'emplacement des noms, puis cliquez **OK**. Cliquez **Gestionnaire de noms** pour visualiser les noms dans la boîte de dialogue éponyme. La même procédure permet de créer des noms de plage.

Le saviez-vous ?

Nommer une formule permet de l'utiliser en saisissant son nom. Pour créer une formule nommée, cliquez dans la cellule contenant la formule, copiez-la, puis cliquez **Définir un nom**. La boîte de dialogue Nouveau nom apparaît. Tapez le nom de la formule dans la zone Nom, définissez sa portée, collez le contenu du Presse-papiers dans la zone Fait référence à, puis cliquez **OK**.

Calculez avec

L'ASSISTANT À LA SAISIE DE FONCTION

L'assistant à la saisie de fonction simplifie l'utilisation des fonctions. L'assistant est disponible aussi bien pour une fonction simple comme SOMME que pour les fonctions les plus complexes de statistiques, de mathématiques, de finances ou d'ingénierie. Une fonction très simple mais très utile est la fonction ARRONDI qui arrondit un nombre à une position donnée.

L'assistant peut être appelé de plusieurs manières. Vous pouvez sélectionner une cellule, cliquer le bouton Insérer une fonction, puis sélectionner le nom de la fonction dans la boîte de dialogue Insérer une fonction. La deuxième manière est plus rapide si vous connaissez le nom de la fonction. Sélectionnez une cellule, tapez le signe égal et les premières lettres du nom de la fonction. Double-cliquez le nom de la fonction dans la liste affichée, puis cliquez le bouton Insérer une fonction.

Ces deux méthodes ouvrent la boîte de dialogue Arguments de la fonction qui permet de saisir les valeurs à utiliser ou de cliquer dans les cellules contenant les données.

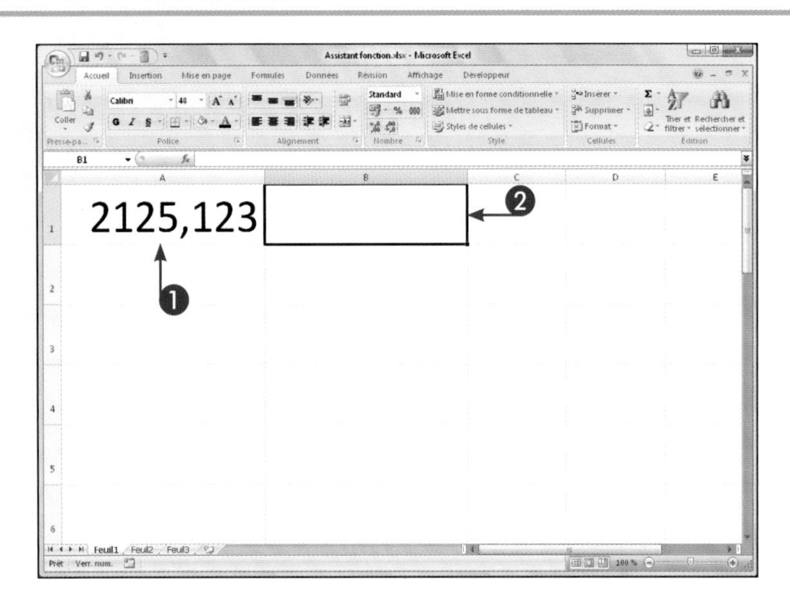

1. Saisissez vos données dans une feuille.

   Note. *Cet exemple utilise la fonction ARRONDI qui demande deux arguments. Le premier est le nombre à arrondir et le deuxième indique à quelle position se fait l'arrondi.*

2. Cliquez dans la cellule qui contiendra le résultat.

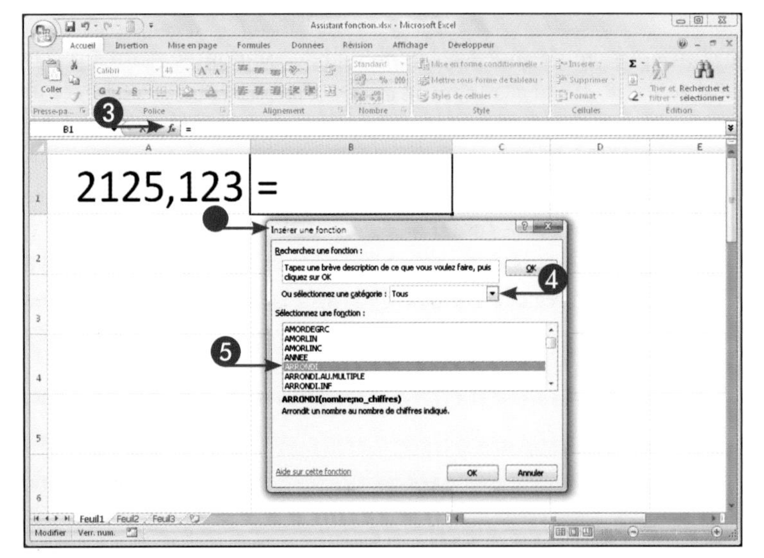

3. Cliquez le bouton **Insérer une fonction**.

- La boîte de dialogue Insérer une fonction apparaît.

4. Cliquez ici et sélectionnez **Tous** pour afficher toutes les fonctions.

5. Double-cliquez le nom de la fonction à utiliser.

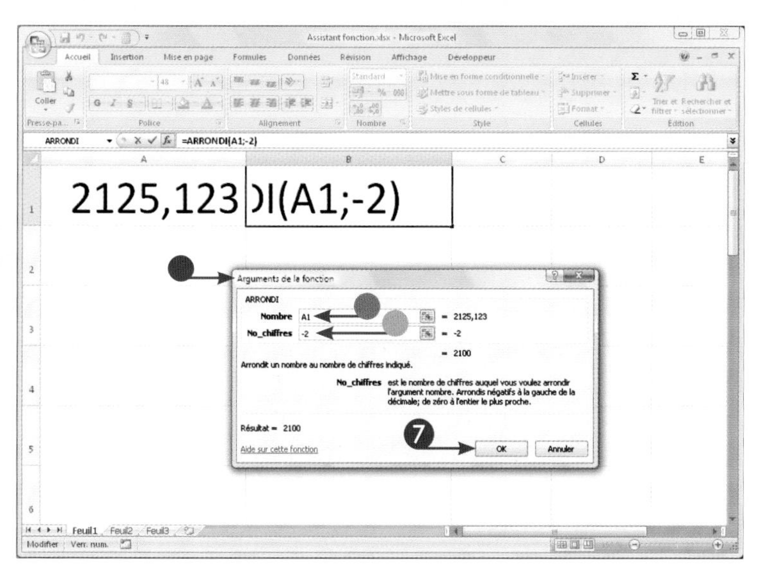

- La boîte de dialogue Arguments de la fonction apparaît.

6. Cliquez dans une cellule ou saisissez les valeurs requises pour chaque argument.

- Dans cet exemple, cliquez la cellule contenant la valeur saisie à l'étape **1**.
- Saisissez le nombre de décimales de l'arrondi. Une valeur négative signifie une position à gauche de la virgule.

7. Cliquez **OK**.

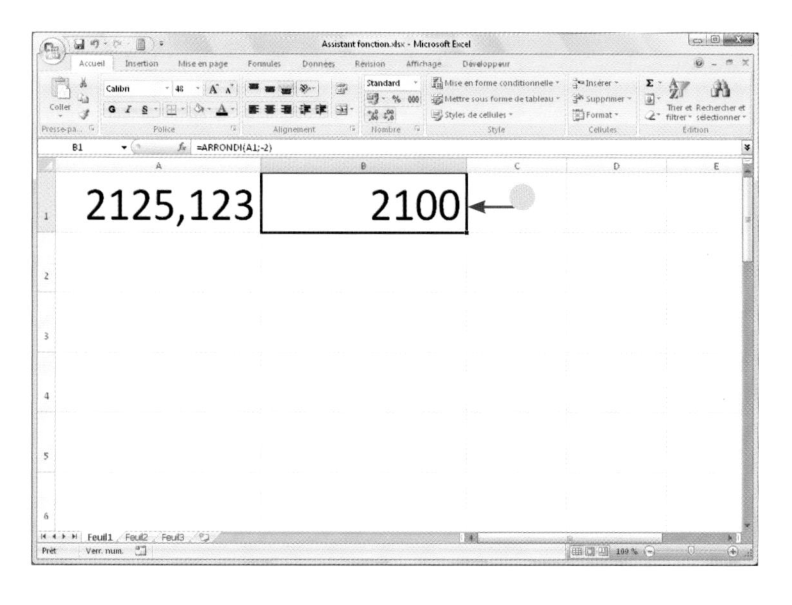

- Le résultat apparaît dans la cellule.

Le saviez-vous ?

Si vous ne savez pas quelle fonction utiliser, tapez une question dans le champ Recherchez une fonction de la boîte de dialogue Insérer une fonction. Pour obtenir de l'aide sur une fonction, cliquez **Aide sur cette fonction** dans la boîte de dialogue Arguments de la fonction.

Attention !

Ne confondez pas ARRONDI et mise en forme. La fonction ARRONDI arrondit le nombre donné en premier argument à la position donnée en deuxième argument, c'est-à-dire modifie sa valeur. La mise en forme d'un nombre n'en modifie que l'affichage sans en changer la valeur.

Calculez

UN EMPRUNT

Vous pouvez utiliser la fonction VPM avant l'achat d'une auto ou d'une maison pour comparer les termes d'un emprunt et prendre une décision en fonction de facteurs tels le remboursement mensuel ou la durée.

Il est possible de calculer un remboursement de différentes façons, mais la fonction VPM est la plus simple parce qu'il suffit de saisir les arguments dans l'assistant. Pour vous faciliter la tâche, saisissez les données dans des cellules avant d'insérer la fonction.

Les arguments de la fonction pourront être saisis en cliquant dans les cellules de données.

La fonction VPM possède trois arguments obligatoires : *taux*, *nper* et *va*. Saisissez dans une cellule le taux, par exemple 5 %, puis divisez ce taux par 12 pour obtenir le taux mensuel, si vous voulez obtenir un paiement mensuel. L'argument *nper* représente le nombre total de remboursements. La valeur actuelle, *va*, est le montant emprunté. Le résultat calculé est négatif pour indiquer qu'il s'agit d'une dépense.

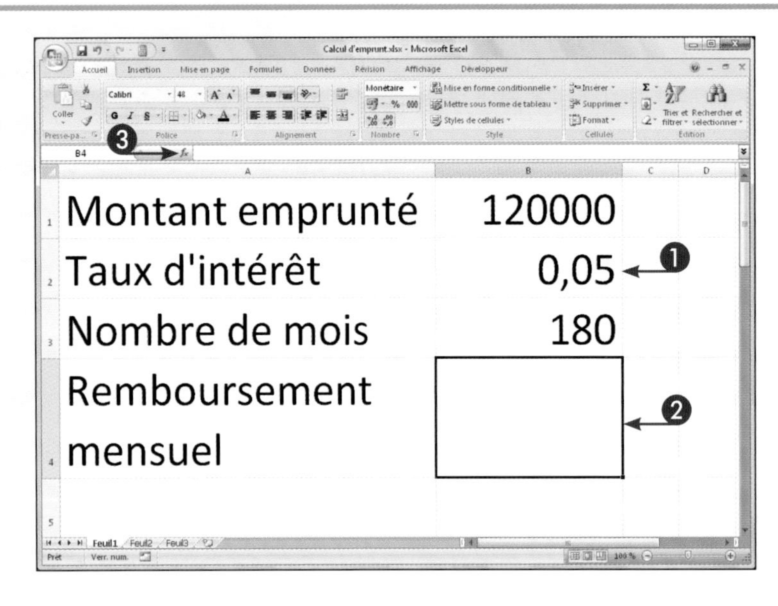

1. Saisissez le montant de l'emprunt (la valeur actuelle), le taux d'intérêt et le nombre de remboursements en mois.
2. Cliquez dans la cellule qui contiendra le résultat.
3. Cliquez le bouton **Insérer une fonction**.

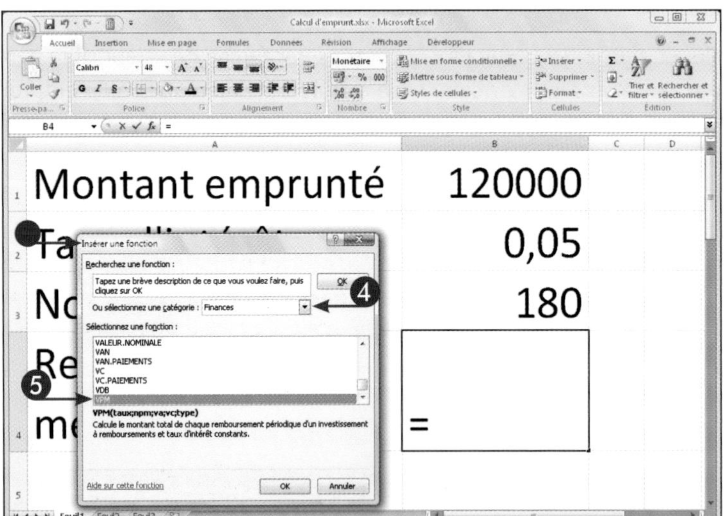

- La boîte de dialogue Arguments de la fonction apparaît.

4. Cliquez ici et sélectionnez **Finances**.
5. Double-cliquez **VPM**.

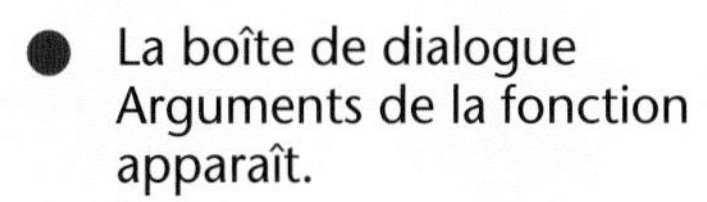

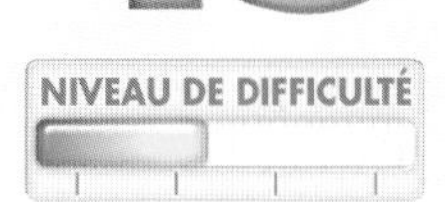

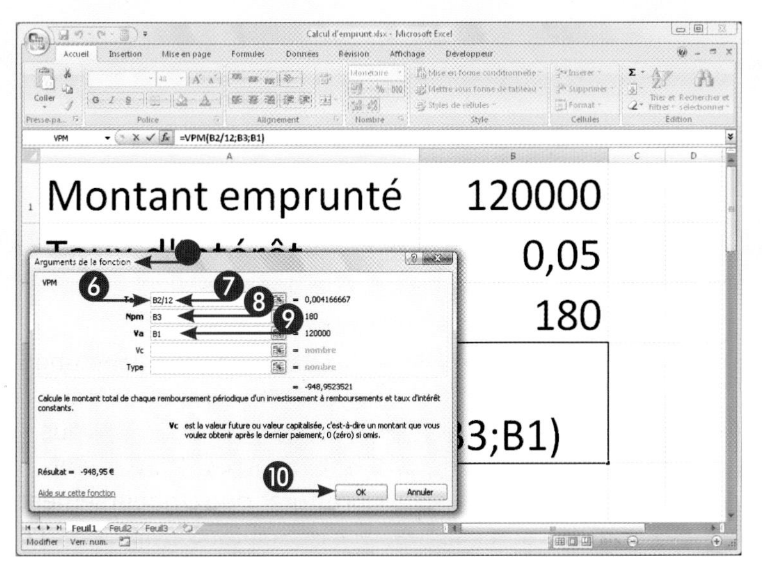

- La boîte de dialogue Arguments de la fonction apparaît.
- ❻ Cliquez dans la cellule contenant le taux d'intérêt annuel.
- ❼ Divisez le taux par le nombre de remboursements dans une année, **12** dans cet exemple.
- ❽ Cliquez dans la cellule contenant le nombre de remboursements.
- ❾ Cliquez dans la cellule contenant le montant de l'emprunt.
- ❿ Cliquez **OK**.

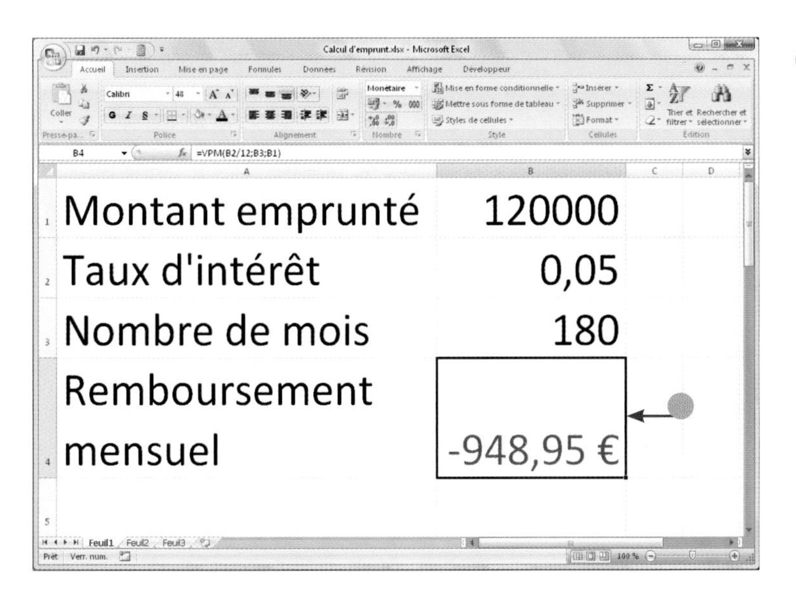

- Le résultat apparaît dans la cellule.

  Note. *Le résultat est le montant de chaque remboursement mensuel.*

  Note. *Vous pouvez répéter les étapes **1** à **10** avec d'autres ensembles de valeurs.*

Le saviez-vous ?

Vous pouvez calculer et afficher les résultats de plusieurs groupes de valeurs. Écrivez dans une colonne les étiquettes Montant, Taux et Nb de remboursements. Saisissez les valeurs correspondantes dans les cellules à droite et utilisez ces valeurs comme arguments de fonctions VPM.

Le saviez-vous ?

L'outil de recherche de valeur cible permet de calculer les paramètres d'un emprunt. Vous pouvez construire un problème afin de déterminer une cible, par exemple un remboursement mensuel de 1 100 €, et demander à Excel de faire varier une seule valeur pour obtenir ce montant. Une valeur seulement peut varier dans la feuille. Voir la tâche n°59 pour plus d'informations.

Calculez le
TAUX DE RENDEMENT INTERNE

La fonction TRI calcule le taux de rendement interne d'un investissement. Pour utiliser cette fonction, les flux monétaires peuvent être variables, mais ils doivent se produire à intervalles réguliers. Par exemple, vous prêtez 6 607 € le premier janvier de l'an 1. Vous recevrez des remboursements variables le premier janvier des quatre années suivantes. La fonction TRI calcule le taux d'intérêt obtenu sur ce prêt.

Le prêt de 6 607 € est un déboursement et doit être un nombre négatif. Chaque paiement est un encaissement et doit être une valeur positive. L'utilisation de la fonction TRI implique au moins un nombre positif et au moins un nombre négatif.

Il est facultatif de donner comme deuxième argument une estimation du taux de rendement. La valeur par défaut est 0,1, un taux de rendement de 10 %. Votre estimation donne à Excel un point de départ pour le calcul du taux de rendement.

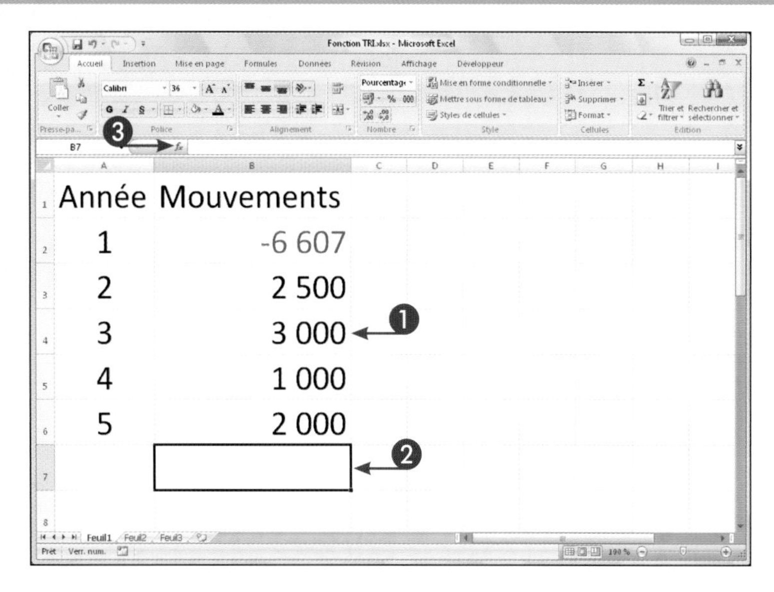

Calculez le taux de rendement interne

❶ Saisissez la suite des flux monétaires prévus.

❷ Cliquez dans la cellule qui contiendra le résultat.

❸ Cliquez le bouton **Insérer une fonction**.

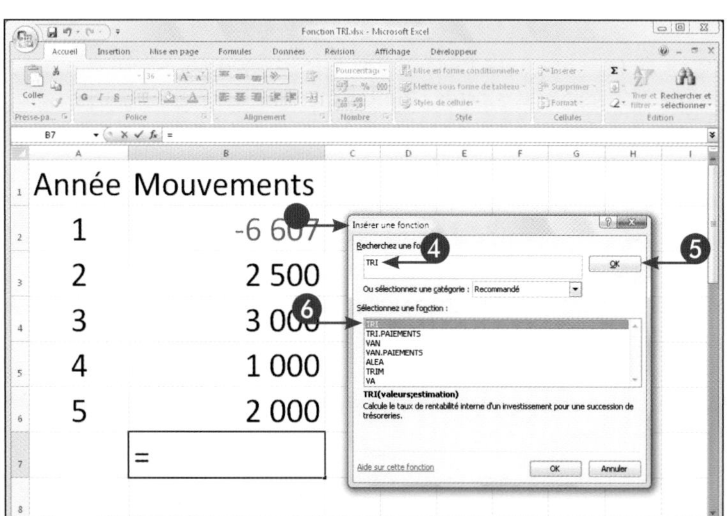

● La boîte de dialogue Insérer une fonction apparaît.

❹ Tapez **TRI**.

❺ Cliquez **OK**.

❻ Double-cliquez **TRI**.

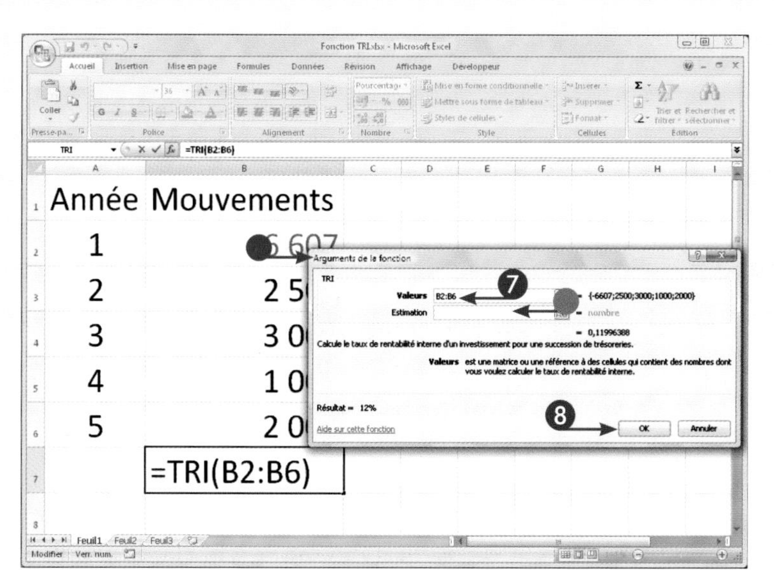

- La boîte de dialogue Arguments de la fonction apparaît.
- ⑦ Sélectionnez les valeurs de flux monétaire saisies à l'étape **1** ou saisissez les références de la plage.
- L'argument facultatif Estimation fournit une autre valeur de départ au calcul de la fonction.
- ⑧ Cliquez **OK**.

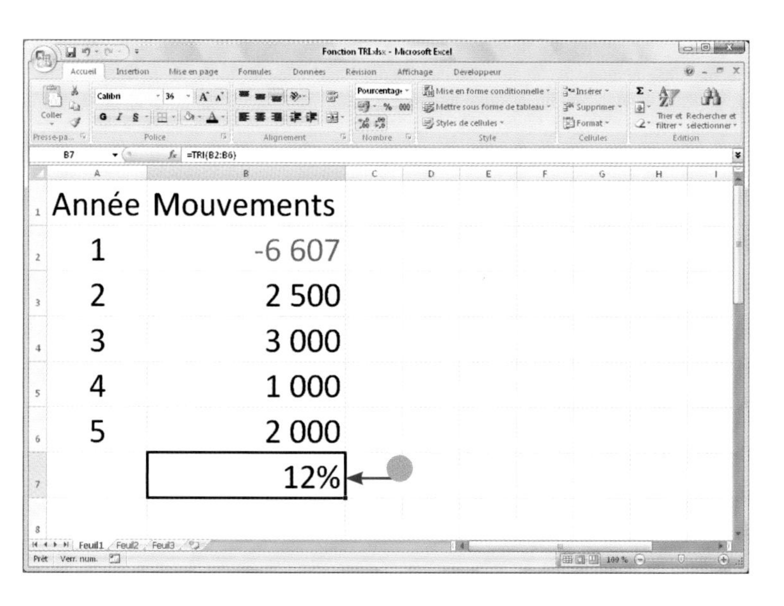

- La cellule affiche en pourcentage le résultat du calcul sans décimales.

Répétez les étapes **1** à **7** pour chaque ensemble de flux monétaires prévu.

Le saviez-vous ?

La fonction TRI est liée à la fonction VAN qui calcule la valeur actuelle nette d'un ensemble de flux monétaires futurs. TRI renvoie le taux de rendement d'un investissement initial et NPV renvoie le montant à investir pour obtenir un taux de rendement donné.

Attention !

La fonction TRI a des exigences strictes. Les flux monétaires doivent se produire à des intervalles réguliers et être tous en début ou en fin de période. Le résultat obtenu par cette fonction est moins fiable si le signe des flux change plus d'une fois.

Trouvez la N-IÈME PLUS GRANDE VALEUR

Il est parfois nécessaire d'identifier les plus grandes valeurs d'un ensemble de données, par exemple identifier vos cinq plus gros clients.

La fonction GRANDE.VALEUR trouve dans une série de valeurs la plus grande, la deuxième plus élevée ou la n-ième plus grande. Deux arguments sont nécessaires à la fonction GRANDE.VALEUR : la plage de cellules contenant les valeurs et le rang de la valeur recherchée, 1 étant la plus élevée, 2 la seconde, *etc*. Le résultat est la valeur ayant ce rang.

Le même résultat peut être obtenu en triant les valeurs en ordre croissant et en examinant les valeurs triées comme il a été fait au chapitre 4. La méthode du tri est moins pratique si la liste de valeurs est longue ou si vous voulez utiliser le résultat dans une autre fonction, par exemple pour additionner les cinq plus grandes valeurs.

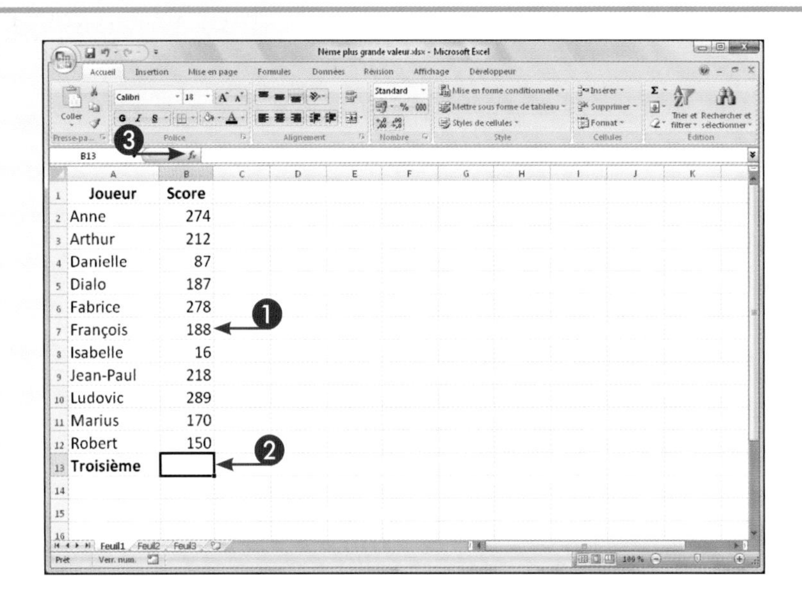

1. Saisissez les valeurs.
2. Cliquez dans la cellule qui contiendra le résultat.
3. Cliquez le bouton **Insérer une fonction**.

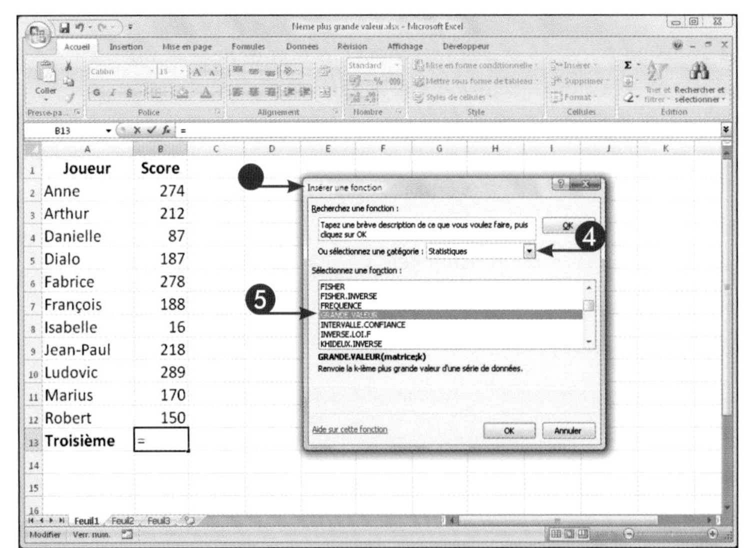

- La boîte de dialogue Insérer une fonction apparaît.

4. Cliquez ici et sélectionnez **Statistiques**.
5. Double-cliquez **GRANDE. VALEUR**.

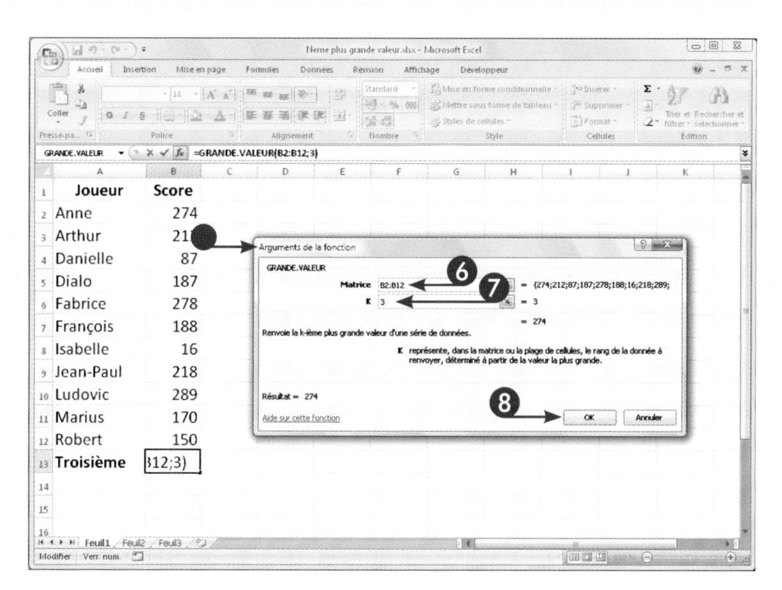

- La boîte de dialogue Arguments de la fonction apparaît.

6. Sélectionnez les cellules ou tapez la référence de la plage contenant les valeurs.

7. Tapez un nombre indiquant le rang recherché : 1 pour la plus grande valeur, 2 pour la deuxième, *etc.*

8. Cliquez **OK**.

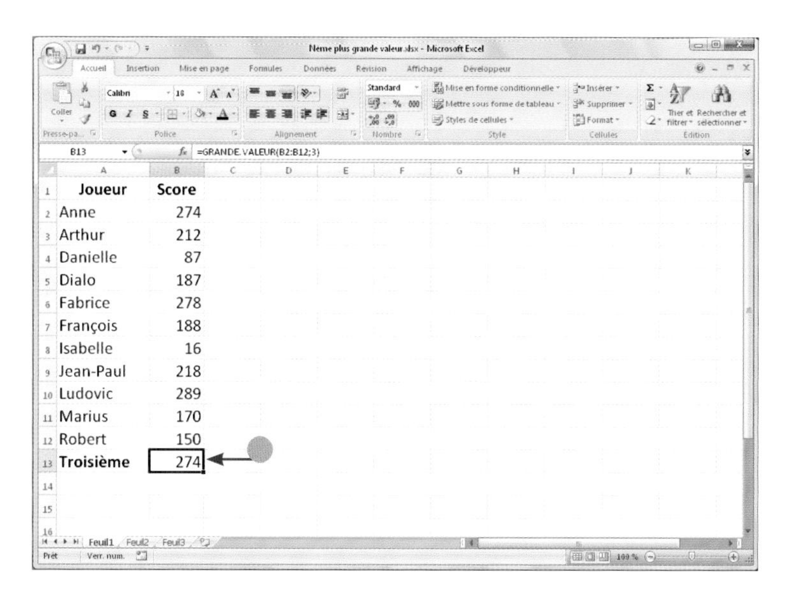

- La cellule affiche la valeur recherchée.

Si la valeur de k saisie à l'étape **7** est supérieure au nombre de cellules, la fonction affiche une erreur #NOMBRE!.

Mise en pratique !

Pour additionner les plus grandes valeurs d'une série, par exemple les trois plus élevées, utilisez trois fois la fonction dans une formule : `=GRANDE.VALEUR(Ventes;1)+GRANDE.VALEUR(Ventes;2)+GRANDE.VALEUR(Ventes;3)`,où `Ventes` est le nom de la plage des chiffres d'affaires.

Le saviez-vous ?

D'autres fonctions accomplissent un travail semblable. La fonction PETITE.VALEUR renvoie la n-ième plus petite valeur d'une plage. Les fonctions MIN et MAX qui n'ont qu'une plage comme seul argument renvoient respectivement la plus petite et la plus grande valeur de la plage.

Créez une

FORMULE CONDITIONNELLE

Une formule conditionnelle permet de n'effectuer des calculs que sur des valeurs répondant à une condition. Par exemple, vous pouvez trouver le plus grand score d'une équipe dans une liste comprenant plusieurs équipes. Le numéro de l'équipe sert de condition et la formule peut être construite pour ne tenir compte que des résultats de cette équipe.

Une formule conditionnelle comprend au moins deux fonctions. La première fonction, SI, définit une condition (ou test), par exemple, sélectionner les joueurs de l'équipe 1. Le test s'effectue à l'aide d'opérateurs de comparaison, tels supérieur à (>), supérieur ou égal (>=), inférieur à (<), inférieur ou égal (<=) ou égal (=).

Excel exécute en premier lieu la fonction SI, puis calcule les valeurs répondant à la condition définie dans la fonction SI. Deux fonctions entrant en jeu, la fonction SI sert d'argument à une autre fonction.

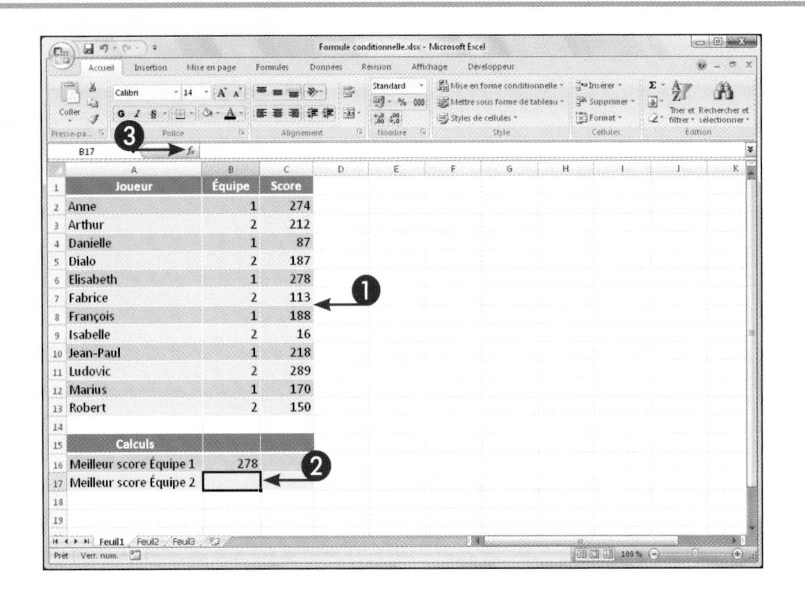

1 Saisissez les données.

2 Cliquez dans la cellule qui contiendra le résultat.

3 Cliquez le bouton **Insérer une fonction**.

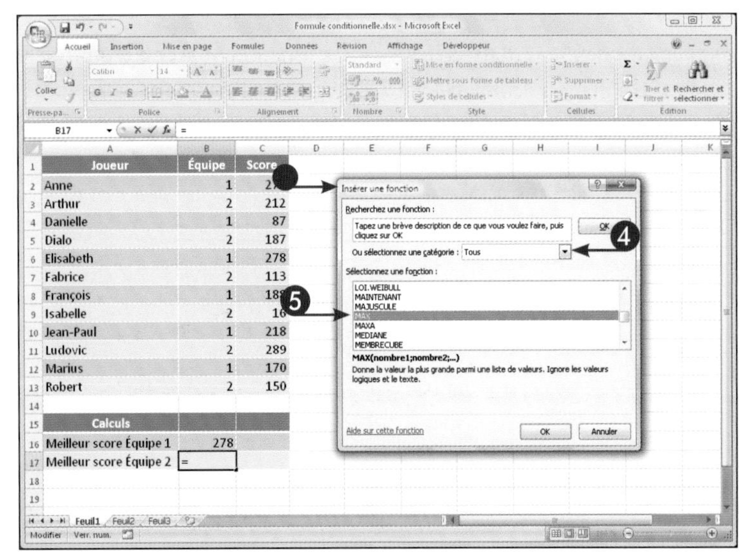

- La boîte de dialogue Insérer une fonction apparaît.

4 Cliquez ici et sélectionnez **Tous**.

5 Double-cliquez le nom de la fonction qui utilisera le résultat de la fonction SI.

Cet exemple utilise la fonction MAX qui renvoie la plus grande valeur d'une plage.

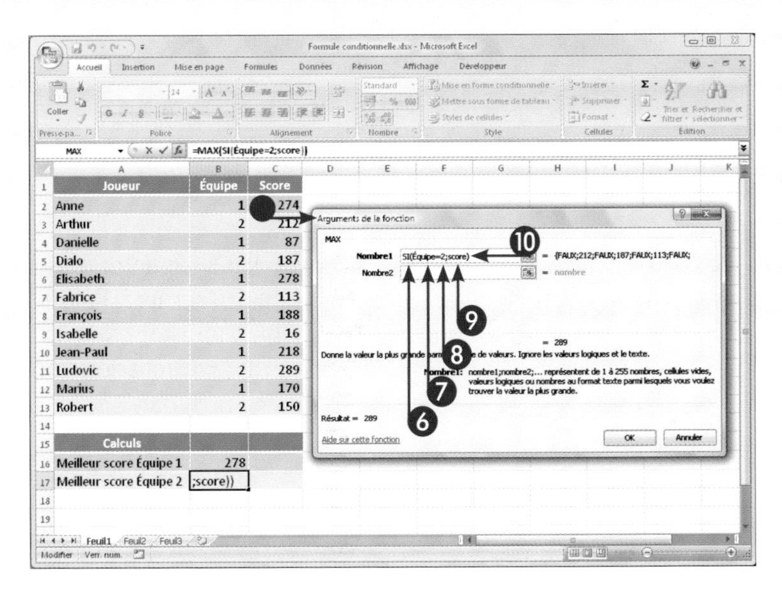

- La boîte de dialogue Arguments de la fonction apparaît.

6. Tapez **SI(**.
7. Saisissez la référence ou le nom de la plage à tester.
8. Saisissez un opérateur de comparaison, la condition, puis un point-virgule.
9. Saisissez la référence ou le nom de la plage à calculer.
10. Tapez **)**.

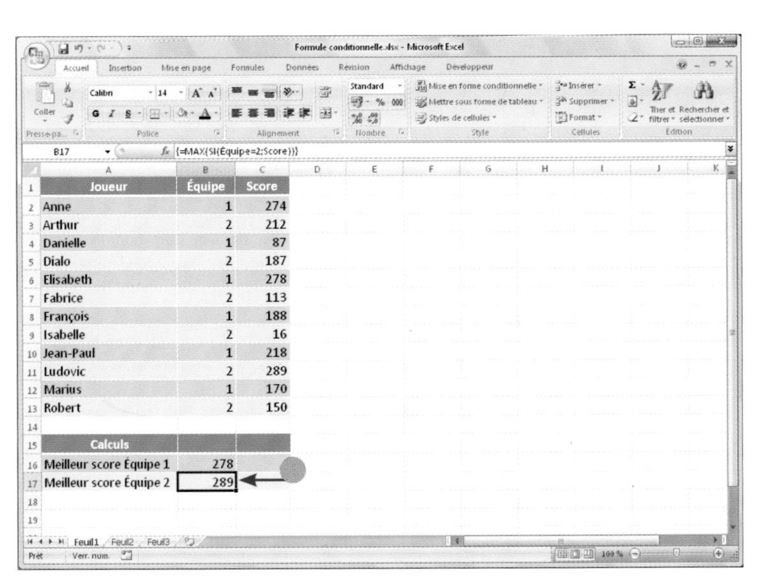

11. Appuyez sur **Ctrl+Maj+Entrée**.

- Le résultat est affiché dans la cellule.

Important !

Dans cet exemple, SI est une fonction matricielle qui teste chaque valeur de la plage et conserve celles répondant à la condition. Pour créer une formule matricielle, appuyez sur **Ctrl+Maj+Entrée** au lieu de **Entrée** pour valider la formule. Les formules matricielles sont écrites entre accolades ({}). Excel ajoute les accolades lorsque vous appuyez sur **Ctrl+Maj+Entrée** et ne le fait pas si vous appuyez sur **Entrée** ou cliquez **OK** dans la boîte de dialogue Arguments de la fonction.

Le saviez-vous ?

La fonction SI accepte un troisième argument facultatif. Cet argument détermine le calcul effectué si la condition n'est pas remplie. Par exemple, vous pouvez utiliser la fonction SI pour tester des chiffres d'affaires et afficher VRAI si la valeur excède 9 000 € et FAUX dans le cas contraire.

Calculez une SOMME CONDITIONNELLE

Une somme conditionnelle permet par exemple d'identifier et de totaliser des investissements dont la croissance excède un pourcentage donné. La fonction SOMME.SI réunit les fonctions SOMME et SI en une seule fonction facile d'utilisation et plus simple qu'une formule combinant SOMME et SI. SOMME.SI remplace une imbrication de fonctions et permet d'utiliser l'assistant sans devoir utiliser une fonction comme argument d'une autre. La combinaison des deux fonctions SOMME et SI est cependant plus souple dans la création de conditions multiples complexes.

SOMME.SI requiert trois arguments : une plage de valeurs à tester, la condition appliquée aux valeurs et la plage à additionner. Les valeurs répondant à la condition sont additionnées. Par exemple, vous pouvez créer une formule vérifiant à quelle équipe appartient un joueur et additionnant les points des joueurs de l'équipe 1. Le troisième argument, facultatif, représente les cellules à additionner si le critère est respecté. Si cet argument est absent, Excel additionne la plage en premier argument.

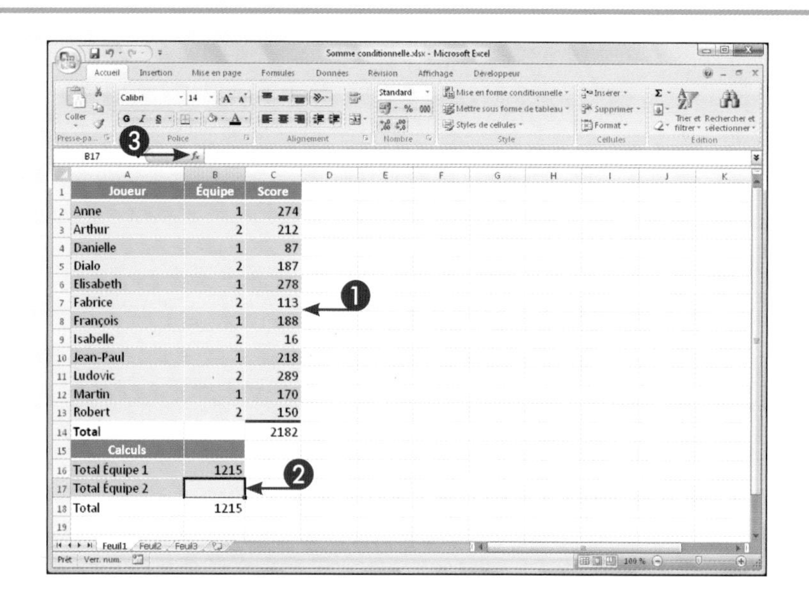

❶ Saisissez les données à additionner conditionnellement.

Note. *Chaque valeur de la liste est testée et, si elle remplit la condition, est additionnée.*

❷ Cliquez dans la cellule qui contiendra le résultat.

❸ Cliquez le bouton **Insérer une fonction**.

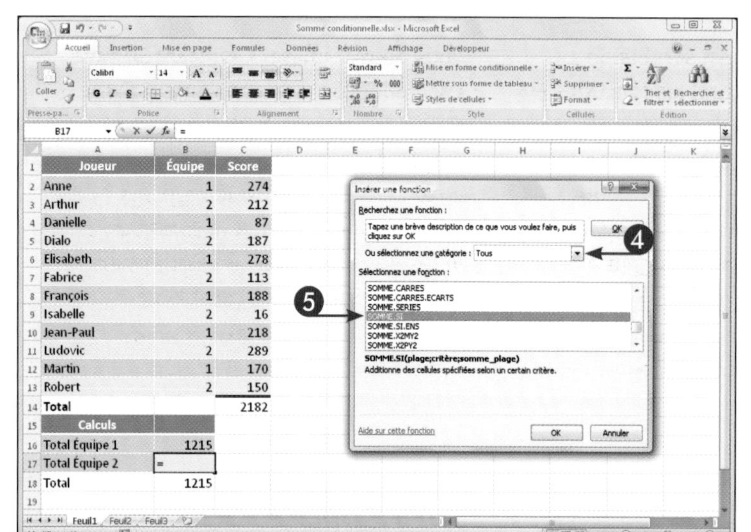

- La boîte de dialogue Insérer une fonction apparaît.

❹ Cliquez ici et sélectionnez **Tous**.

❺ Double-cliquez **SOMME.SI**.

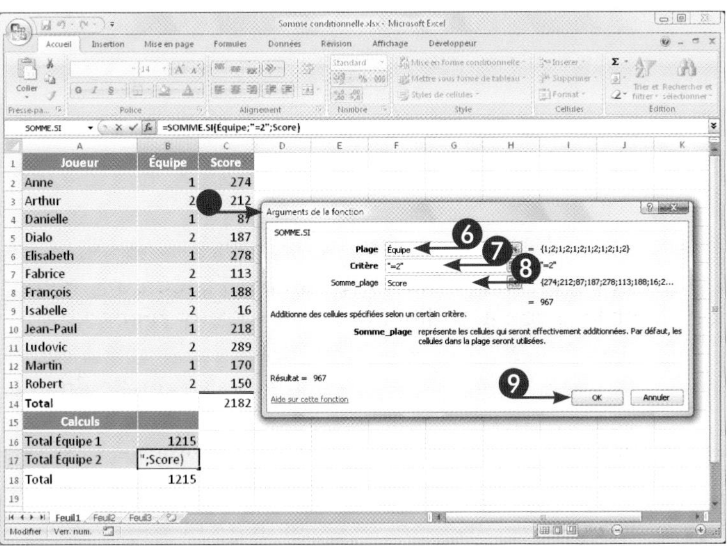

- La boîte de dialogue Arguments de la fonction apparaît.

6. Saisissez la référence ou le nom de la plage à tester.
7. Saisissez un opérateur de comparaison et la condition.
8. Saisissez la référence ou le nom de la plage à additionner lorsque la condition est remplie.
9. Cliquez **OK**.

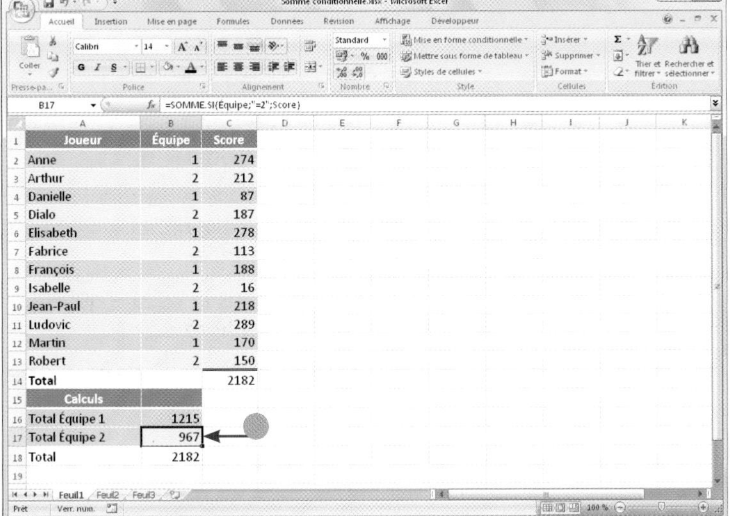

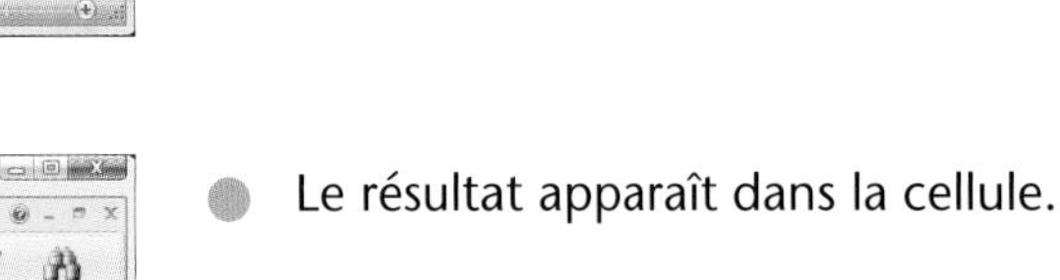

- Le résultat apparaît dans la cellule.

Le saviez-vous ?

La fonction NB.SI est semblable à SOMME.SI. Elle réunit les fonctions NB et SI et requiert deux arguments : un ensemble de valeurs et une condition. Au lieu d'additionner des valeurs comme SOMME.SI, NB.SI renvoie le nombre de valeurs répondant à la condition.

Le saviez-vous ?

Vous pouvez utiliser l'assistant Somme conditionnelle, un complément Excel. Cet assistant vous guide en quatre étapes dans la création d'une somme conditionnelle. La troisième étape offre l'option d'afficher la condition et le résultat dans la feuille. Pour savoir comment installer ce complément, consultez la tâche n°94.

Ajoutez une CALCULATRICE

Il est souvent utile d'effectuer un calcul rapide sans devoir saisir une formule ou une fonction. Vous pouvez placer une calculatrice dans la barre Accès rapide et l'avoir ainsi sous la main. La calculatrice n'est qu'une des nombreuses commandes que vous pouvez ajouter à la barre d'outils Accès rapide.

Cet outil s'utilise comme une calculatrice réelle. Cliquez un nombre, sélectionnez un opérateur, cliquez un autre nombre, puis appuyez sur = (ou cliquez-le) pour afficher le résultat. Utilisez MS pour enregistrer un nombre, MR pour le récupérer et MC pour vider la mémoire.

Les fonctions mathématiques et statistiques sont disponibles en mode scientifique activé par Affichage ➜ Scientifique. Dans ce mode, vous pouvez élever un nombre au cube, extraire sa racine carrée ou calculer son logarithme. Quel que soit le mode, vous pouvez transférer la valeur affichée vers Excel en la copiant et en la collant dans une cellule.

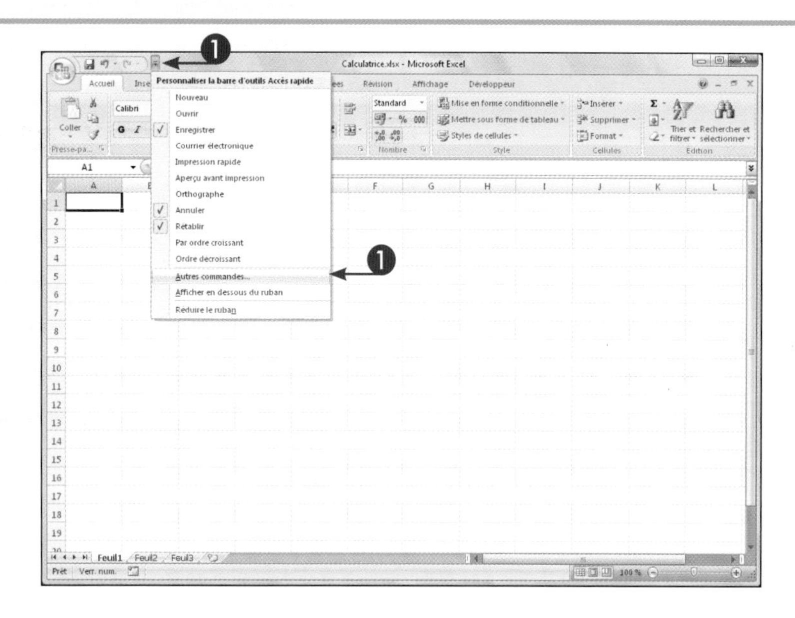

Activez la calculatrice

❶ Cliquez ici, puis **Autres commandes**.

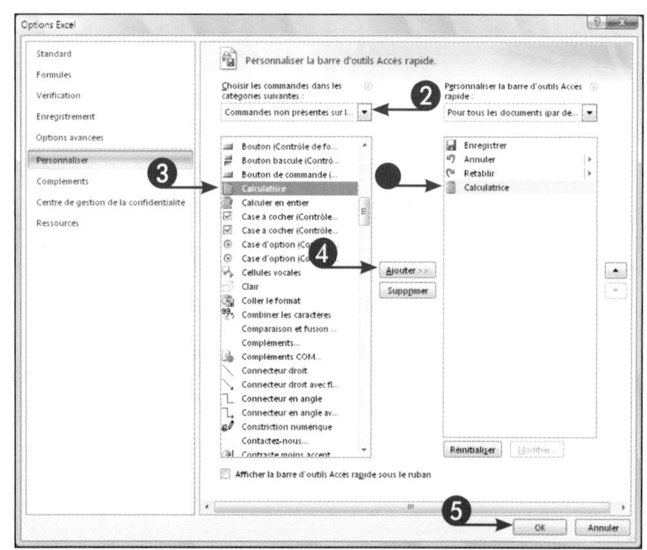

La boîte de dialogue Options Excel apparaît.

❷ Cliquez ici et sélectionnez **Commandes non présentes sur le ruban**.

❸ Cliquez **Calculatrice**.

❹ Cliquez **Ajouter**.

● Excel ajoute la calculatrice à la liste de droite.

❺ Cliquez **OK**.

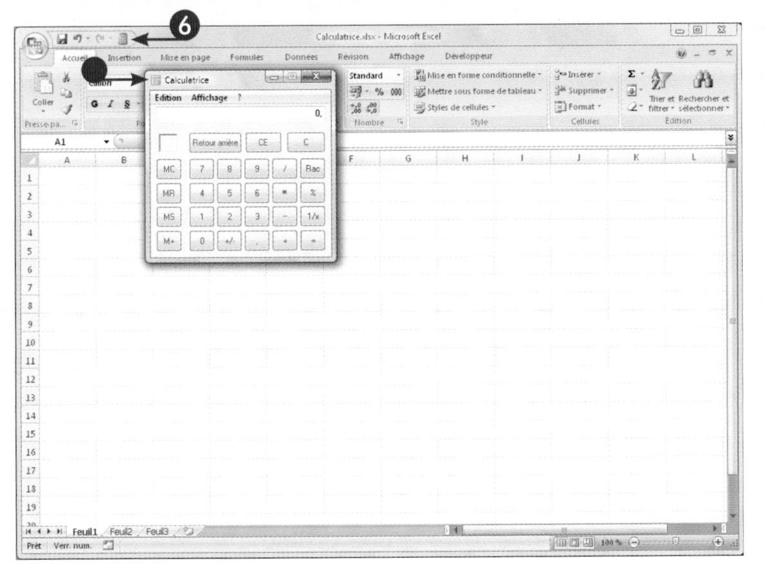

❻ Cliquez le bouton **Calculatrice**.

La calculatrice apparaît.

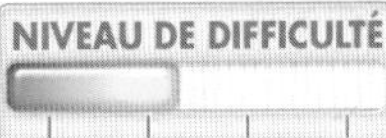

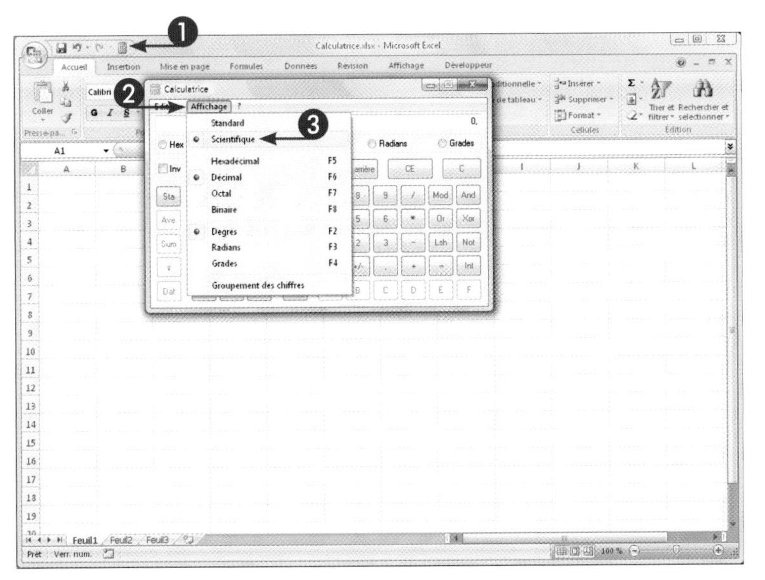

Activez le mode scientifique

❶ Cliquez le bouton **Calculatrice**.

❷ Cliquez **Affichage**.

❸ Cliquez **Scientifique**.

La calculatrice passe en mode scientifique.

Mise en pratique !

Pour calculer une moyenne, passez en mode scientifique et saisissez le premier nombre. Cliquez le bouton **Sta** pour ouvrir la boîte de dialogue Statistiques. Cliquez **Dat** dans la calculatrice et continuez à saisir les valeurs en cliquant **Dat** entre chacune. Lorsque toutes les valeurs ont été saisies, cliquez **Ave**.

Le saviez-vous ?

Vous trouverez le mode d'emploi de la calculatrice en ouvrant la calculatrice, puis en cliquant **Rubriques d'aide** dans le menu Aide. La fenêtre Aide et support Windows apparaît. Cliquez l'une des questions du forum pour plus d'informations sur un sujet.

Calculez

DES PRODUITS ET DES RACINES CARRÉES

Nombreux sont les utilisateurs connaissant les options du bouton Somme automatique : somme, moyenne, nombre, maximum et minimum. Peu d'entre eux connaissent deux autres calculs possibles avec une fonction mathématique. La fonction PRODUIT multiplie deux nombres ou plus et la fonction RACINE calcule la racine carrée d'un nombre.

Excel ne peut calculer la racine carrée que d'un nombre positif. Si l'argument est négatif, RACINE(-1) par exemple, la fonction renvoie #NOMBRE!. Utilisez PRODUIT et RACINE avec des valeurs saisies dans la feuille. Si vous ne voulez pas que les valeurs utilisées figurent dans la feuille, cliquez dans la cellule de résultat, tapez =, le nom de la fonction (PRODUIT ou RACINE) et des parenthèses. Cliquez le bouton Insérer une fonction et saisissez les valeurs entrant dans la formule.

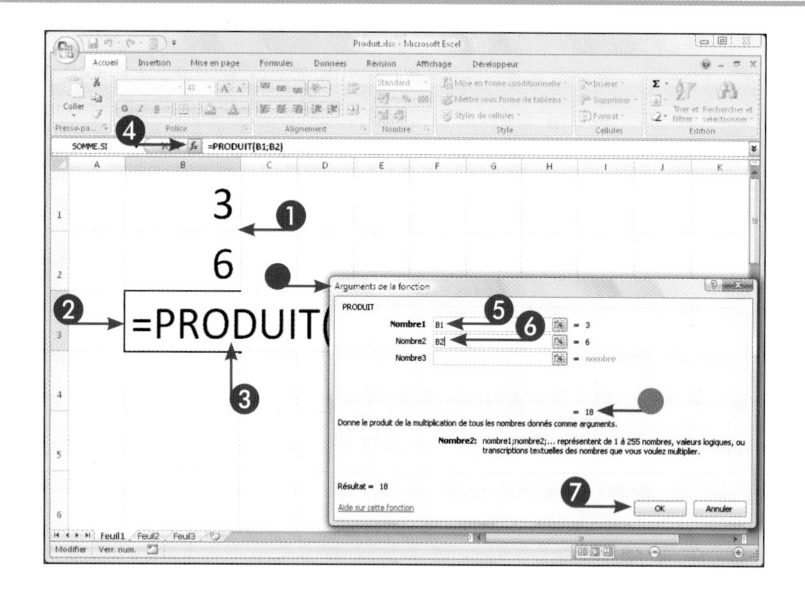

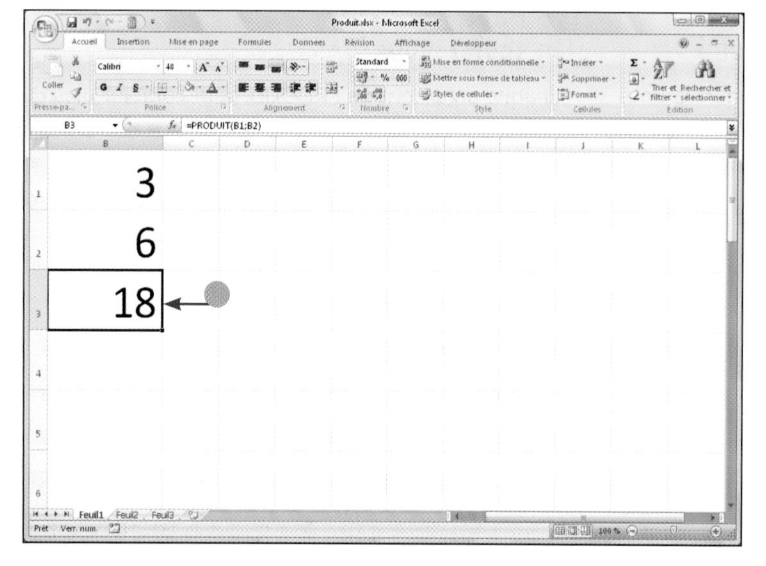

Calculez un produit

1. Saisissez les valeurs à multiplier.
2. Cliquez dans la cellule de résultat.
3. Tapez **=produit(**.

   Note. *Au lieu de sélectionner une fonction dans la boîte de dialogue Insérer une fonction, vous pouvez saisir son nom précédé du signe =.*

4. Cliquez le bouton **Insérer une fonction.**

- La boîte de dialogue Arguments de la fonction apparaît.

5. Cliquez la cellule de la première valeur à multiplier ou saisissez sa référence.

   Vous pouvez aussi saisir directement un nombre dans la zone Nombre1.

6. Cliquez la cellule de la deuxième valeur à multiplier ou saisissez sa référence.

   Vous pouvez aussi saisir directement un nombre dans la zone Nombre2.

- La boîte de dialogue Arguments de la fonction affiche le résultat intermédiaire.

7. Cliquez **OK**.

- Le produit est affiché dans la cellule sélectionnée à l'étape **2**.

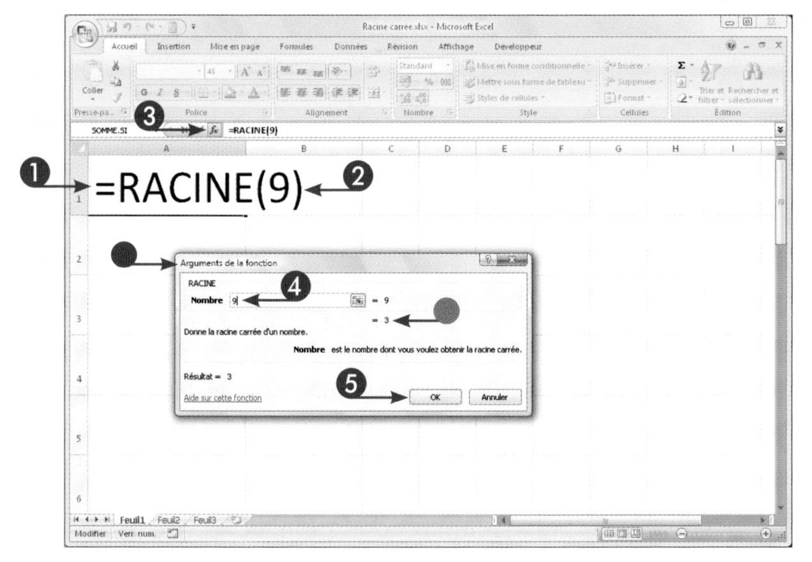

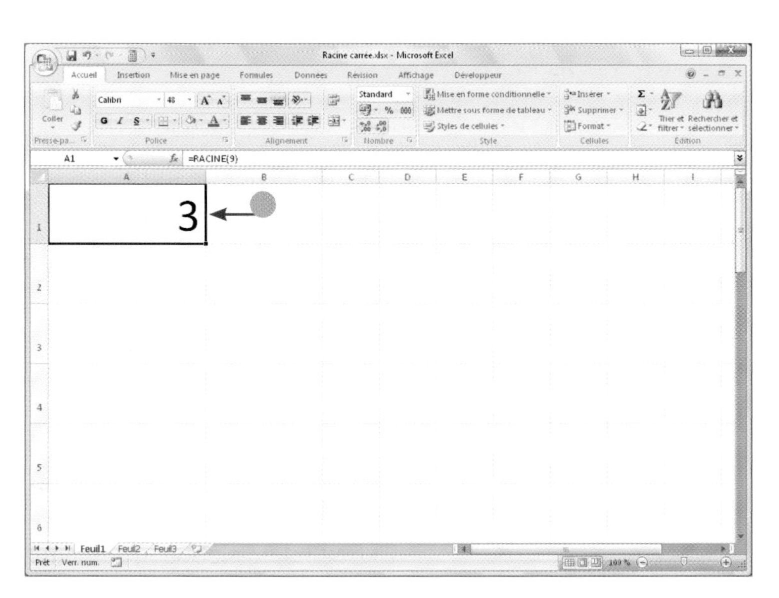

Calculez une racine carrée

21

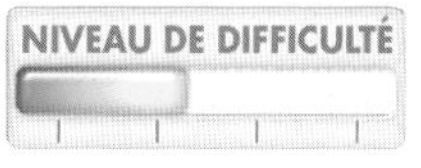

1. Cliquez dans la cellule de résultat.
2. Tapez **=Racine(** dans la barre de formule ou dans la cellule.

   Pendant la saisie, l'aide à la saisie automatique apparaît. Double-cliquez une option pour la sélectionner.
3. Cliquez le bouton **Insérer une fonction.**

- La boîte de dialogue Arguments de la fonction apparaît.

4. Saisissez la valeur dont vous souhaitez extraire la racine.

   Vous pouvez aussi cliquer dans la cellule contenant la valeur.

- La boîte de dialogue Arguments de la fonction affiche le résultat intermédiaire.

5. Cliquez **OK**.

- Le résultat est affiché dans la cellule.

Mise en pratique !

Pour élever un nombre à une puissance, par exemple 3 à la puissance 9, utilisez la fonction PUISSANCE.

Le saviez-vous ?

Chaque argument de PRODUIT peut contenir plus d'une valeur, par exemple 2, 3 et 4. Ces valeurs doivent faire partie d'une matrice, un ensemble de valeurs placées entre accolades : {2.3.4}. Les valeurs de la matrice sont multipliées entre elles et par les autres arguments. Toutes les valeurs en argument de la fonction doivent être des nombres.

Effectuez

DES CALCULS D'HEURES

Les formules et les fonctions permettent d'effectuer des calculs sur des heures et des dates. Il est possible de calculer le temps travaillé entre deux heures ou le nombre de jours séparant deux dates. Les fonctions de date et d'heure convertissent les heures et les dates en numéros de série qui peuvent être additionnés ou soustraits, puis reconvertis en dates ou heures habituelles.

Excel enregistre une date en nombre de jours écoulés depuis le 1er janvier 1900. Toute date postérieure à 1900 correspond donc à un nombre entier. Les heures sont représentées en fraction de journée sous forme d'un numéro de série compris entre 0 et 1.

Le numéro de série d'une date comme le 1er janvier à midi, est formé de la date à gauche de la virgule et de l'heure à droite. Le 25 août 2007 à 13h25 est enregistré sous le numéro de série 39319,55903.

Soustraire une date d'une autre implique la soustraction de numéros de série et la représentation du résultat en un format de date et heure.

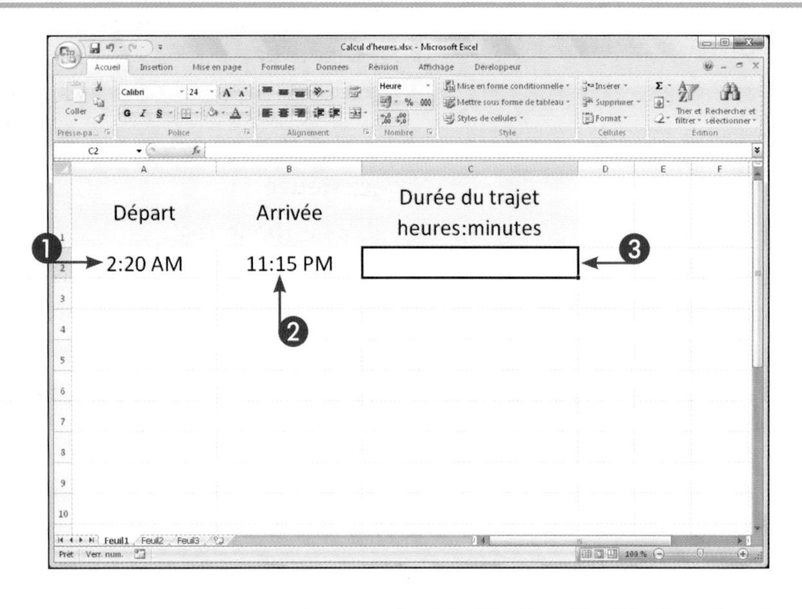

Calculez la différence entre deux heures

1. Saisissez la première heure dans une cellule.

   Note. *Vous pouvez saisir indifféremment* ***14:15*** *ou* ***2:15 PM****.*

2. Saisissez la deuxième heure dans une cellule.
3. Cliquez dans la cellule qui contiendra le résultat.

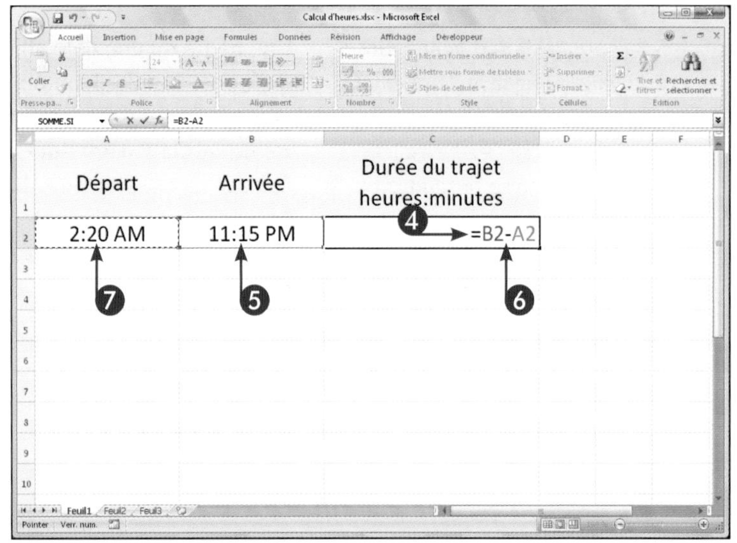

4. Tapez le signe =.
5. Cliquez dans la cellule de la deuxième heure.
6. Tapez le signe moins (-).
7. Cliquez dans la cellule de la première heure.
8. Appuyez sur **Entrée**.

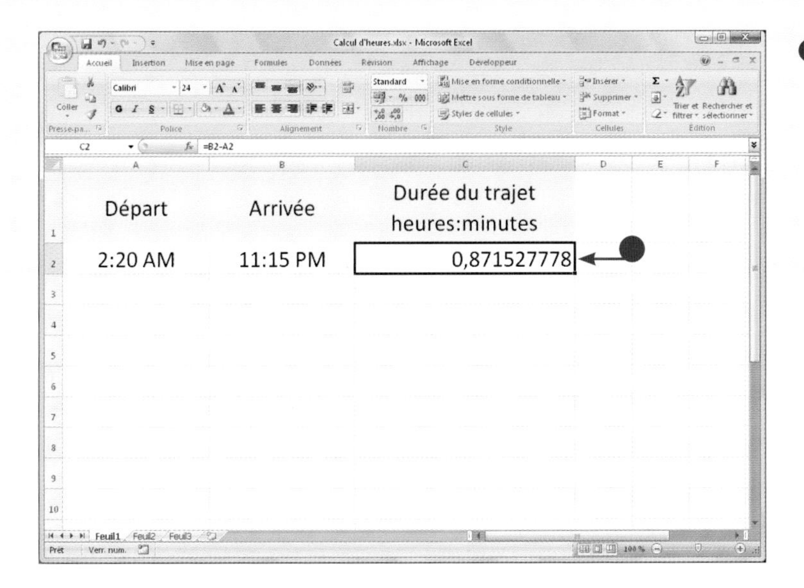

- Le résultat peut être affiché comme un numéro de série.

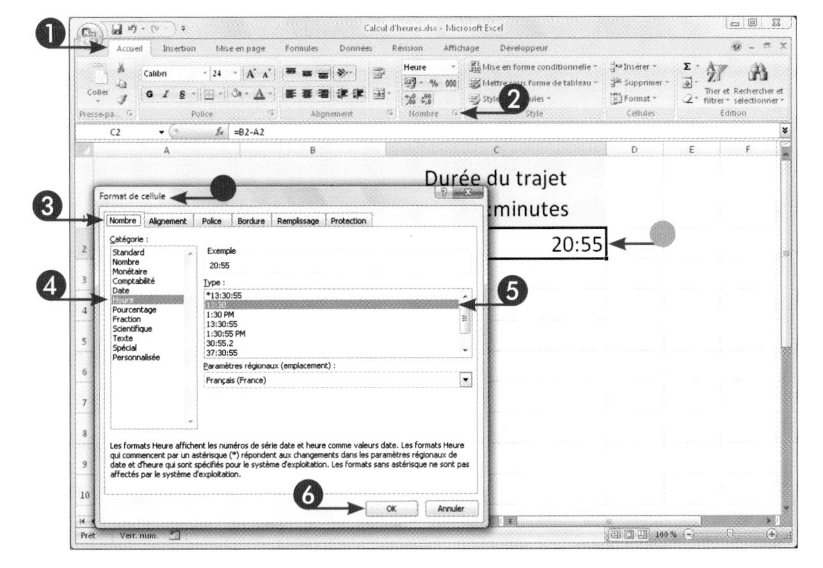

Convertissez un numéro de série en heure

1. Cliquez l'onglet **Accueil**.
2. Cliquez le lanceur de boîte de dialogue du groupe **Nombre**.
- La boîte de dialogue Format de cellule apparaît.
3. Cliquez l'onglet **Nombre**.
4. Cliquez **Heure**.
5. Sélectionnez un format.

   Le format 13:30 affiche une heure sur la base de 24 heures.
6. Cliquez **OK**.
- La cellule affiche la différence de temps entre les deux heures.

Le saviez-vous ?

Pour calculer la différence de temps entre des heures autour de minuit, par exemple de 23:00 à 2:00, vous devrez utiliser la fonction modulo (MOD). La formule est : `=MOD(heure_fin-heure_début;1)`. Merci à John Walkenbach pour cette astuce.

Le saviez-vous ?

Si la soustraction d'heures donne une valeur négative, le résultat donnera une cellule remplie de signes dièse (######). Le même résultat se produit pour un résultat négatif suite à une soustraction de dates si la cellule du résultat est au format Date.

Le saviez-vous ?

Une heure ou une date affichée au format Standard fournit son numéro de série. Le format Heure ou Date permet de l'afficher sous la forme habituelle. Pour afficher une heure en heures:minutes, cliquez la cellule du bouton droit, puis cliquez **Format de cellule → Heure → 13:30**.

Effectuez
DES CALCULS DE DATES

Une des fonctions intégrées de la catégorie Date & heure calcule le nombre de jours ouvrés entre deux dates. Vous pouvez utiliser l'assistant pour saisir en arguments des dates littérales ou les références aux cellules dans lesquelles les dates ont été saisies.

La fonction NB.JOURS.OUVRES demande comme arguments une date de début et une date de fin.

Le troisième argument, facultatif, est une plage comprenant les jours fériés. Excel soustrait les week-ends et les jours fériés compris entre les deux dates.

Excel peut effectuer des calculs sur des dates postérieures au 1er janvier 1900. Toute date antérieure est traitée comme du texte et, si elle entre dans un calcul, génère une erreur #VALEUR!.

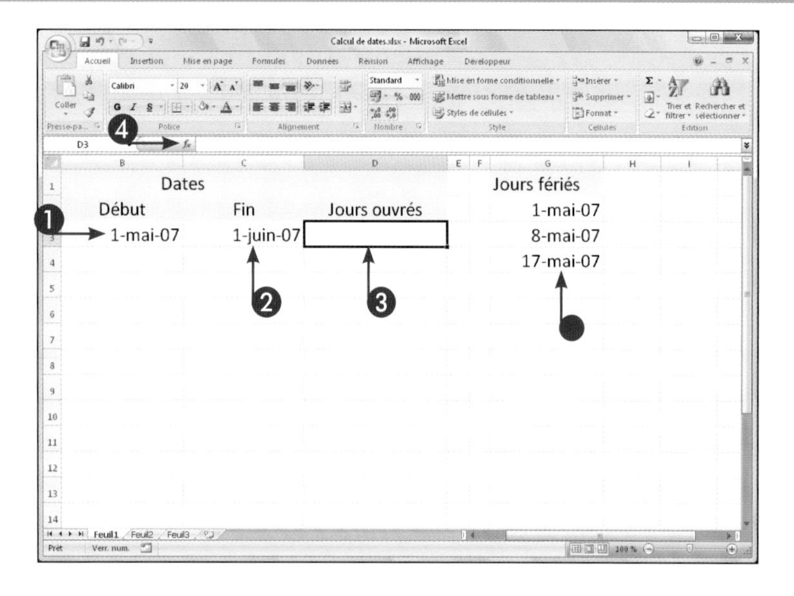

Calculez le nombre de jours entre deux dates

1. Saisissez la première date dans une cellule.
2. Saisissez la deuxième date dans une autre cellule.

- Pour tenir compte des jours fériés, saisissez les dates des congés compris entre les deux dates.

3. Cliquez dans la cellule qui contiendra le résultat.
4. Cliquez le bouton **Insérer une fonction**.

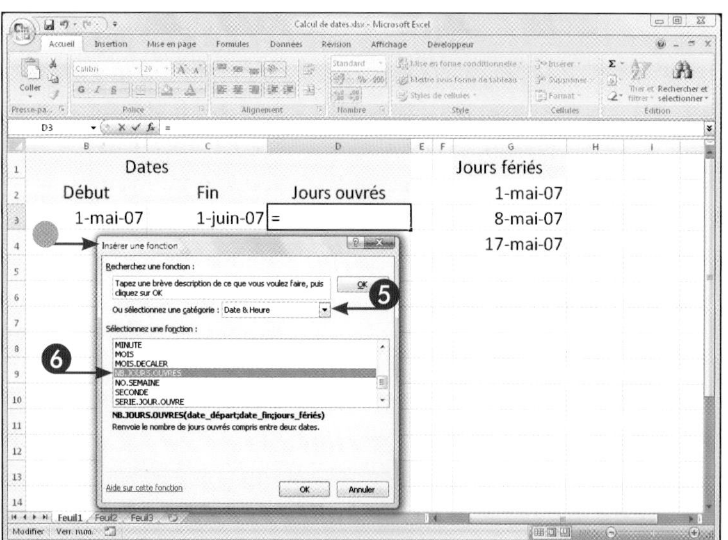

- La boîte de dialogue Insérer une fonction apparaît.

5. Cliquez ici et sélectionnez **Date & Heure**.
6. Double-cliquez **NB.JOURS. OUVRES**.

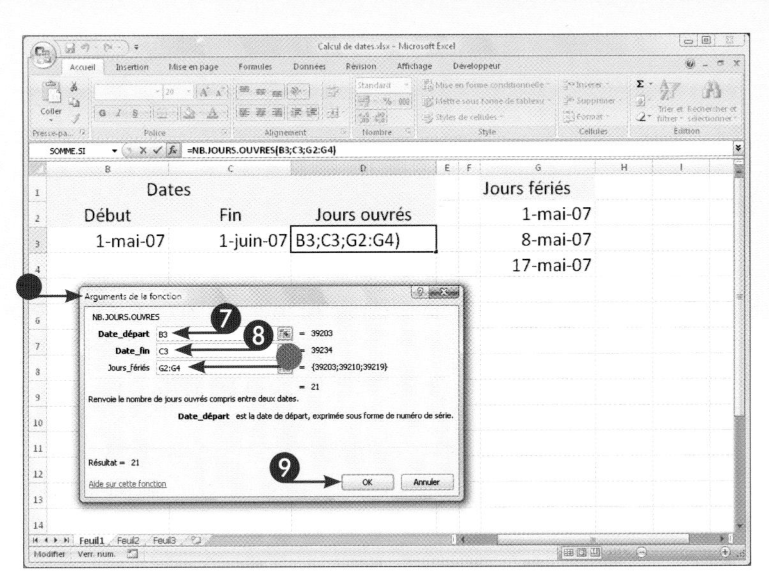

- La boîte de dialogue Arguments de la fonction apparaît.
- ❼ Cliquez dans la cellule de la date de début ou saisissez sa référence.
- ❽ Cliquez dans la cellule de la date de fin ou saisissez sa référence.
- Vous pouvez donner comme argument facultatif une liste de jours fériés en les sélectionnant ou en saisissant la référence de la plage.
- ❾ Cliquez **OK**.

23

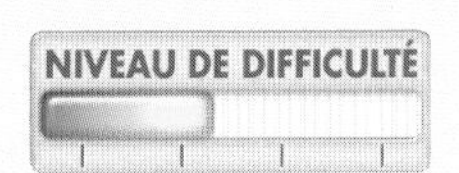

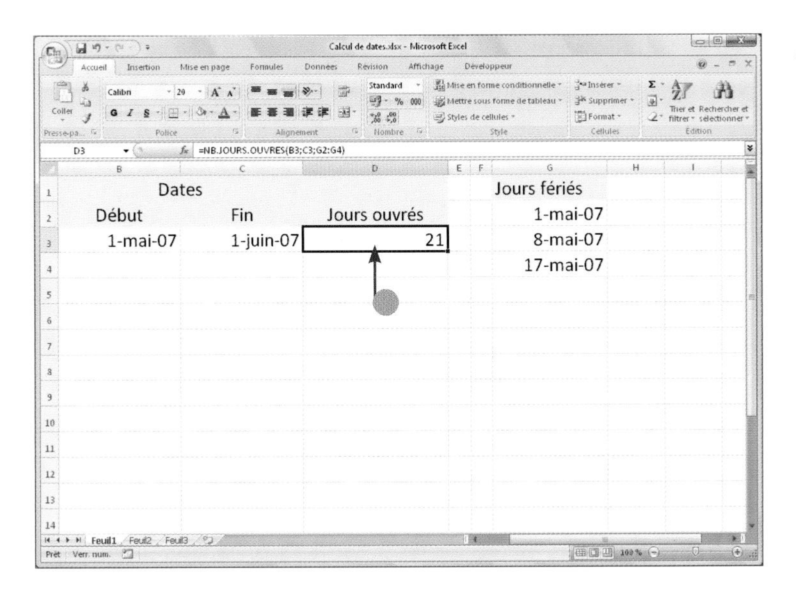

- La cellule affiche le nombre de jours ouvrés entre les deux dates.

Le saviez-vous ?

Vous pouvez écrire sans formule la date actuelle en sélectionnant une cellule et en appuyant sur **Ctrl+;** (point-virgule). La fonction AUJOURDHUI insérera la date du jour à chaque recalcul de la feuille.

Le saviez-vous ?

Il existe plus de 15 formats de date dont par exemple : 05/11/1949, 5/11/49, 05-nov.-49, 5 novembre 1949, samedi 5 novembre 1949…

Le saviez-vous ?

Si la date de fin précède la date de début, NB.JOURS.OUVRES renvoie une valeur négative.

Chapitre 3

Copiez et mettez en forme les données

Si vous êtes un habitué de Word, vous savez que la copie d'un texte dans un autre document permet de gagner du temps et de minimiser le risque de fautes de frappe et d'erreurs. La copie est semblable avec Excel : sélectionnez la valeur et cliquez le bouton Copier dans le ruban. Cliquez dans la cellule où doit aller la valeur et cliquez Copier. Mais la copie peut aussi être beaucoup plus profonde et plus puissante avec Excel car de nombreux éléments peuvent occuper une cellule : une valeur, une formule, une fonction, un format, un style et plus encore. Vous pouvez copier n'importe lequel de ces éléments entre des cellules, des feuilles de calcul, des classeurs et même des applications. Vous pouvez copier une seule valeur, comme un nombre particulier ou une portion précise d'un texte, ou bien copier en une fois de nombreuses valeurs, comme le contenu d'une plage.

Excel fait usage des outils de copie de Windows, aussi bien que de ceux d'Office 2007. Vous pouvez enregistrer jusqu'à 24 éléments différents dans le Presse-papiers d'Office afin de les copier dans Excel ou dans d'autres applications Office.

Dans ce chapitre, vous apprendrez à utiliser le Presse-papiers d'Office. Vous verrez aussi comment transposer une ligne en colonne, copier les styles d'une feuille à une autre, copier une formule d'une cellule à une autre, changer un texte en nombre et bien d'autres choses encore. Si vous travaillez en collaboration, vous tirerez parti de la tâche consacrée au suivi des révisions.

Top 100

VÉRIFIEZ
vos formules

À la création d'une formule, vous pouvez imbriquer une formule dans une autre. À cause du nombre d'étapes intermédiaires dans l'imbrication de formules, il est parfois difficile de vérifier la validité des résultats. Vous pouvez utiliser la boîte de dialogue Évaluer la formule pour contrôler le résultat des calculs intermédiaires afin de vérifier si le résultat est correct.

À l'ouverture de la boîte de dialogue Évaluation de formule, la formule est affichée. Vous parcourez alors une à une les étapes d'évaluation des expressions si bien que vous voyez comment Excel évalue chaque argument. Cliquez le bouton Évaluer pour démarrer le processus. Excel souligne la première expression individuelle. Cliquez de nouveau le bouton pour voir le résultat de l'expression affiché en italique.

Si une référence renvoie à une autre formule, vous pouvez cliquer Pas à pas détaillé pour afficher la formule. Cliquez Quitter le pas à pas détaillé pour revenir à la référence. Après avoir parcouru toute la formule, Excel affiche le résultat et le bouton Évaluer devient Redémarrer. Cliquez-le pour recommencer l'évaluation de la formule.

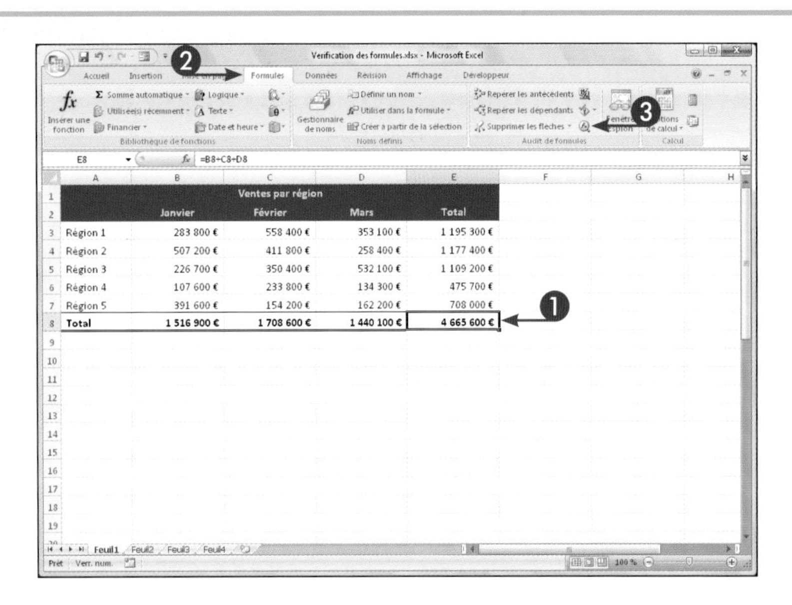

1. Cliquez la cellule contenant la formule à vérifier.
2. Cliquez l'onglet **Formules**.
3. Cliquez **Évaluation de formule** dans le groupe **Audit de formule**.

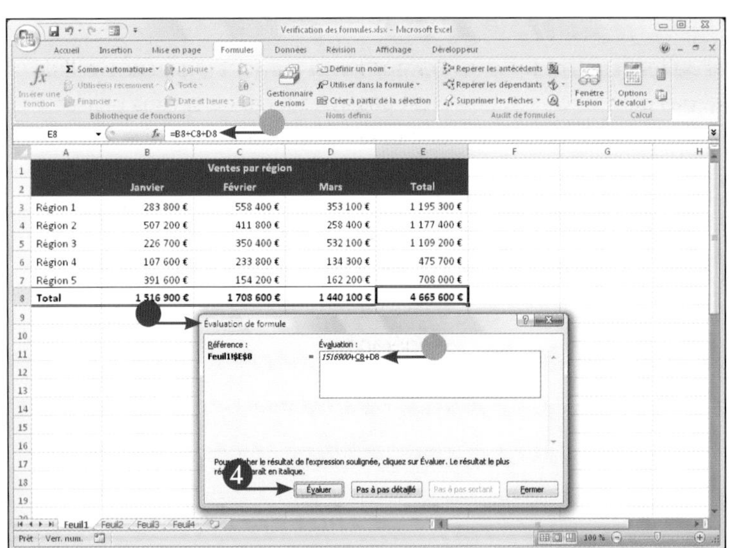

- La boîte de dialogue Évaluation de formule apparaît.
4. Cliquez **Évaluer**.
- Excel commence à évaluer la formule et souligne les composants.

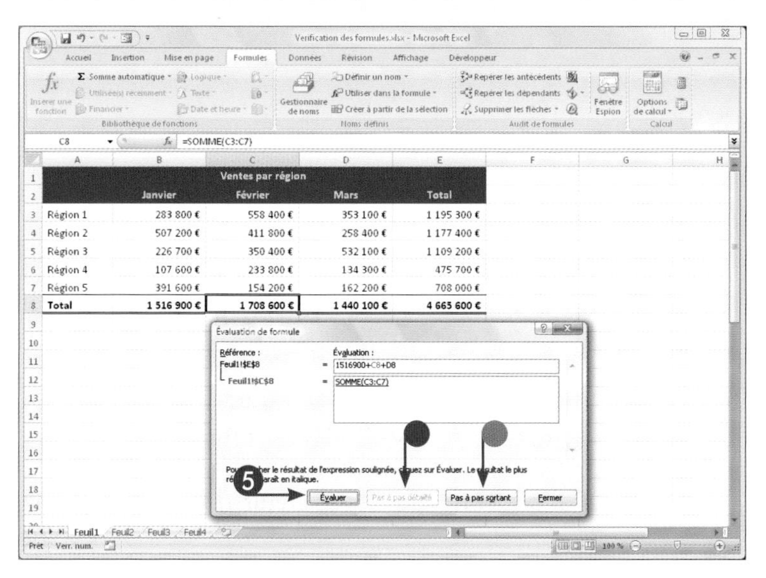

❺ Continuez à cliquer **Évaluer** pour passer en revue chaque expression.

- Cliquez **Pas à pas détaillé** pour voir à quoi renvoie une référence.
- Cliquez **Pas à pas sortant** pour revenir à l'expression.

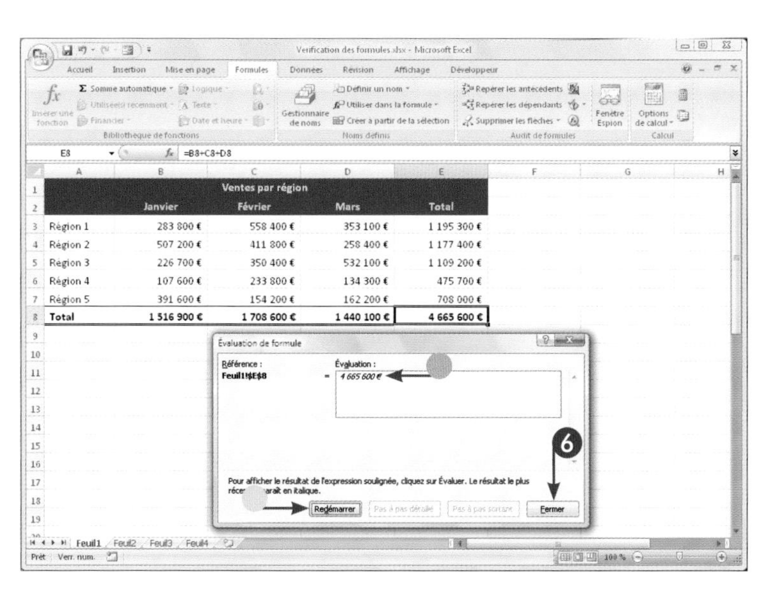

- Lorsque Excel atteint la fin de la formule, il affiche le résultat.
- Cliquez Redémarrer pour recommencer l'évaluation de la formule.

❻ Cliquez **Fermer** pour fermer la boîte de dialogue.

Le saviez-vous ?

Le nombre maximal de fonctions qui peuvent être imbriquées dans une fonction est 64.

Le saviez-vous ?

L'erreur #### survient lorsqu'une cellule n'est pas assez large ou si vous utilisez une date ou une heure négative. L'erreur #DIV/0 signale une division par zéro. L'erreur #N/A indique qu'une valeur n'est pas disponible pour votre fonction. L'erreur #VALEUR survient lorsque vous utilisez un type erroné d'argument ou d'opérande.

REPÉREZ
les antécédents et les dépendants

Lorsque vous créez une formule, Excel évalue toutes les valeurs de la formule et renvoie le résultat. Si Excel n'arrive pas à calculer la formule, il affiche une erreur dans la cellule. Vous pouvez utiliser les outils de repérage pour vous aider à localiser l'erreur.

En cliquant la cellule, puis le bouton Repérer les antécédents dans le groupe Audit de formules de l'onglet Formules, vous obtenez une représentation graphique des cellules auxquelles la formule se réfère. Cette option dessine des flèches bleues désignant chaque cellule employée dans la formule, ce qui vous permet d'identifier précisément ces cellules.

Si vous souhaitez trouver quelles formules utilisent une cellule précise, vous pouvez obtenir une représentation graphique semblable en utilisant l'outil Repérer les dépendants dans le groupe Audit de formules de l'onglet Formules. Excel indique alors par des flèches bleues les cellules contenant une formule qui fait appel à la cellule active. En vous servant de cet outil avant d'effacer une cellule, vous pouvez vérifier si l'effacement affectera la feuille de calcul.

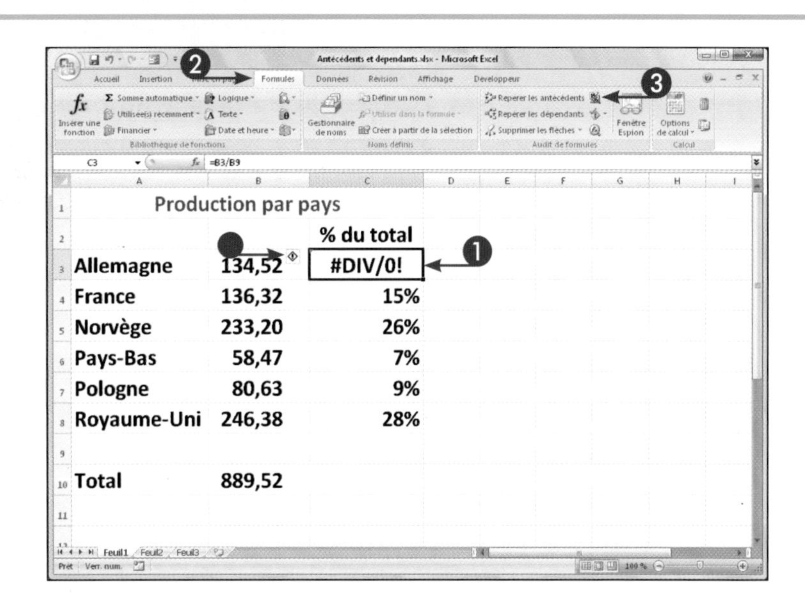

Repérez les antécédents

1. Cliquez dans la cellule contenant la formule dont vous voulez repérer les antécédents.

- Si la cellule contient une erreur, une icône signalant l'erreur apparaît à côté de la formule.

2. Cliquez l'onglet **Formules**.
3. Cliquez **Repérer les antécédents** dans le groupe **Audit de formules**.

- Excel dessine des flèches entre les cellules utilisées par la formule et la cellule active.

4. Apportez les modifications nécessaires pour corriger l'erreur de la formule.
5. Cliquez **Supprimer les flèches**.

Excel supprime les flèches.

Note. *Cliquez la flèche accompagnant Supprimer les flèches pour choisir parmi* ***Supprimer les flèches****,* ***Supprimer les flèches des antécédents*** *et* ***Supprimer les flèches des dépendants****.*

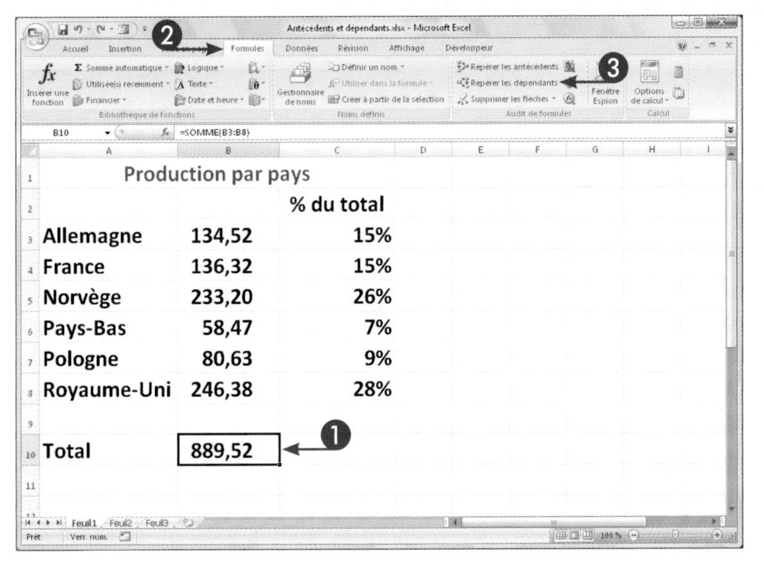

Repérez les dépendants

1. Cliquez dans la cellule dont vous voulez repérer les dépendants.
2. Cliquez l'onglet **Formules**.
3. Cliquez **Repérer les dépendants**.

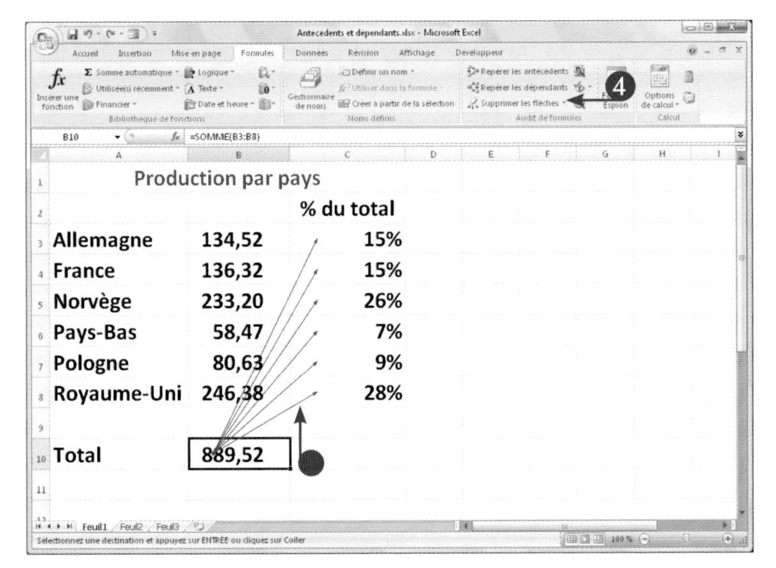

- Excel dessine des flèches entre la cellule active et les cellules dépendantes.

4. Cliquez **Supprimer les flèches**.

   Excel supprime les flèches.

   Note. *Cliquez la flèche accompagnant Supprimer les flèches pour choisir parmi* ***Supprimer les flèches****,* ***Supprimer les flèches des antécédents*** *et* ***Supprimer les flèches des dépendants****.*

Le saviez-vous ?

Lorsque vous travaillez avec des feuilles de calcul vastes ou complexes, dans lesquelles le résultat d'une formule dépend du résultat d'une autre cellule, il peut être intéressant de surveiller les valeurs des cellules. Pour cela, vous pouvez utiliser la Fenêtre Espion. Pour ajouter une cellule à la Fenêtre Espion, cliquez **Fenêtre Espion** dans le groupe **Audit de formules** de l'onglet **Formules**. La Fenêtre Espion apparaît à l'écran. Cliquez **Ajouter un espion**. La boîte de dialogue Ajouter un espion apparaît. Pointez les cellules à surveiller et cliquez **Ajouter**. Vous pouvez à présent surveiller continuellement les cellules incluses dans la Fenêtre Espion.

Changez du TEXTE EN NOMBRE

Vous pouvez employer les formules pour réaliser rapidement et avec exactitude des opérations complexes sur des nombres, des dates ou des heures. Il arrive cependant que vos données ressemblent à des nombres, mais soient en fait du texte, de simples caractères. Si un nombre s'affiche aligné à gauche dans une cellule, il s'agit probablement de texte. Les valeurs numériques sont par défaut alignées à droite.

Avec Excel, le texte et les nombres sont des types de données différents. Les formules et les fonctions mathématiques utilisent des nombres et non du texte. Essayer d'inclure du texte dans un calcul mathématique induit une erreur.

Il existe plusieurs moyens de résoudre ce problème. Vous pouvez utiliser la boîte de dialogue Format de cellule pour appliquer la mise en forme Nombre au texte, mais cette méthode ne fonctionne pas toujours. Une technique plus fiable consiste à multiplier chaque valeur par 1 pour convertir le type de donnée texte en nombre.

Le problème de nombre au format texte survient fréquemment lorsque vous importez des données d'une autre application, par exemple un système de gestion de base de données comme Access. Le chapitre 9 examine en détail l'importation des données.

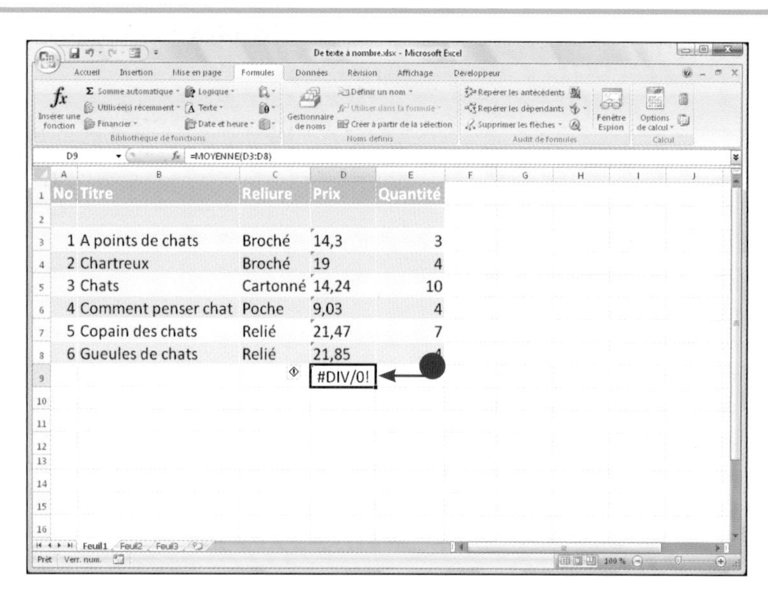

Note. *Les nombres alignés à gauche dans cette tâche sont en réalité des textes. Avec Excel, l'alignement par défaut des nombres se fait sur le côté droit de la cellule.*

- Vous ne pouvez pas calculer la moyenne. Excel affiche une erreur #DIV/0!

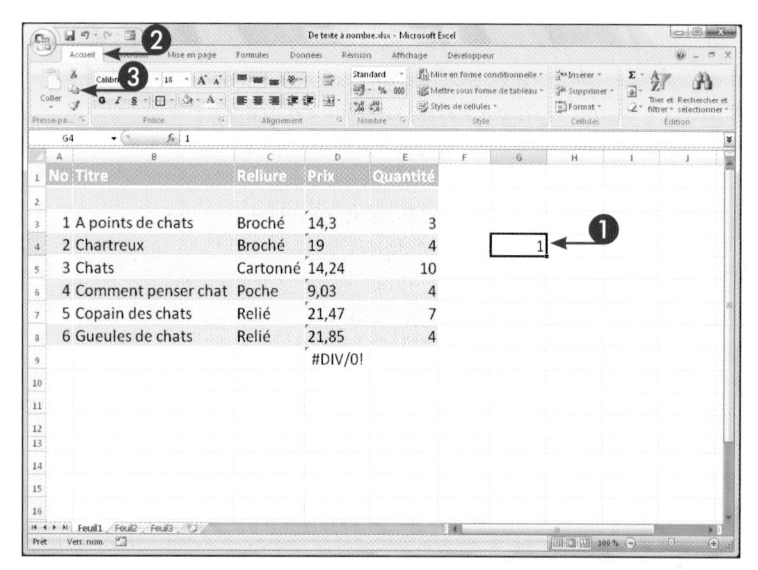

1. Tapez **1** dans une cellule proche.
2. Cliquez l'onglet **Accueil**.
3. Cliquez le bouton **Copier**.

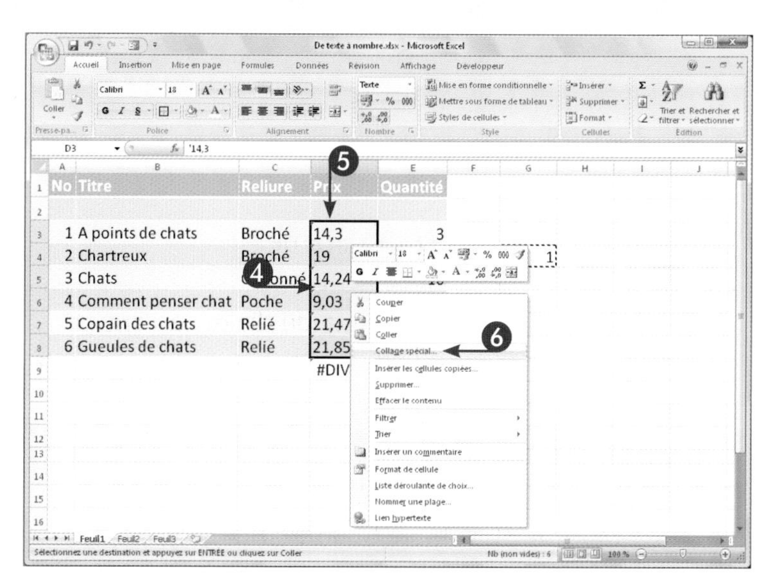

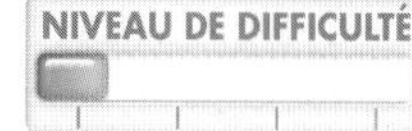

❹ Sélectionnez les cellules à convertir.

❺ Cliquez les cellules du bouton droit.

Un menu contextuel apparaît.

❻ Cliquez **Collage spécial**.

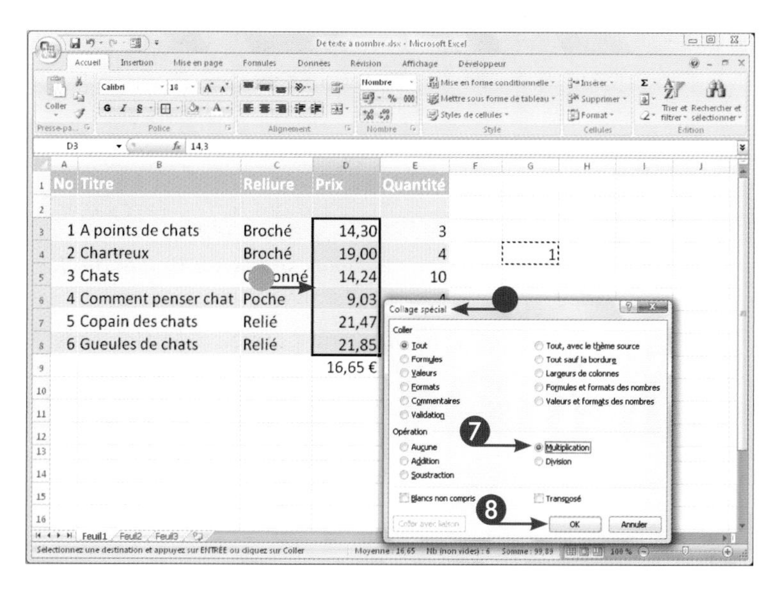

- La boîte de dialogue Collage spécial apparaît.

❼ Cliquez **Multiplication** (○ devient ◉).

❽ Cliquez **OK**.

- Les nombres sont maintenant alignés à droite dans leur cellule et peuvent être utilisés dans des formules mathématiques.

Le saviez-vous ?

Excel peut convertir en valeurs numériques des nombres au format texte. Cliquez le bouton **Office** et cliquez **Options Excel**. La boîte de dialogue Options Excel apparaît. Cliquez **Formules**. Dans la section Règles de vérification des erreurs, cochez **Nombres mis en forme en tant que texte ou précédés d'une apostrophe** (☐ devient ☑). Excel marque les cellules contenant du texte d'un repère vert placé au coin supérieur gauche. Cliquez le bouton accompagnant une cellule qui affiche ce repère. Cliquez **Convertir en nombre**. Si Excel peut convertir ce texte en nombre, le nombre sera aligné à droite. Cette méthode ne fonctionne pas toujours.

CONVERTISSEZ UNE LIGNE

en colonne

Lorsque vous créez une feuille de calcul, Excel vous donne beaucoup de souplesse concernant le travail avec les lignes ou les colonnes. À tout moment, vous pouvez insérer de nouvelles lignes ou colonnes, en supprimer et déplacer des lignes ou des colonnes entières en conservant la plupart de leurs propriétés. Il peut arriver néanmoins que vous vouliez transposer une ligne en colonne, ou l'inverse.

La transposition se révèle très pratique lorsque vous avez besoin de créer un tableau, un type de plage particulier qui fait l'objet du chapitre 4. Un tableau est formé de lignes décrivant chacune un élément, chaque colonne reprenant une caractéristique de l'élément. Par exemple, s'il s'agit d'un tableau d'inventaire d'articles, les colonnes pourraient contenir le numéro d'identification, le prix, la quantité en stock, *etc*. En général, les tableaux ont de nombreuses lignes et beaucoup moins de colonnes.

Avec Excel, vous pouvez copier ou transposer une ligne en colonne, et *vice versa*, à l'aide de la boîte de dialogue Collage spécial. Pour être certain d'avoir assez de place pour la nouvelle disposition, vous pouvez mettre les données transposées sur une autre feuille de calcul ou dans un nouveau classeur.

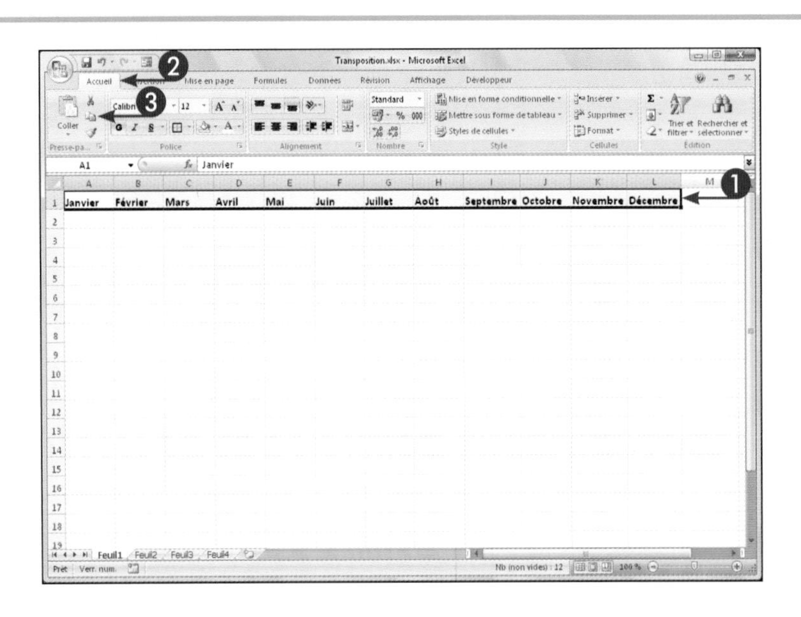

1. Sélectionnez les cellules à transposer.

   Note. *Vérifiez que vous avez la place disponible pour recevoir les données copiées.*

2. Cliquez l'onglet **Accueil.**
3. Cliquez le bouton **Copier**.

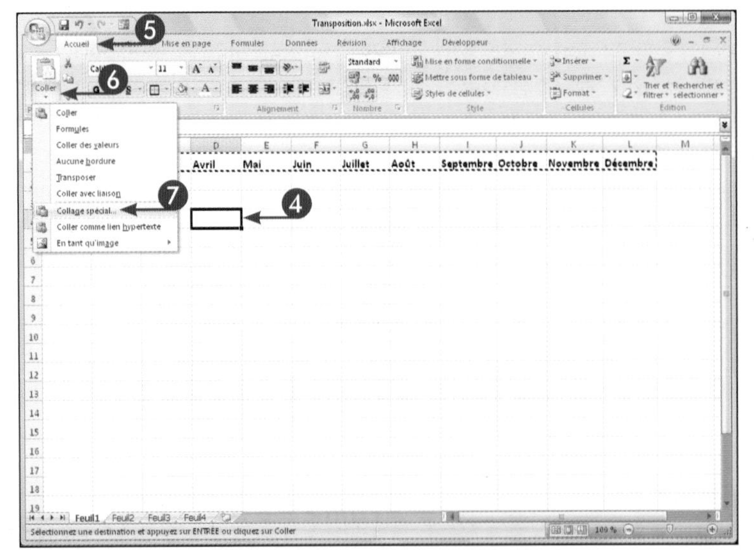

4. Cliquez pour sélectionner la première cellule de la nouvelle colonne ou nouvelle ligne.

   Note. *Excel supprime le contenu existant lorsqu'il copie les données.*

5. Cliquez l'onglet **Accueil**.
6. Cliquez **Coller**.

   Un menu apparaît.

7. Cliquez **Collage spécial**.

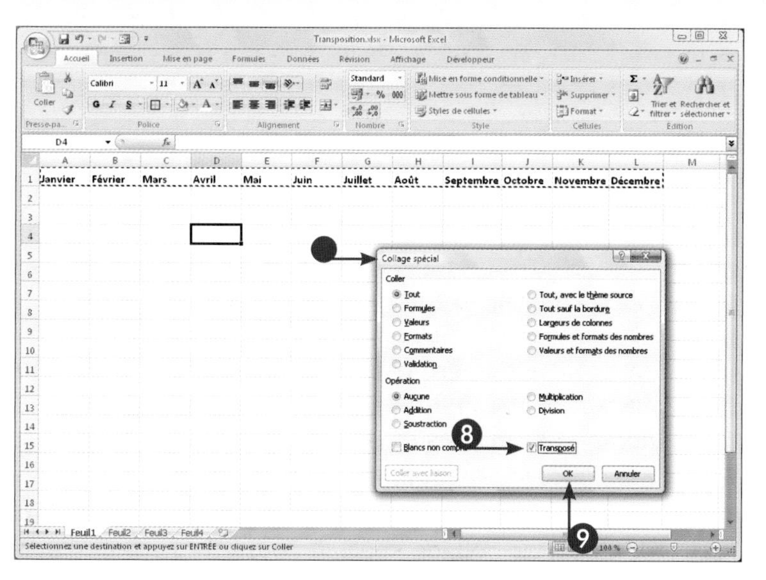

- La boîte de dialogue Collage spécial apparaît.

8. Cliquez **Transposer** (☐ devient ☑).
9. Cliquez **OK**

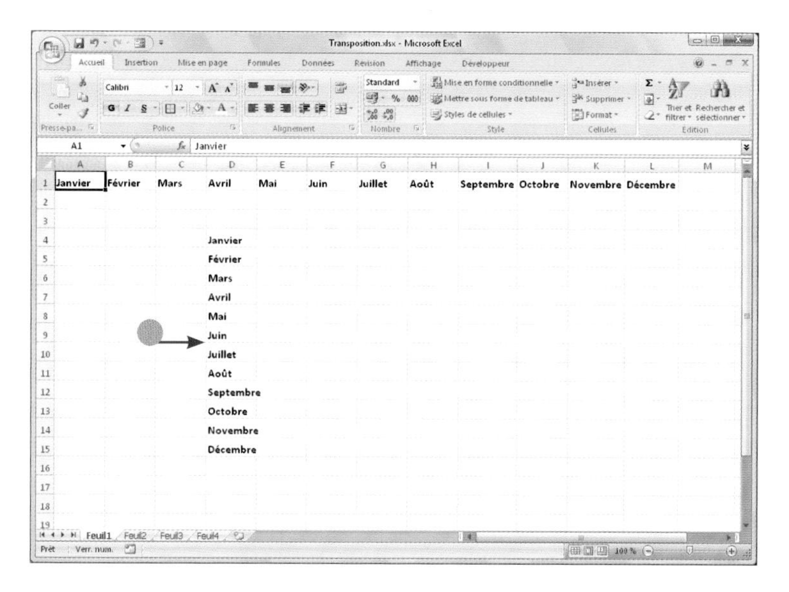

- Les données apparaissent transposées.

Le saviez-vous ?

Cette méthode fonctionne aussi avec une plage de cellules. Si vous ne connaissez pas les dimensions précises de la plage transposée, sélectionnez seulement la cellule supérieure gauche de la nouvelle plage et Excel utilisera l'espace nécessaire.

Le saviez-vous ?

Vous pouvez éviter de réorganiser les feuilles de calcul en planifiant bien leur conception. Disposez en colonnes les longues listes de personnes, d'articles ou de transactions et donnez à chaque colonne un titre descriptif. Ce type de disposition permet de former un tableau Excel. Pour en savoir plus à ce sujet, consultez le chapitre 4.

Copiez des données
DANS LE PRESSE-PAPIERS

Avec Office 2007, vous pouvez placer des éléments dans une zone de stockage appelée le Presse-papiers et les coller ensuite dans Excel ou une autre application. Les éléments coupés ou copiés restent dans le Presse-papiers jusqu'à ce que vous fermiez toutes les applications Office. Le Presse-papiers peut contenir jusqu'à 24 éléments, tous disponibles pour être collés dans une feuille de calcul ou un autre document Office.

Le Presse-papiers n'est pas visible par défaut. Pour y accéder, utilisez le lanceur de boîte de dialogue du groupe Presse-papiers de l'onglet Accueil. Vous pouvez placer une plage complète dans le Presse-papiers. La fonction Coller du Presse-papiers Office collera la plage et toutes les valeurs, mais les formules ne seront pas collées.

Après avoir collé un élément du Presse-papiers, Excel affiche le bouton Options de collage. Dans le menu des options, vous pouvez choisir si vous voulez conserver la mise en forme source ou respecter celle des cellules de destination.

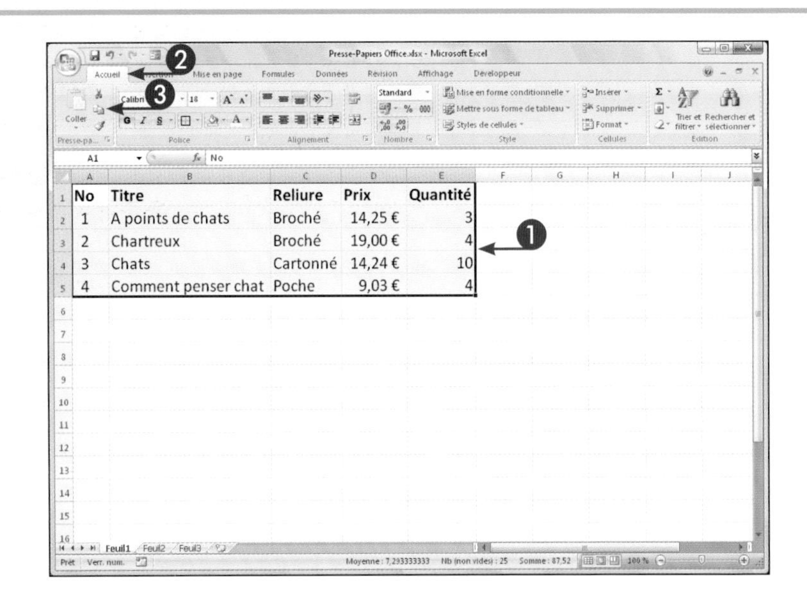

1. Sélectionnez les cellules à copier.
2. Cliquez l'onglet **Accueil**.
3. Cliquez le bouton **Copier**.

   Excel place une copie des cellules sélectionnées dans le Presse-papiers Office.

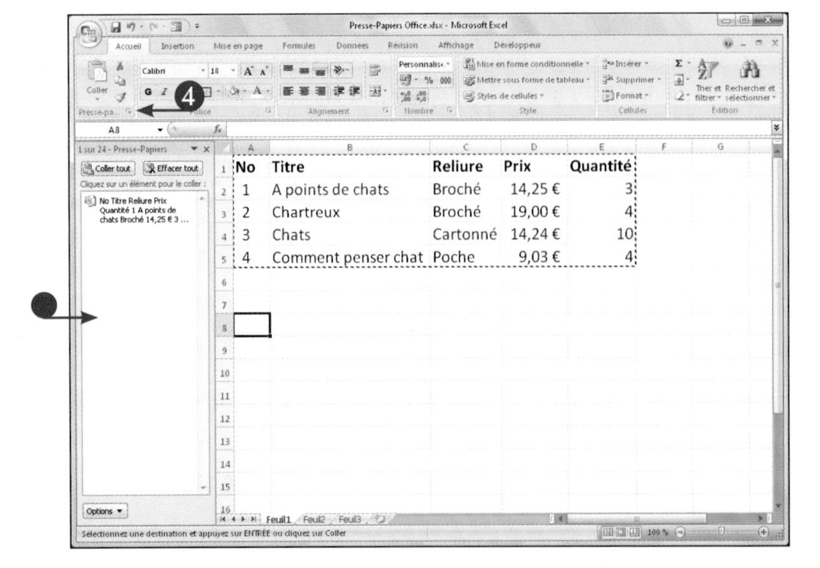

4. Cliquez le lanceur de boîte de dialogue du groupe Presse-papiers.

- Le volet des tâches Presse-papiers apparaît.

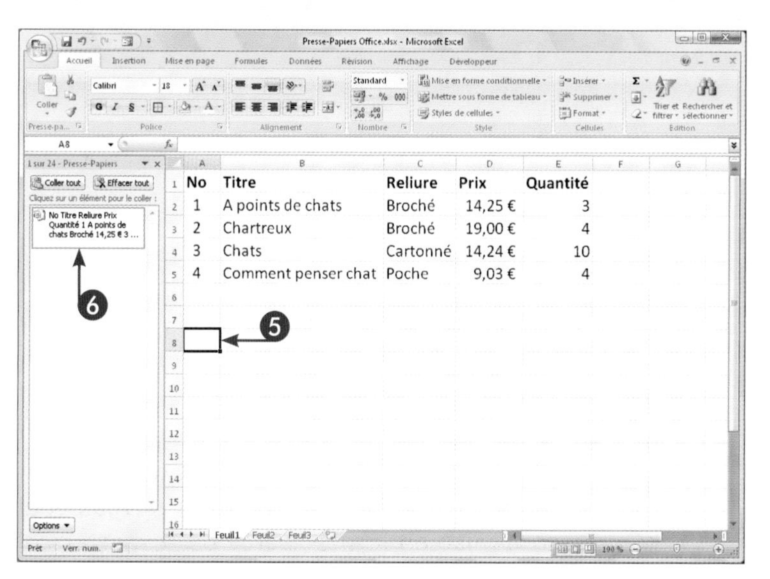

❺ Cliquez la cellule de destination.

❻ Cliquez l'élément à coller.

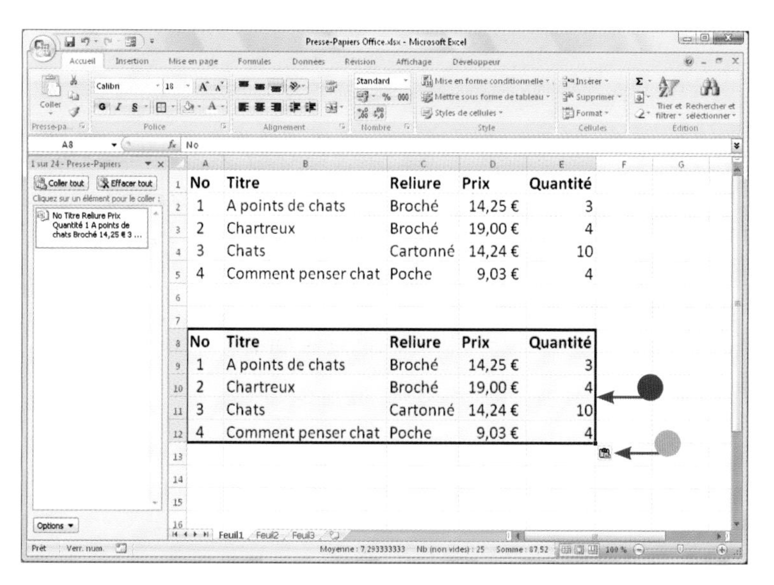

- L'élément est collé au nouvel emplacement.
- Dans le menu des options de collage, choisissez si vous souhaitez conserver la mise en forme de l'élément copié ou la modifier pour correspondre à la mise en forme du nouvel emplacement. Par défaut, la mise en forme appliquée est celle des données source. Appuyez sur **Echap** pour accepter la valeur par défaut et fermer le menu.

Le saviez-vous ?

Pour copier une plage de cellules dans une feuille de calcul ou d'une feuille à une autre, sélectionnez les cellules et cliquez le bouton **Copier** dans le groupe **Presse-papiers** de l'onglet **Accueil**. Pour coller la plage, naviguez vers la feuille de destination, cliquez dans la cellule qui sera celle du coin supérieur droit de la nouvelle plage et cliquez **Coller** dans le groupe Presse-papiers.

Le saviez-vous ?

Pour empêcher le volet du Presse-papiers d'apparaître de façon inattendue durant la copie, ouvrez le volet, cliquez le bouton **Options** au bas du volet et sélectionnez **Copier sans afficher le Presse-papiers Office**.

Ajustez les largeurs de colonnes

AVEC LE COLLAGE SPÉCIAL

En cliquant Copier dans l'onglet Accueil, en appuyant sur Ctrl+C ou en cliquant Copier dans un menu contextuel, vous pouvez facilement copier le contenu d'une plage de cellules afin de la coller ailleurs dans la feuille de calcul. En fait, les cellules contiennent toute une variété d'informations. Avec le Collage spécial, vous pouvez décider exactement quelle information vous désirez coller.

Il est possible de coller tout ou de coller un aspect particulier, comme les formules, les valeurs, la mise en forme, les commentaires, les règles de validation ou la largeur de colonne.

Vous pouvez coller à plusieurs reprises. Par exemple, lorsque vous cliquez Coller, Excel colle les valeurs, les formules et la mise en forme, mais n'ajuste pas la largeur de colonne. Pour remédier à cela, collez en deux étapes. À la première étape, collez la largeur de colonne. Excel ajuste la largeur des cellules. Procédez ensuite au collage des valeurs, formules et mise en forme.

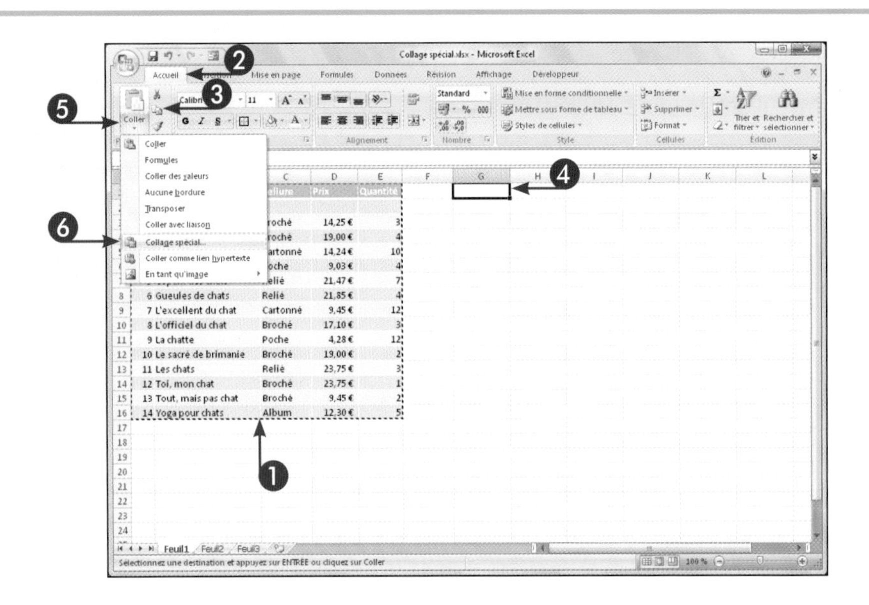

1. Sélectionnez les cellules à copier.
2. Cliquez l'onglet **Accueil**.
3. Cliquez le bouton **Copier**.
4. Placez le pointeur dans la cellule qui recevra le coin de la plage copiée.
5. Cliquez **Coller**.

   Un menu apparaît.
6. Cliquez **Collage spécial**.

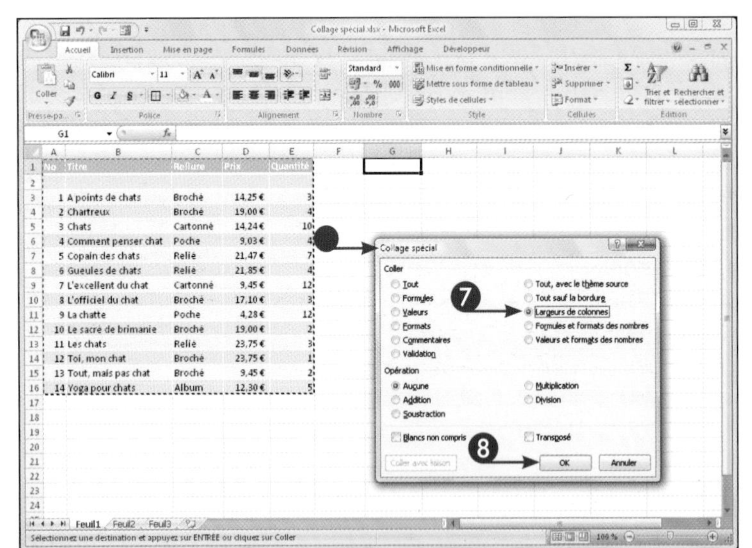

- La boîte de dialogue Collage spécial apparaît.

7. Cliquez **Largeurs de colonnes** (○ devient ◉).
8. Cliquez **OK**.

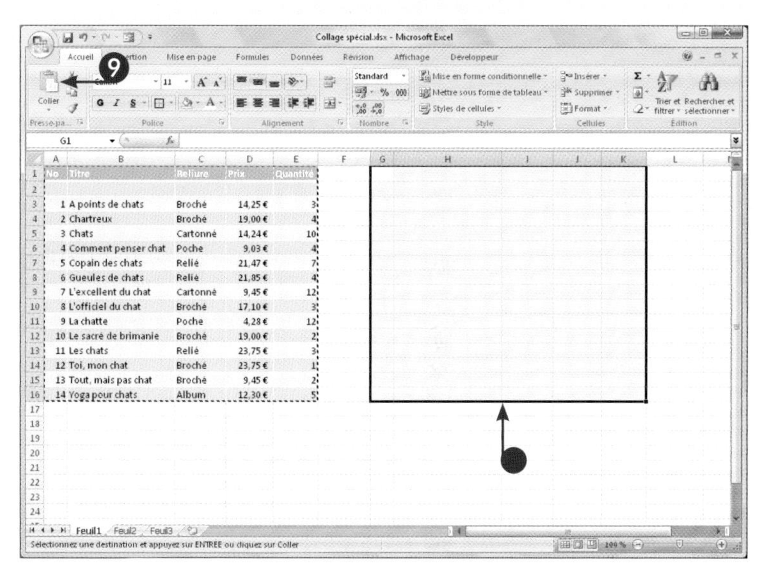

- Excel applique à la plage de destination les largeurs de colonnes de la source.

9 Cliquez le bouton **Coller**.

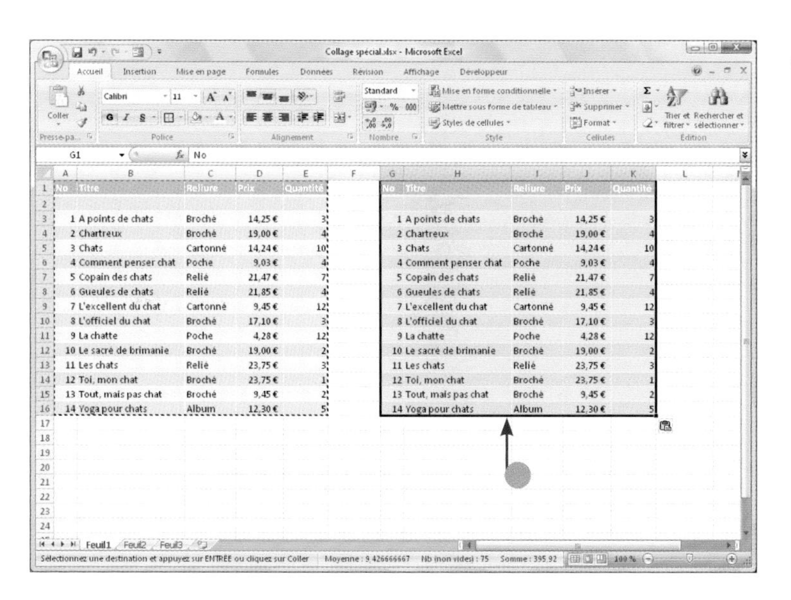

- Excel colle le contenu des cellules.

  Vous pouvez appuyer sur **Echap** pour terminer la session de copie.

Le saviez-vous ?

Vous pouvez choisir l'option **Blancs non compris** (☐ devient ☑) dans la boîte de dialogue Collage spécial si votre plage source comporte des cellules vides. Dans ce cas, lorsqu'une cellule source est vide, Excel ne remplacera pas par une cellule vide le contenu de la cellule de destination qui contient une donnée.

Le saviez-vous ?

Vous pouvez utiliser **Ctrl+C** pour copier, **Ctrl+V** pour coller et **Ctrl+X** pour couper. **Couper** déplace le contenu des cellules vers l'emplacement de destination. Copier de cette façon copie aussi les formules.

Le saviez-vous ?

Le Presse-papiers Office peut contenir des objets graphiques, vous pouvez donc l'utiliser pour importer dans Excel des images numériques, des objets WordArt et des cliparts provenant d'autres applications.

Indiquez la façon de coller

AVEC LE COLLAGE SPÉCIAL

L'outil Reproduire la mise en forme permet de copier la mise en forme d'une cellule à une autre. Vous pouvez aussi utiliser le Collage spécial. Copiez simplement une cellule contenant la mise en forme à utiliser, puis servez-vous du Collage spécial pour copier ce format dans toutes les cellules. Consultez le chapitre 7 pour en savoir plus sur l'outil Reproduire la mise en forme.

Vous pouvez suivre cette procédure pour copier les formules ou les valeurs d'un emplacement de la feuille à un autre. Lorsque vous voulez utiliser la formule d'une cellule dans d'autres cellules, copiez-la. Lorsque vous avez besoin du résultat d'une formule mais pas de la formule elle-même, copiez la valeur seulement.

Le Collage spécial permet aussi de réaliser des opérations mathématiques simples sur chaque cellule d'une plage. Par exemple, dans une liste de prix, vous pouvez augmenter tous les prix de 10 pour cent en vous servant du Collage spécial. Tapez simplement 1,10 dans une cellule puis sélectionnez Multiplier dans la boîte de dialogue Collage spécial.

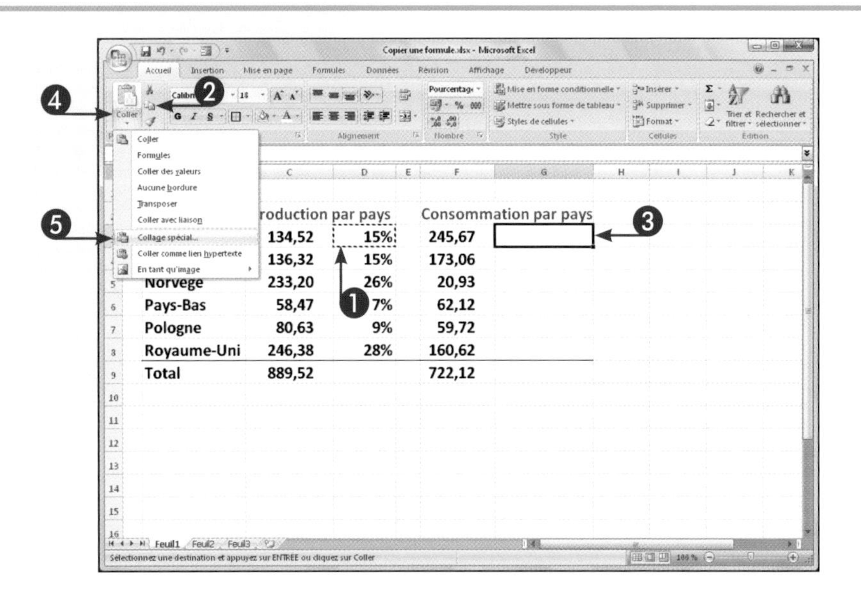

Copiez une formule

❶ Cliquez dans la cellule contenant la mise en forme, la formule ou la valeur à copier.

❷ Cliquez le bouton **Copier**.

❸ Sélectionnez la ou les cellules de destination.

❹ Cliquez **Coller**.

Un menu apparaît.

❺ Cliquez **Collage spécial**.

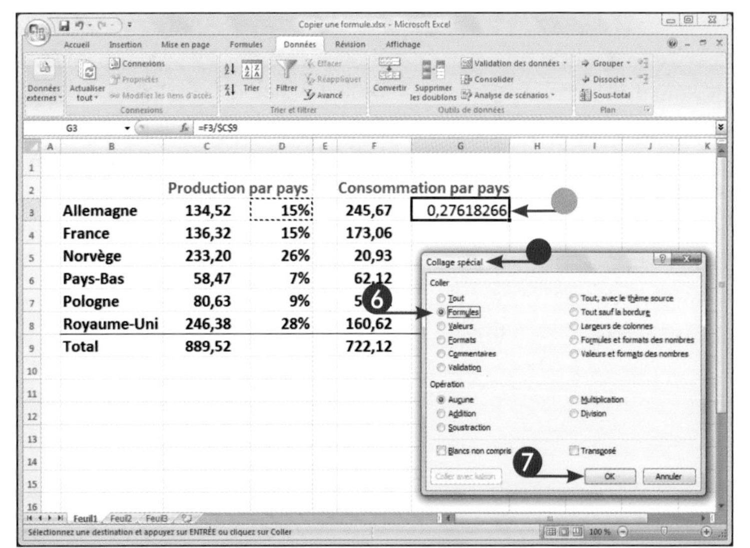

● La boîte de dialogue Collage spécial apparaît.

❻ Cliquez l'option de collage choisie (○ devient ◉).

Cet exemple colle une formule.

❼ Cliquez **OK**.

● Excel colle la formule sans la mise en forme.

Note. *Le Collage standard est l'équivalent du Collage spécial avec l'option Tout.*

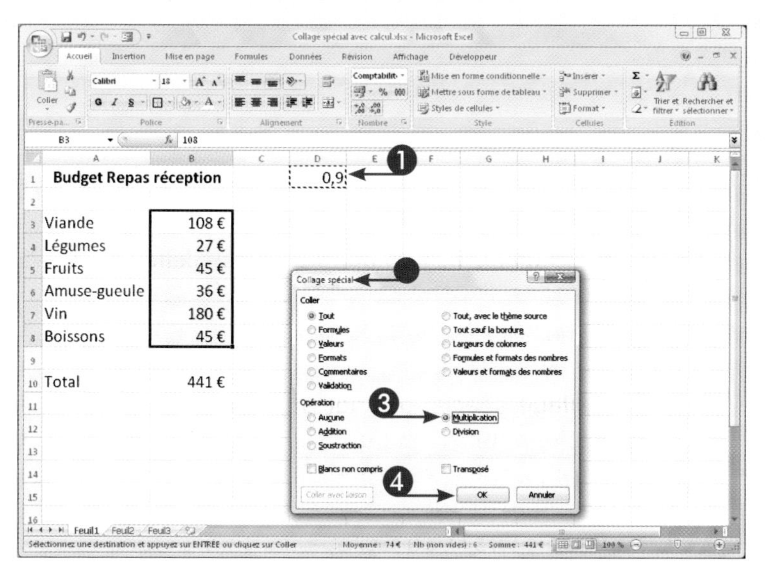

Collez en effectuant une opération

1. Cliquez la cellule où se trouve le nombre qui servira à additionner, soustraire, multiplier ou diviser les valeurs.
2. Répétez les étapes **2** à **5** de la section « Copiez une formule ».

- La boîte de dialogue Collage spécial apparaît.

3. Cliquez une opération (☐ devient ☑).
4. Cliquez **OK**.

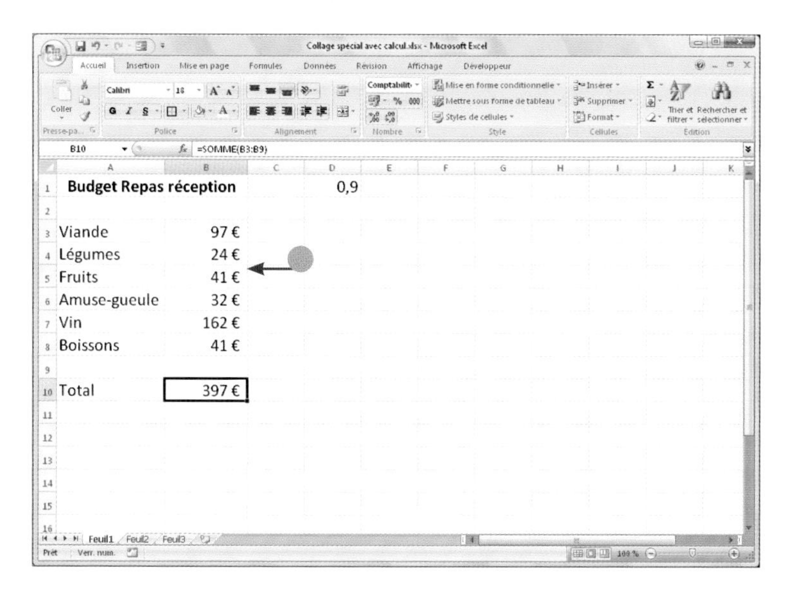

- Excel réalise l'opération sélectionnée.

Le saviez-vous ?

L'option **Coller avec liaison** de la boîte de dialogue Collage spécial permet de maintenir la synchronisation entre les données source et destination. Si vous cliquez ce bouton pour coller, toute modification aux données source sera répercutée automatiquement dans les données de destination.

Le saviez-vous ?

Vous n'avez pas besoin d'ouvrir la boîte de dialogue Collage spécial pour copier les valeurs et les formules. Ces options peuvent être sélectionnées directement dans le menu Coller de l'onglet Accueil.

Créez votre propre STYLE

Grâce aux nombreuses options de mise en forme d'Excel, vous pouvez facilement mettre en forme nombres, textes et cellules. Un style est une collection nommée d'options de mise en forme utilisée dans un classeur. Les styles permettent de rester cohérent durant le travail de mise en forme en permettant l'application d'un ensemble de mises en forme harmonisées aux différents éléments d'une feuille de calcul, tels les titres de lignes, les titres de colonnes et les données. Excel propose de nombreux styles prédéfinis, accessibles par la galerie des styles.

Pour appliquer un style, sélectionnez les cellules qui recevront le style et cliquez son nom.

Vous pouvez créer vos propres styles. Pour créer un nouveau style basé sur un style existant, cliquez ce dernier du bouton droit dans la galerie des styles et cliquez Modifier. La boîte de dialogue Style apparaît. Cliquez Format. La boîte de dialogue Format de cellule apparaît. Utilisez-la pour définir des formats et cliquez OK lorsque vous avez terminé. Dans la boîte de dialogue Style, donnez un nom à votre nouveau style et cliquez OK.

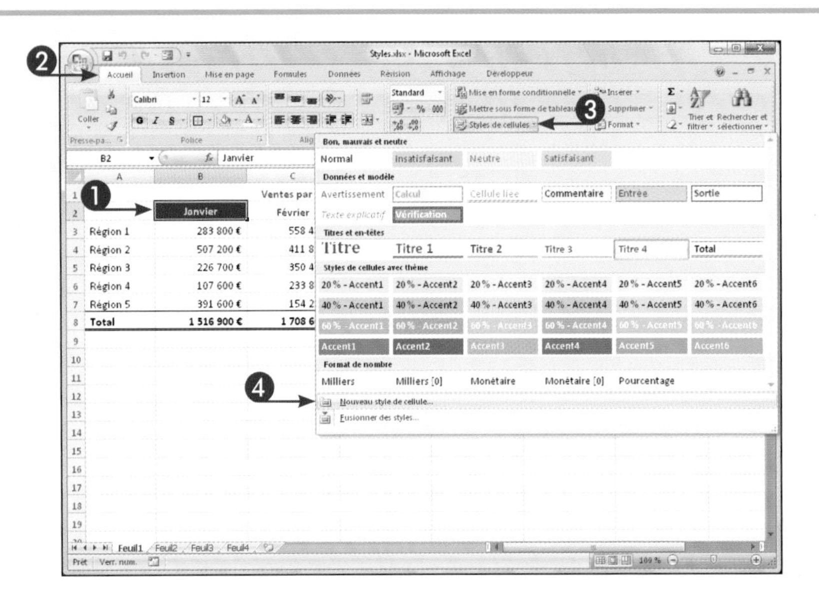

Groupez les mises en forme en un style

1. Cliquez une cellule dont la mise en forme servira à créer un style.
2. Cliquez l'onglet **Accueil**.
3. Cliquez **Styles de cellules**.

   La galerie des styles apparaît.
4. Cliquez **Nouveau style de cellule**.

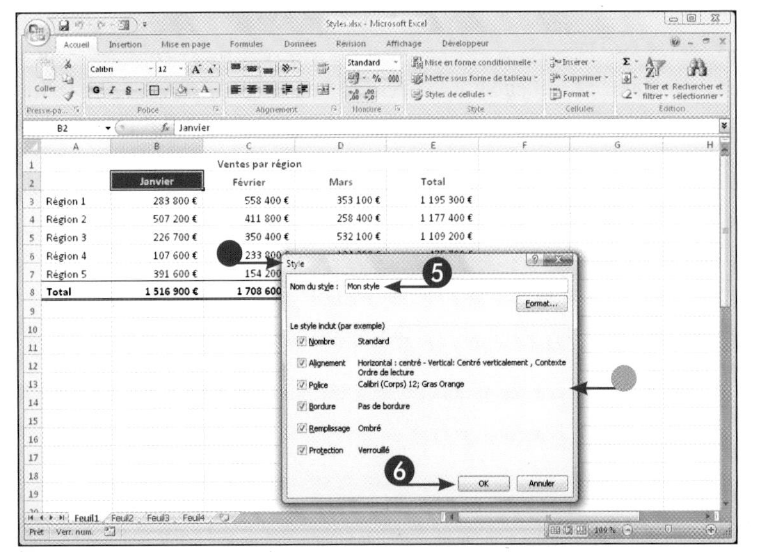

- La boîte de dialogue Style apparaît.
- Cette zone décrit la mise en forme appliquée à la cellule sélectionnée à l'étape **1**.

5. Donnez un nom à votre style.
6. Cliquez **OK**.

   Vous pouvez à présent appliquer ce style dans le classeur.

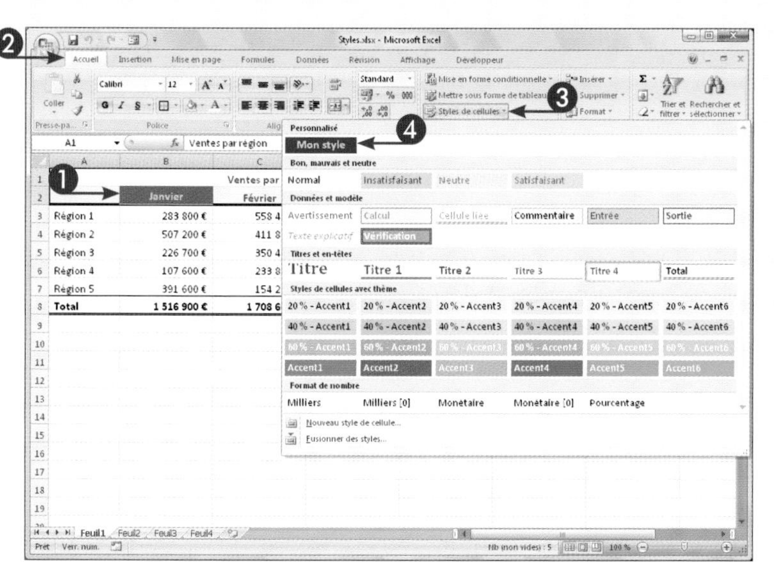

Appliquez un style de mise en forme

1. Sélectionnez les cellules auxquelles vous voulez appliquer le style.
2. Cliquez l'onglet **Accueil**.
3. Cliquez **Styles de cellules**.

   La galerie des styles apparaît.
4. Cliquez le style que vous avez créé.

- Excel applique le style.

Le saviez-vous ?

Vous pouvez utiliser l'outil Reproduire la mise en forme pour appliquer les styles et vous pouvez copier et coller une mise en forme d'une cellule à l'autre. Mais si vous employez régulièrement une même mise en forme, pensez à créer un style pour gagner de l'efficacité. Consultez la tâche n°71 pour en savoir plus sur l'outil Reproduire la mise en forme.

Mise en pratique !

Vous pouvez construire complètement un style au lieu de vous servir d'une cellule déjà mise en forme. Cliquez l'onglet **Accueil**, puis cliquez **Styles de cellules**. La galerie des styles apparaît. Cliquez **Nouveau style de cellule** et dans la boîte de dialogue Style, cliquez **Format**. La boîte de dialogue Format de cellule apparaît. Utilisez-la pour définir les éléments de votre style.

COPIEZ LES STYLES
dans un autre classeur

Un style est une collection d'options de mise en forme utilisée dans un classeur. Les styles permettent de maintenir cohérente la façon dont les nombres, les dates et heures, les bordures et le texte s'affichent dans les cellules. Vous pouvez créer un style reprenant n'importe quelle combinaison de mises en forme disponibles dans la boîte de dialogue Format de cellule, accessible en cliquant le bouton Format dans la boîte de dialogue Styles. Un classeur peut contenir de nombreux styles.

Les styles simplifient le travail et réduisent le temps passé à la mise en forme, puisque vous pouvez appliquer un style à de nombreuses cellules à la fois. Pour utiliser un style personnalisé dans un autre classeur, copiez-le. Excel appelle *fusion* la copie d'un style d'un classeur à l'autre.

Pour copier des styles, vous devez ouvrir les deux classeurs : celui qui contient les styles et celui dans lequel vous souhaitez les importer.

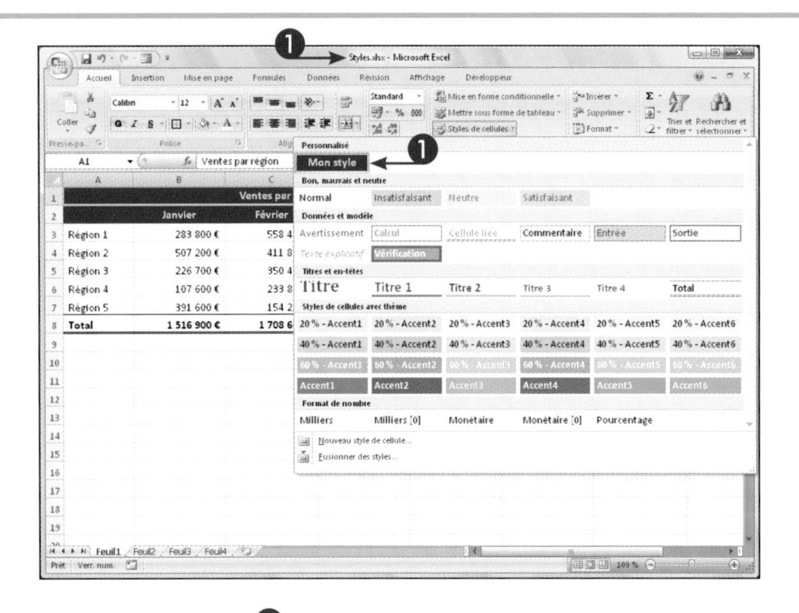

1. Ouvrez le classeur contenant vos styles.

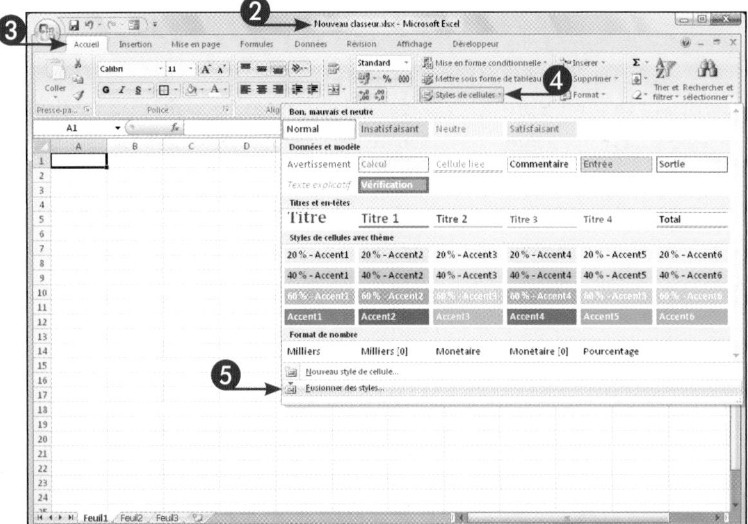

2. Ouvrez le classeur dans lequel vous voulez fusionner les styles.
3. Cliquez l'onglet **Accueil**.
4. Cliquez **Styles de cellules**.

   La galerie des styles apparaît.
5. Cliquez **Fusionner des styles**.

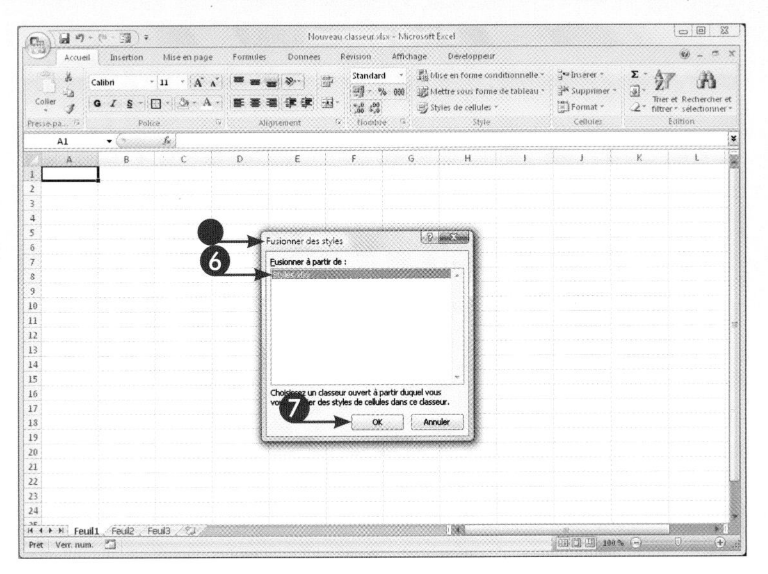

- La boîte de dialogue Fusionner des styles apparaît.

6. Cliquez le classeur dont vous désirez utiliser les styles.
7. Cliquez **OK**.

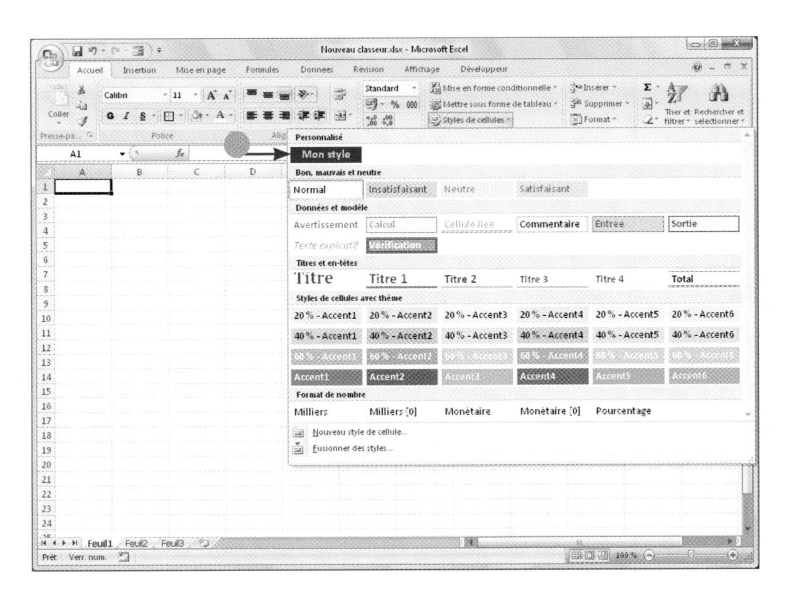

- Les styles copiés sont à présent disponibles dans l'autre classeur.

Le saviez-vous ?

Chaque style d'un classeur doit avoir un nom unique. Si vous essayez de copier dans un classeur un style portant le nom d'un style existant, un message d'avertissement apparaîtra lorsque vous cliquerez **OK** dans la boîte de dialogue Fusionner des styles. Si vous voulez que le style importé prenne la place du style existant, cliquez **OK**, sinon cliquez **Annuler**.

Mise en pratique !

Un style copié d'un autre classeur fonctionne exactement de la même façon qu'un style créé. Sélectionnez les cellules à mettre en forme, cliquez **Accueil**, puis cliquez **Styles de cellules** dans le groupe **Styles**. La galerie des styles apparaît. Cliquez le style importé.

Utilisez la

MISE EN FORME CONDITIONNELLE

Si vous voulez surveiller vos données en faisant ressortir certaines valeurs, l'outil de mise en forme conditionnelle est fait pour vous. Par exemple, si une société offre un bonus aux représentants dont les ventes dépassent 150 000 euros, vous pouvez demander à Excel de surligner les cellules des chiffres d'affaires dépassant ce montant. Excel peut aussi mettre en évidence les cellules dont la valeur est inférieure à, comprise entre ou égale à une ou des valeurs données, ainsi que des textes ou des dates correspondant à certaines conditions, les *n* valeurs les plus grandes, les plus petites, les *n* pourcentages les plus grands ou les plus petits et les valeurs au-dessus ou en dessous de la moyenne.

Les modifications peuvent affecter les données ayant reçu une mise en forme conditionnelle. Si, après une modification, une cellule ne correspond plus à la condition, Excel enlève la mise en forme. Au contraire, si elle remplit la condition, Excel la met en valeur. Vous définissez exactement les termes de la condition et ce qui se passe lorsqu'elle est remplie. Excel fournit un choix de mise en forme et vous avez aussi la possibilité de créer une mise en forme personnalisée.

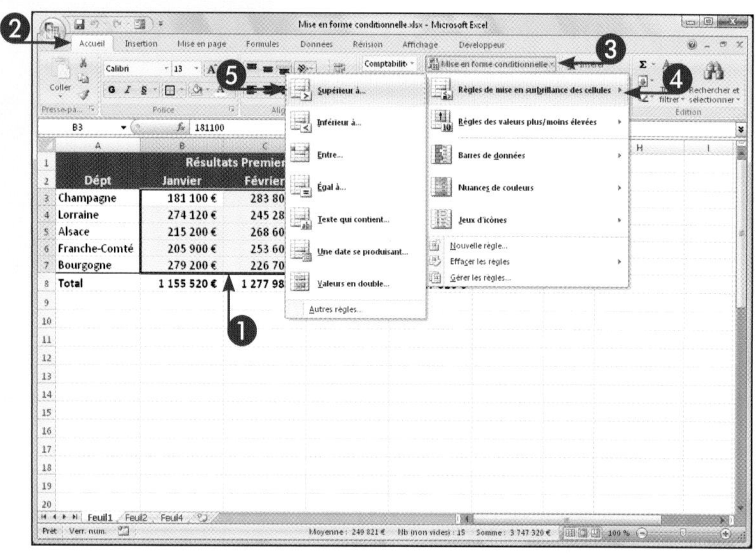

Mise en forme conditionnelle

1. Sélectionnez les données qui recevront la mise en forme conditionnelle.
2. Cliquez l'onglet **Accueil**.
3. Cliquez **Mise en forme conditionnelle**.

   Un menu apparaît.
4. Cliquez pour sélectionner une option de menu.

   Un sous-menu apparaît.
5. Cliquez pour sélectionner une option de menu.

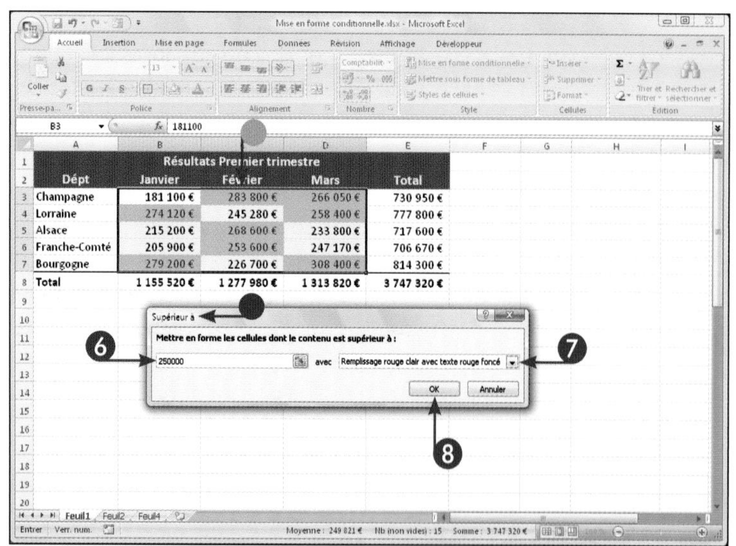

- Une boîte de dialogue apparaît.

  Note. *Cet exemple utilise la condition Supérieur à.*

6. Saisissez votre critère.
7. Cliquez ici pour sélectionner la mise en forme à appliquer.

   Vous pouvez choisir de créer une mise en forme personnalisée.
8. Cliquez **OK**.

- Excel met en évidence toutes les données remplissant la condition.

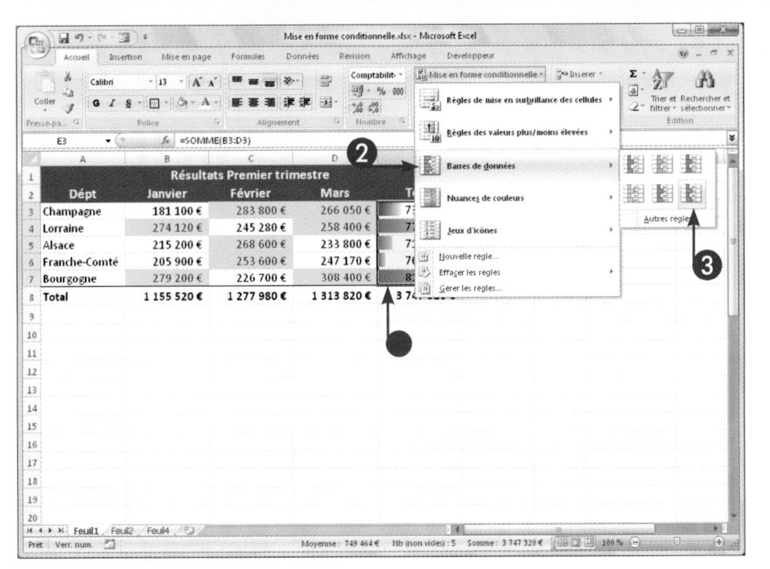

Barres de données

❶ Répétez les étapes **1** à **3** de la section « Mise en forme conditionnelle ».

● Cette plage forme les données sélectionnées.

Un menu apparaît.

❷ Cliquez **Barres de données**.

Un sous-menu apparaît.

❸ Cliquez la couleur à utiliser pour les barres de données.

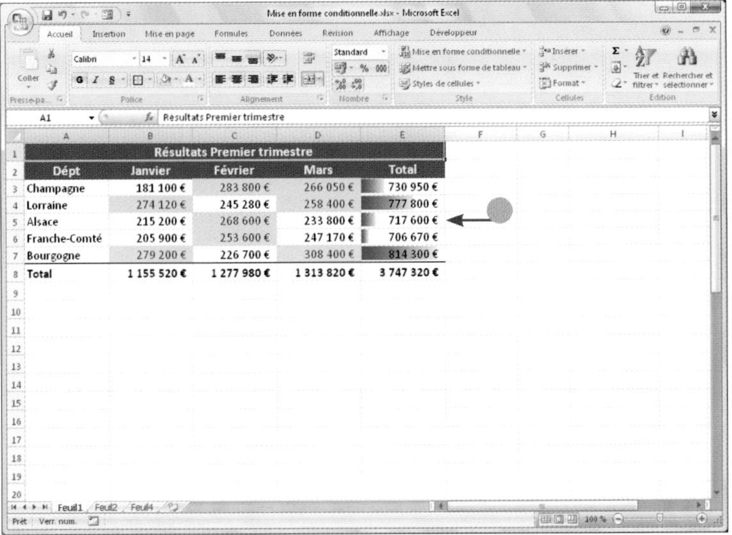

● Excel applique les barres de données aux cellules sélectionnées.

Le saviez-vous ?

Pour les barres de données, Excel propose un choix de six couleurs, mais vous pouvez sélectionner d'autres couleurs. Cliquez l'onglet **Accueil**, puis **Mise en forme conditionnelle** dans le groupe Styles. Un menu apparaît. Cliquez **Barres de données**, puis **Autres règles**. La boîte de dialogue Nouvelle règle de mise en forme apparaît. Utilisez le champ **Couleur de la barre** pour sélectionner votre couleur. Cliquez **OK**.

Le saviez-vous ?

Les nuances de couleur appliquent une mise en forme conditionnelle en utilisant des dégradés de couleur. Par exemple, si vous choisissez l'échelle de couleur Jaune - Vert, le jaune illustrera les valeurs les plus faibles et le vert les valeurs les plus élevées. Pour appliquer une échelle de couleur, sélectionnez les cellules à mettre en forme, cliquez l'onglet **Accueil** → **Mise en forme conditionnelle** → **Nuances de couleurs**, puis sélectionnez l'échelle à appliquer.

SUIVEZ LES MODIFICATIONS
durant la révision

Si vous travaillez dans un environnement réseau et que plusieurs personnes partagent la même feuille de calcul, il peut être important de savoir qui apporte une modification, dans quelle cellule et à quelle date. Pour cela, utilisez le suivi des modifications.

Dans la boîte de dialogue Afficher les modifications, utilisez les options Le, Par et Dans. La zone Le permet de définir le moment à partir duquel les modifications seront suivies, par exemple après une date spécifique ou depuis le dernier enregistrement. La zone Par identifie le groupe dont les modifications sont à suivre, par exemple tous les utilisateurs, tous sauf vous ou une personne en particulier. La zone Dans indique la ou les plages à surveiller.

Lorsque quelqu'un apporte une modification, Excel l'indique en plaçant un petit triangle pourpre dans le coin supérieur gauche de la cellule modifiée. Les modifications sont notées dans des commentaires générés automatiquement. Vous pouvez afficher ces commentaires en survolant les cellules avec le pointeur de la souris.

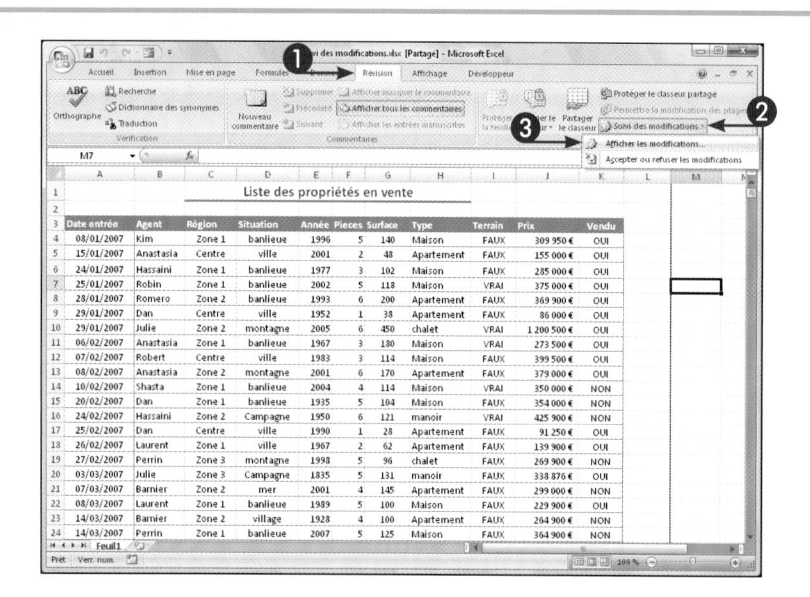

❶ Cliquez l'onglet **Révision**.

❷ Cliquez **Suivi des modifications**.

Un menu apparaît.

❸ Cliquez **Afficher les modifications**.

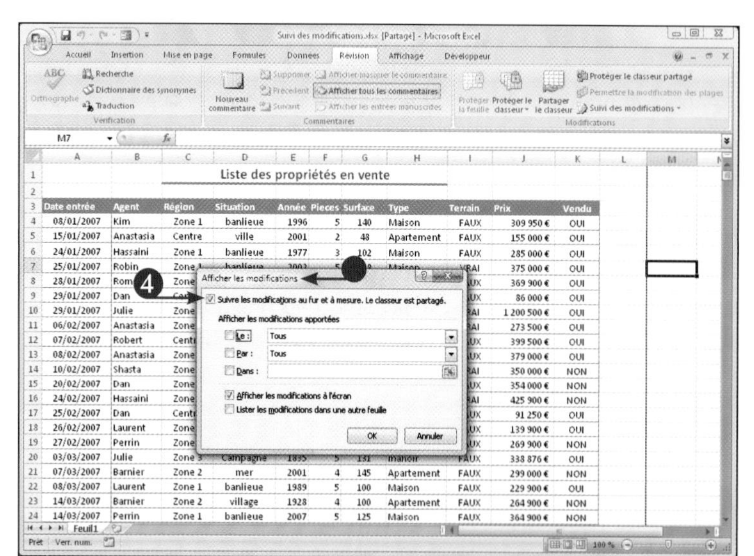

● La boîte de dialogue Afficher les modifications apparaît.

❹ Cochez **Suivre les modifications au fur et à mesure** (☐ devient ☑).

Les zones facultatives Le, Par et Dans deviennent accessibles.

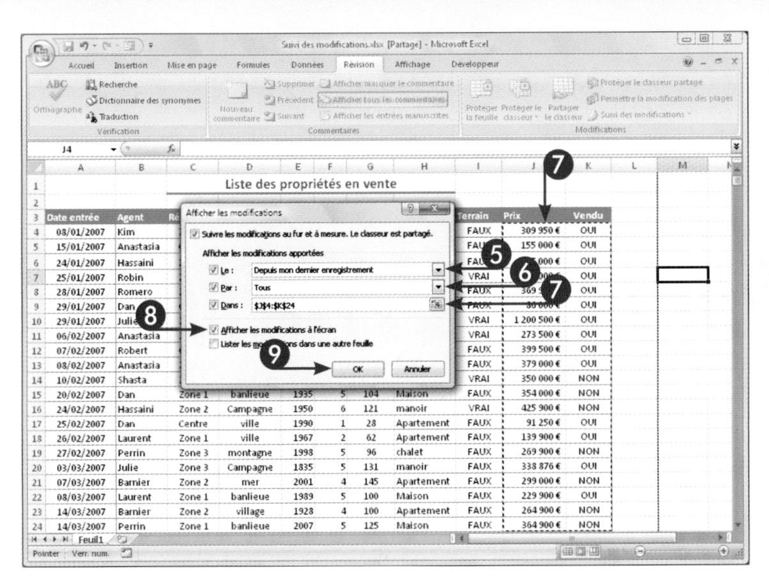

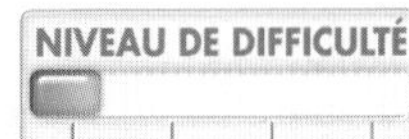

5. Cliquez ici et sélectionnez quand suivre les modifications.
6. Cliquez ici et sélectionnez l'auteur des modifications à suivre.
7. Tapez l'adresse de la plage ou sélectionnez-la dans la feuille.
8. Cliquez **Afficher les modifications à l'écran** pour insérer une marque pourpre dans les cellules modifiées (☐ devient ☑).
9. Cliquez **OK**.

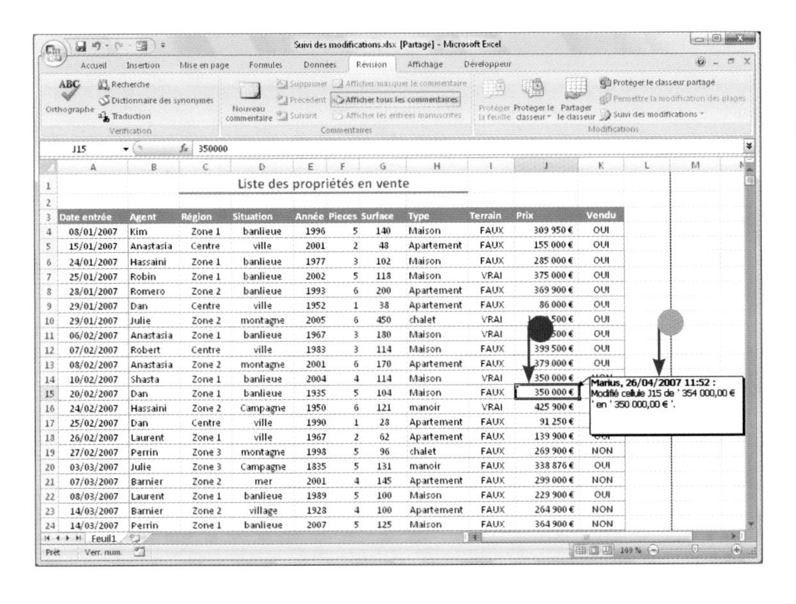

- Une marque pourpre apparaît dans les cellules modifiées.
- Pour afficher un commentaire de cellule, placez votre pointeur sur la cellule.

Note. *Pour en savoir plus sur les commentaires, consultez la tâche n°7.*

Le saviez-vous ?

Pour voir toutes les modifications apportées à la feuille, ouvrez la boîte de dialogue Afficher les modifications et cliquez l'option **Lister les modifications dans une autre feuille** (☐ devient ☑). Dans la zone Par, cliquez **Tous**. Cliquez pour ôter la coche des zones Le et Dans. Cliquez **OK**. Excel crée une nouvelle feuille appelée Historique qui présente chaque modification, son type, les valeurs modifiées, l'auteur, *etc.* Vous pouvez trier et filtrer les données de cette feuille.

Le saviez-vous ?

Vous pouvez réviser chaque modification apportée à la feuille de calcul et l'accepter ou la refuser. Cliquez l'onglet **Révision**, cliquez **Afficher les modifications**, puis cliquez **Accepter ou refuser les modifications**. Les options disponibles permettent de restreindre la révision aux modifications apportées par certaines personnes ou à un moment particulier.

CONSOLIDEZ
des feuilles de calcul

Si certaines de vos données en relation se trouvent dans des feuilles de calcul distinctes ou des classeurs distincts, vous pourriez avoir besoin de les consolider. Par exemple, si les données de ventes de plusieurs régions se trouvent sur différentes feuilles de calcul, vous pourriez les consolider pour trouver le chiffre d'affaires total reprenant toutes les régions. L'outil de consolidation d'Excel sert à cela et fournit différentes fonctions qui peuvent être utilisées pour procéder à la consolidation, parmi lesquelles Somme, Nombre, Moyenne, Max, Min et Produit.

Vous commencez le processus de consolidation en sélectionnant l'emplacement des données consolidées. Vous appliquez éventuellement une mise en forme aux cellules afin que les données à importer soient affichées correctement. Vous sélectionnez la fonction à utiliser pour consolider les données. La fonction Somme additionne les données de chaque emplacement donné. Vous indiquez à Excel l'emplacement des données à consolider. Celles-ci peuvent se trouver dans le même classeur ou dans un autre. Excel effectue alors la consolidation demandée.

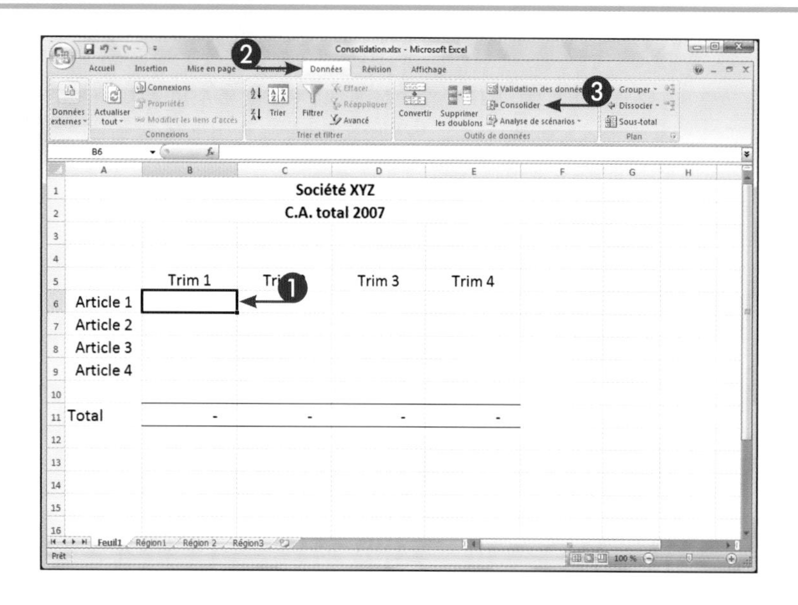

❶ Cliquez dans la cellule supérieure gauche de la plage dans laquelle vous souhaitez consolider les données.

❷ Cliquez l'onglet **Données**.

❸ Cliquez **Consolider**.

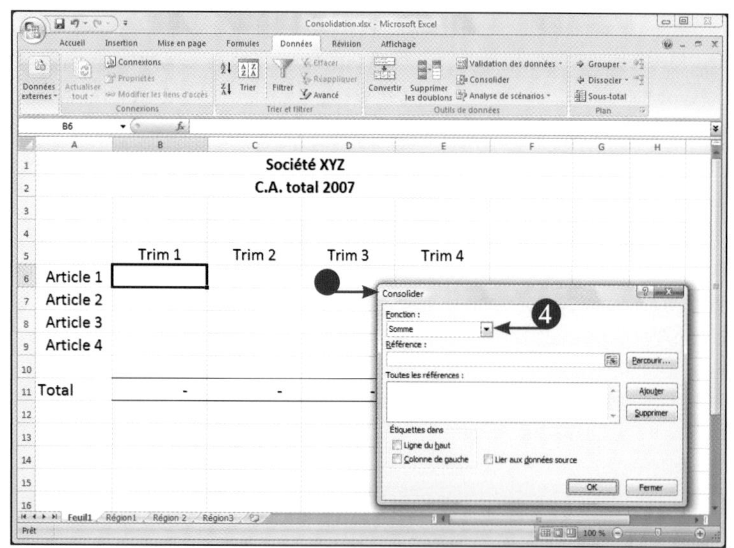

● La boîte de dialogue Consolider apparaît.

❹ Cliquez ici et sélectionnez la fonction à utiliser pour consolider les données.

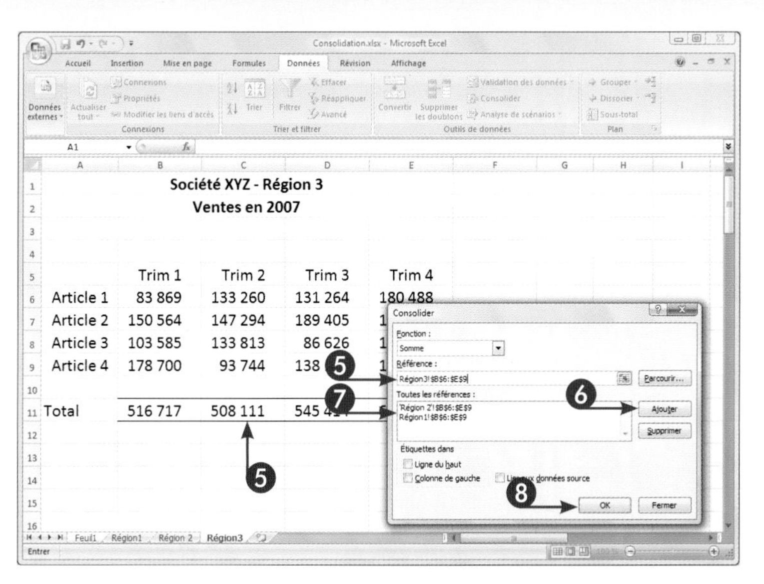

❺ Sélectionnez l'emplacement des données ou tapez l'adresse de la plage.

❻ Cliquez **Ajouter**.

❼ Répétez les étapes **5** et **6** autant de fois que nécessaire.

❽ Cliquez **OK**.

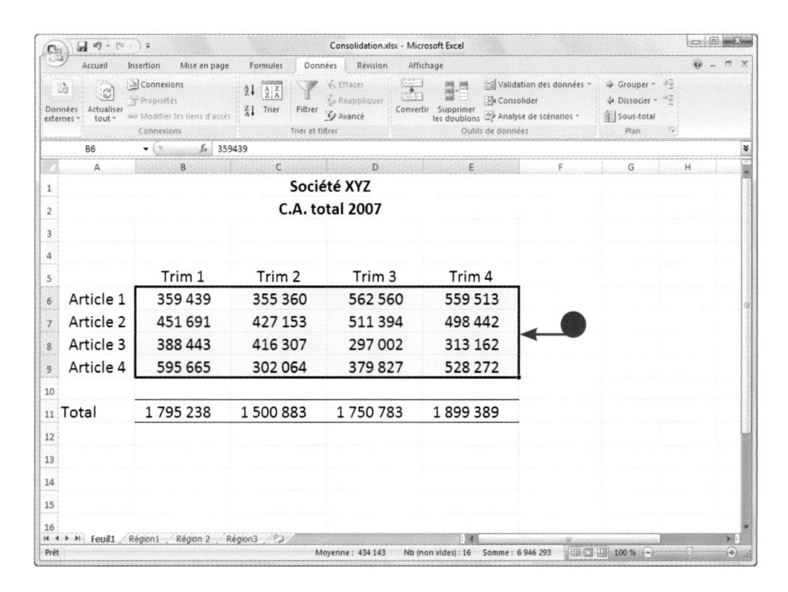

● Excel consolide les données.

Le saviez-vous ?

Pour inclure les données d'un autre classeur dans votre feuille de calcul, ouvrez l'autre classeur. Dans la boîte de dialogue Consolider de votre classeur original, placez le curseur dans le champ **Référence**. Cliquez l'onglet **Affichage**, cliquez **Changement de fenêtre** et sélectionnez l'autre classeur. Sélectionnez avec le pointeur les données à consolider. Cliquez **Ajouter**, puis **OK**. Excel consolide les données.

Le saviez-vous ?

Si vous cliquez **Lier aux données source** (☐ devient ☑) dans la boîte de dialogue Consolider, Excel met à jour les données consolidées chaque fois que vous apportez une modification aux données utilisées dans la consolidation.

Chapitre 4

Manipulez des enregistrements

Une liste ou une base de données se compose d'un ensemble de données reliées, réparties en lignes et en colonnes. Chaque colonne correspond à un aspect des données. Par exemple, une liste peut comprendre trois colonnes : le nom, le sexe et l'âge. Chaque ligne du tableau constitue un enregistrement, décrivant les différents aspects d'un même sujet. Pour chaque enregistrement, la colonne Nom contient le nom, la colonne Sexe le sexe et la colonne Âge l'âge. Structurer des données sous forme de liste donne accès aux outils de base de données d'Excel qui dépassent de beaucoup ce qui est possible dans une simple feuille de données.

Ce chapitre montre comment travailler avec des listes et des données structurées en tableau. La plus grande partie du chapitre porte sur le tri et le filtrage. *Trier* signifie ordonner un tableau alphabétiquement ou numériquement. Vous pouvez trier un tableau, le trier à nouveau ou effectuer un tri à l'intérieur d'un autre. *Filtrer* signifie afficher les données répondant à un critère et masquer temporairement les autres. Le filtre avancé donne des outils pour filtrer les doublons et appliquer des filtres complexes aux données.

Lorsque les données sont mises sous forme de tableau, vous pouvez compter, calculer la moyenne et totaliser les éléments répondant à un critère. Vous avez par exemple la possibilité de compter dans les données d'un sondage le nombre de retraités s'adonnant à un loisir ou comparer le temps passé en ligne selon les groupes d'âge. Les calculs peuvent être réalisés à l'aide des outils du ruban ou avec des fonctions de base de données. Consultez le chapitre 2 pour plus d'informations sur les fonctions.

Lorsque vous organisez vos données en tableau, vous avez accès à des fonctions de recherche permettant, par exemple, de rechercher le cours d'une action à partir de son symbole. Vous pouvez aussi créer un puissant outil d'analyse appelé *tableau croisé dynamique* qui fait l'objet du chapitre 5.

Top 100

SAISISSEZ DES DONNÉES

avec un formulaire

La création d'une base de données se fait en deux étapes. Vous en créez d'abord la structure avec des intitulés, un par cellule, décrivant le contenu de chaque colonne, puis vous saisissez les données. Excel offre la possibilité de générer un formulaire pour faciliter la saisie des données.

Un formulaire accélère la saisie en présentant un champ vide pour chaque champ, c'est-à-dire chaque colonne du tableau. Vous saisissez une donnée, puis vous appuyez sur Tab pour passer au champ suivant.

Après avoir saisi le dernier champ, une ligne est ajoutée au tableau et vous pouvez saisir de nouvelles données. Le formulaire permet de vous déplacer dans le tableau et d'afficher ou de modifier les données saisies, et aussi de rechercher des valeurs.

Le bouton Formulaire doit être ajouté à la barre d'outils Accès rapide car il n'est pas disponible dans le ruban. Consultez la tâche n°95 pour plus d'informations sur l'ajout d'un bouton à la barre d'outils Accès rapide.

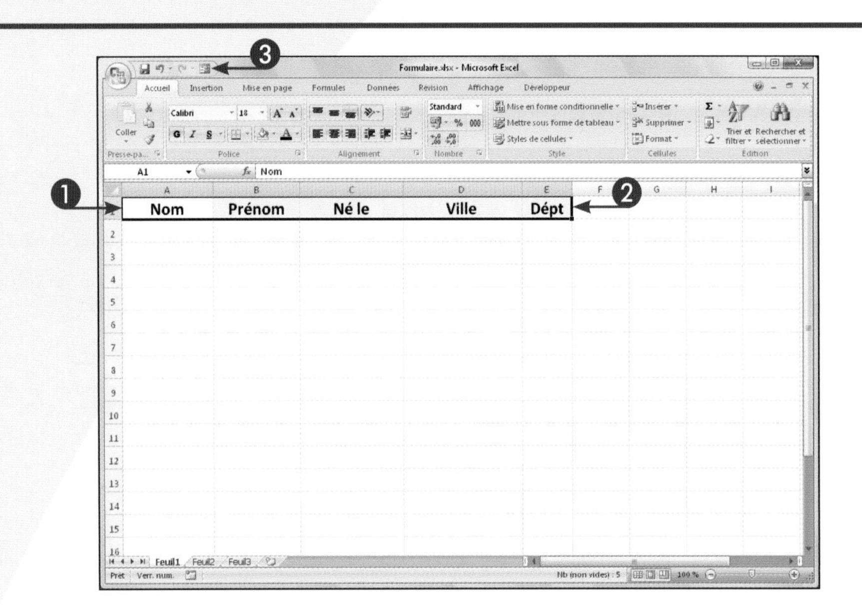

1. Saisissez les intitulés des colonnes.
2. Sélectionnez les intitulés.
3. Cliquez le bouton **Formulaire**.

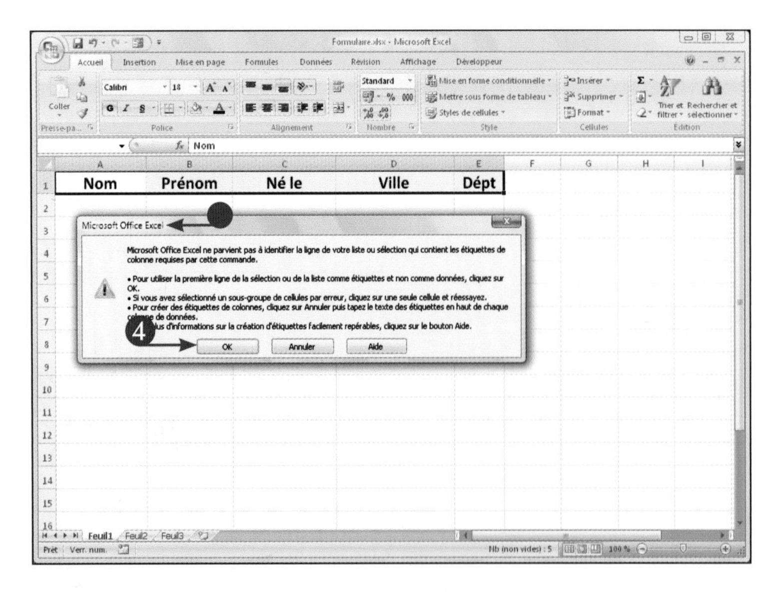

- Un message d'avertissement apparaît.

4. Lisez le message, puis cliquez **OK**.

NIVEAU DE DIFFICULTÉ

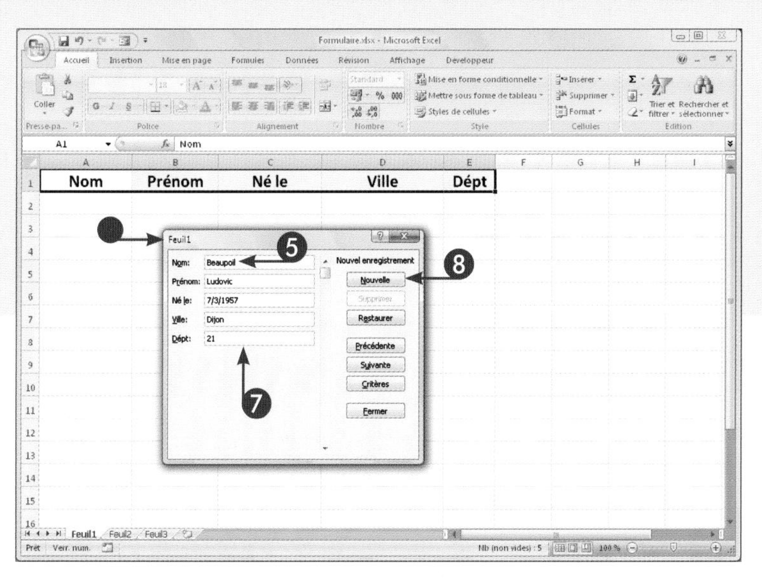

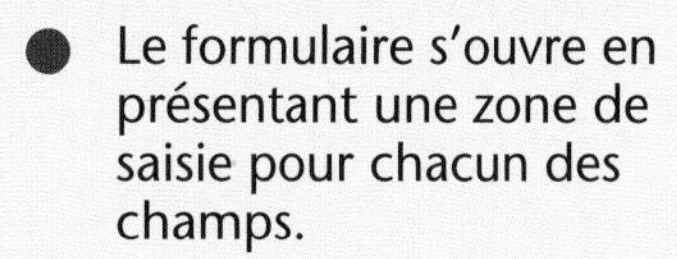

- ● Le formulaire s'ouvre en présentant une zone de saisie pour chacun des champs.
- ❺ Saisissez la donnée du premier champ.
- ❻ Appuyez sur **Tab** pour passer au champ suivant.
- ❼ Répétez les étapes **5** et **6** pour saisir les autres champs.
- ❽ Après avoir saisi tous les champs, cliquez **Nouvelle** pour créer un nouvel enregistrement.

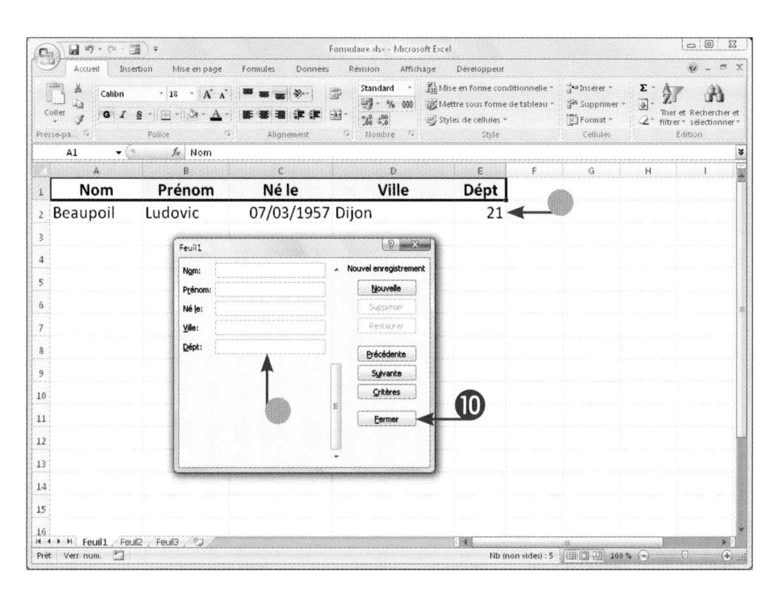

- ● L'enregistrement est placé dans la feuille et les champs du formulaire sont effacés pour permettre la saisie du prochain enregistrement.
- ❾ Répétez les étapes **5** à **8** pour chaque enregistrement.
- ❿ Cliquez **Fermer** après le dernier enregistrement.

Les données sont affichées dans la feuille.

Le saviez-vous ?

Le formulaire permet de rechercher et de modifier les données. Ouvrez le formulaire et cliquez le bouton Critères. Dans le champ de recherche, tapez un opérateur, tel = ou <, et une valeur. Par exemple, pour trouver les personnes habitant Paris, saisissez **="Paris"** dans le champ Ville et appuyez sur **Entrée**. Si plusieurs enregistrements sont trouvés, cliquez **Précédente** ou **Suivante** pour les parcourir. Le texte recherché doit figurer entre apostrophes et le nombre doit être saisi sans apostrophes.

Le saviez-vous ?

Vous pouvez utiliser un formulaire avec une base de données déjà créée. Sélectionnez une des cellules de données, puis cliquez le bouton **Formulaire** dans la barre d'outils Accès rapide. Excel identifie automatiquement les en-têtes et ouvre un formulaire.

Filtrez les DOUBLONS

De nombreux outils de gestion de bases de données sont disponibles dans Excel. Il est souvent nécessaire d'identifier et d'afficher les données uniques parmi un grand nombre d'enregistrements. Par exemple, un directeur du marketing veut extraire une fois chaque client d'une base de données de sondage pour établir le profil de ses clients.

Les outils permettent d'afficher seulement les enregistrements uniques d'un tableau. Commencez avec une feuille structurée en base de données dans laquelle se trouvent des doublons, c'est-à-dire des enregistrements dont les valeurs de chaque colonne sont les mêmes. Utilisez les outils avancés de filtrage d'Excel pour identifier et masquer les doublons. Les outils avancés de filtrage sont utilisés habituellement pour créer des filtres sur plusieurs colonnes ou même des filtres multiples sur une même colonne.

La commande Supprimer les doublons de l'onglet Données permet de supprimer définitivement les doublons.

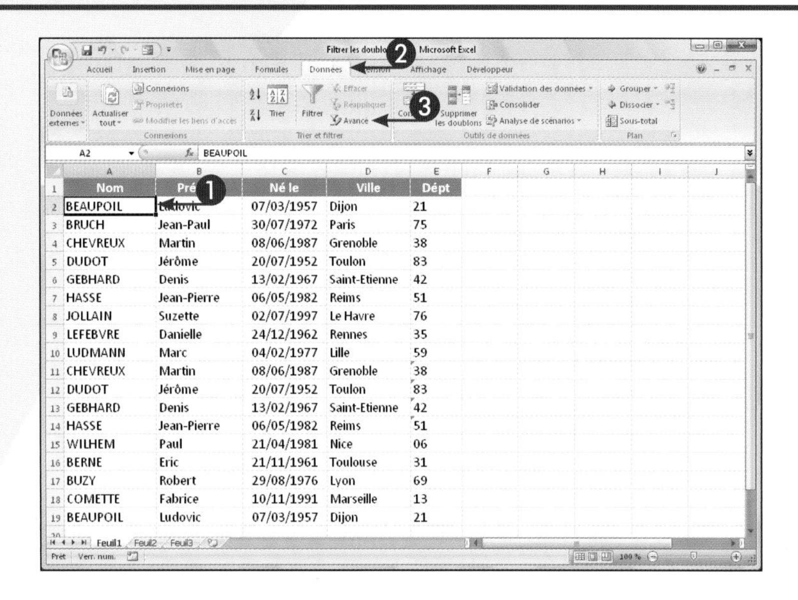

	Nom	Prénom	Né le	Ville	Dépt
2	BEAUPOIL	Ludovic	07/03/1957	Dijon	21
3	BRUCH	Jean-Paul	30/07/1972	Paris	75
4	CHEVREUX	Martin	08/06/1987	Grenoble	38
5	DUDOT	Jérôme	20/07/1952	Toulon	83
6	GEBHARD	Denis	13/02/1967	Saint-Etienne	42
7	HASSE	Jean-Pierre	06/05/1982	Reims	51
8	JOLLAIN	Suzette	02/07/1997	Le Havre	76
9	LEFEBVRE	Danielle	24/12/1962	Rennes	35
10	LUDMANN	Marc	04/02/1977	Lille	59
11	CHEVREUX	Martin	08/06/1987	Grenoble	38
12	DUDOT	Jérôme	20/07/1952	Toulon	83
13	GEBHARD	Denis	13/02/1967	Saint-Etienne	42
14	HASSE	Jean-Pierre	06/05/1982	Reims	51
15	WILHEM	Paul	21/04/1981	Nice	06
16	BERNE	Eric	21/11/1961	Toulouse	31
17	BUZY	Robert	29/08/1976	Lyon	69
18	COMETTE	Fabrice	10/11/1991	Marseille	13
19	BEAUPOIL	Ludovic	07/03/1957	Dijon	21

1. Cliquez une cellule de la liste.
2. Cliquez l'onglet **Données**.
3. Cliquez **Avancé**.

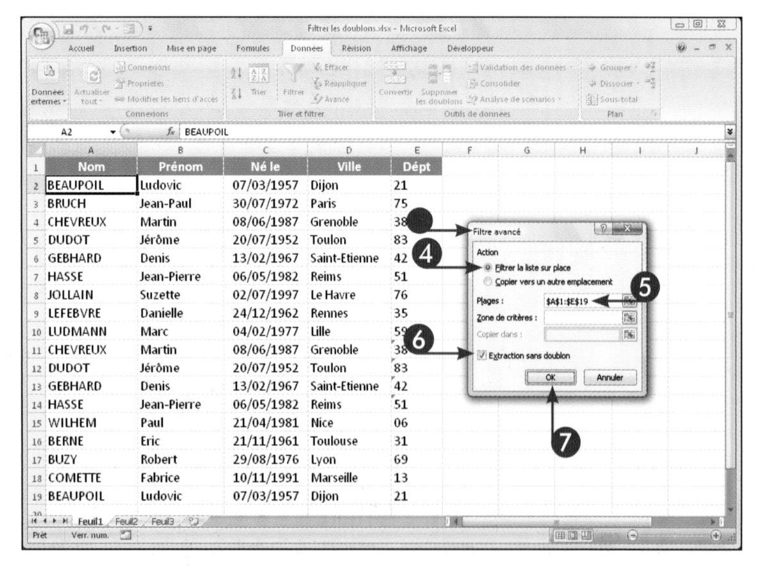

- La boîte de dialogue Filtre avancé apparaît.

4. Cliquez **Filtrer la liste sur place** (○ devient ◉).
5. Sélectionnez toutes les cellules de la liste ou saisissez-en la référence.
6. Cochez **Extraction sans doublon** (☐ devient ☑).
7. Cliquez **OK**.

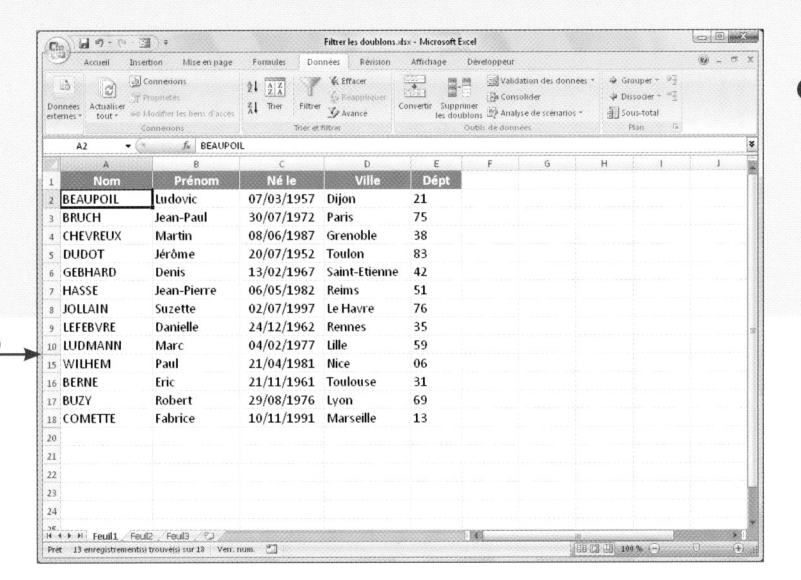

Excel filtre les doublons.

- Les numéros de ligne discontinus sont un indice des doublons masqués.

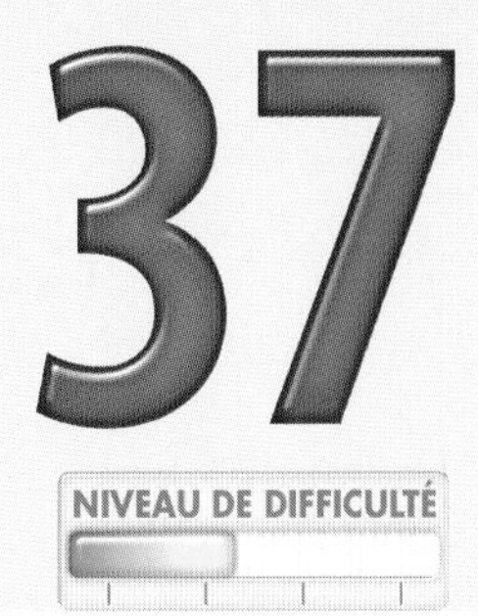

NIVEAU DE DIFFICULTÉ

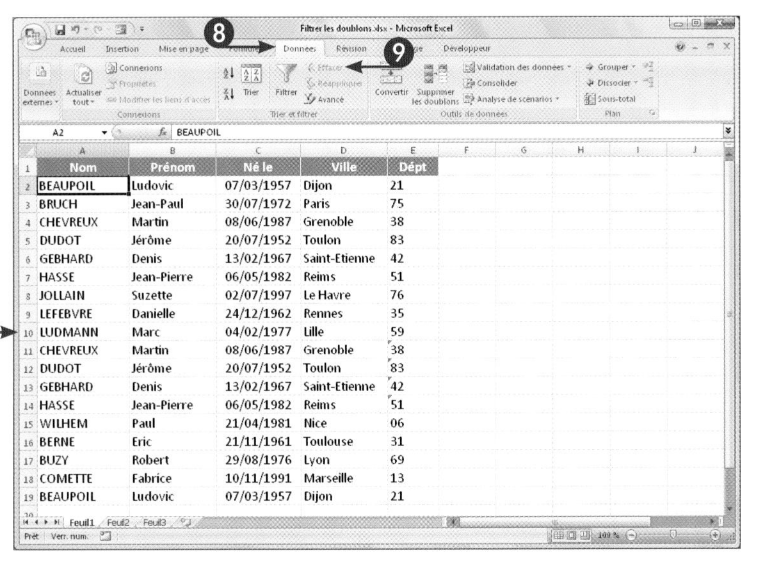

8. Cliquez l'onglet **Données**.
9. Cliquez **Effacer**.

- Les doublons sont de nouveau affichés.

Le saviez-vous ?

Si vous souhaitez conserver la liste de départ, vous pouvez placer la liste filtrée à un autre emplacement du classeur ou de la feuille. Dans la boîte de dialogue Filtre avancé, cliquez **Copier vers un autre emplacement** (○ devient ◉), puis saisissez l'emplacement de la liste filtrée dans la zone Copier dans.

Le saviez-vous ?

Le filtrage des doublons les masque temporairement. Pour les supprimer définitivement, sélectionnez la liste ou une cellule de la liste, cliquez l'onglet **Données**, puis **Supprimer les doublons** dans le groupe **Outils de données**. La boîte de dialogue Supprimer les doublons apparaît. Si c'est le cas, cochez **Mes données ont des en-têtes** (☐ devient ☑). Cochez les colonnes dont les valeurs identifient l'existence de doublons, puis cliquez **OK**. Les doublons sont supprimés.

Exécutez des

TRIS ET FILTRES SIMPLES

Le fait de trier et filtrer une liste permet de présenter différemment les données. Le tri affiche les données en ordre croissant ou décroissant.

La signification de croissant ou décroissant dépend des données. Apparaît en première position l'enregistrement le plus récent lorsque la liste est triée en ordre croissant de date et l'enregistrement le plus ancien si elle est triée en ordre décroissant. Dans une liste triée par nom, les noms sont placés en ordre croissant (A à Z) ou décroissant (Z à A).

Les nombres en ordre décroissant vont du plus grand au plus petit. Une liste triée permet de trouver facilement des données, de les regrouper et de les présenter de manière significative.

Un filtre fonctionne comme un tamis dans lequel vous passez vos données pour n'obtenir que les données voulues. Par exemple, dans une enquête sur les clients, vous pouvez n'afficher que les clients résidant dans une région ou une ville, ou bien sélectionner les hommes faisant partie d'une tranche d'âge.

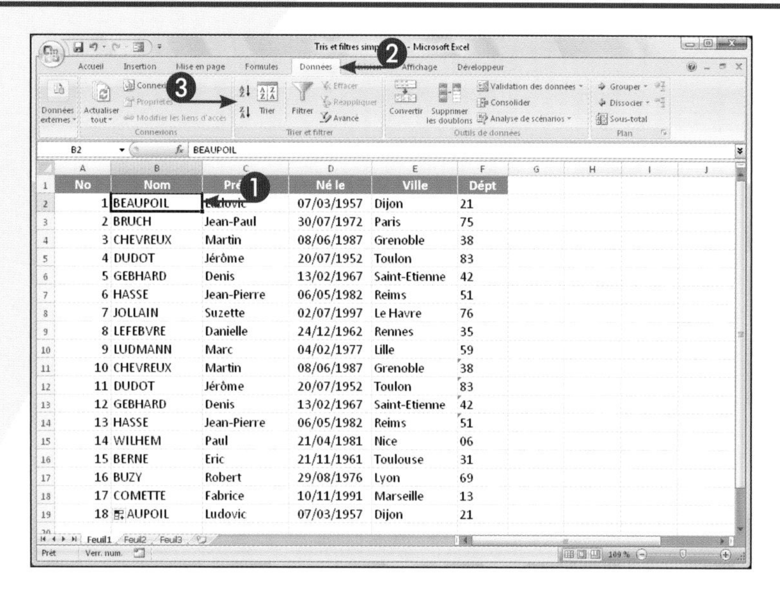

Triez une liste

❶ Cliquez une cellule de la liste.

❷ Cliquez l'onglet **Données**.

❸ Sélectionnez un ordre de tri.

Cliquez **A à Z** pour trier en ordre alphabétique croissant.

Cliquez **Z à A** pour trier en ordre alphabétique décroissant.

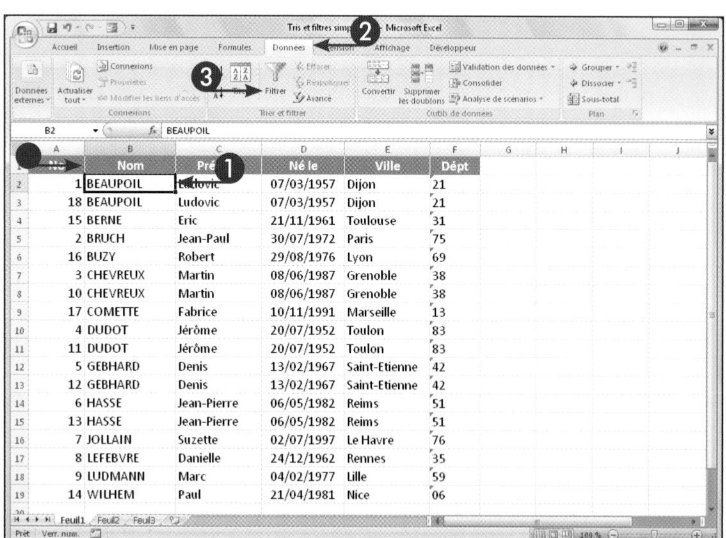

- Excel trie la liste.

Filtrez une liste

❶ Cliquez une cellule de la liste.

❷ Cliquez l'onglet **Données**.

❸ Cliquez **Filtrer**.

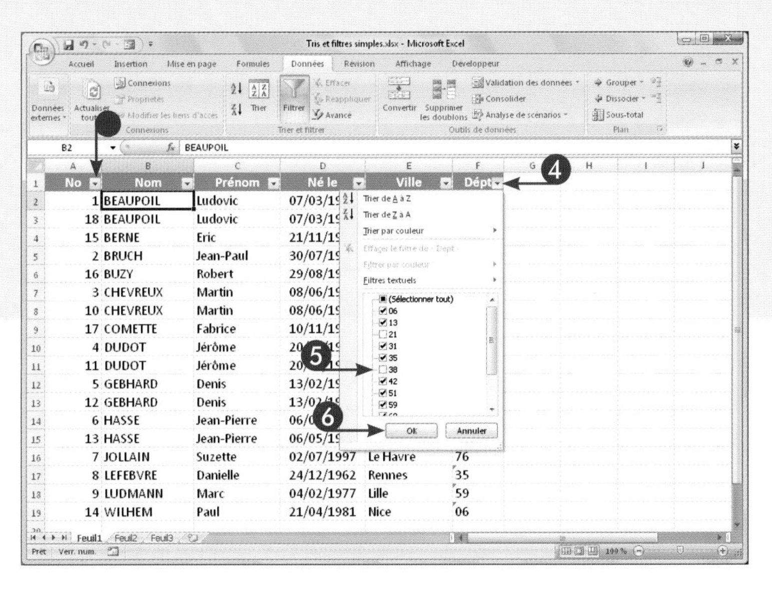

- Des flèches apparaissent à droite des en-têtes.

4. Cliquez une des flèches.

   Les options de tri et de filtre apparaissent.

5. Cliquez pour désélectionner les valeurs à exclure (☑ devient ☐).

6. Cliquez **OK**.

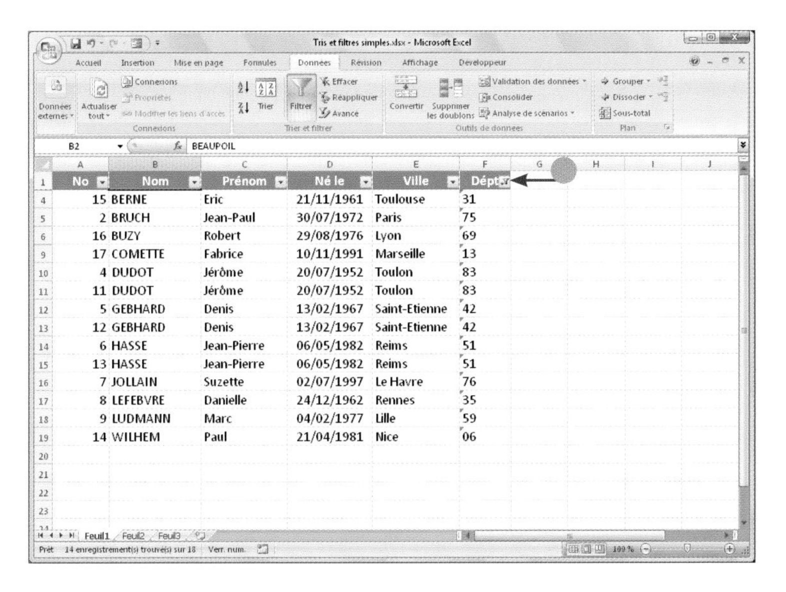

- Excel filtre la liste.

  Dans cet exemple, les départements 21 et 38 sont masqués par le filtre.

Le saviez-vous ?

Lorsque vous cliquez une des flèches affichées après avoir cliqué **Filtrer**, un menu contextuel affiche des options de filtre ainsi que des options de tri. Vous pouvez réaliser des tris simples ou complexes ou trier selon la couleur de police ou de cellule ou encore selon l'icône. Les tâches n°39 et 40 approfondissent l'étude du tri.

Le saviez-vous ?

Des icônes identifient les opérations effectuées sur une colonne. Les champs filtrés présentent une icône de filtre (). Les champs triés en ordre croissant affichent une flèche dirigée vers le haut () et les champs triés en ordre décroissant présentent une flèche dirigée vers le bas ().

Effectuez des TRIS COMPLEXES

Le tri sur un champ, tel l'âge, ordonne les enregistrements pour en faciliter la lecture. Un tri peut se faire selon plusieurs critères, c'est-à-dire un tri dans un tri. Triez d'abord, si c'est possible, sur une catégorie discrète comme le genre, la ville, le département ou la région. Les tris suivants se feront sur les enregistrements appartenant à la même catégorie.

Par exemple, les enregistrements de clients triés par région peuvent être triés selon le genre. Un troisième tri sur le revenu mettrait en évidence les différences de revenu entre les hommes et les femmes de chaque région. Les données triées ainsi permettent de créer des totaux, des moyennes et des comptes à chaque changement de catégorie : tous les clients d'une région, les hommes et les femmes de chaque région, *etc*.

Les tris sont définis dans la boîte de dialogue Tri. Vous n'êtes pas limité à un tri croissant ou décroissant et vous pouvez définir un tri personnalisé en cliquant Options. Par exemple, vous pouvez trier des noms de mois en ordre chronologique de janvier à décembre au lieu de les trier en ordre alphabétique, d'août à septembre, ce qui est rarement utile.

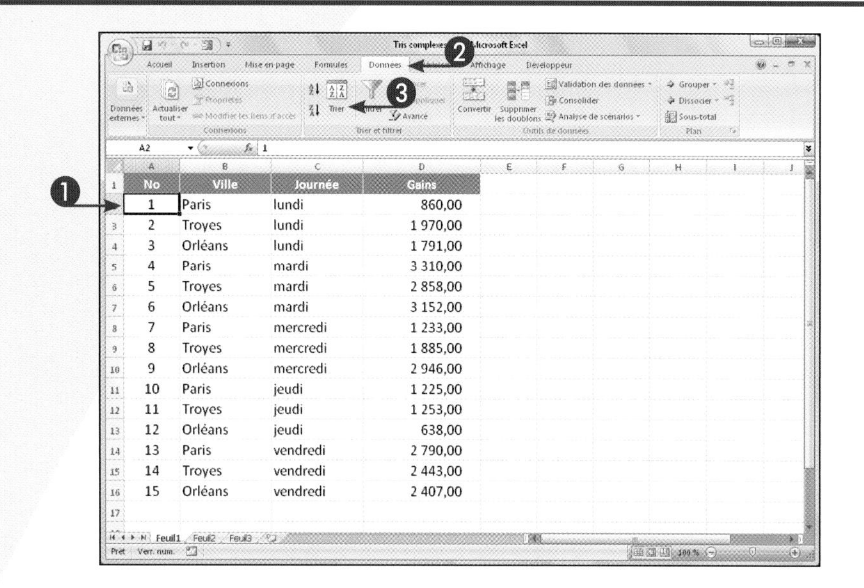

No	Ville	Journée	Gains
1	Paris	lundi	860,00
2	Troyes	lundi	1 970,00
3	Orléans	lundi	1 791,00
4	Paris	mardi	3 310,00
5	Troyes	mardi	2 858,00
6	Orléans	mardi	3 152,00
7	Paris	mercredi	1 233,00
8	Troyes	mercredi	1 885,00
9	Orléans	mercredi	2 946,00
10	Paris	jeudi	1 225,00
11	Troyes	jeudi	1 253,00
12	Orléans	jeudi	638,00
13	Paris	vendredi	2 790,00
14	Troyes	vendredi	2 443,00
15	Orléans	vendredi	2 407,00

1. Cliquez une cellule de la liste.
2. Cliquez l'onglet **Données**.
3. Cliquez **Trier**.

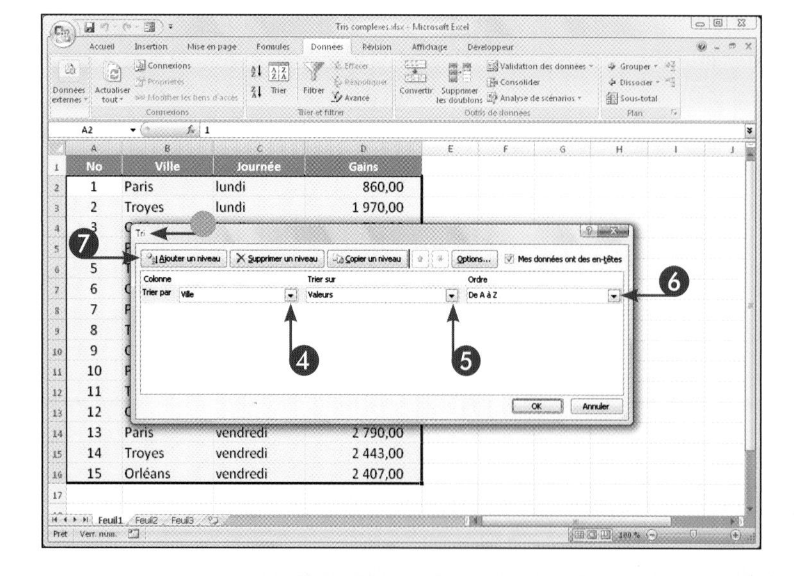

- La boîte de dialogue Tri apparaît.

4. Cliquez ici et sélectionnez la colonne de tri.
5. Cliquez ici et sélectionnez **Valeurs**.
6. Cliquez ici et sélectionnez un ordre de tri.
7. Cliquez **Ajouter un niveau**.

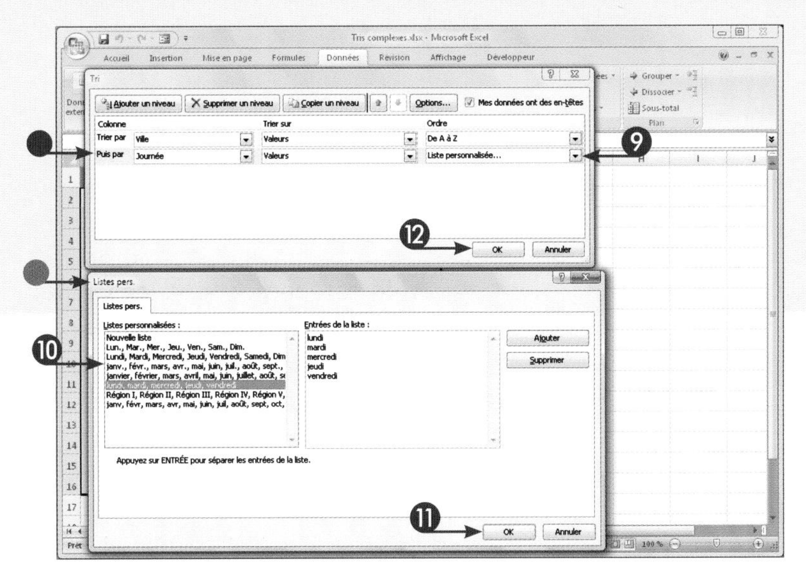

- Un nouveau niveau apparaît.

8. Répétez les étapes **4** et **5** pour trier sur un autre champ.

9. Cliquez ici et sélectionnez **Liste personnalisée**.

- La boîte de dialogue Liste pers. apparaît.

10. Cliquez pour trier selon le jour de la semaine ou le mois.

11. Cliquez **OK** pour fermer la boîte de dialogue Liste pers.

12. Cliquez **OK** pour fermer la boîte de dialogue Tri.

39

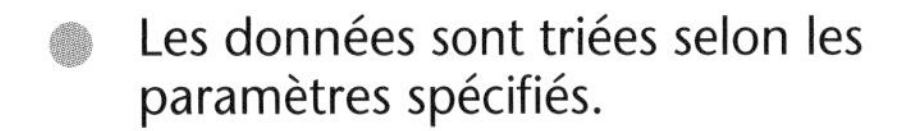

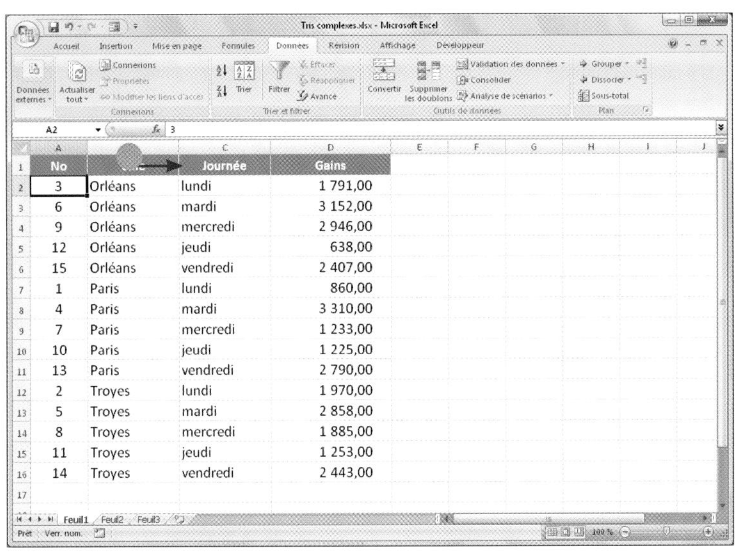

No	Ville	Journée	Gains
3	Orléans	lundi	1 791,00
6	Orléans	mardi	3 152,00
9	Orléans	mercredi	2 946,00
12	Orléans	jeudi	638,00
15	Orléans	vendredi	2 407,00
1	Paris	lundi	860,00
4	Paris	mardi	3 310,00
7	Paris	mercredi	1 233,00
10	Paris	jeudi	1 225,00
13	Paris	vendredi	2 790,00
2	Troyes	lundi	1 970,00
5	Troyes	mardi	2 858,00
8	Troyes	mercredi	1 885,00
11	Troyes	jeudi	1 253,00
14	Troyes	vendredi	2 443,00

- Les données sont triées selon les paramètres spécifiés.

Le saviez-vous ?

Excel réalise les tris ainsi : les nombres en ordre croissant vont du plus petit au plus grand ; si du texte contient des chiffres, comme U2 et K12, l'ordre croissant place les chiffres avant les symboles et les symboles avant les lettres. La casse n'entre pas en jeu à moins d'avoir coché **Respecter la casse** dans les options de tri (☐ devient ☑).

Le saviez-vous ?

Dans la boîte de dialogue Tri, cliquez **Supprimer un niveau** pour enlever un niveau de tri. Cliquez **Copier un niveau** pour le dupliquer. Cliquez ▲ pour déplacer un niveau vers le haut. Cliquez ▼ pour déplacer un niveau vers le bas.

TRIEZ
par icône ou par couleur de cellule ou de police

Vous pouvez appliquer un format aux données selon un critère de mise en forme conditionnelle. Par exemple, les dix plus grandes valeurs d'une liste peuvent être affichées avec une icône ou une police différente ou un remplissage en couleur. Les valeurs répondant à un autre critère peuvent recevoir une couleur ou une icône différente. Consultez la tâche n°33 pour plus d'informations sur la mise en forme conditionnelle.

Une couleur de cellule ou de police peut aussi être attribuée manuellement. Les données peuvent être triées sur la couleur de remplissage, la couleur de police ou une icône. Sélectionnez une cellule de la colonne et cliquez un bouton de tri du ruban. Les tris peuvent être imbriqués. Dans la boîte de dialogue Tri, sélectionnez la couleur de tri et précisez si les éléments de cette couleur seront placés au début ou en fin de liste.

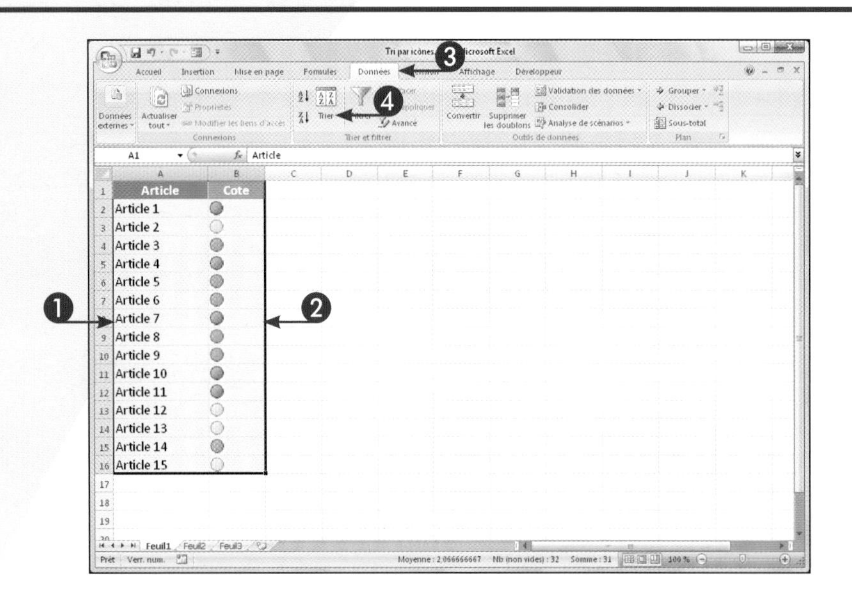

❶ Mettez en forme les données avec une couleur, une police ou une icône.

❷ Sélectionnez les données à trier.

Note. *Si les données sont contiguës ou si les données ont été converties en tableau, cliquez dans n'importe quelle cellule de données.*

❸ Cliquez l'onglet **Données**.

❹ Cliquez **Trier**.

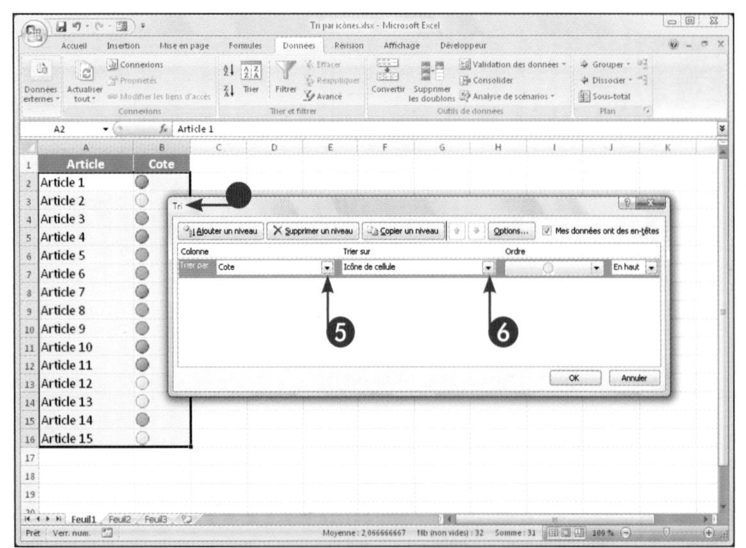

- La boîte de dialogue Tri apparaît.

❺ Cliquez ici et sélectionnez la colonne de tri.

❻ Cliquez ici et sélectionnez si le tri sera fait par valeurs, couleur de cellule, couleur de police ou icône de cellule.

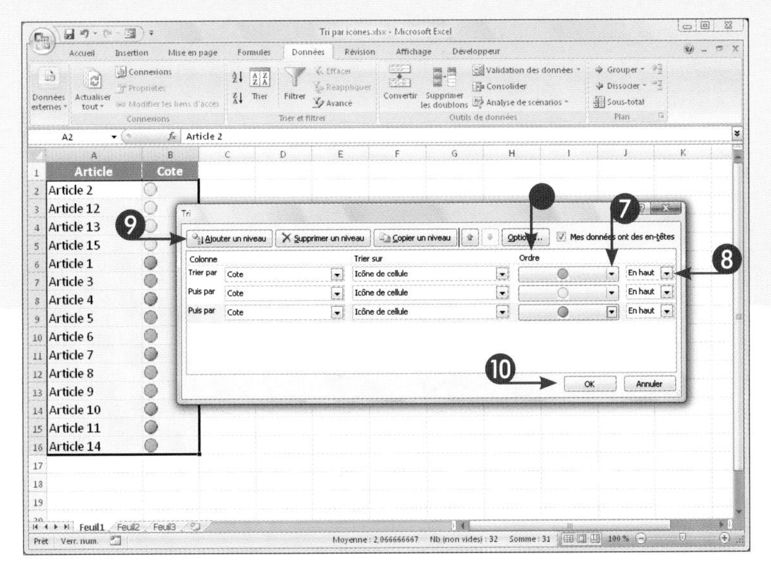

- Si vous sélectionnez **Couleur de cellule**, **Couleur de police** ou **Icône de cellule**, un choix de couleurs ou d'icônes apparaît.

40

NIVEAU DE DIFFICULTÉ

7. Cliquez ici et sélectionnez une couleur ou une icône.
8. Cliquez ici et sélectionnez **En haut** ou **En Bas** pour placer au début ou en fin de liste les enregistrements répondant au critère.
9. Cliquez **Ajouter un niveau** pour créer un autre niveau de tri.

   Répétez les étapes **5** à **8** au besoin.
10. Cliquez **OK** pour terminer.

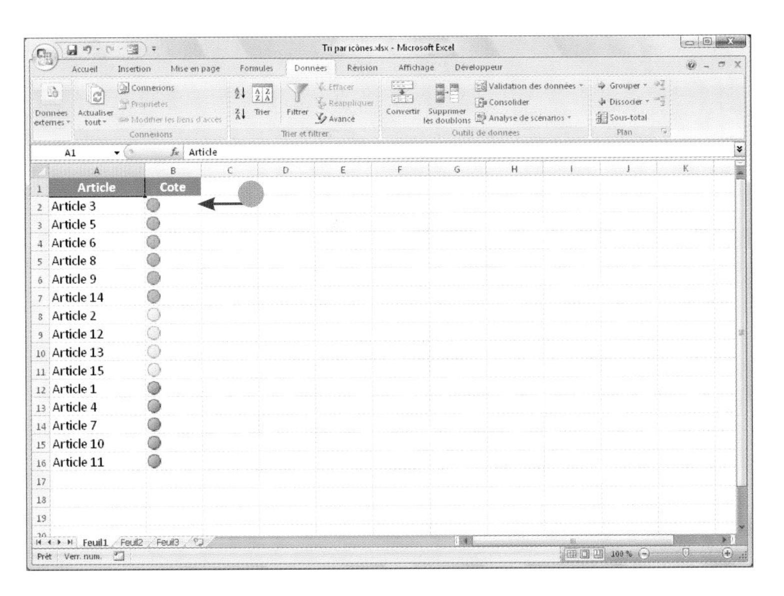

- Excel trie les données par couleur ou icône.

Le saviez-vous ?

Le même résultat peut être obtenu en cliquant du bouton droit dans une cellule contenant la couleur ou l'icône pour ouvrir un menu contextuel. Cliquez **Trier**, puis **Placer la couleur de cellule sélectionnée sur le dessus**, **Placer la couleur de police sélectionnée sur le dessus** ou **Placer l'icône de cellule sélectionnée sur le dessus**.

Le saviez-vous ?

Par défaut, le tri s'effectue de haut en bas. Pour trier des valeurs dans un sens horizontal, cliquez **Options** dans la boîte de dialogue Tri. Cliquez **De la gauche vers la droite** dans la boîte de dialogue Options de tri.

Appliquez des FILTRES COMPLEXES

Un tri ordonne tous les enregistrements en ordre croissant ou décroissant alors qu'un filtre n'affiche que les enregistrements répondant à un critère en masquant les autres. Un critère est formulé ainsi : Âge supérieur à 65 ou Pays égale France, où Âge et Pays sont des en-têtes de colonne.

Lorsque vous cliquez Filtrer, des flèches apparaissent à droite des en-têtes. Cliquez une flèche pour sélectionner des valeurs, telles France ou les valeurs supérieures à 65. Plusieurs filtres peuvent être combinés. Vous pouvez filtrer les enregistrements ne comprenant que certaines valeurs dans des colonnes — par exemple, tous les clients masculins de plus de 65 ans habitant Paris. Un autre filtre peut n'afficher que les enregistrements comprenant les dix plus grandes valeurs d'une colonne.

En appliquant plusieurs filtres, vous ne retenez d'un grand nombre d'enregistrements que ceux qui vous intéressent, mais des critères trop restrictifs peuvent n'afficher aucun enregistrement. Pour filtrer selon de multiples critères, commencez par convertir les données en tableau.

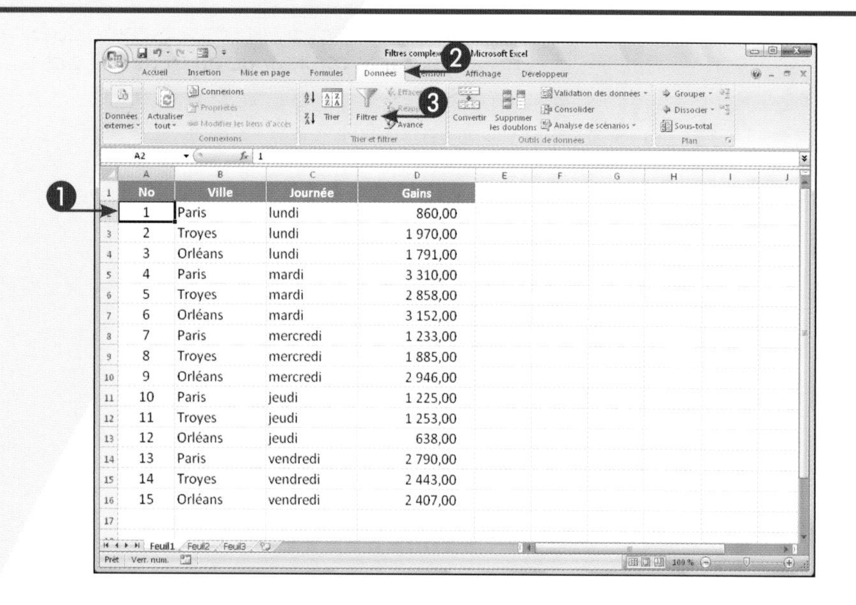

No	Ville	Journée	Gains
1	Paris	lundi	860,00
2	Troyes	lundi	1 970,00
3	Orléans	lundi	1 791,00
4	Paris	mardi	3 310,00
5	Troyes	mardi	2 858,00
6	Orléans	mardi	3 152,00
7	Paris	mercredi	1 233,00
8	Troyes	mercredi	1 885,00
9	Orléans	mercredi	2 946,00
10	Paris	jeudi	1 225,00
11	Troyes	jeudi	1 253,00
12	Orléans	jeudi	638,00
13	Paris	vendredi	2 790,00
14	Troyes	vendredi	2 443,00
15	Orléans	vendredi	2 407,00

1. Cliquez une cellule de la liste.
2. Cliquez l'onglet **Données**.
3. Cliquez **Filtrer** dans le groupe **Trier et filtrer**.

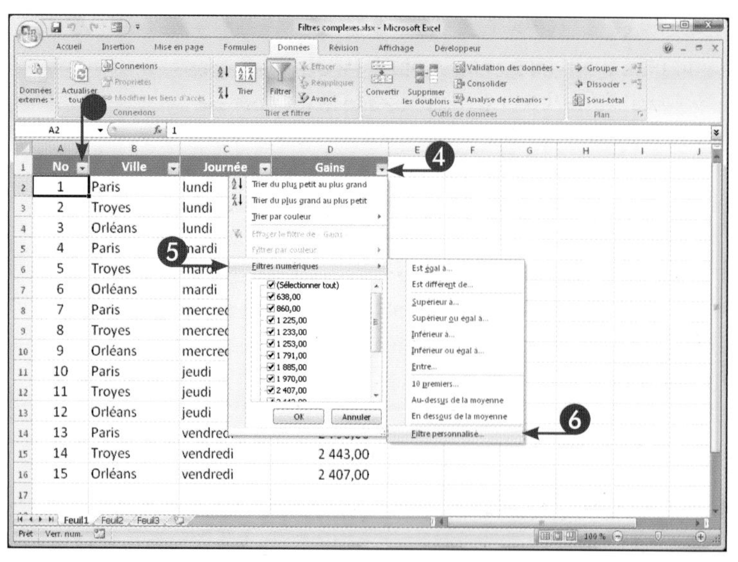

- Des flèches apparaissent à droite de chaque en-tête.

4. Cliquez la flèche à droite du champ à filtrer.
5. Cliquez **Filtres numériques** si le champ contient des nombres.

   Si le champ sélectionné contient du texte, l'option se nomme Filtres textuels et, si le champ sélectionné contient des dates, l'option est Filtres chronologiques.
6. Cliquez **Filtre personnalisé**.

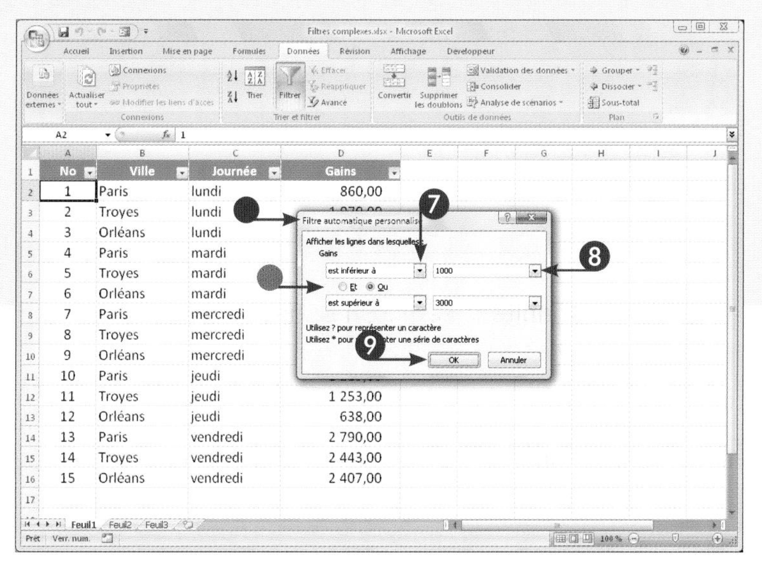

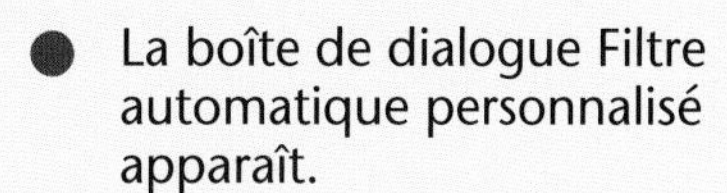

- La boîte de dialogue Filtre automatique personnalisé apparaît.

7 Cliquez ici et sélectionnez un opérateur.

8 Tapez ou sélectionnez une valeur.

- Répétez les étapes **7** et **8** pour ajouter un deuxième critère. Sélectionnez **Et** pour filtrer les enregistrements répondant aux deux critères. Sélectionnez **Ou** pour filtrer les enregistrements répondant à un des deux critères.

9 Cliquez **OK**.

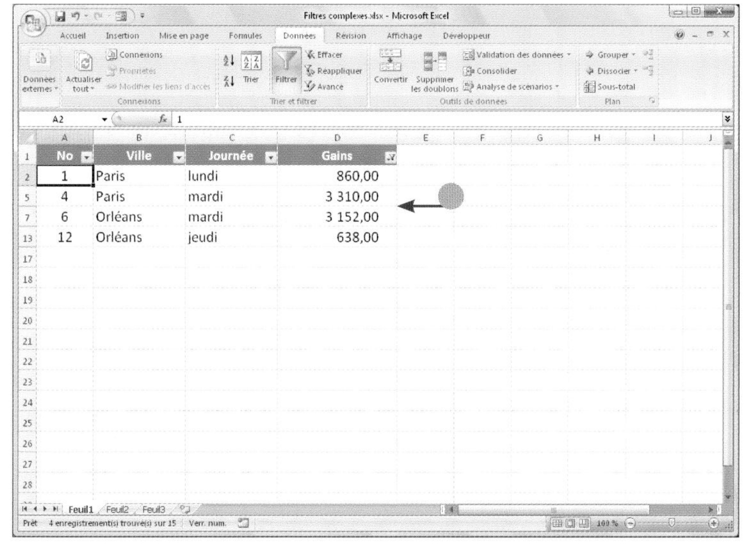

- Les enregistrements répondant au critère sont affichés.

Note. *Pour trier les enregistrements filtrés, cliquez une commande de tri de l'onglet* ***Données****.*

Le saviez-vous ?

Un filtre peut afficher les *n* plus grandes ou petites valeurs d'une liste, où *n* représente le nombre de valeurs à afficher. Cliquez la flèche à droite d'un intitulé d'un champ numérique, cliquez dans le menu contextuel **Filtres numériques**, puis **10 premiers**. Cliquez **Haut** pour filtrer les *n* plus grandes valeurs ou **Bas** pour filtrer les *n* plus petites valeurs. Saisissez le nombre d'enregistrements à afficher, puis cliquez **OK**. Excel renvoie le nombre d'enregistrements demandés.

Filtrez sur PLUSIEURS CRITÈRES

Un filtre avancé permet de dépasser les limites du filtre automatique présenté à la tâche n°41. Vous pouvez créer deux filtres ou plus et coordonner un ensemble de filtres portant sur des colonnes différentes. Par exemple, vous pouvez filtrer des données pour afficher les hommes de moins de 30 ans et les femmes de plus de 60 ans.

Utiliser un filtre avancé demande un peu plus de travail même si vous tirez parti de la commande Filtre avancé. Vous devez créer une plage de critères comprenant au moins un en-tête de la liste et, sous chaque en-tête, un critère de filtre. Par exemple <35 pour trouver toutes les personnes de moins de 35 ans et ="=H" pour ne sélectionner que les hommes.

Dans la boîte de dialogue Filtre avancé, saisissez la référence de la liste, la plage de critères et l'emplacement de la liste filtrée. La liste filtrée doit se trouver sur la même feuille que la liste de départ.

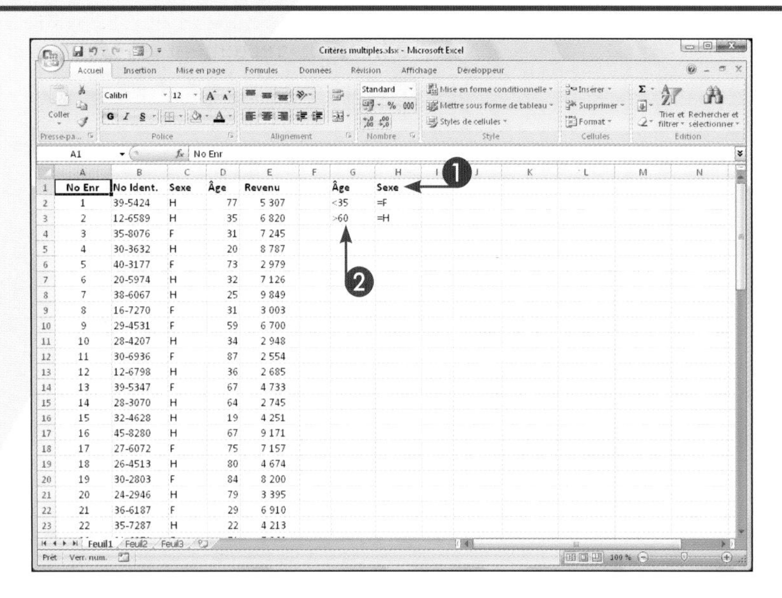

1. Dans la même feuille que la liste, saisissez les en-têtes des colonnes de filtre.
2. Saisissez les critères du filtre.

Note. *Utilisez des opérateurs pour définir les critères et placez le texte entre apostrophes. Par exemple, pour sélectionner tous les hommes, tapez ="=H". La cellule affichera =H.*

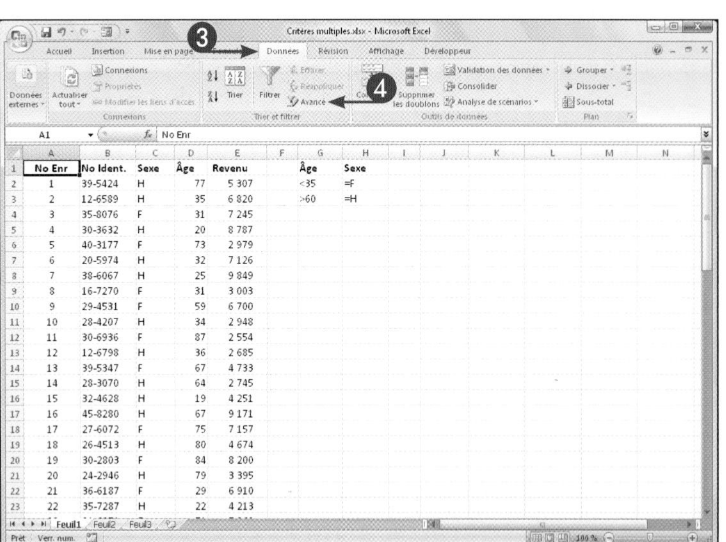

3. Cliquez l'onglet **Données**.
4. Cliquez **Avancé**.

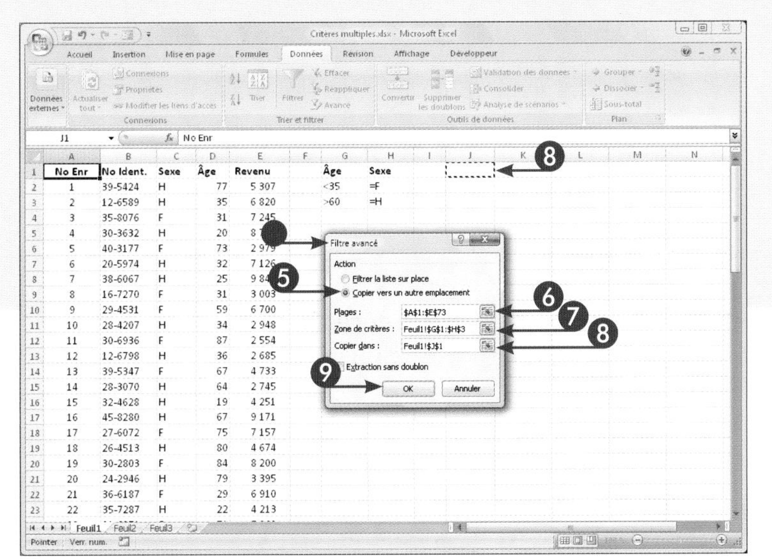

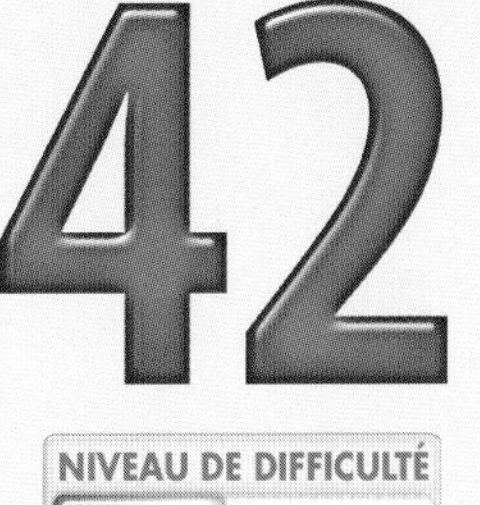

- La boîte de dialogue Filtre avancé apparaît.

5. Cliquez pour choisir l'emplacement de la liste filtrée (○ devient ◉).

   Cliquez **Copier vers un autre emplacement** pour garder inchangée la liste de départ.

6. Sélectionnez la liste ou saisissez-en la référence.

7. Sélectionnez la plage de critères ou saisissez-en la référence.

8. Cliquez une cellule de destination si vous avez opté pour un nouvel emplacement à l'étape **5**.

9. Cliquez **OK**.

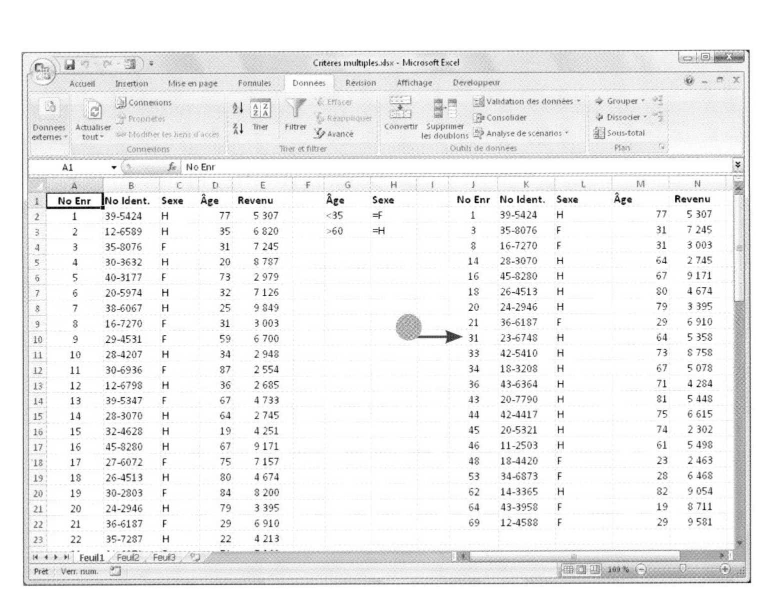

- La liste filtrée s'affiche.

  Il sera peut-être nécessaire d'ajuster la largeur des colonnes de destination pour afficher correctement le résultat.

Le saviez-vous ?

Une plage de critères peut comporter plusieurs lignes. Si une ligne contient plusieurs critères, Excel renvoie les enregistrements répondant à tous les critères simultanément. Pour filtrer les enregistrements répondant au moins à un des critères, placez les critères sur des lignes différentes.

Attention !

Vérifiez que la plage de destination comprend suffisamment de cellules vides pour contenir la liste filtrée. Si la plage de destination se situe au-dessus de la liste de départ, les résultats peuvent déborder et effacer toutes les données. Sélectionnez une destination à droite ou sous la liste d'origine pour protéger les données.

TOTALISEZ
des données triées

Après avoir trié et groupé des données en catégories tels le genre ou l'âge, vous pouvez effectuer des calculs sur chaque catégorie. Excel fournit des outils pour réaliser des calculs simples et comparer des catégories. Si un tri est défini sur une colonne ou plus, vous pouvez trouver la moyenne, la somme, le maximum, le minimum et effectuer d'autres calculs sur les colonnes. Cet outil de calcul se nomme sous-total mais n'est pas limité à additionner des valeurs.

Cette commande crée un plan permettant de masquer des niveaux pour comparer des lignes et des colonnes. Vous pouvez ainsi n'afficher que les résultats des opérations effectuées sur chaque catégorie.

Lorsque vous comptez les valeurs d'une colonne, Excel fait appel à la fonction NBVAL qui permet de compter des nombres ou des cellules de texte.

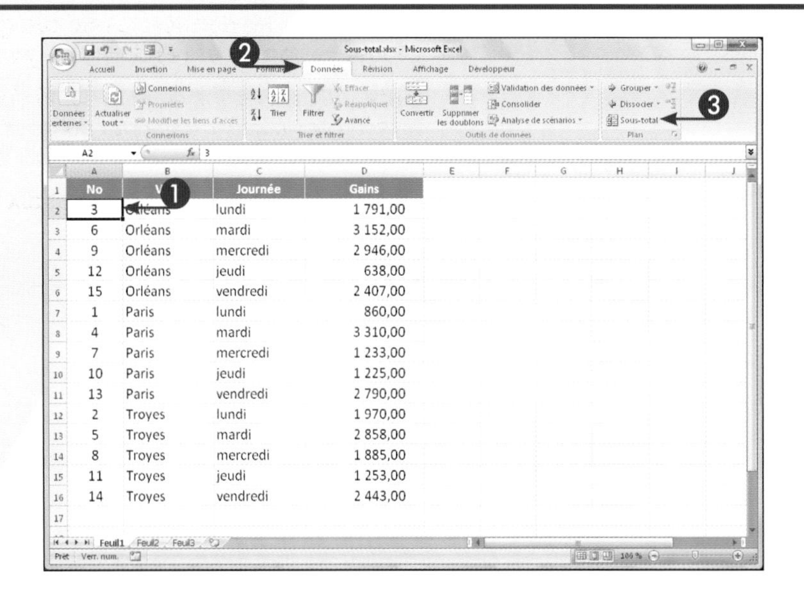

No	Ville	Journée	Gains
3	Orléans	lundi	1 791,00
6	Orléans	mardi	3 152,00
9	Orléans	mercredi	2 946,00
12	Orléans	jeudi	638,00
15	Orléans	vendredi	2 407,00
1	Paris	lundi	860,00
4	Paris	mardi	3 310,00
7	Paris	mercredi	1 233,00
10	Paris	jeudi	1 225,00
13	Paris	vendredi	2 790,00
2	Troyes	lundi	1 970,00
5	Troyes	mardi	2 858,00
8	Troyes	mercredi	1 885,00
11	Troyes	jeudi	1 253,00
14	Troyes	vendredi	2 443,00

❶ Cliquez une cellule de la liste triée.

❷ Cliquez l'onglet **Données**.

❸ Cliquez **Sous-total**.

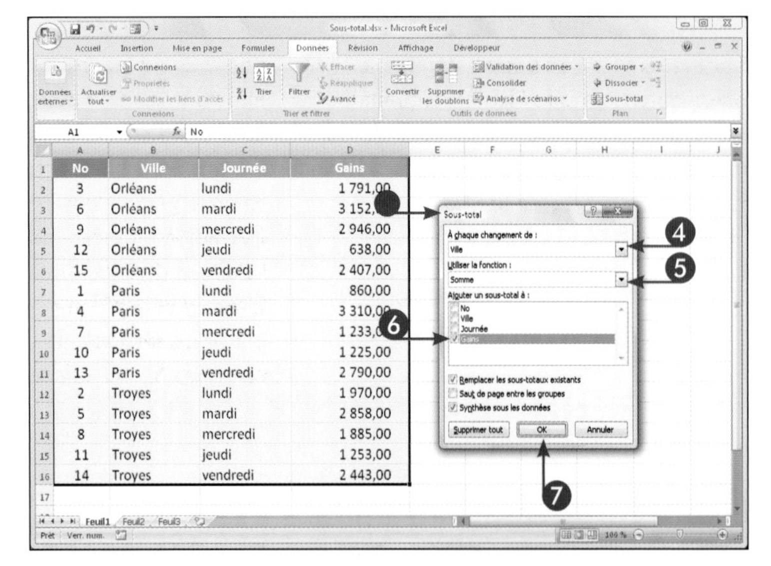

- La boîte de dialogue Sous-total apparaît.

❹ Cliquez ici et sélectionnez le champ déclenchant l'affichage d'un sous-total.

❺ Cliquez ici et sélectionnez le type de calcul.

❻ Cochez les colonnes auxquelles ajouter un sous-total (☐ devient ☑).

❼ Cliquez **OK**.

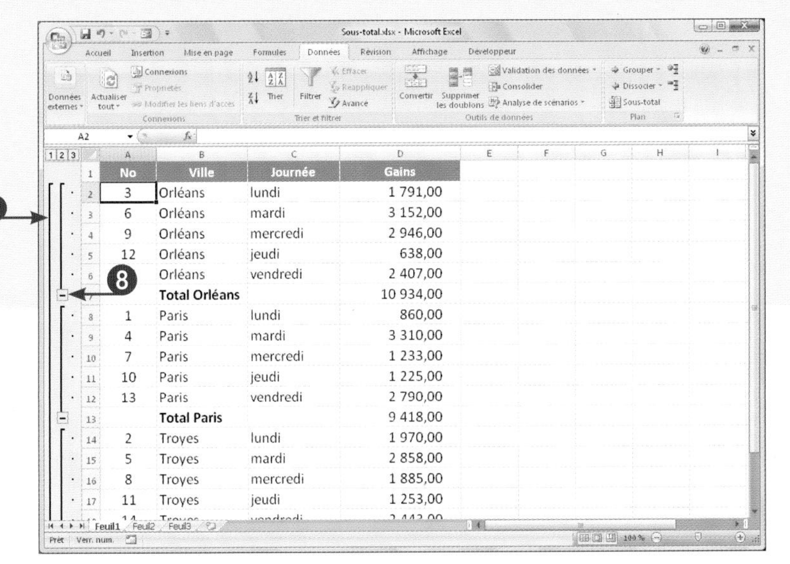

- Les contrôles du mode Plan permettent d'afficher différents niveaux de données.

8. Cliquez sur le signe moins (-) pour masquer les enregistrements de la catégorie.

*Note. Cliquez l'icône **2** au sommet de la colonne du signe moins pour masquer en une seule étape tous les enregistrements de niveau inférieur.*

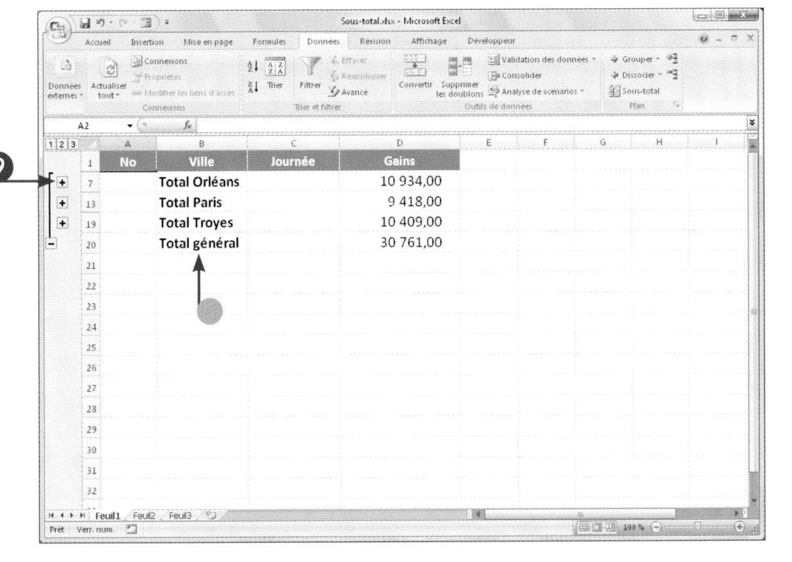

- Seules les lignes des sous-totaux sont affichées.

9. Pour afficher les données d'une catégorie, cliquez le signe plus (+) de la catégorie.

Note. Cliquez l'icône du numéro du dernier niveau pour afficher toutes les données et les sous-totaux.

Toutes les données et les sous-totaux sont affichés.

Le saviez-vous ?

Vous pouvez créer plusieurs niveaux de sous-totaux dans une liste triée en ôtant la coche de **Remplacer les sous-totaux existants** dans la boîte de dialogue Sous-total.

Le saviez-vous ?

Vous pouvez annuler le mode Plan en cliquant l'onglet **Données**, puis, dans le groupe Plan, **Dissocier** et **Effacer le plan**.

Le saviez-vous ?

L'opération peut être effectuée sur une autre colonne que celle du tri. Par exemple, si vous triez selon le genre, vous pouvez calculer la moyenne du salaire et de l'âge des femmes et des hommes et placer les résultats dans les colonnes Âge et Salaire.

METTEZ EN GRAPHIQUE des données filtrées

Vous pouvez rapidement créer un graphique à partir des données d'une feuille ou d'une liste. Un graphique peut illustrer des tendances ou des anomalies dans les données difficiles à détecter dans des colonnes de chiffres. Le choix approprié du type de graphique et sa mise en forme permettent de communiquer des résultats d'une manière claire et précise. Pour plus d'informations sur les graphiques, consultez le chapitre 6.

Pour créer un graphique, sélectionnez les données à tracer, cliquez l'onglet Insertion, puis sélectionnez un type de graphique. Vous pouvez placer le graphique créé par Excel à côté des données et ainsi visualiser immédiatement dans le graphique les modifications aux données.

Par défaut, le graphique n'affiche pas les données masquées par un filtre. Pour tracer toutes les données, cochez Afficher les données des lignes et colonnes masquées dans la boîte de dialogue Paramètres des cellules masquées et vides.

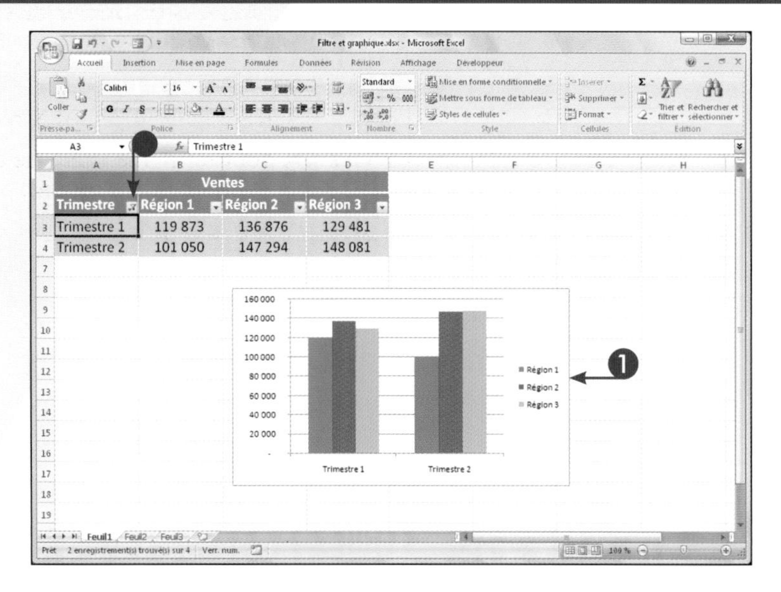

❶ Créez un graphique.

Note. *Consultez le chapitre 6 pour plus d'informations sur la création des graphiques.*

❷ Filtrez les données du graphique.

Note. *Consultez les tâches précédentes pour plus d'informations sur les filtres.*

- Une icône de filtre accompagnant la flèche indique la présence d'un filtre.

Par défaut, le graphique ne trace que les données visibles.

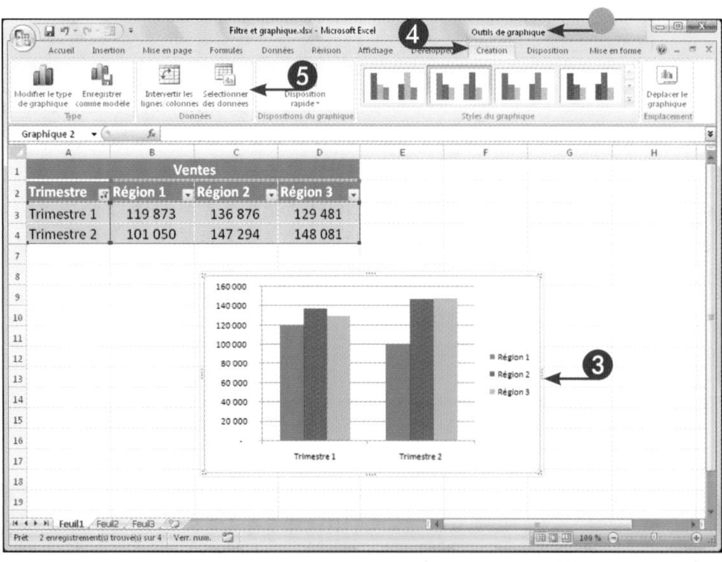

❸ Cliquez le graphique.

- Les outils de graphique deviennent accessibles dans le ruban.

❹ Cliquez l'onglet **Création**.

❺ Cliquez **Sélectionner des données**.

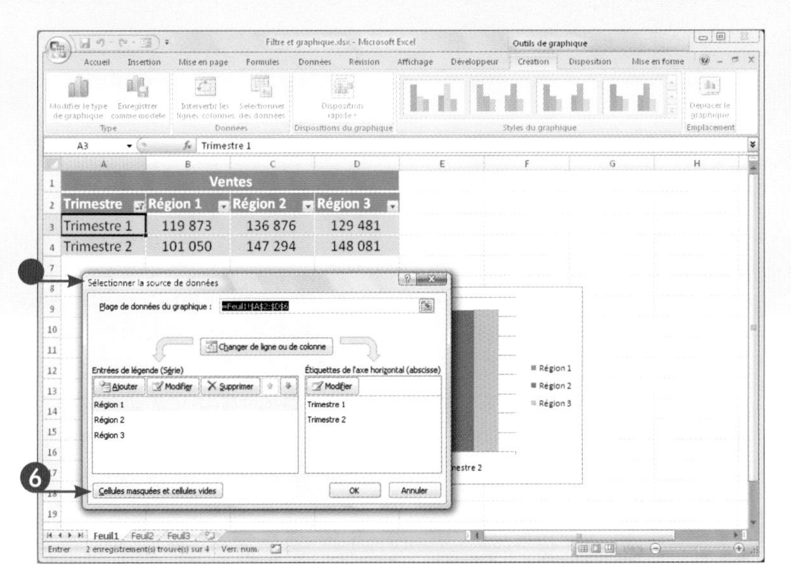

- La boîte de dialogue Sélectionner la source de données apparaît.

6. Cliquez le bouton **Cellules masquées et cellules vides**.

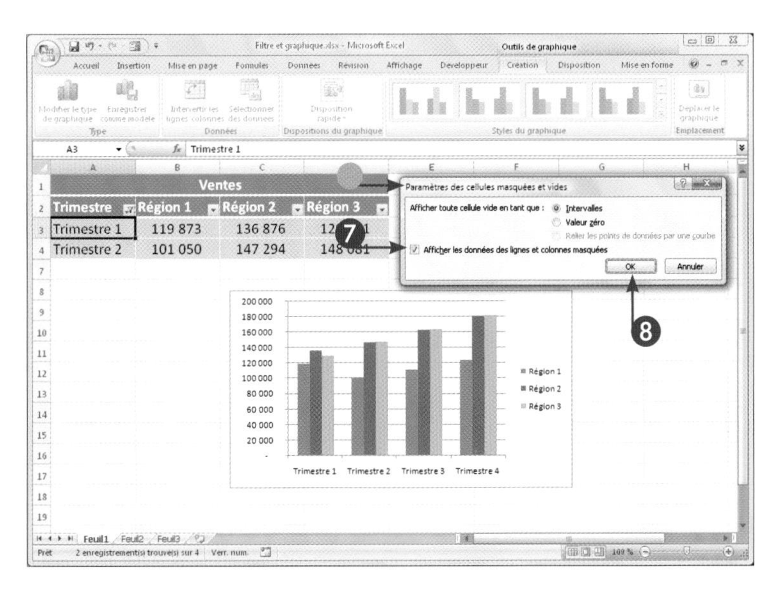

- La boîte de dialogue Paramètres des cellules masquées et vides apparaît.

7. Cochez **Afficher les données des lignes et colonnes masquées** (☐ devient ☑).
8. Cliquez **OK** pour fermer la boîte de dialogue Paramètres des cellules masquées et vides.
9. Cliquez **OK** pour fermer la boîte de dialogue Sélectionner la source de données.

   Excel trace dans le graphique les données masquées.

Le saviez-vous ?

Si vous voulez déplacer un graphique, cliquez-le pour le sélectionner. Une bordure portant des points sur les côtés et les coins apparaît. Placez le pointeur sur le graphique et, lorsqu'il prend la forme d'une flèche à quatre pointes, cliquez et faites glisser le graphique vers une nouvelle position.

Le saviez-vous ?

Vous pouvez supprimer un ensemble de valeurs du graphique. Par exemple, vous pouvez supprimer la région 2 de cet exemple en cliquant une donnée de cette série, puis en appuyant sur **Suppr**.

COMPTEZ
des enregistrements filtrés

Les fonctions de base de données effectuent des opérations sur des listes d'enregistrements et particulièrement sur des sous-ensembles de données. La plupart des fonctions de bases de données combinent deux tâches : elles filtrent un groupe d'enregistrements selon un critère, puis comptent ou effectuent un autre calcul sur les données filtrées.

La fonction BDNB est une fonction de base de données qui compte le nombre de cellules contenant une valeur numérique. Cette fonction attend trois arguments. Le premier argument, *base_de_données*, est la plage qui forme la liste. Le deuxième argument, *champ*, indique la colonne utilisée pour extraire les données. Le troisième argument, *critères*, est une plage qui contient les conditions du filtre. Pour construire le critère, vous copiez un en-tête de colonne dans une cellule et vous définissez une condition dans la cellule située en dessous.

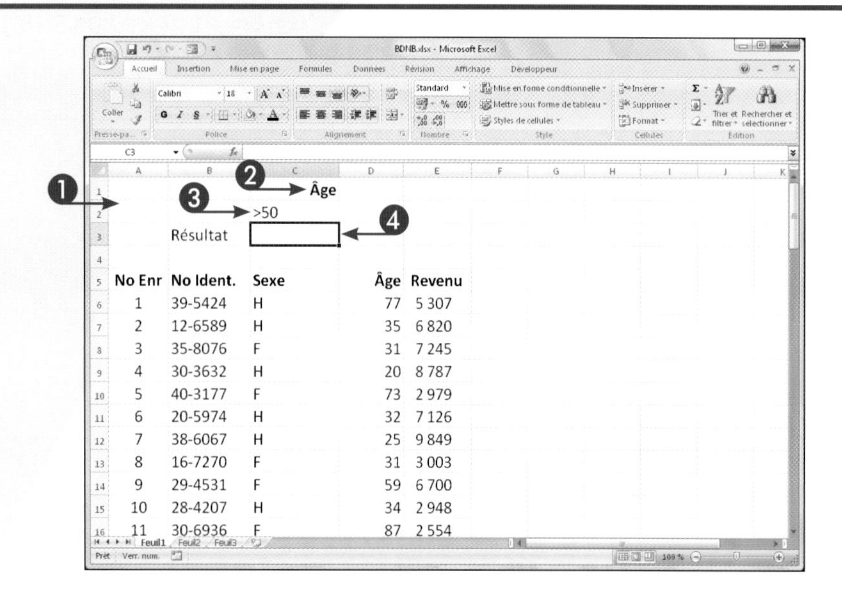

1. Insérez plusieurs lignes au-dessus de la liste afin d'y placer une plage de critères.
2. Saisissez l'en-tête de la colonne servant de filtre.
3. Saisissez le critère déterminant les enregistrements à compter.
4. Cliquez dans la cellule qui contiendra le résultat.

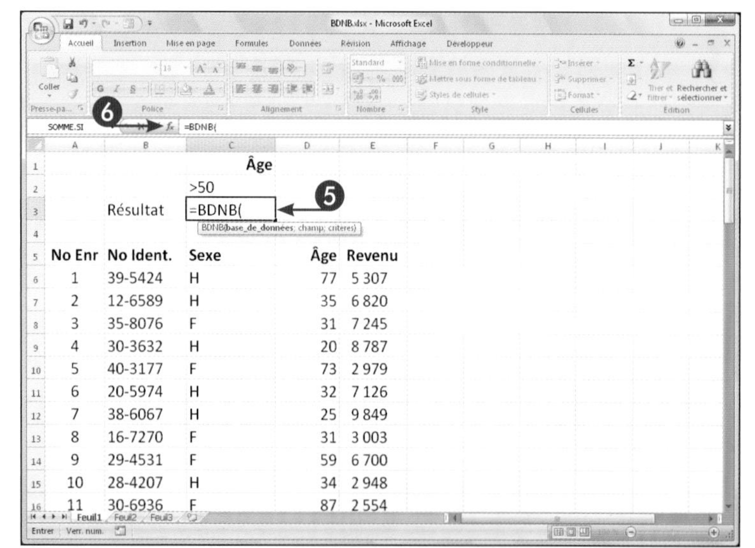

5. Tapez **=BDNB(**.

   Vous pouvez aussi cliquer le nom de la fonction dans la liste de la saisie semi-automatique.

6. Cliquez le bouton **Insérer une fonction**.

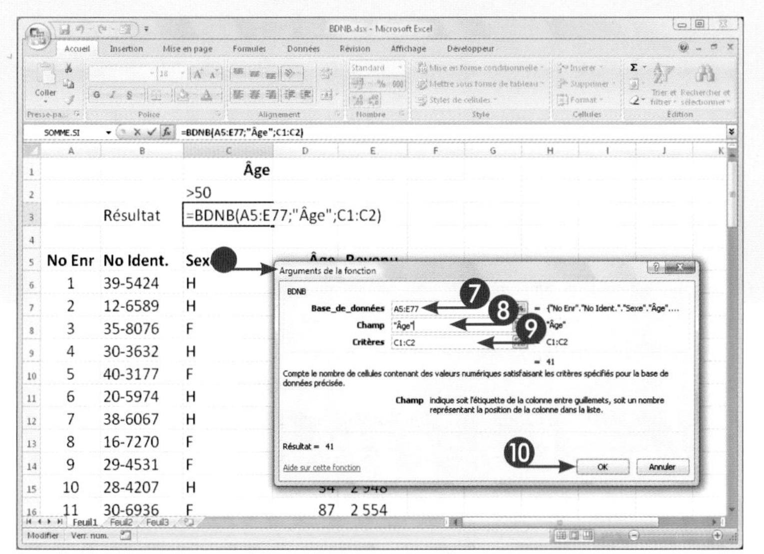

- La boîte de dialogue Arguments de la fonction apparaît.

⑦ Sélectionnez la liste ou saisissez-en la référence.

⑧ Saisissez entre guillemets le nom de la colonne à compter.

Au lieu du nom de la colonne, vous pouvez saisir le numéro de la colonne dans la liste. Dans l'exemple, le numéro serait 3.

⑨ Sélectionnez la plage de critères des étapes **2** et **3** ou saisissez-en la référence.

⑩ Cliquez **OK**.

45

NIVEAU DE DIFFICULTÉ

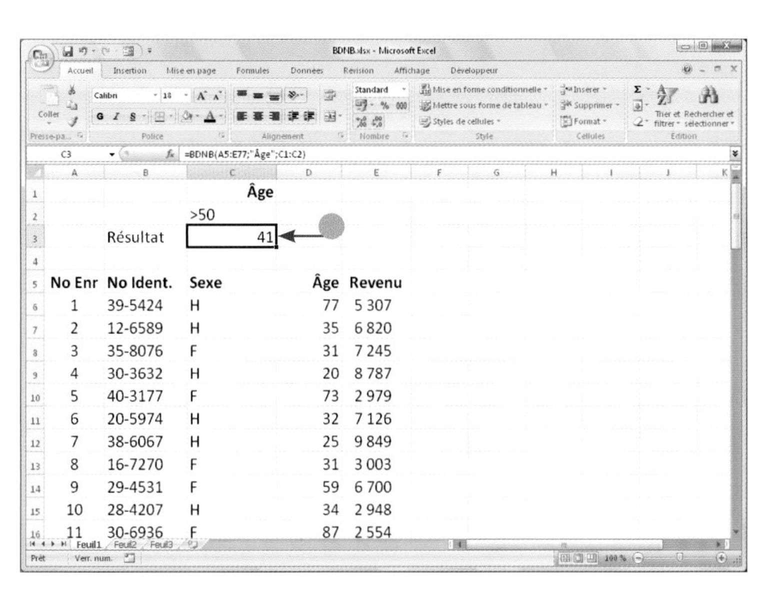

No Enr	No Ident.	Sexe	Âge	Revenu
1	39-5424	H	77	5 307
2	12-6589	H	35	6 820
3	35-8076	F	31	7 245
4	30-3632	H	20	8 787
5	40-3177	F	73	2 979
6	20-5974	H	32	7 126
7	38-6067	H	25	9 849
8	16-7270	F	31	3 003
9	29-4531	F	59	6 700
10	28-4207	H	34	2 948
11	30-6936	F	87	2 554

- Le résultat apparaît dans la cellule.

Note. *La fonction BDNB ne compte que les cellules contenant des nombres. Utilisez BDNBVAL pour compter les cellules non vides.*

Le saviez-vous ?

Tous les noms des fonctions de base de données débutent par les lettres BD. L'assistant à la saisie des arguments est disponible pour ces fonctions. Saisissez le nom de la fonction dans une cellule, par exemple **=BDNB()**, puis cliquez **Insérer une fonction**.

Le saviez-vous ?

La fonction BDSOMME additionne des nombres répondant à un critère et la fonction BDMOYENNE en calcule la moyenne. Les arguments de ces fonctions sont les mêmes que ceux de BDNB : base_ de_ données, champ et plage de critères.

RECHERCHEZ DES DONNÉES
dans une feuille

Une fonction de recherche, telle RECHERCHEV, permet de trouver une valeur dans une liste à partir d'une autre valeur, par exemple, trouver le numéro de téléphone correspondant à un nom dans une liste.

Pour utiliser RECHERCHEV, la première colonne de la liste doit être triée en ordre croissant et contenir les valeurs à rechercher. La colonne contenant la valeur renvoyée doit être donnée en argument.

La boîte de dialogue Arguments de la fonction peut servir à saisir les trois arguments obligatoires : la cellule contenant la valeur cherchée, la plage des données et le numéro de la colonne contenant le résultat. La première colonne d'une liste est 1, la deuxième 2, *etc*.

Le quatrième argument, *valeur_proche*, est facultatif. S'il est omis ou a la valeur VRAI, la fonction renvoie une donnée exacte ou la plus proche. S'il a la valeur FAUX, la fonction ne renvoie que les correspondances exactes.

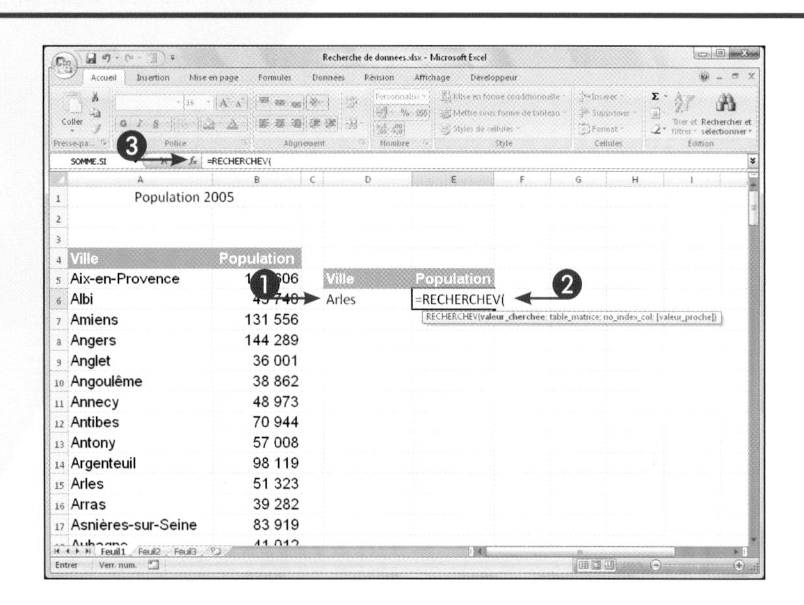

1. Saisissez la valeur servant à la recherche d'une autre donnée.
2. Dans une cellule voisine, saisissez **=RECHERCHEV(**.

   Pendant la saisie, l'aide à la saisie automatique affiche des options. Double-cliquez un nom pour le sélectionner.
3. Cliquez le bouton **Insérer une fonction**.

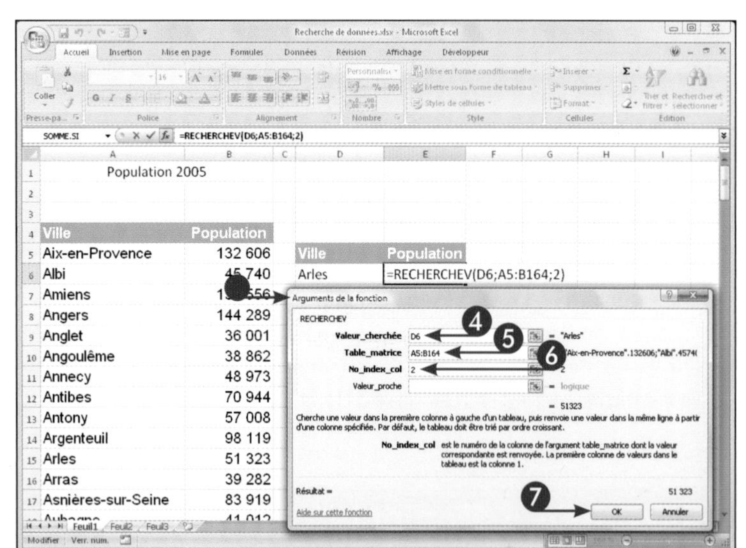

- La boîte de dialogue Arguments de la fonction apparaît.

4. Cliquez dans la cellule de l'étape **1** ou saisissez sa référence.
5. Sélectionnez la liste ou saisissez-en la référence.
6. Saisissez le numéro de la colonne contenant la valeur recherchée.
7. Cliquez **OK**.

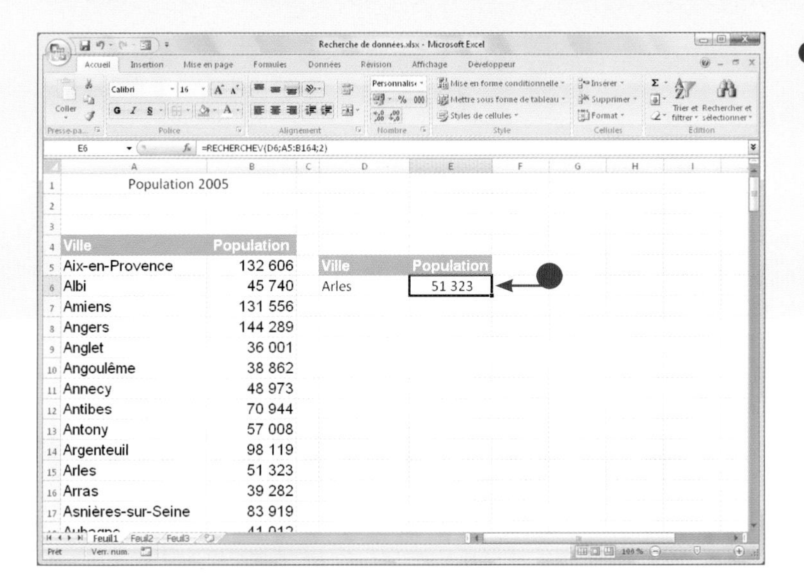

- La formule affiche le résultat de la recherche.

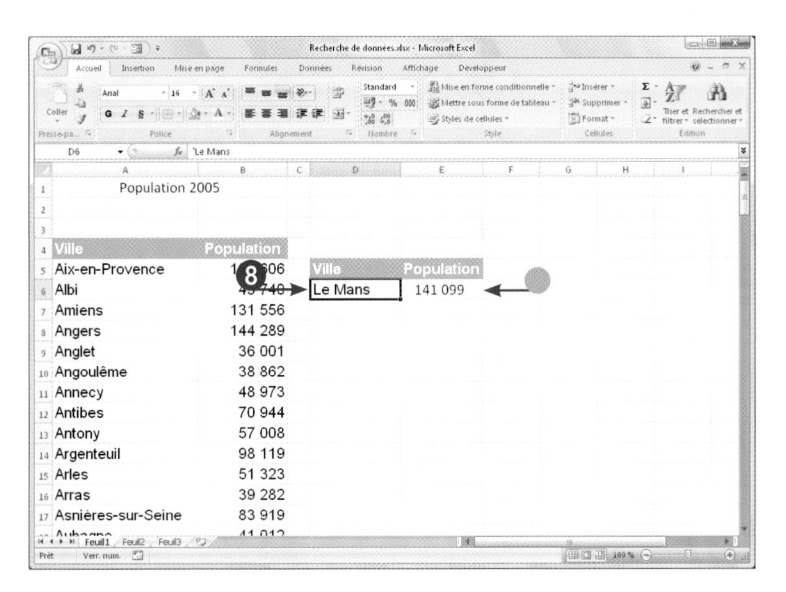

8 Saisissez une autre valeur à rechercher.

- La formule affiche le résultat de la nouvelle recherche.

Le saviez-vous ?

La fonction du même type mais moins utilisée, RECHERCHEH, recherche une valeur dans une ligne et renvoie la valeur correspondante sur une autre ligne.

Attention !

Si vous cherchez des valeurs textuelles, vérifiez que la première colonne est exempte de tout espace d'en-tête ou de fin, de caractère non imprimable et d'utilisation incohérente des guillemets ou apostrophes. Si c'est le cas, il se peut que RECHERCHEV renvoie des valeurs incorrectes. Si vous recherchez des dates, mettez les valeurs au format date et non au format texte.

TRANSFORMEZ DES DONNÉES
en tableau

Un tableau est un ensemble de lignes et de colonnes dans lequel chaque ligne du tableau constitue l'enregistrement d'une donnée et chaque colonne contient un aspect de cette donnée. Par exemple, un tableau enregistrant des personnes peut comprendre trois colonnes : le nom, le genre et l'âge. Pour chaque enregistrement d'une personne, la colonne Nom contient le nom, la colonne Genre le genre et la colonne Âge l'âge.

Lorsque vous transformez une plage ou une liste en tableau, des flèches sont ajoutées à droite de chaque en-tête, donnant accès à des options de tri et de filtre. Il est très simple de définir un tableau à partir de données existantes. Les données doivent être placées dans des lignes et colonnes contiguës et comporter des en-têtes de colonnes descriptifs.

La création d'un tableau ajoute l'onglet Outils de tableau au ruban. Ces outils permettent une mise en forme rapide du tableau. Évitez les cellules vides ou les espaces au début d'une cellule pour faciliter le tri.

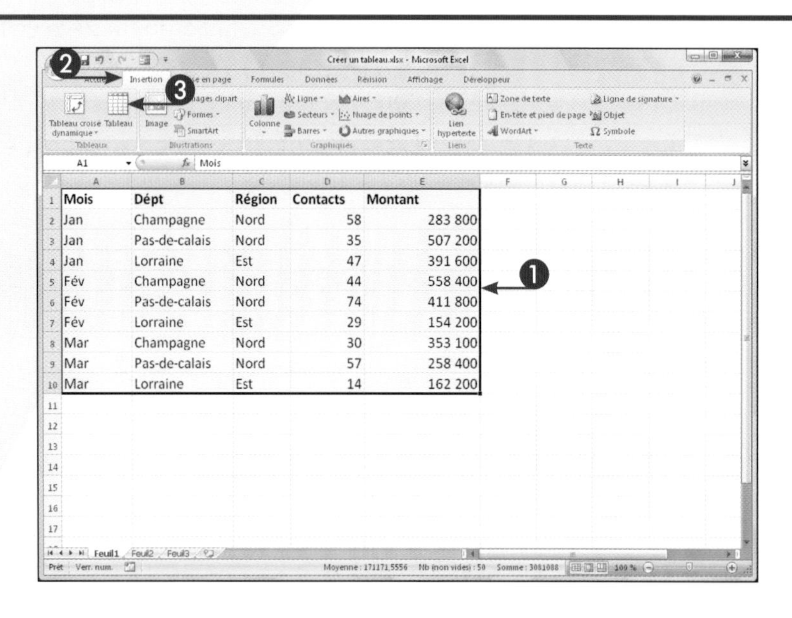

❶ Sélectionnez les données à transformer en tableau sans omettre les en-têtes.

Note. *Si la plage ne contient pas de ligne ou de colonne vide, vous pouvez ne sélectionner qu'une des cellules de la plage.*

❷ Cliquez l'onglet **Insertion**.

❸ Cliquez **Tableau** dans le groupe Tableaux.

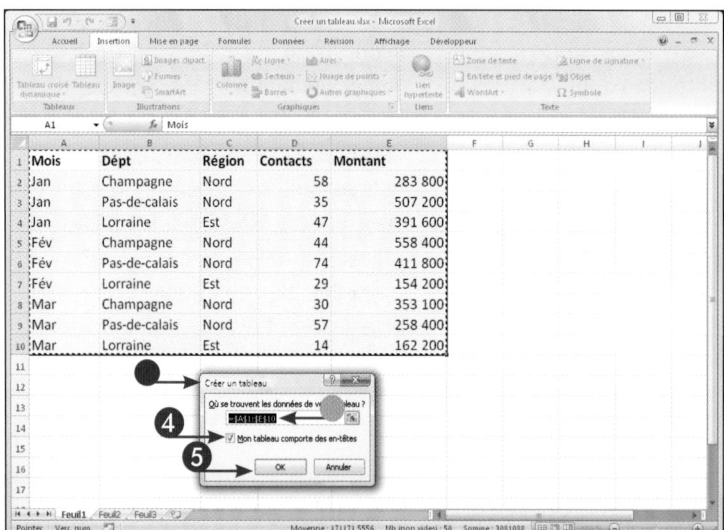

- La boîte de dialogue Créer un tableau apparaît.
- La plage sélectionnée apparaît ici.

❹ Cliquez ici si la plage comprend des en-têtes (☐ devient ☑).

❺ Cliquez **OK**.

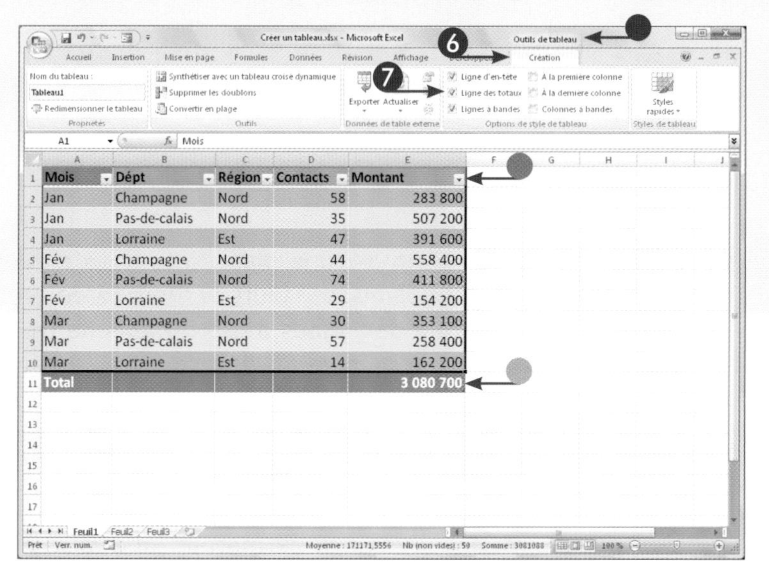

Excel convertit les données en tableau.

- Les outils de tableau sont ajoutés au ruban.
- Chaque en-tête affiche une flèche donnant accès aux options de tri et de filtre.

6 Cliquez l'onglet **Création**.

7 Cochez **Ligne des totaux** (☐ devient ☑).

- Excel ajoute un total au bas du tableau.

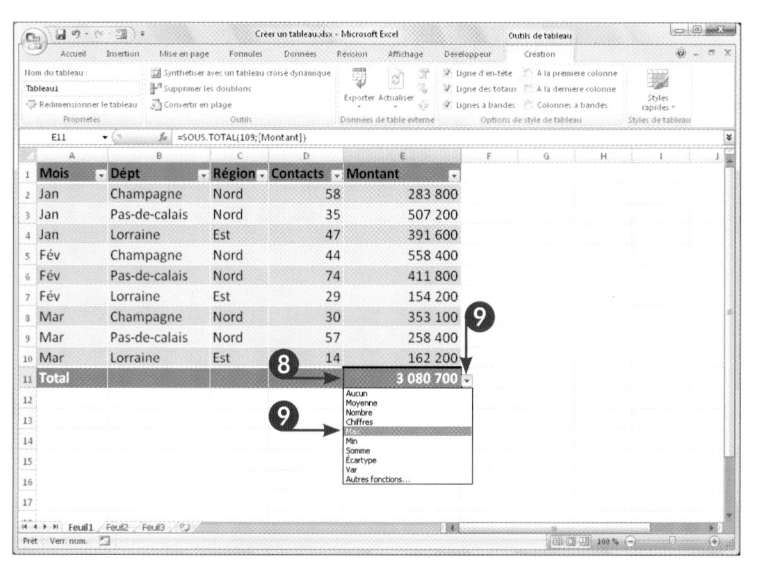

8 Cliquez dans une cellule de la ligne de total.

Une flèche apparaît à droite de la cellule.

9 Cliquez la flèche et sélectionnez l'opération à effectuer.

Excel effectue l'opération sélectionnée sur les cellules de la colonne.

Le saviez-vous ?

Les possibilités d'un tableau Excel sont limitées, comparées aux outils d'Access ou d'un autre logiciel de gestion de bases de données. Vous pouvez saisir des données dans Excel, les exporter vers Access et incorporer les feuilles dans un ensemble de tables de données. Consultez la tâche n°92 pour plus d'informations.

Le saviez-vous ?

Vous pouvez transformer un tableau en plage. Cliquez dans une des cellules du tableau, cliquez l'onglet **Outils de tableau Création**, puis **Convertir en plage** dans le groupe Outils. Cliquez **Oui** à la demande de confirmation. Excel convertit le tableau en plage et supprime les flèches dans les en-têtes.

Modifiez le

STYLE D'UN TABLEAU

Les styles mettent en forme les lignes et les colonnes d'un tableau pour en faciliter la lecture. Excel applique un style par défaut à la création d'un tableau. Vous pouvez supprimer ou modifier facilement un style. De nombreux styles prédéfinis sont disponibles et, lorsque le curseur en survole un dans la galerie des styles, Excel présente directement son aperçu dans le tableau.

D'autres options permettent de modifier l'apparence du tableau. Les lignes ou les colonnes en bandes font alterner les couleurs des lignes et des colonnes. Vous pouvez appliquer une mise en forme particulière à la première ou à la dernière colonne pour en faire ressortir le contenu.

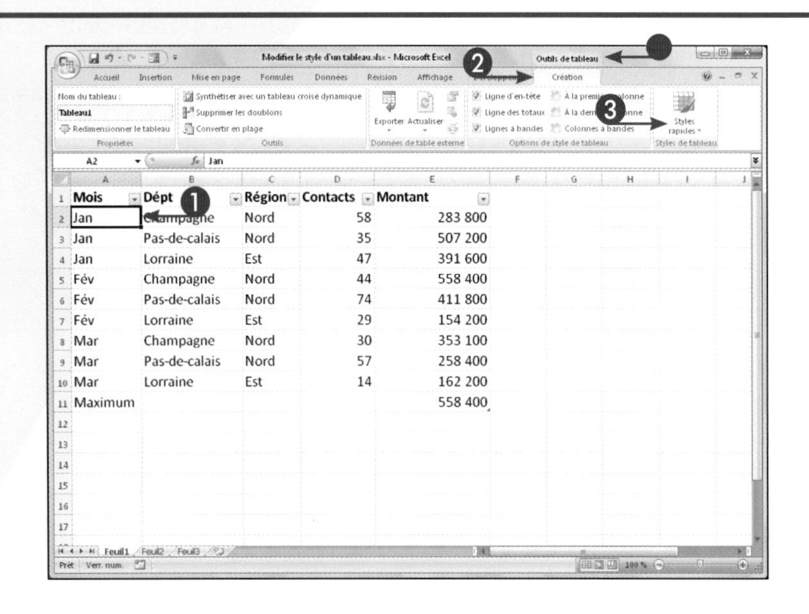

Mois	Dépt	Région	Contacts	Montant
Jan	Champagne	Nord	58	283 800
Jan	Pas-de-calais	Nord	35	507 200
Jan	Lorraine	Est	47	391 600
Fév	Champagne	Nord	44	558 400
Fév	Pas-de-calais	Nord	74	411 800
Fév	Lorraine	Est	29	154 200
Mar	Champagne	Nord	30	353 100
Mar	Pas-de-calais	Nord	57	258 400
Mar	Lorraine	Est	14	162 200
Maximum				558 400

1. Cliquez une des cellules du tableau.

- Les outils de tableau apparaissent dans le ruban.

2. Cliquez l'onglet **Création**.
3. Cliquez **Styles rapides** dans le groupe **Styles de tableau**.

- Une galerie de styles apparaît.

4. Cliquez un style pour l'appliquer au tableau.
5. Cliquez **Effacer** pour supprimer le style actuel.
6. Cliquez un style du bouton droit.

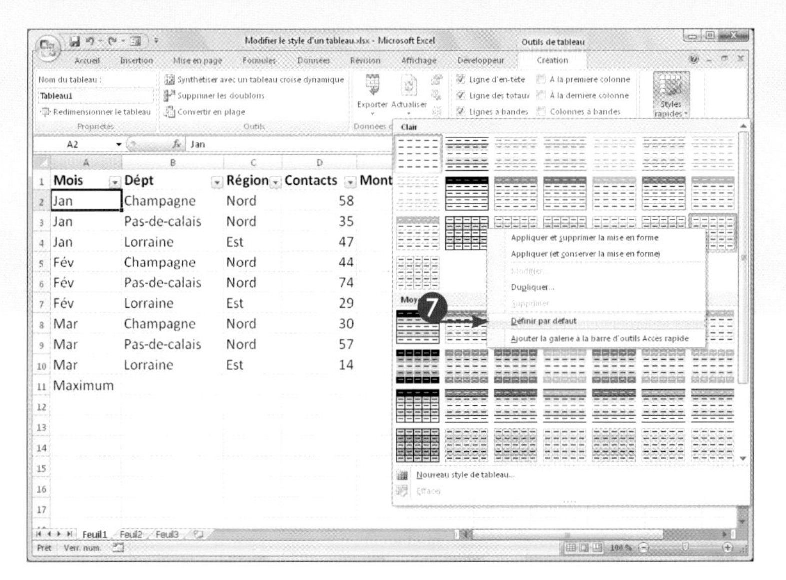

Un menu apparaît.

7 Cliquez **Définir par défaut**.

Excel définit le style sélectionné comme style par défaut.

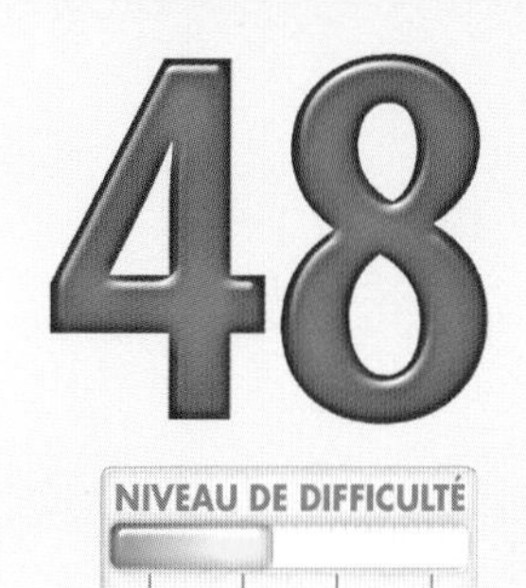

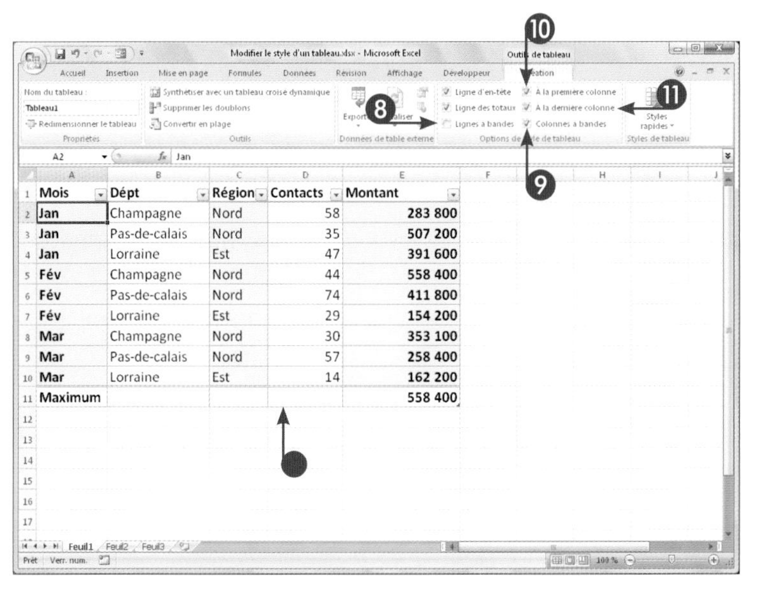

8 Cliquez ici pour supprimer les lignes à bandes (☑ devient ☐).

9 Cliquez ici pour ajouter des colonnes à bandes (☐ devient ☑).

10 Cliquez ici pour appliquer une mise en forme à la première colonne (☐ devient ☑).

11 Cliquez ici pour appliquer une mise en forme à la dernière colonne (☐ devient ☑).

- Excel met le tableau en forme.

Le saviez-vous ?

Il est facile d'ajouter une colonne dans un tableau. Cliquez du bouton droit dans une cellule du tableau, puis sélectionnez dans le menu contextuel **Insérer → Colonnes de tableau à gauche**. Pour ajouter une colonne à droite du tableau, sélectionnez une cellule vide adjacente, puis saisissez une valeur. Excel ajoute la colonne au tableau et lui donne un nom par défaut.

Le saviez-vous ?

Vous pouvez créer votre propre style. Le plus simple est de partir d'un style prédéfini. Cliquez une des cellules du tableau et ouvrez la galerie de style dans les outils de tableau. Cliquez du bouton droit le style à modifier et sélectionnez **Dupliquer** dans le menu contextuel. Dans la boîte de dialogue Modifier le style rapide du tableau, modifiez la mise en forme des éléments du tableau.

Chapitre 5

Découvrez les tendances dans vos données

Excel est bien plus qu'un outil de calcul et d'enregistrement de valeurs numériques. C'est un outil d'analyse de données permettant de mieux comprendre celles-ci et de prendre des décisions en connaissance de cause. Dans ce chapitre, vous découvrirez une gamme d'outils vous offrant de nouvelles perspectives sur vos données.

Un des outils les plus utiles, le tableau croisé dynamique, est aussi l'un des moins bien compris. Comparable au tableau à double entrée en statistique, un tableau croisé dynamique synthétise les données et montre comment elles sont distribuées en catégories. Par exemple, vous pouvez analyser les données et voir comment les différents articles sont vendus par région et par trimestre. Ou bien, vous avez la possibilité d'analyser la distribution des revenus ou les préférences des consommateurs par genre et par tranche d'âge. Excel rend les réponses plus faciles aux questions utiles à propos de vos données.

Ce chapitre présente aussi les fonctions statistiques d'Excel. Ces statistiques n'étaient autrefois disponibles que dans des suites logicielles spécialisées et coûteuses. Vous apprendrez à utiliser les statistiques descriptives pour caractériser vos données et découvrir des associations entre des séries de données grâce à la fonction de corrélation. Pour les adeptes de statistiques, Excel comprend encore bien d'autres fonctions statistiques évoluées.

Enfin, vous apprendrez à utiliser deux outils d'analyse reliés : avec l'analyse d'hypothèse, vous faites varier une donnée pour voir comment elle affecte le résultat et la recherche de la valeur cible ; et avec la recherche de la valeur cible, vous démarrez avec un objectif et vous essayez de l'atteindre en faisant varier un facteur.

Top 100

Créez un

TABLEAU CROISÉ DYNAMIQUE

Un tableau croisé dynamique aide à répondre aux questions à propos de vos données. Il est fondé sur un tableau ou une liste formée de lignes et de colonnes. Cette liste peut se trouver dans une feuille de calcul ou provenir d'une source de données externe comme Access. Pour en savoir plus sur les tableaux, consultez le chapitre 4.

Les étiquettes de lignes et de colonnes d'un tableau croisé dynamique reprennent généralement des données discrètes, précisant les catégories des valeurs. Par exemple, le genre est une variable discrète, car il ne peut prendre que deux valeurs, féminin ou masculin.

Le trimestre est une autre variable discrète parce que toutes les valeurs se répartissent en quatre trimestres. Le salaire et le poids sont des données continues et non discrètes car un grand domaine de valeurs est possible pour chacune d'elles.

Le corps d'un tableau croisé dynamique, la zone des données, comporte généralement des données continues montrant comment les données sont distribuées parmi les lignes et les colonnes. Par exemple, vous pourriez présenter comment le nombre d'unités vendues est distribué entre les régions selon les différents trimestres.

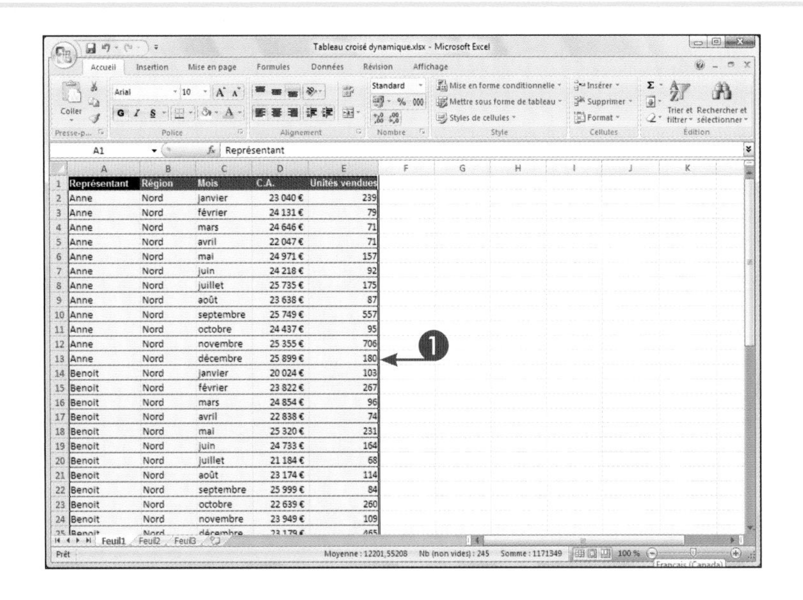

1. Sélectionnez les données à inclure dans le tableau croisé dynamique.

Note. *Veillez à inclure les titres de lignes et de colonnes.*

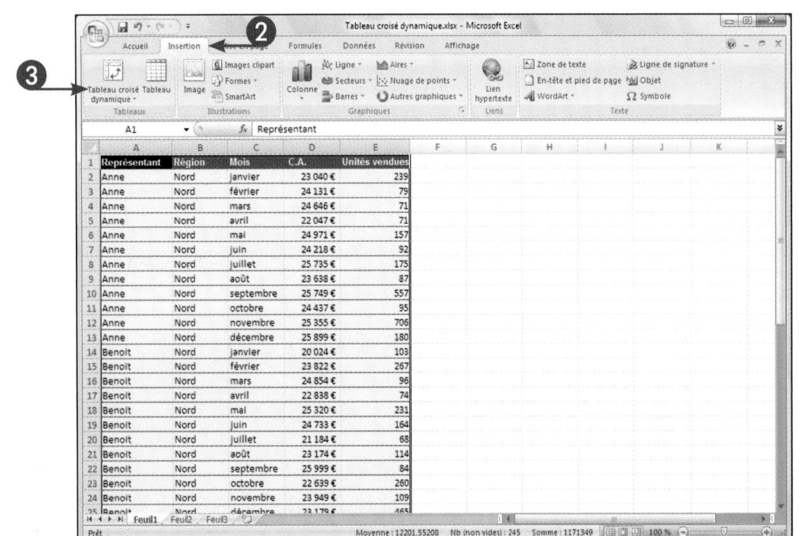

2. Cliquez l'onglet **Insertion**.
3. Cliquez **Tableau croisé dynamique**.

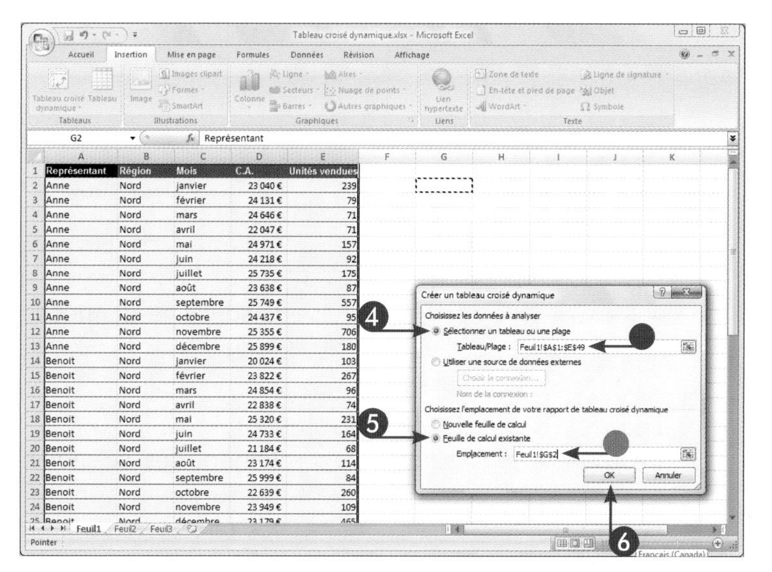

La boîte de dialogue Créer un tableau croisé dynamique apparaît.

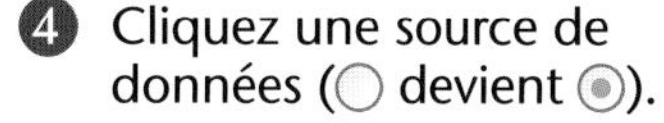

4 Cliquez une source de données (○ devient ◉).

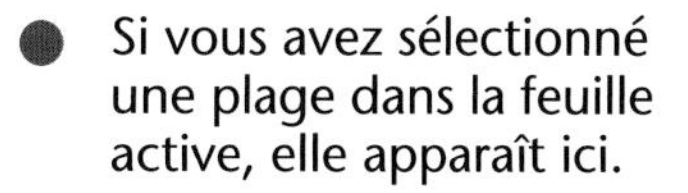

● Si vous avez sélectionné une plage dans la feuille active, elle apparaît ici.

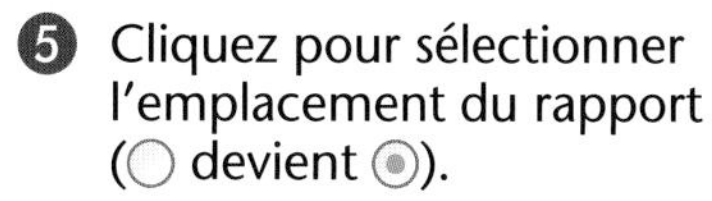

5 Cliquez pour sélectionner l'emplacement du rapport (○ devient ◉).

● Si vous voulez placer la liste dans la feuille active, cliquez la cellule de destination ou tapez son adresse.

6 Cliquez **OK**.

49

NIVEAU DE DIFFICULTÉ

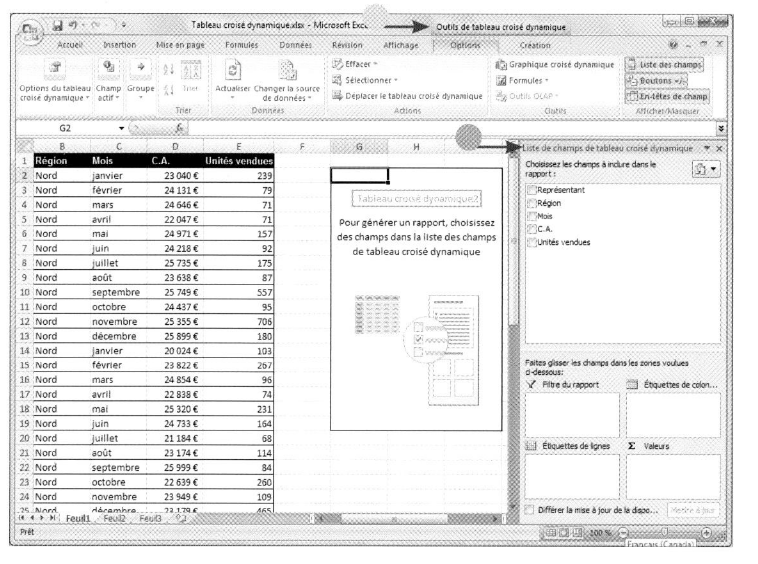

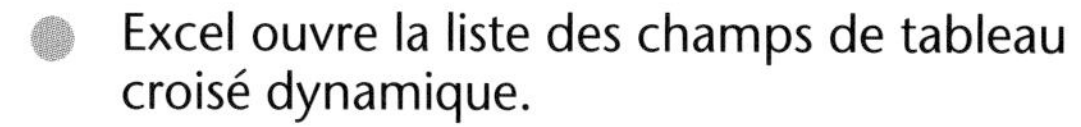

● Excel ouvre la liste des champs de tableau croisé dynamique.

● Les Outils de tableau croisé dynamique deviennent disponibles.

Pas d'éléments inutiles !

Si vous souhaitez supprimer un tableau croisé dynamique de la feuille, cliquez n'importe où dans le tableau. Les outils de tableau croisé dynamique deviennent disponibles. Cliquez l'onglet **Options**. Cliquez **Sélectionner** dans le groupe **Actions**. Un menu s'ouvre. Cliquez **Tableau croisé dynamique complet**. Excel sélectionne tout le tableau. Appuyez sur la touche Suppr. Excel supprime le tableau croisé dynamique.

Attention !

Les tableaux croisés dynamiques sont fondés sur des tableaux. À la création d'un tableau croisé dynamique, n'utilisez pas de tableau avec une colonne ou une ligne vide. Excel pourrait ne pas créer le tableau croisé dynamique correctement si les données comportent une ligne ou une colonne vide.

Créez un TABLEAU CROISÉ DYNAMIQUE

La présentation d'un tableau croisé dynamique est formée de plusieurs éléments : filtres de rapport, données, colonnes et lignes. Utilisez la liste des champs de tableau croisé dynamique pour organiser les éléments. Au cours du travail avec ce type de tableau, vous pouvez faire apparaître la liste des champs en cliquant dans le tableau l'onglet Options, puis Liste des champs.

Pour construire un tableau croisé dynamique, choisissez les champs à inclure dans le rapport et faites-les glisser depuis la liste des champs dans les zones Filtre du rapport, Étiquettes de colonnes, Étiquettes de lignes et ∑ Valeurs. Vous pouvez faire glisser plusieurs champs dans une zone. Le champ Filtre du rapport permet de filtrer les données qui apparaissent dans le rapport. Les champs Étiquettes de lignes apparaîtront en tant que titres de lignes sur le côté gauche du tableau croisé dynamique, et les champs Étiquettes de colonnes, en tant que titres de colonnes à la ligne supérieure du tableau croisé dynamique. Placez les champs de données continues dans la zone ∑ Valeurs. Ces champs formeront la zone des données synthétisées. Vous pouvez trier et filtrer les données du tableau croisé dynamique et vous avez la possibilité d'en modifier la disposition à volonté.

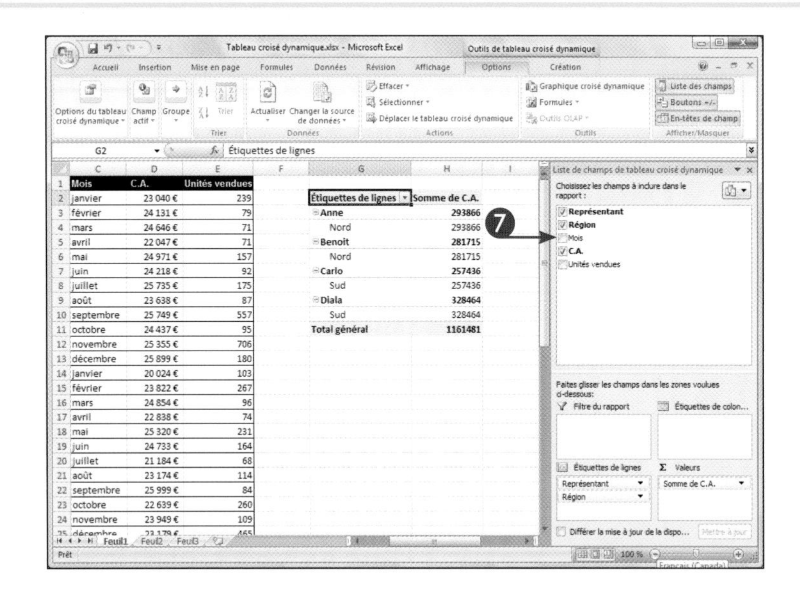

7. Cliquez pour sélectionner les champs à inclure dans le tableau croisé dynamique (☐ devient ☑).

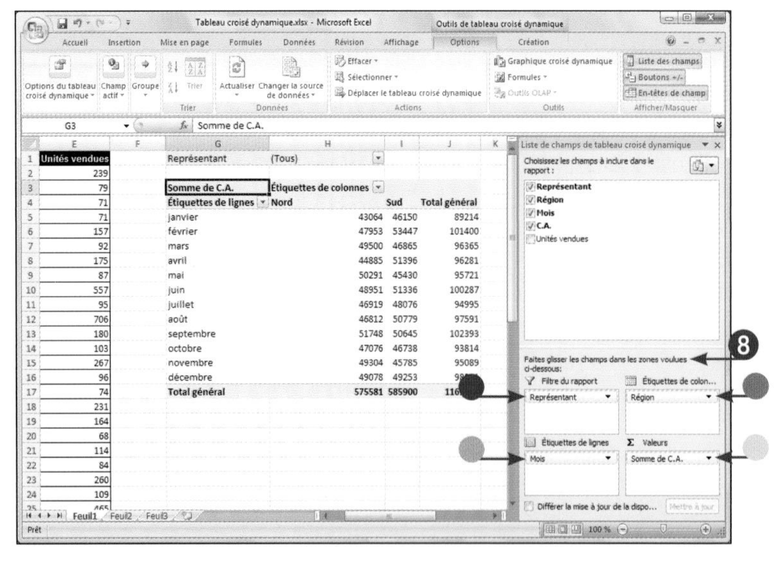

8. Faites glisser les champs dans les zones Filtre du rapport, Étiquettes de colonnes, Étiquettes de lignes et ∑ Valeurs.

- Si vous voulez filtrer ce que vous affichez dans une page de tableau croisé dynamique, faites glisser dans la zone Filtre du rapport le champ sur lequel vous souhaitez filtrer.
- Faites glisser les champs à afficher en tant que colonnes dans la zone Étiquettes de colonnes.
- Faites glisser les champs à afficher en tant que lignes dans la zone Étiquettes de lignes.
- Faites glisser les champs à afficher en tant que données dans la zone ∑ Valeurs.

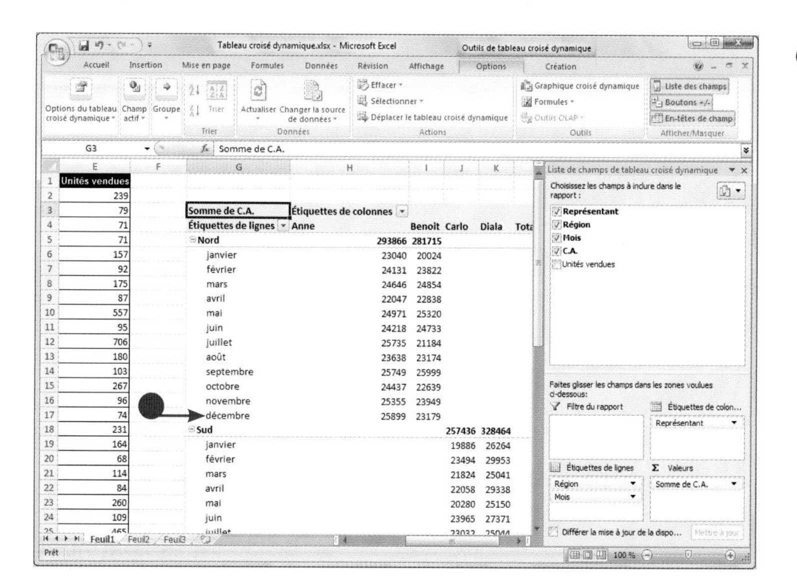

- Les modifications sont immédiatement répercutées dans le tableau croisé dynamique en construction.

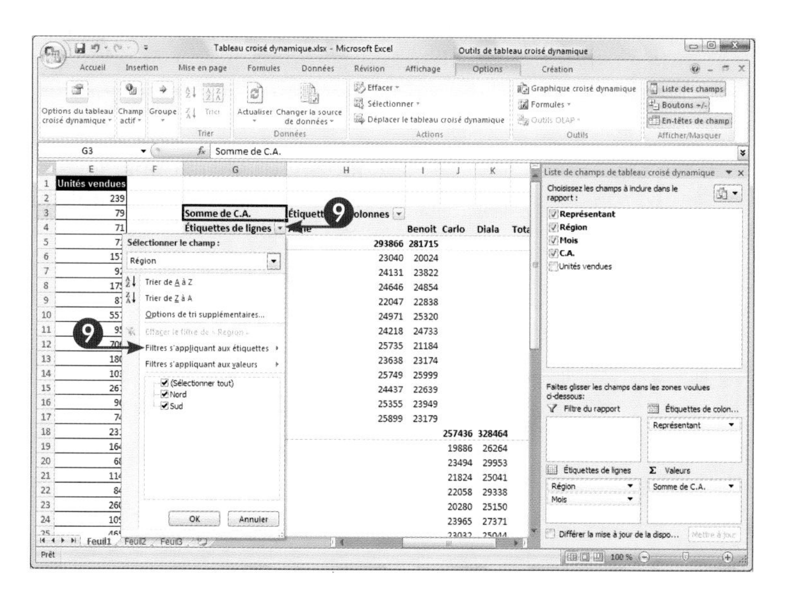

9. Cliquez le titre de champ et choisissez les options de tri et de filtre.

   Note. *Pour plus d'information sur le tri et le filtre, voyez le chapitre 4.*

Personnalisez-le !

Pour modifier la façon dont la liste de champs de tableau croisé dynamique est affichée, cliquez le bouton () situé dans le coin supérieur droit du volet Liste de champs. Un menu apparaît. Choisissez l'option qui vous convient le mieux.

Le saviez-vous ?

Les étiquettes de lignes et de colonnes apparaissent dans l'ordre où vous les placez dans les zones Étiquettes de lignes et Étiquettes de colonnes. Vous pouvez changer l'ordre d'affichage en faisant glisser les champs dans la zone.

Modifiez les données et la disposition

D'UN TABLEAU CROISÉ DYNAMIQUE

Un tableau croisé dynamique vous aide à répondre aux questions essentielles concernant vos données. Pour étendre son action, Excel permet de modifier les données sur lesquelles il est fondé et la manière dont elles sont disposées.

Un tableau croisé dynamique peut rapidement devenir complexe. Heureusement, vous ne devez pas le recréer et le modifier chaque fois que vous modifiez les données sous-jacentes. Il suffit de le réactualiser en cliquant Actualiser.

Il est facile de modifier la disposition d'un tableau croisé dynamique en cliquant l'onglet Création et en y choisissant un style et une disposition. Excel 2007 propose un large choix de styles prédéfinis.

Vous pouvez décider de faire ressortir les en-têtes de lignes ou de colonnes ou d'afficher les données avec des bandes colorées verticales ou horizontales. Excel permet aussi d'afficher le tableau sous forme compactée ou tabulaire, ou en mode Plan. Testez les différents modes d'affichage pour définir celui qui convient le mieux à vos données.

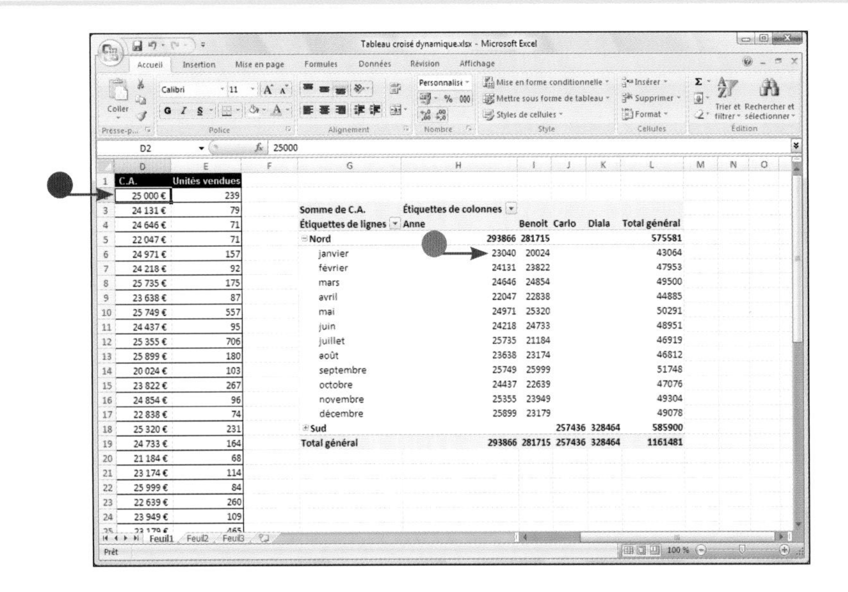

Actualisez les données

1. Apportez des modifications aux données.

- Les données d'origine sont modifiées.
- Aucun changement n'apparaît ici.

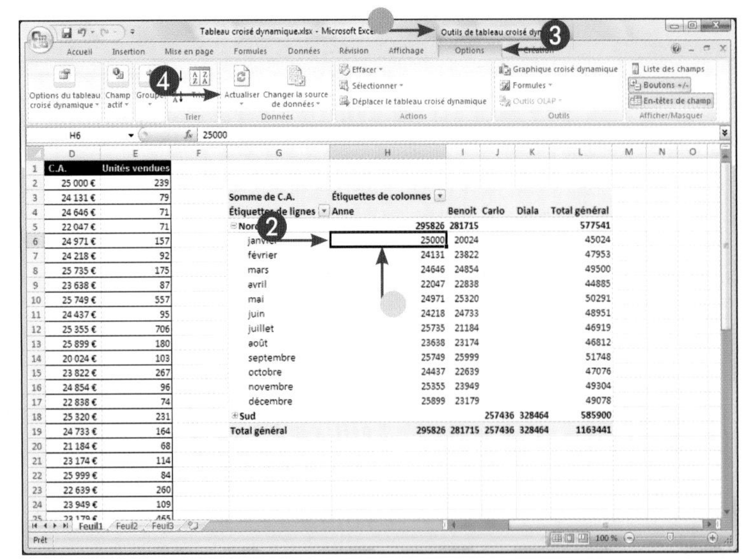

2. Cliquez n'importe quelle cellule du tableau croisé dynamique.

- Les outils de tableau croisé dynamique deviennent disponibles.

3. Cliquez l'onglet **Options**
4. Cliquez **Actualiser**.

- Les valeurs et les calculs reflètent les modifications apportées aux données.

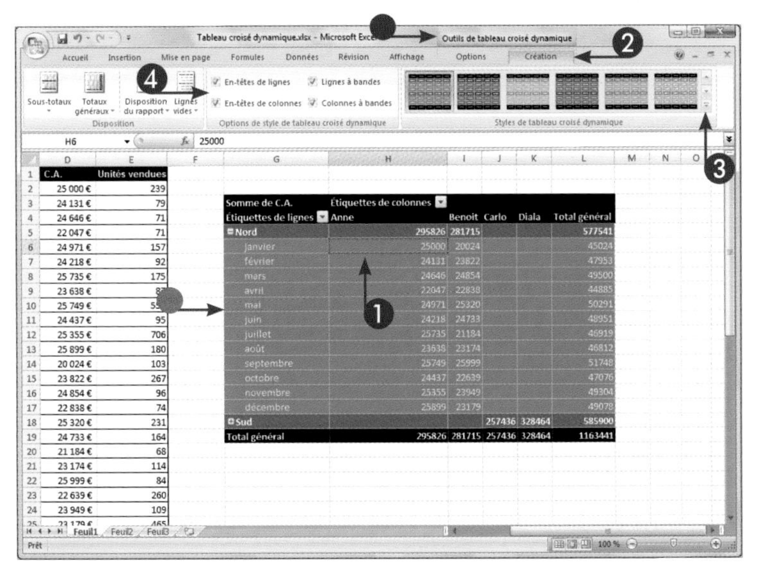

Modifiez la disposition

50

NIVEAU DE DIFFICULTÉ

1. Cliquez n'importe quelle cellule du tableau croisé dynamique.
- Les outils de tableau croisé dynamique deviennent disponibles.
2. Cliquez l'onglet **Création.**
3. Cliquez ici et sélectionnez un style.

   Excel applique le style.
4. Cliquez les options voulues parmi les options de style (☐ devient ☑).

   Dans cet exemple, les quatre options sont sélectionnées.

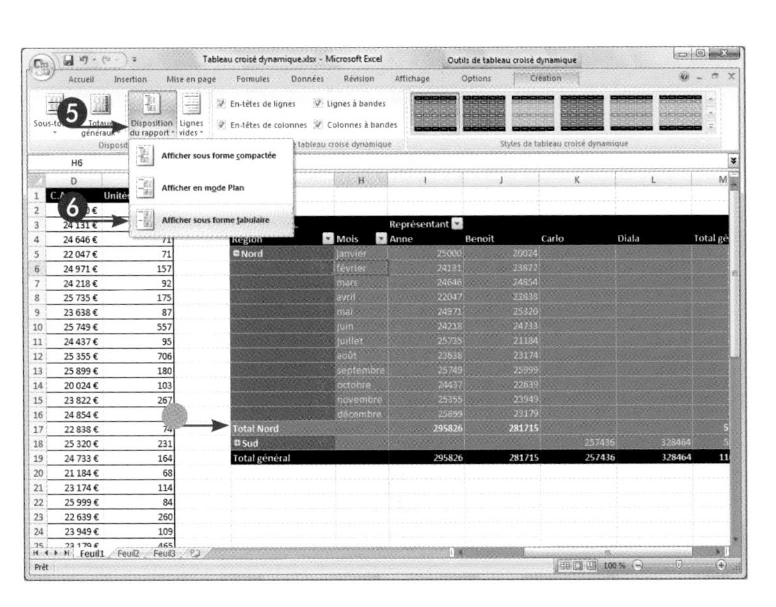

- Excel applique les options.
5. Cliquez **Disposition du rapport**.

   Un menu apparaît.
6. Cliquez une disposition.
- Excel change la disposition du rapport.

Le saviez-vous ?

Par défaut, Excel crée ou modifie le tableau croisé dynamique quand vous faites glisser les champs parmi les quatre zones du volet Liste de champs. Si vous ne souhaitez pas que votre tableau croisé dynamique soit modifié dynamiquement, cochez la case **Différer la mise à jour de la disposition** (☐ devient ☑) au bas du volet Liste de champs, puis cliquez le bouton **Actualiser** lorsque vous désirez obtenir la version à jour du tableau.

Le saviez-vous ?

Si vous choisissez l'onglet **Création** et cliquez **Lignes vides** dans le groupe Disposition, vous pouvez ajouter, ou supprimer, une ligne vide entre chaque groupe de données.

CALCULEZ LES TOTAUX ET SOUS-TOTAUX

d'un tableau croisé dynamique

Vous pouvez utiliser un tableau croisé dynamique pour étudier la distribution des données parmi les catégories. Différents outils statistiques permettent de faire ressortir les différences entre les catégories. Pour vous aider, Excel peut calculer automatiquement les sous-totaux et le total général de chaque colonne et ligne du tableau. Dans ces rangées de totaux, vous avez la possibilité de choisir parmi une série d'opérations dont : somme, moyenne, nombre, écart type, minimum et maximum.

Pour modifier l'opération utilisée, ouvrez la boîte de dialogue Paramètres des champs de valeurs et sélectionnez le type d'opération à utiliser pour synthétiser les données. Modifier l'opération utilisée pour générer les totaux peut engendrer une mise en forme inadéquate des valeurs. Pour remédier à cela, utilisez le bouton Format de nombre dans la boîte de dialogue Paramètres des champs de valeurs. Vous accéderez ainsi aux possibilités de mise en forme des nombres de la boîte de dialogue Format de cellule.

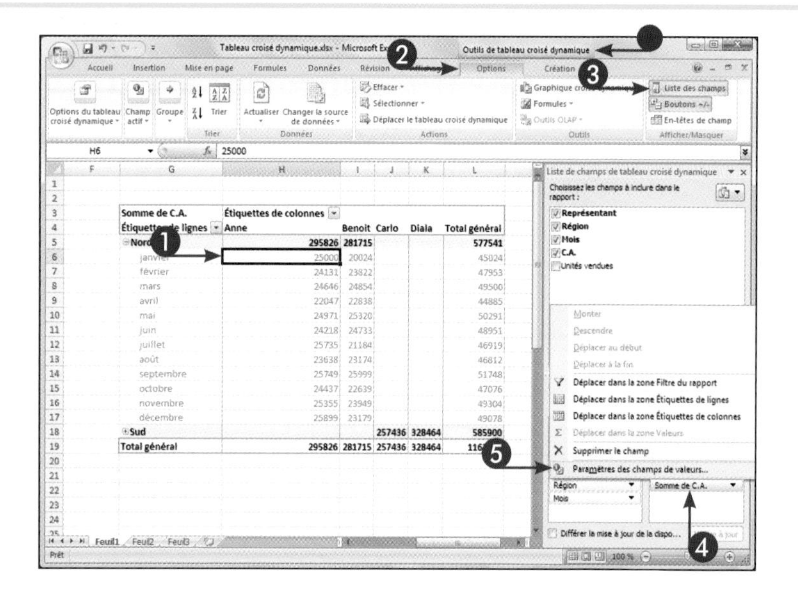

1. Cliquez n'importe quel champ du tableau croisé dynamique.

- Les outils de tableau croisé dynamique deviennent disponibles.

2. Cliquez l'onglet **Options.**
3. Cliquez **Liste des champs**.

   Le volet Liste de champs de tableau croisé dynamique apparaît.

4. Cliquez le champ pour lequel vous voulez un total ou un sous-total.

   Un menu d'options apparaît.

5. Cliquez **Paramètres des champs de valeurs**.

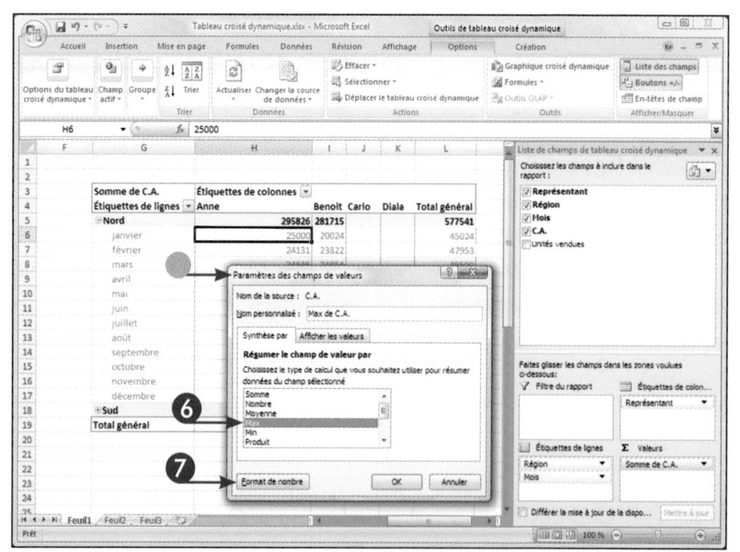

- La boîte de dialogue Paramètres des champs de valeurs apparaît.

6. Cliquez le type d'opération à utiliser pour synthétiser les données.

   Cet exemple utilise Max.

7. Cliquez **Format de nombre**.

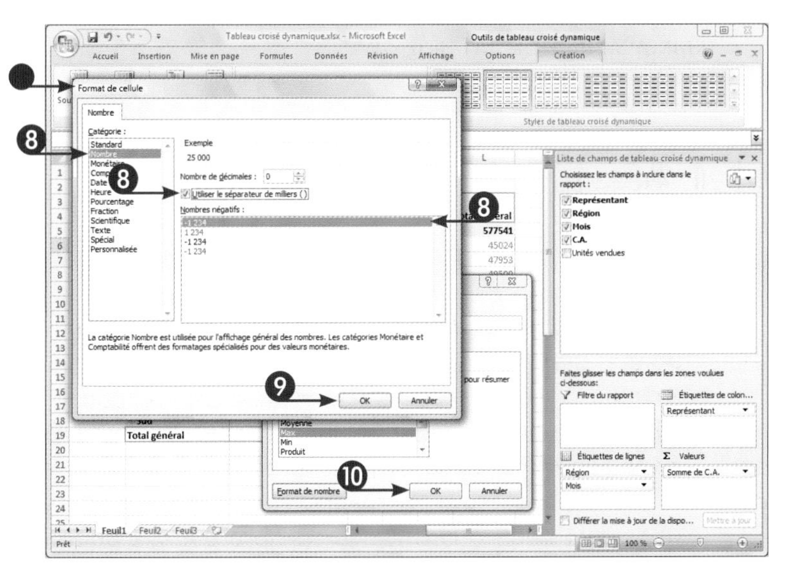

- La boîte de dialogue Format de cellule apparaît, affichant seulement l'onglet Nombre.

8. Cliquez pour sélectionner les options de format.

9. Cliquez **OK** pour fermer la boîte de dialogue Format de cellule.

10. Cliquez **OK** pour fermer la boîte de dialogue Paramètres des champs de valeurs.

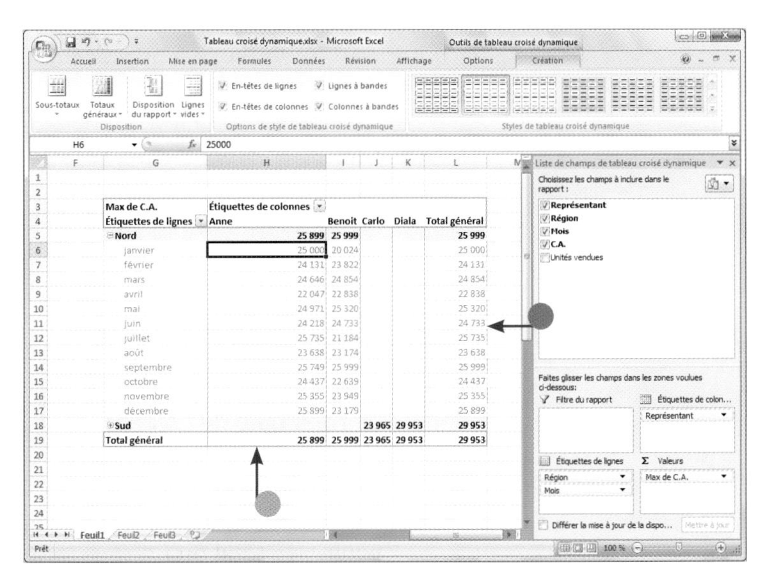

Max de C.A.	Étiquettes de colonnes				
Étiquettes de lignes	Anne	Benoît	Carlo	Diala	Total général
Nord	25 899	25 999			25 999
janvier	25 000	20 024			25 000
février	24 131	23 822			24 131
mars	24 646	24 854			24 854
avril	22 047	22 838			22 838
mai	24 971	25 320			25 320
juin	24 218	24 733			24 733
juillet	25 735	21 184			25 735
août	23 638	23 174			23 638
septembre	25 749	25 999			25 999
octobre	24 437	22 639			24 437
novembre	25 355	23 949			25 355
décembre	25 899	23 179			25 899
Sud			23 965	29 953	29 953
Total général	25 899	25 999	23 965	29 953	29 953

- Excel recalcule le tableau croisé dynamique.
- Excel applique le format de nombre.

Modifiez-le !

Dans le groupe Disposition de l'onglet Création, cliquez **Sous-totaux** pour indiquer à Excel que vous souhaitez afficher les sous-totaux et si ceux-ci doivent figurer au-dessus ou en dessous du groupe. Cliquez **Totaux généraux** pour indiquer si vous voulez afficher les totaux généraux pour les lignes et les colonnes, pour les lignes seulement ou pour les colonnes seulement.

Le saviez-vous ?

Une cellule de tableau croisé dynamique peut synthétiser plusieurs lignes d'informations. Pour voir les données sous-jacentes d'une cellule, double-cliquez celle-ci. Les lignes apparaissent dans une nouvelle feuille de calcul. Les modifications que vous apportez dans cette nouvelle feuille ne sont pas répercutées dans les données originales.

CRÉEZ UN CHAMP CALCULÉ

dans un tableau croisé dynamique

Dans un tableau croisé dynamique, vous pouvez créer de nouveaux champs, appelés des champs calculés, dans lesquels vous utilisez les valeurs des champs existants. Vous créez un tel champ en effectuant une opération arithmétique sur chaque valeur d'une colonne existante. Votre formule peut comprendre des fonctions, des opérateurs comme +, –, * et /, et des champs existants y compris d'autres champs calculés.

Généralement, vous calculez des champs avec des données continues comme des revenus, des dépenses, des prix ou des longueurs. Par exemple, en multipliant chaque valeur d'un champ Prix par un taux de TVA, vous créerez un champ calculé que vous appellerez TVA. La boîte de dialogue Insérer un champ calculé permet de nommer un champ calculé et de saisir sa formule. Vous pouvez aussi utiliser cette boîte de dialogue pour modifier des champs calculés existants ou supprimer un champ devenu inutile.

Les champs calculés, pour être placés dans le tableau croisé dynamique, sont disponibles dans la Liste des champs de tableau croisé dynamique. Les valeurs d'un champ calculé ne peuvent être utilisées que dans les cellules de données.

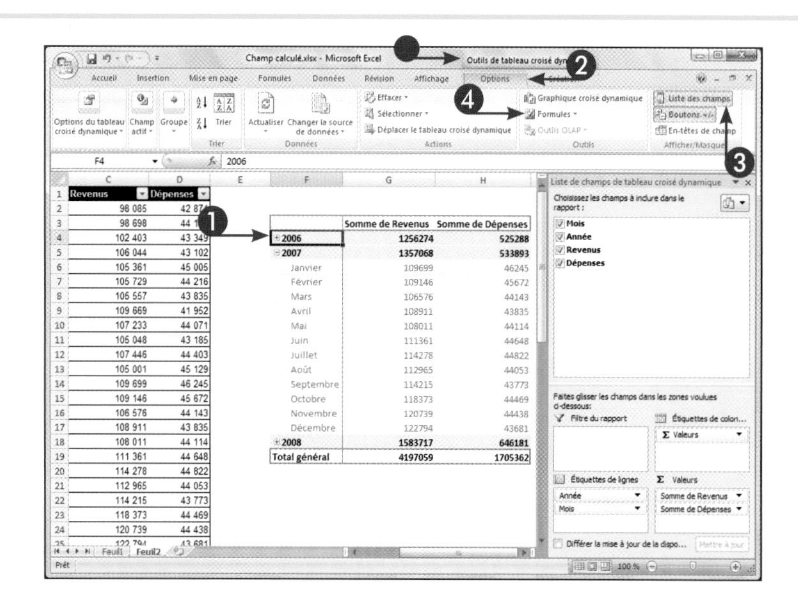

1. Cliquez n'importe quel champ du tableau croisé dynamique.

- Les outils de tableau croisé dynamique deviennent disponibles.

2. Cliquez l'onglet **Options.**
3. Cliquez **Liste des champs**.

   Le volet Liste de champs de tableau croisé dynamique apparaît.

4. Cliquez **Formules**.

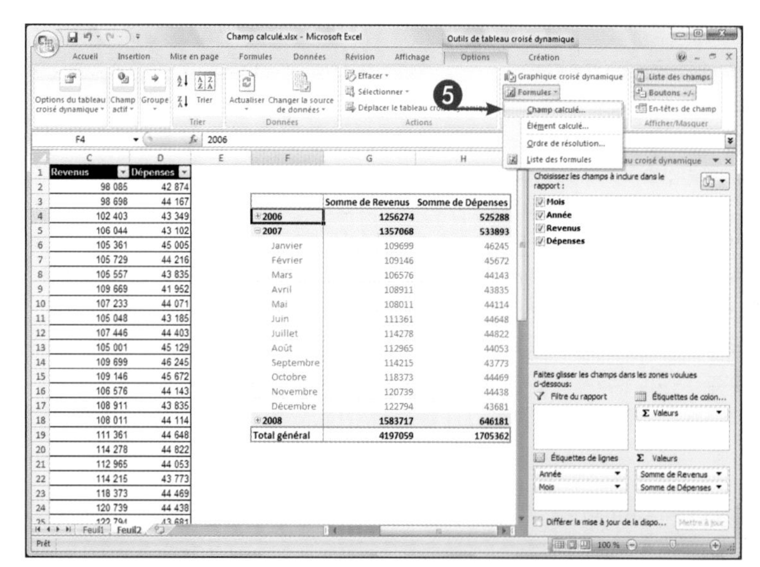

Un menu apparaît.

5. Cliquez **Champ calculé**.

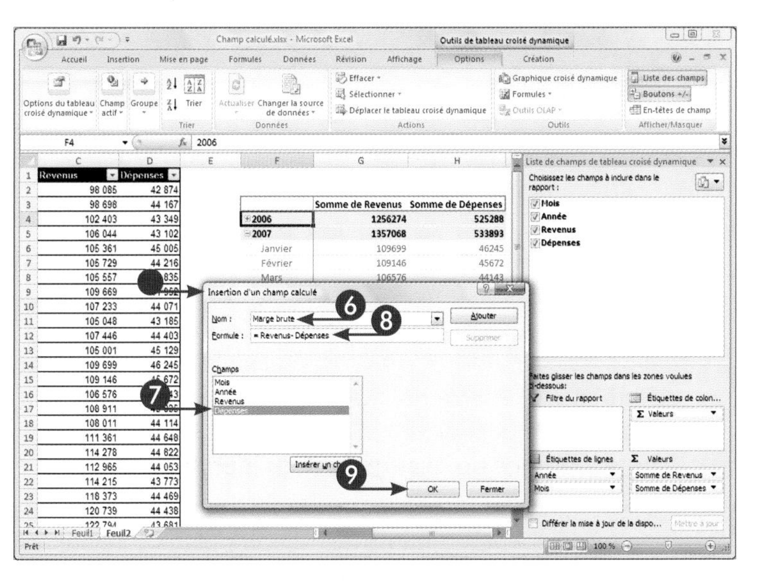

- La boîte de dialogue Insertion d'un champ calculé apparaît.
- ❻ Donnez un nom au nouveau champ.
- ❼ Double-cliquez un champ existant pour l'utiliser dans la formule.
- ❽ Saisissez votre formule en tapant les opérateurs et les valeurs nécessaires et insérez les noms de champs en répétant l'étape **7**.
- ❾ Cliquez **OK.**

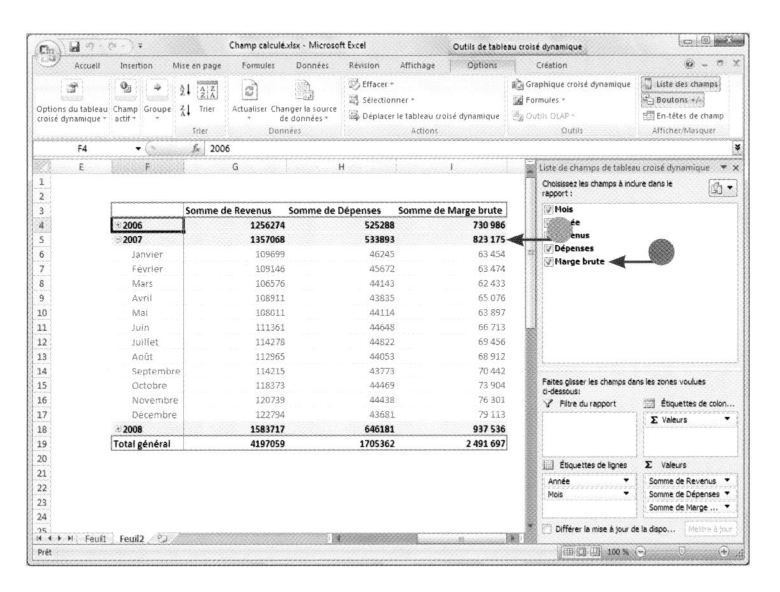

- La valeur du champ calculé apparaît dans la zone des données.
- Le champ calculé est ajouté à la liste des champs de tableau croisé dynamique.

Le saviez-vous ?

Vous pouvez utiliser la boîte de dialogue Paramètres des champs de valeurs pour changer le nom des en-têtes de champ. Ouvrez la boîte de dialogue Paramètres des champs de valeurs et tapez un nouveau nom dans le champ Nom personnalisé. Pour masquer les en-têtes de champ de votre tableau croisé dynamique, cliquez l'onglet Options dans le ruban et cliquez **En-têtes de champ** dans le groupe Afficher/Masquer.

Le saviez-vous ?

Vous pouvez modifier la source des données. Cliquez dans le tableau croisé dynamique pour activer les outils de tableau croisé dynamique. Dans le ruban, cliquez Options, puis Changer la source de données. La boîte de dialogue Modifier la source de données du tableau croisé dynamique apparaît. Sélectionnez un nouveau tableau ou modifiez la source de données externes.

MASQUEZ LES LIGNES OU LES COLONNES

dans un tableau croisé dynamique

La manière d'afficher les données change leur apparence, mais il ne s'agit pas seulement d'une question de présentation. En fait, l'affichage est important parce que l'excès de détails dans un tableau croisé dynamique empêche d'en voir les tendances. Un affichage judicieux améliore la lisibilité des données.

Les deux options d'affichage disponibles sont le groupement et le tri. En groupant les champs, vous pouvez masquer des détails afin de pouvoir plus facilement comparer des groupes de données. Lorsque vous groupez des colonnes ou des lignes, Excel totalise les données, ajoute un en-tête de champ et crée un champ muni d'un bouton de réduction affichant alternativement un plus ou un moins.

Lorsque ce bouton présente un signe moins, vous pouvez le cliquer pour regrouper les données. Si le signe plus est visible, vous obtiendrez les détails en le cliquant. En cliquant Boutons dans l'onglet Options, vous masquez ou faites réapparaître l'affichage du bouton. Vous pouvez également dissocier les éléments préalablement groupés.

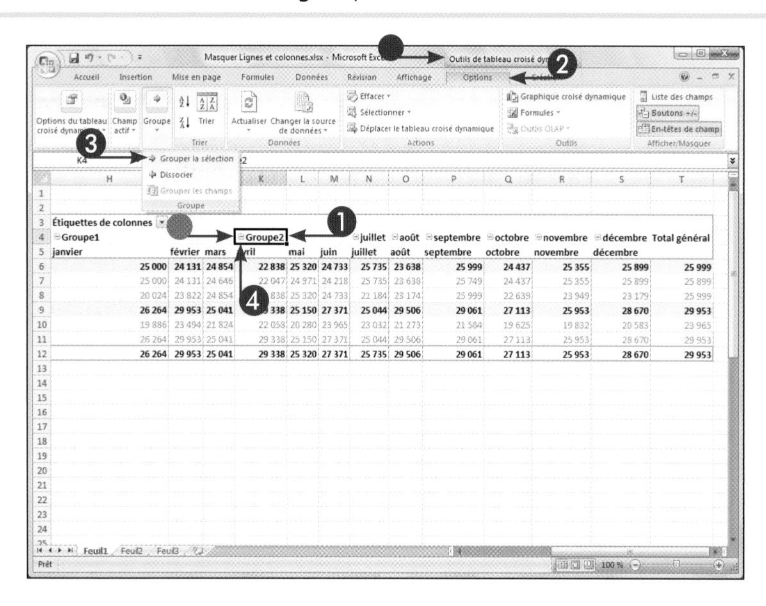

❶ Sélectionnez les étiquettes de lignes ou de colonnes à masquer.

● Les outils de tableau croisé dynamique deviennent disponibles.

❷ Cliquez l'onglet **Options.**

❸ Cliquez **Groupe**, puis **Grouper la sélection**.

● Une nouvelle cellule apparaît, munie d'un bouton moins.

Note. *Vous pouvez changer le nom du groupe à l'aide de la barre de formule.*

❹ Cliquez le bouton moins.

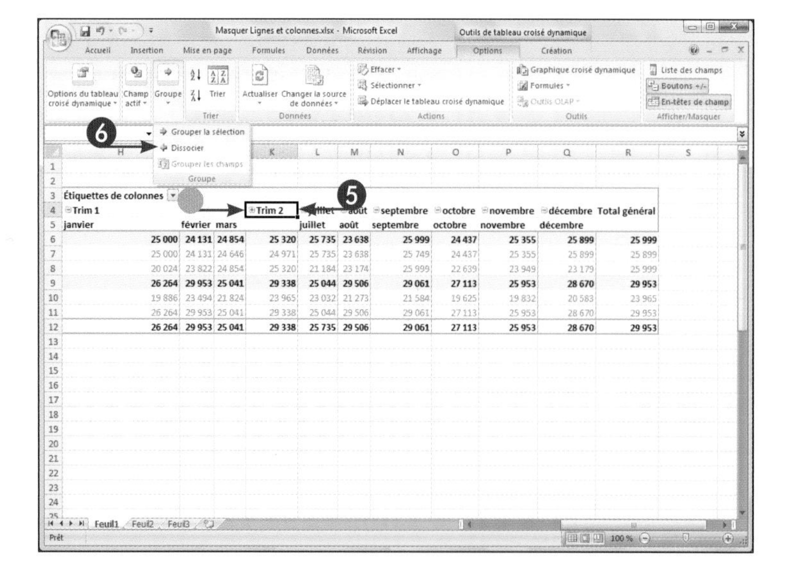

● Les détails des lignes ou des colonnes sont masqués, remplacés par le total, et le signe moins est devenu le signe plus.

Note. *Cliquez sur le bouton plus pour afficher de nouveau les détails.*

❺ Cliquez la cellule contenant l'en-tête du groupe.

❻ Cliquez **Groupe**, puis **Dissocier**.

Excel supprime le groupement.

TRIEZ

un tableau croisé dynamique

Le tri permet de faire ressortir des tendances dans les données. Vous pouvez trier les étiquettes de champ ou les valeurs des données du tableau croisé dynamique. Lorsque vous triez les étiquettes de champ, les valeurs correspondantes des données sont triées simultanément. L'inverse est aussi vrai : trier les valeurs de données réorganise les étiquettes de champ.

L'ordre de tri peut être croissant ou décroissant. Il est aussi possible de définir une direction du tri : vers la gauche ou vers la droite. Comme cette option prête à confusion, la boîte de dialogue Trier par fournit une explication du résultat de votre sélection de tri.

Le saviez-vous ?

Vous pouvez cliquer la flèche descendante à côté de l'en-tête de champ pour trier et filtrer les données du tableau croisé dynamique. Pour plus de détail sur le tri et le filtre par les en-têtes de champ, consultez le chapitre 4.

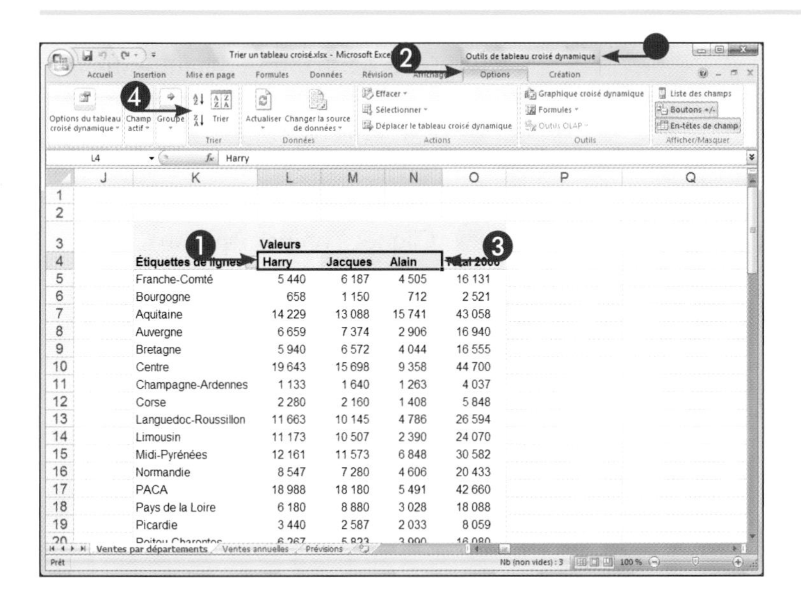

Triez les étiquettes de champ

1. Cliquez un champ du tableau croisé dynamique.
- Les outils de tableau croisé dynamique deviennent disponibles.
2. Cliquez l'onglet **Options.**
3. Sélectionnez les étiquettes de champ à trier.
4. Cliquez le bouton de tri croissant ou décroissant.

Excel trie les champs.

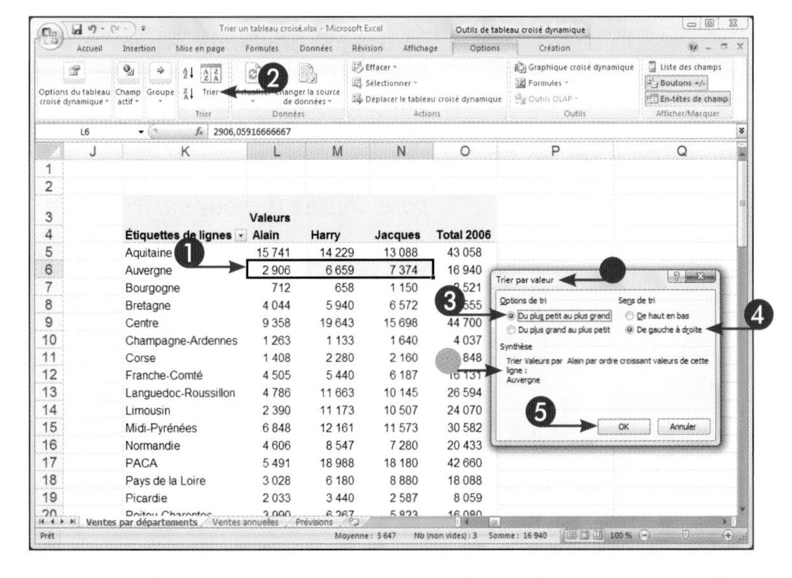

Triez les champs de données

1. Sélectionnez les données à trier.
2. Cliquez **Trier**.
- La boîte de dialogue Trier par valeur apparaît.
3. Cliquez une option de tri (○ devient ◉).
4. Cliquez un sens de tri (○ devient ◉).
- La boîte de dialogue Trier par valeur fournit une synthèse du résultat de vos options de tri.
5. Cliquez **OK**.

Excel trie les champs de données.

Créez un GRAPHIQUE CROISÉ DYNAMIQUE

Un tableau croisé dynamique aide à repérer une tendance dans les données. Un graphique croisé dynamique la rend encore plus évidente. Comme tout graphique Excel, un graphique croisé dynamique est formé d'éléments comme une zone de traçage, des axes, une légende et des données, que vous pouvez modifier individuellement selon vos besoins. Consultez le chapitre 6 pour en savoir plus sur les graphiques.

Lorsque vous créez un graphique à partir d'un tableau croisé dynamique, vous pouvez le fonder sur une synthèse des données et ajuster la disposition des lignes et des colonnes. Une fois le graphique créé, il est possible de modifier le tableau croisé dynamique à l'aide de la liste des champs. Le graphique répercutera automatiquement les modifications apportées au tableau.

En outre, les graphiques croisés dynamiques ont des options que les graphiques standard n'ont pas. Les données du tableau croisé dynamique peuvent être filtrées. Par exemple, si les données d'origine sont réparties en plusieurs catégories, vous pouvez définir les catégories qui apparaîtront dans le graphique croisé dynamique.

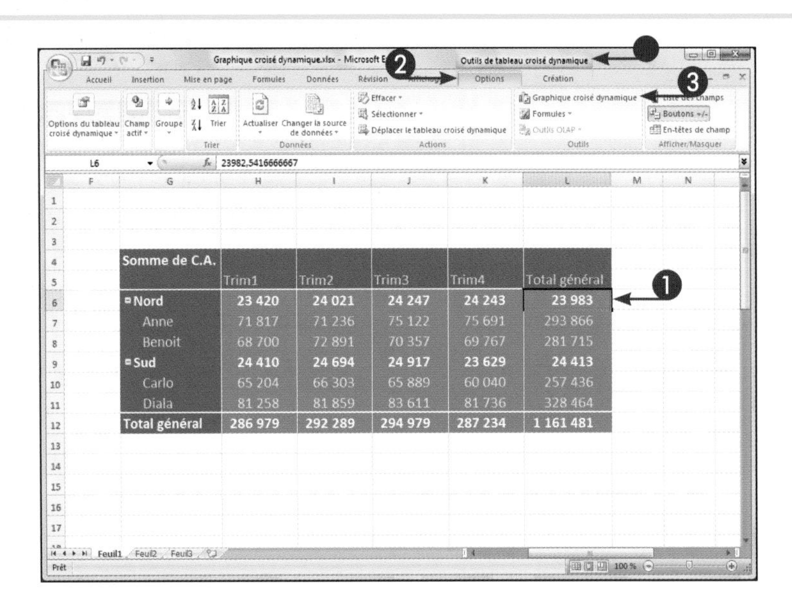

- ❶ Cliquez n'importe quelle cellule du tableau croisé dynamique.
- ● Les outils de tableau croisé dynamique deviennent disponibles.
- ❷ Cliquez l'onglet **Options.**
- ❸ Cliquez **Graphique croisé dynamique** dans le groupe **Outils**.

- ● La boîte de dialogue Insérer un graphique apparaît.
- ❹ Cliquez pour sélectionner un type de graphique.
- ❺ Cliquez pour sélectionner un sous-type de graphique.
- ❻ Cliquez **OK**.

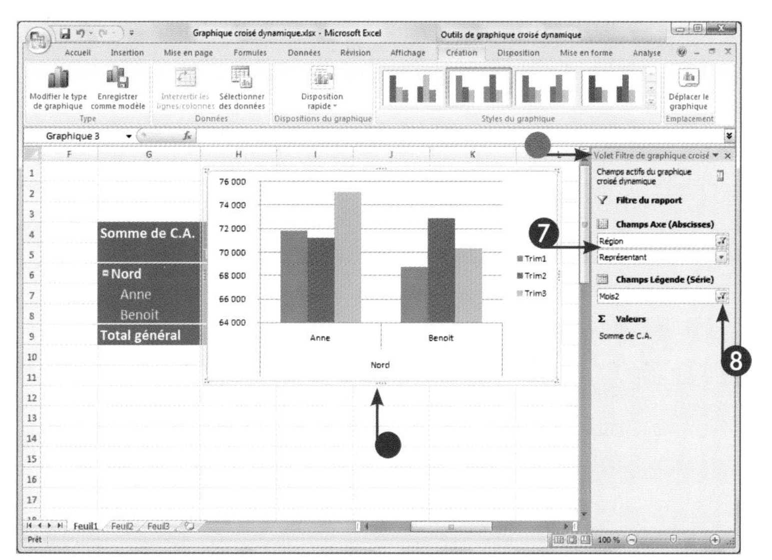

- Le graphique croisé dynamique apparaît.
- Le volet Filtre de graphique croisé dynamique apparaît.

❼ Cliquez ici, puis sélectionnez les champs qui apparaîtront dans le graphique.

❽ Cliquez ici, puis sélectionnez les champs qui apparaîtront dans la légende.

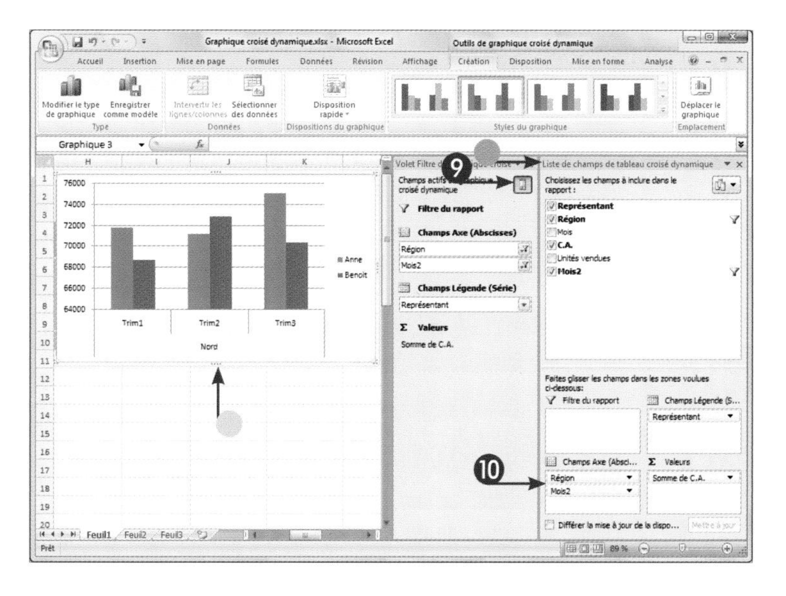

Excel filtre le graphique.

❾ Cliquez le bouton **Liste des champs**.

- La Liste des champs de tableau croisé dynamique apparaît.

❿ Modifiez la disposition du tableau croisé dynamique.

Note. *Consultez la tâche n°50 pour apprendre à modifier la disposition du tableau croisé dynamique.*

- Excel modifie la disposition du graphique.

Le saviez-vous ?

Lorsque vous utilisez le volet Filtre de graphique croisé dynamique pour filtrer le graphique, Excel filtre aussi le tableau. En fait, l'information que vous supprimez du graphique est aussi supprimée du tableau croisé dynamique.

Supprimez-le !

Pour ôter tous les filtres du graphique croisé dynamique, cliquez le graphique pour activer les outils de graphique croisé dynamique. Cliquez l'onglet **Analyse**, puis **Effacer**, et **Effacer les filtres**. Pour supprimer le graphique croisé dynamique et le tableau croisé dynamique, cliquez le graphique pour activer les outils de tableau croisé dynamique, cliquez l'onglet **Analyse** et **Effacer tout**.

DÉCRIVEZ LES DONNÉES

avec des statistiques

Excel propose plus de 80 fonctions statistiques. Vous les trouverez dans la catégorie Statistiques de la boîte de dialogue Insérer une fonction. Certaines d'entre elles sont aussi accessibles par la boîte de dialogue Statistiques descriptives. Pour rendre ces fonctions statistiques disponibles, installez l'utilitaire d'analyse d'Excel comme le décrit la tâche n°94.

Parmi les fonctions statistiques, plus d'une douzaine appartiennent aux statistiques descriptives. Ces dernières permettent de caractériser aussi bien les tendances principales des données, comme la moyenne, le mode et la médiane, que la variabilité des données, comme la variance et l'écart type. La boîte de dialogue Insérer une fonction donne accès aux fonctions statistiques individuellement. En utilisant la boîte de dialogue Statistiques descriptives, vous pouvez obtenir toutes les statistiques descriptives en une fois.

Pour obtenir ces résultats, commencez par ouvrir une feuille de calcul contenant les données à analyser. Au besoin, importez les données dans une feuille de calcul depuis Access ou une autre source de données. De nombreuses fonctions ne s'exécutent qu'avec des données numériques.

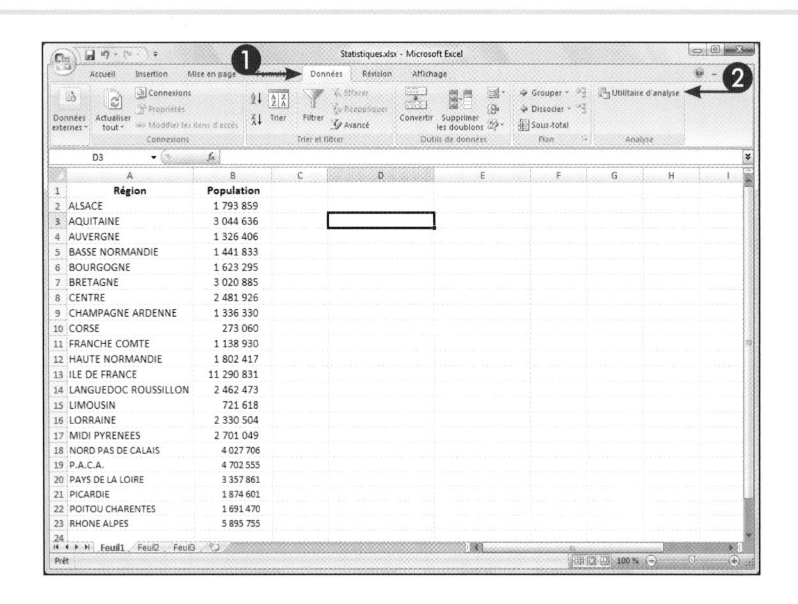

❶ Cliquez l'onglet **Données**.

❷ Cliquez **Utilitaire d'analyse**.

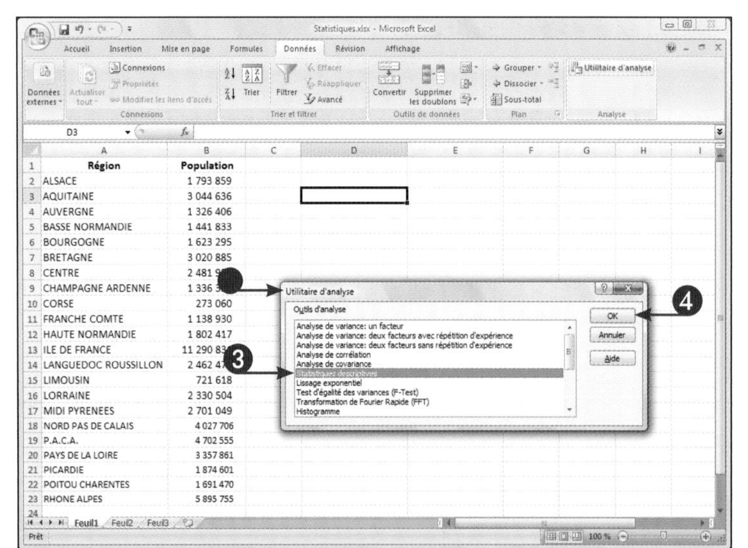

● La boîte de dialogue Utilitaire d'analyse apparaît.

❸ Cliquez **Statistiques descriptives**.

❹ Cliquez **OK**.

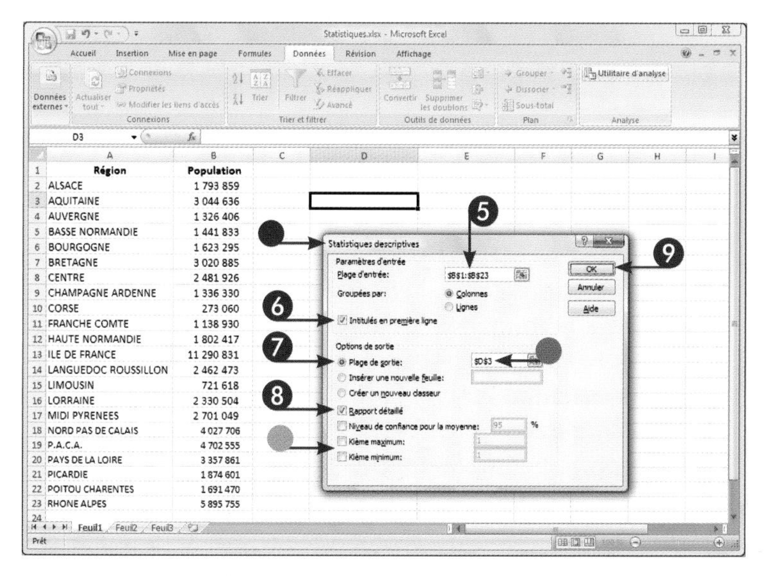

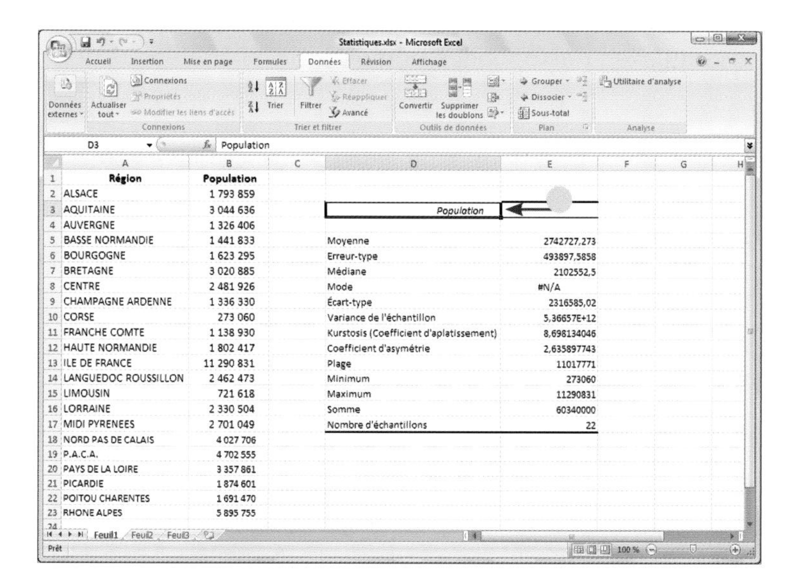

56

- La boîte de dialogue Statistiques descriptives apparaît.

5. Sélectionnez les cellules à décrire ou tapez l'adresse de la plage.
6. Cochez si vos colonnes comportent des titres (☐ devient ☑).
7. Cliquez pour sélectionner l'emplacement des résultats (○ devient ◉).

- Si nécessaire, saisissez un emplacement.

8. Cochez **Rapport détaillé** (☐ devient ☑).

- Éventuellement, vous pouvez demander d'autres statistiques.

9. Cliquez **OK**.

Les statistiques apparaissent dans un encadré.

- Pour lire le nom complet des étiquettes, élargissez les en-têtes de colonnes en double-cliquant le séparateur entre les lettres de colonnes.

Le saviez-vous ?

Ces statistiques sont disponibles en tant que fonctions Excel.

Fonctions Excel			
Statistiques	*Fonctions Excel*	*Statistiques*	*Fonctions Excel*
Moyenne	`MOYENNE()`	Erreur type	`ERREUR.TYPE.YX()`
Médiane	`MEDIANE()`	Mode	`MODE()`
Écart type	`ECARTYPE()`	Variance simple	VAR()
Kurtosis	`KURTOSIS()`	Coefficient d'asymétrie	`COEFFICIENT.ASYMETRIE()`
Plage	`MAX()-MIN()`	Minimum	`MIN()`
Maximum	`MAX()`	Somme	`SOMME()`
Nombre	`NB()`	Intervalle de confiance	`INTERVALLE.CONFIANCE()`

TROUVEZ LA CORRÉLATION

entre des variables

Le coefficient de corrélation permet de mesurer la relation entre deux variables. Vous pouvez ainsi chiffrer des relations comme la diminution des performances d'un sportif avec l'âge ou l'augmentation des feux de forêt avec la diminution des précipitations.

Une corrélation ne prouve pas qu'une variable soit la cause de l'autre. Vous pouvez seulement en déduire qu'elles varient ensemble. Ces variations peuvent être le résultat de la mesure ou d'un facteur sous-jacent aux deux variables. En recherchant une corrélation, vous avancez que les deux variables sont reliées. Pour démontrer qu'une corrélation existe, vous devez rassembler des éléments de preuves et trouver les raisons plausibles d'une telle corrélation.

Utilisez la fonction COEFFICIENT.CORRELATION pour chercher une corrélation. Cette fonction demande deux arguments : tableau1 et tableau2, les deux listes de valeurs. Le résultat de la fonction est un nombre, *r*, compris entre -1 et 1. Plus la valeur *r* est proche de 1, plus forte est la corrélation. Si *r* est négatif, la relation est une relation inverse, c'est-à-dire qu'une variable diminue avec l'augmentation de l'autre. Un résultat positif indique que les deux variables croissent ou décroissent ensemble.

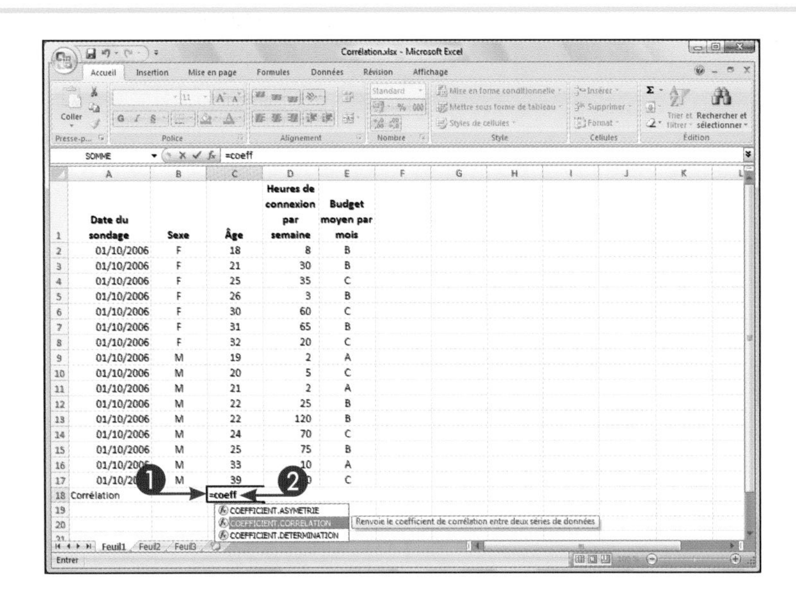

1. Cliquez la cellule dans laquelle vous souhaitez placer votre réponse.
2. Tapez **=coeff** puis double-cliquez COEFFICIENT.CORRELATION dans la liste proposée par la saisie semi-automatique.

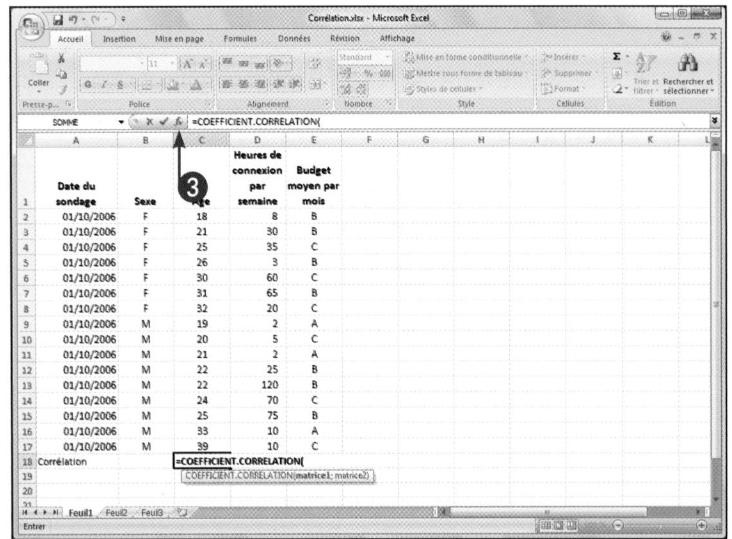

3. Cliquez **Insérer une fonction**.

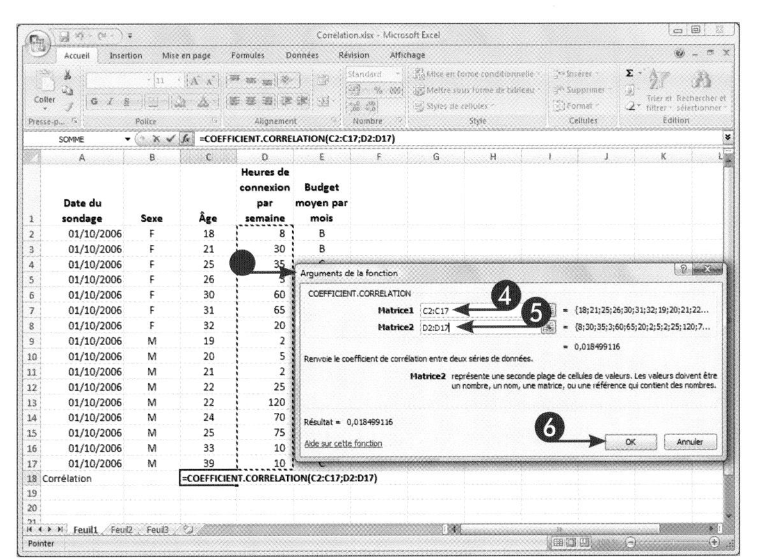

- La boîte de dialogue Arguments de la fonction apparaît.

4 Sélectionnez la première série de valeurs ou saisissez l'adresse de la plage.

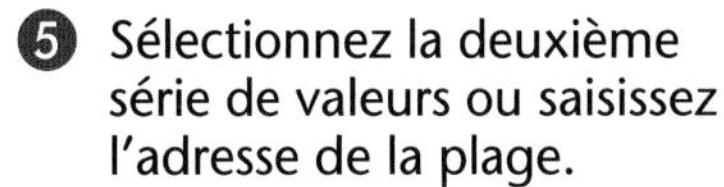

5 Sélectionnez la deuxième série de valeurs ou saisissez l'adresse de la plage.

Note. *Vous pouvez sélectionner un sous-ensemble de la liste, mais faites attention à sélectionner le sous-ensemble correspondant dans la deuxième liste.*

6 Cliquez **OK**.

57

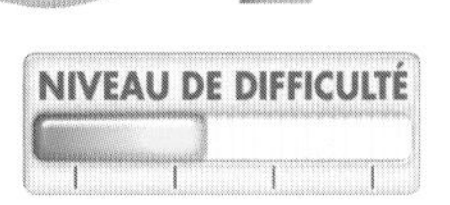

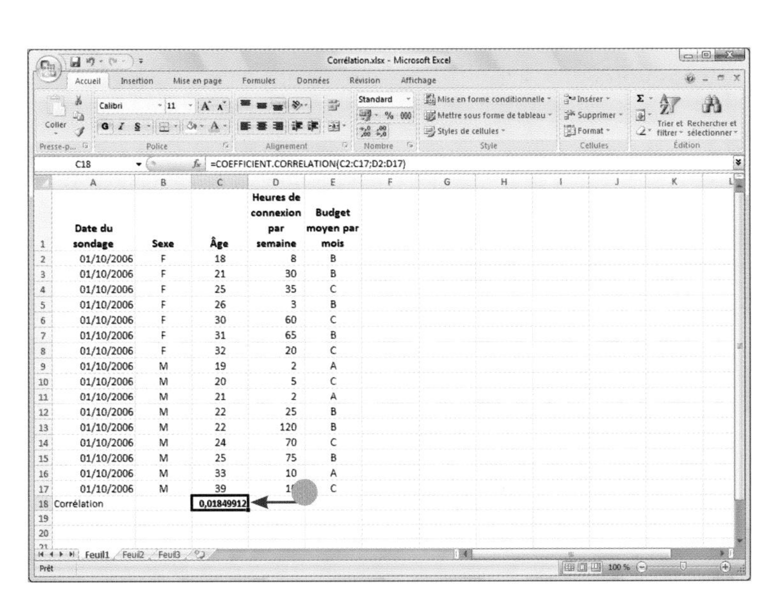

- Le coefficient de corrélation est calculé.

Note. *Le signe indique si la relation est positive (+) ou négative (-).*

Le saviez-vous ?

Lorsque vous utilisez la fonction COEFFICIENT.CORRELATION, Excel ignore les cellules vides et celles contenant du texte ou une valeur logique, mais inclut dans le calcul les cellules qui ont une valeur de 0. Si le nombre de points de données dans les deux listes n'est pas le même, un message d'erreur #N/A est renvoyé.

Le saviez-vous ?

Un complément est une application logicielle étendant les possibilités d'Excel. Pour apprendre à installer un complément, consultez la tâche n°94. L'utilitaire d'analyse est un complément contenant des outils statistiques, y compris la fonction COEFFICIENT.CORRELATION, servant à calculer la corrélation. Le résultat n'est pas actualisé automatiquement lorsque les valeurs de la feuille de calcul sont modifiées.

Explorez les résultats d'une

ANALYSE D'HYPOTHÈSE

Avec un certain nombre de fonctions, particulièrement les fonctions financières, vous cherchez à savoir comment une valeur en influence une autre. Lorsque vous utilisez la fonction VPM par exemple, vous pouvez en déduire la manière dont la variation de l'intérêt, de la fréquence des paiements ou du montant emprunté influence la valeur des remboursements. En entrant plusieurs valeurs pour ces variables, vous pouvez chiffrer ces différents scénarios.

L'analyse d'hypothèse est un outil permettant de voir de façon rigoureuse comment une modification d'une ou de plusieurs variables affecte un résultat. Le Gestionnaire de scénarios permet de varier différentes valeurs pour trouver l'impact sur le résultat. L'avantage de ce gestionnaire est qu'il enregistre une série de valeurs vous permettant de créer un rapport ou un tableau synthétisant les résultats des variations des valeurs de base. Vous avez même la possibilité de présenter ce résultat dans un tableau croisé dynamique, avec toute la souplesse qu'il offre.

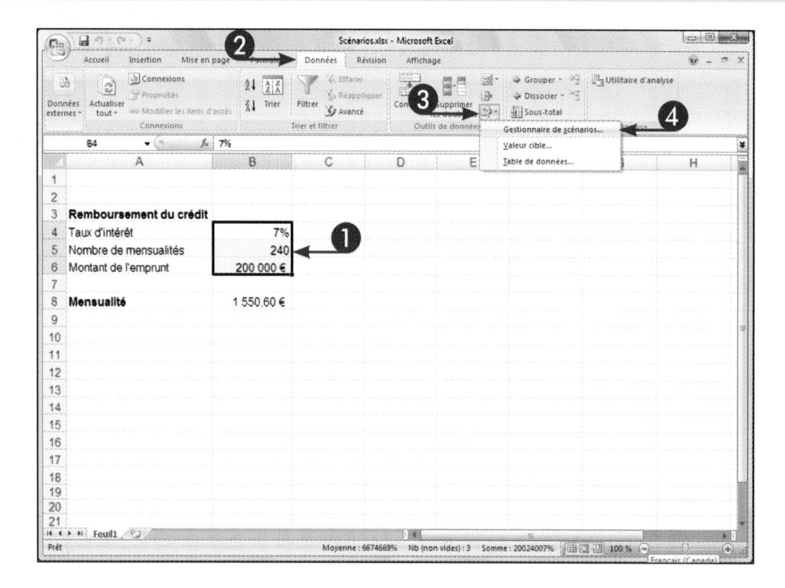

Note. *Pour créer des scénarios, vous devez commencer par saisir les valeurs requises dans une feuille de calcul et tapez la formule qui calcule la réponse. Cet exemple utilise la fonction VPM, étudiée dans la tâche n°15.*

1. Sélectionnez les données qui contiennent les valeurs à faire varier.
2. Cliquez l'onglet **Données**.
3. Cliquez **Analyse de scénarios**.

   Un menu apparaît.
4. Cliquez **Gestionnaire de scénarios**.

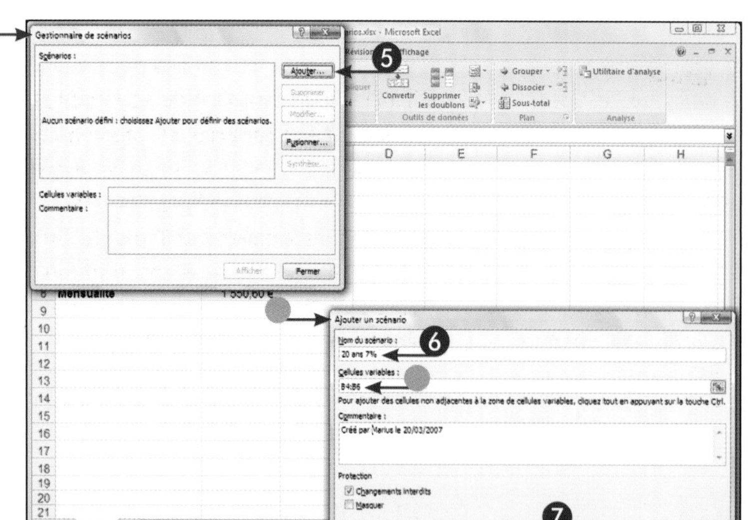

- La boîte de dialogue Gestionnaire de scénarios apparaît.

5. Cliquez **Ajouter**.

- La boîte de dialogue Ajouter un scénario apparaît, reprenant les cellules sélectionnées à l'étape **1**.

6. Donnez un nom au scénario.
7. Cliquez **OK**.

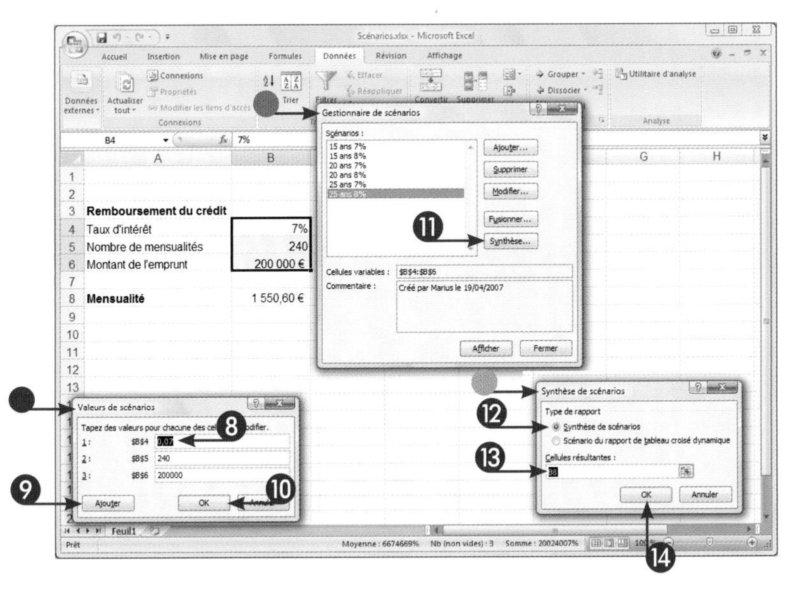

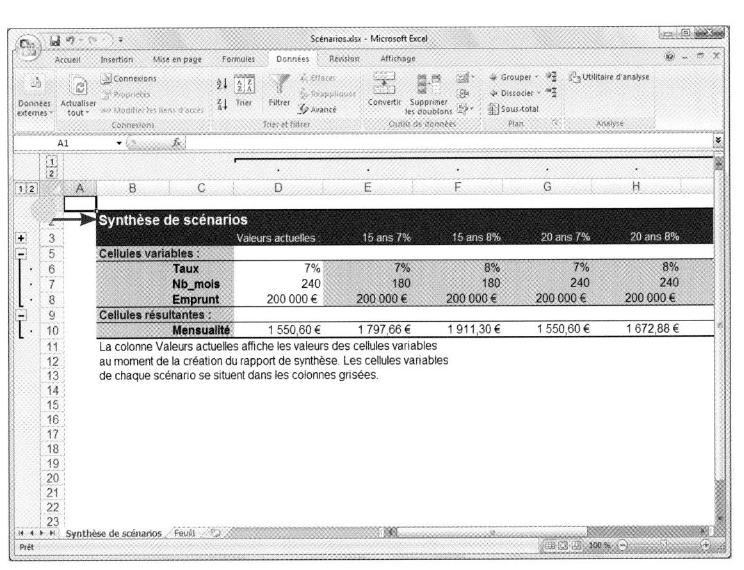

58

- La boîte de dialogue Valeurs de scénarios apparaît.

8. Saisissez les valeurs du scénario.
9. Cliquez **Ajouter** pour créer d'autres scénarios.

   La boîte de dialogue Ajouter un scénario réapparaît.

NIVEAU DE DIFFICULTÉ

10. Cliquez **OK** dans la boîte de dialogue **Valeurs de scénario** au lieu de **Ajouter**, lorsque vous avez terminé de créer de nouveaux scénarios.

- La boîte de dialogue Gestionnaire de scénarios apparaît.

11. Cliquez **Synthèse**.

- La boîte de dialogue Synthèse de scénarios apparaît.

12. Cliquez pour sélectionner un type de rapport (○ devient ◉).
13. Cliquez le champ ou donnez l'adresse de la cellule qui calcule le résultat.
14. Cliquez **OK**.

- Le type de rapport demandé apparaît sur une nouvelle feuille, avec toutes les valeurs affectant le résultat dans chaque scénario.

Le saviez-vous ?

Si un autre utilisateur ajoute son propre scénario à une copie de la feuille, vous pouvez fusionner les scénarios dans une seule liste. Ouvrez les classeurs et cliquez **Données → Gestionnaire de scénarios**. Dans le Gestionnaire de scénarios, cliquez Fusionner. Dans la fenêtre Fusionner des scénarios, sélectionnez les classeurs et les feuilles à consolider. Cliquez **OK** lorsque vous avez terminé la sélection.

Le saviez-vous ?

Si vous nommez les cellules de la feuille originale, votre synthèse de scénarios sera plus facile à lire car Excel affiche le nom de la cellule au lieu de son adresse. Par exemple, dans cette tâche, les cellules B4 à B6 sont nommées respectivement Taux, Nb_mois et Emprunt et la cellule B8 est nommée Mensualité. Pour apprendre à nommer les cellules, consultez la tâche n°11.

Optimisez un résultat avec

LA VALEUR CIBLE

Excel vous donne un outil puissant pour trouver le moyen d'atteindre votre cible. Par exemple, si vous devez emprunter pour vous acheter une maison, votre cible pourrait être un remboursement mensuel déterminé. Vous pouvez utiliser la valeur cible pour découvrir comment atteindre cet objectif en faisant varier l'un des paramètres de l'emprunt comme le taux d'intérêt ou le montant emprunté.

Pour obtenir un remboursement déterminé, l'outil Valeur cible vous aidera à trouver le taux d'intérêt requis étant donné le montant emprunté, ou à trouver le montant qu'il est possible d'emprunter, étant donné le taux d'intérêt. Certains objectifs sont impossibles à atteindre ou donnent des résultats irréalistes, par exemple si vous diminuez à une valeur très faible le remboursement à atteindre.

Si vous voulez faire varier plusieurs paramètres pour atteindre un objectif défini, vous devez utiliser le Solveur, un complément. Consultez la tâche n°94 pour apprendre à installer un complément.

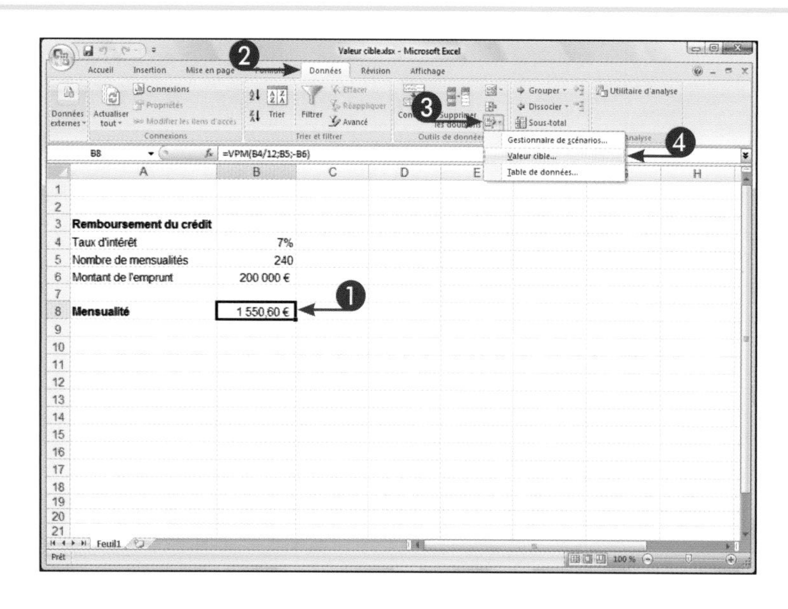

1. Sélectionnez la cellule qui contient la valeur à atteindre.
2. Cliquez l'onglet **Données**.
3. Cliquez **Analyse de scénarios**.

   Un menu apparaît.
4. Cliquez **Valeur cible**.

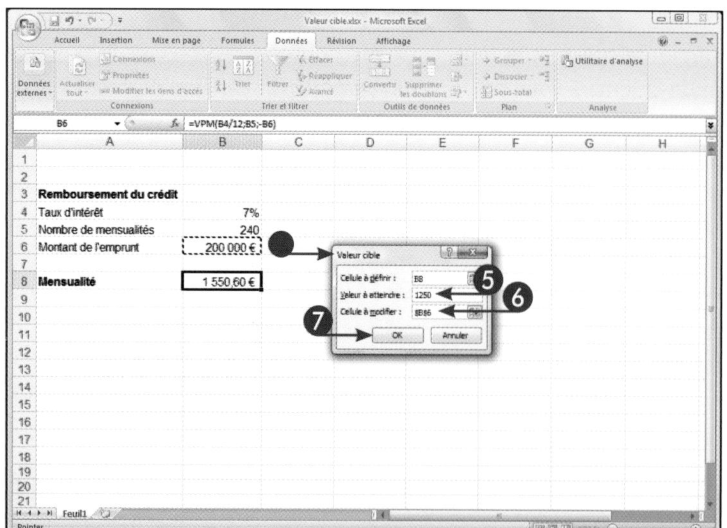

- La boîte de dialogue Valeur cible apparaît.

5. Saisissez la valeur à atteindre.
6. Cliquez la cellule de la valeur à modifier pour atteindre la valeur cible ou tapez son adresse.
7. Cliquez **OK**.

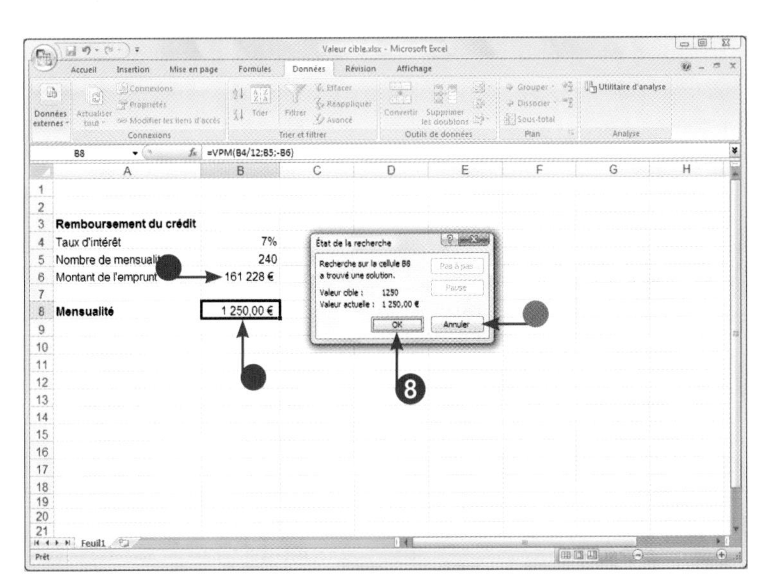

- Excel affiche le résultat dans la feuille de calcul.
- ❽ Cliquez **OK** pour accepter la modification.
- Vous pouvez aussi cliquer **Annuler** pour restaurer la valeur originale.

  Dans cet exemple, l'intérêt est resté le même et le remboursement mensuel est atteint avec un emprunt de 161 228 €.

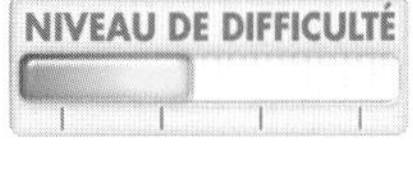

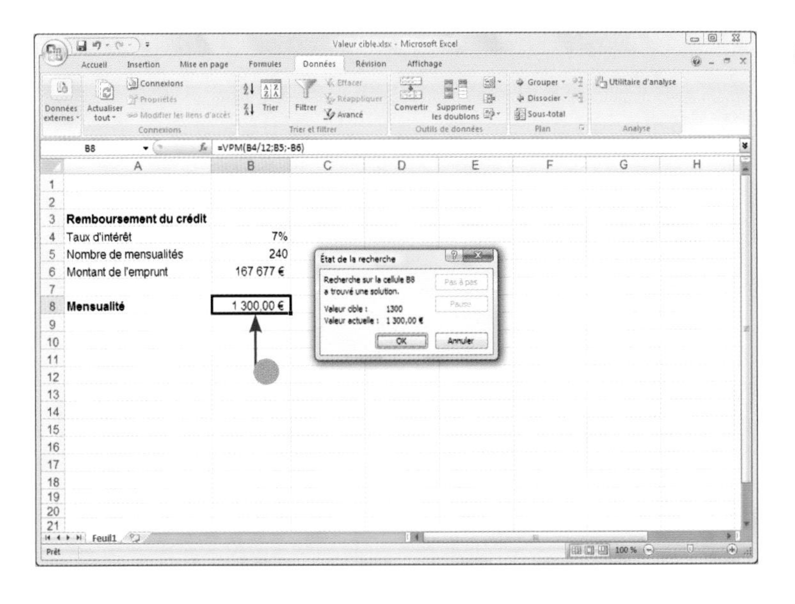

- Répétez les étapes **1** à **7** avec une autre valeur.

Le saviez-vous ?

L'exemple de cette tâche calcule le montant qui pourrait être remboursé en 20 ans par des paiements mensuels de 1 250 €. Si le prix d'achat est 170 000 €, vous aurez à donner au comptant la partie qui dépasse 161 000 €. Vous pouvez construire une feuille de calcul permettant de calculer différentes hypothèses, par exemple en faisant varier le taux.

Le saviez-vous ?

Si vous n'obtenez aucun résultat, vous pouvez essayer de cliquer **Office** → **Options Excel** → **Formules**. Dans la section Mode de calcul, augmentez le nombre maximal d'itérations.

Chapitre 6

Créez des graphiques

Excel offre des outils générant un graphique en quelques clics et représentant visuellement les valeurs d'une feuille. Un graphique met en évidence des éléments qui demeurent invisibles dans de longues colonnes de données et de formules. Il permet aussi de présenter en un coup d'œil les données à ceux qui ne connaissent pas les détails ou ne veulent pas s'y plonger.

Un graphique a plus d'impact que des lignes et des colonnes de nombres parce que l'esprit perçoit, traite et se souvient mieux d'une image que de données textuelles ou numériques. Les formes et les couleurs, utilisées à bon escient, mettent mieux en évidence les éléments importants. Ce chapitre a pour objectif de vous familiariser avec les outils graphiques qui illustreront vos données avec plus d'efficacité.

Vous apprendrez à générer rapidement un graphique, puis à y ajouter des détails, à modifier son type et à supprimer une série de données. Une tâche présente les lignes de tendance illustrant la direction et l'amplitude d'un changement dans le temps.

Ceux qui utilisent Excel pour gérer et analyser des données expérimentales seront intéressés par la section sur les barres d'erreur. Plusieurs tâches approfondissent certains types de graphique, par exemple l'histogramme pour tracer des fréquences.

Top 100

CRÉEZ UN GRAPHIQUE
visuellement attrayant

Excel 2007 facilite la création rapide de graphiques visuellement intéressants. Sélectionnez les données à tracer, puis un type de graphique dans le groupe Graphiques de l'onglet Insertion. Plusieurs types de graphique sont proposés : histogramme, lignes, secteurs, barres, aires, *etc*. Chaque type de graphique comporte de nombreux sous-types.

La création d'un graphique rend disponible le groupe d'onglets Outils de graphique comprenant les onglets Création, Disposition et Mise en forme. Les outils de graphique permettent de sélectionner et de modifier le type et la disposition. Vous pouvez appliquer un style visuel prédéfini et ajouter un titre de graphique résumant ce dernier, des étiquettes d'axe expliquant leur signification, une légende identifiant les couleurs des données et un tableau de données affichant les données tracées. Les outils de graphique permettent aussi d'intervertir en un clic les lignes et les colonnes d'un graphique.

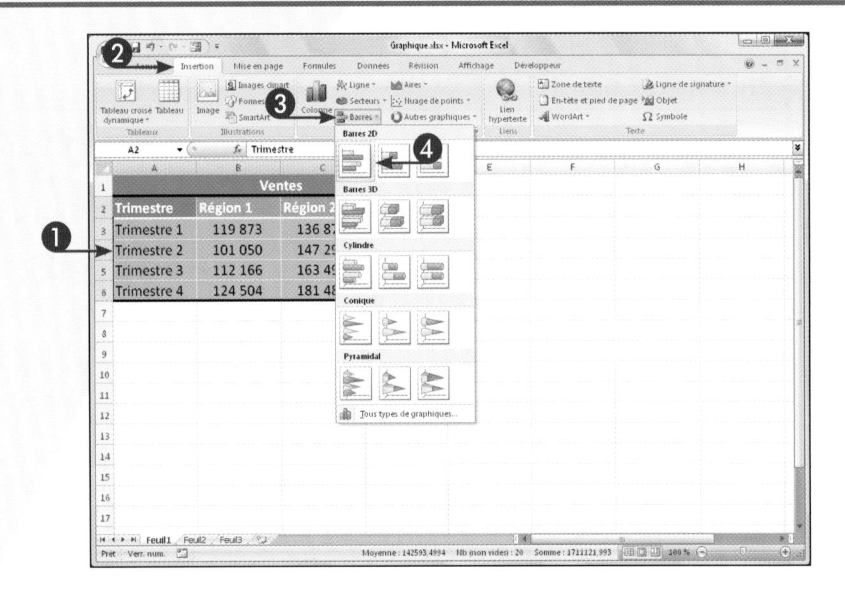

1. Sélectionnez les données à tracer en incluant les en-têtes de colonne et les intitulés de ligne.
2. Cliquez l'onglet **Insertion**.
3. Cliquez un type de graphique dans l'onglet **Graphiques**.
4. Cliquez un sous-type de graphique.

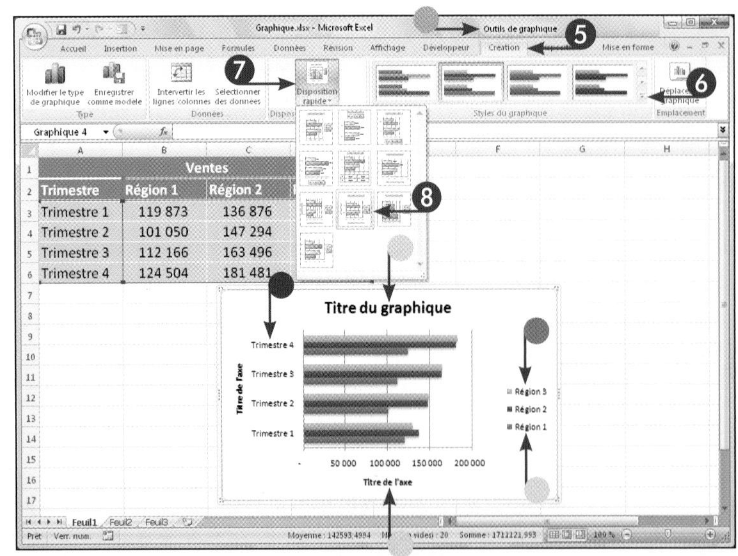

Excel crée le graphique avec les données sélectionnées.

- Étiquettes de ligne.
- En-têtes de colonne.
- Les outils de graphique deviennent disponibles.

5. Cliquez l'onglet **Création**.
6. Cliquez ici et sélectionnez un style de graphique.

   Excel applique le style au graphique.

7. Cliquez **Disposition rapide** dans le groupe **Dispositions du graphique**.
8. Cliquez une disposition.

- Excel applique la disposition sélectionnée.

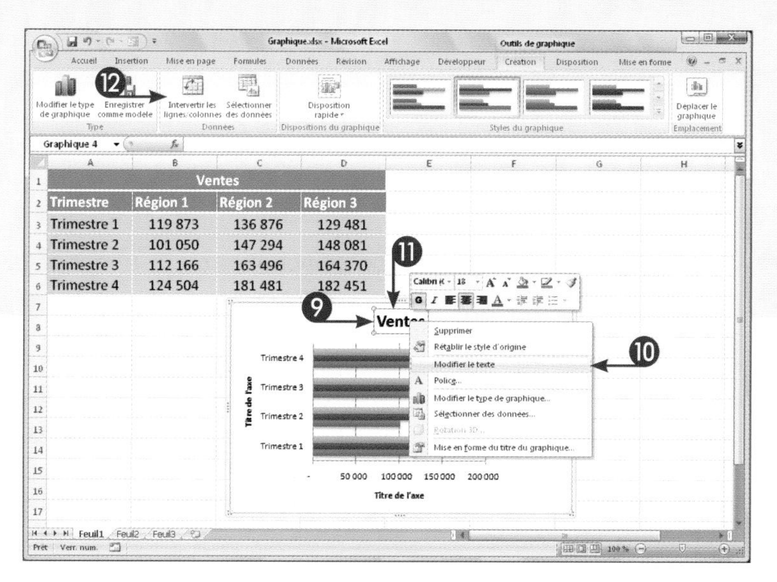

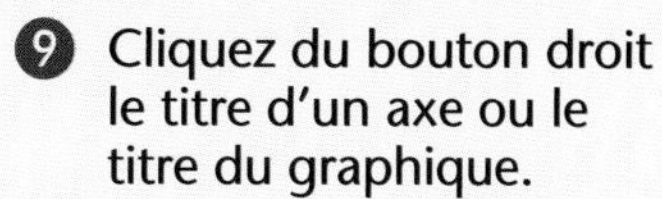

9. Cliquez du bouton droit le titre d'un axe ou le titre du graphique.

   Un menu contextuel apparaît.

10. Cliquez **Modifier le texte**.

11. Saisissez le nouveau titre.

12. Cliquez **Intervertir les lignes/colonnes**.

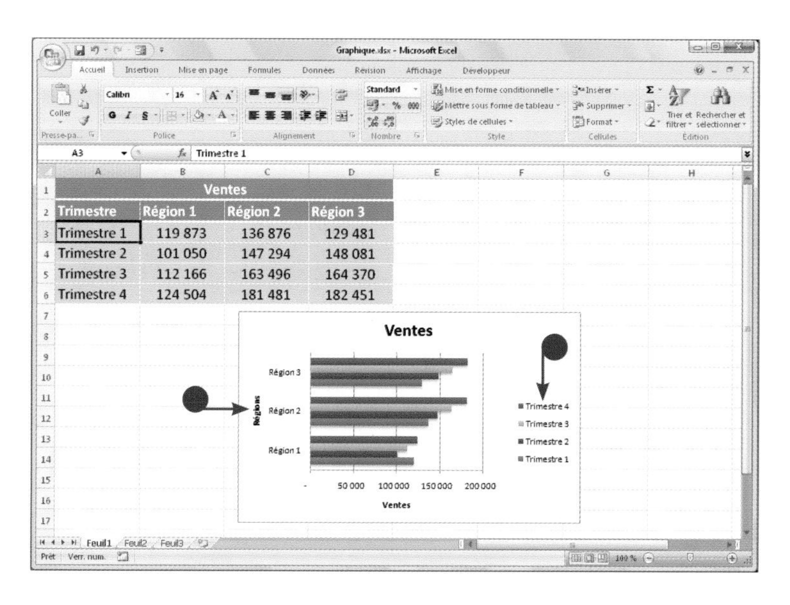

- Excel intervertit les lignes et les colonnes.

Le saviez-vous ?

Le type de graphique par défaut est l'histogramme. Vous pouvez changer ce type en cliquant le lanceur de boîte de dialogue du groupe Graphiques de l'onglet **Insertion**. Dans la boîte de dialogue Modifier le type de graphique, sélectionnez un type et un sous-type, puis cliquez **Définir comme graphique par défaut**.

Le saviez-vous ?

La façon la plus rapide de créer un graphique est de sélectionner les données et d'appuyer sur **F11**. Excel crée un graphique dans une nouvelle feuille en utilisant les valeurs par défaut. Le graphique peut ensuite être modifié avec les outils de graphique.

Ajoutez
DES DÉTAILS

Excel rend facile la modification d'un graphique et l'addition de détails. À peu près tous les éléments du graphique peuvent être modifiés. Un graphique est créé sur la feuille où se trouvent les données, mais vous pouvez le déplacer sur une autre feuille de calcul ou dans une feuille dédiée.

Vous pouvez aussi modifier les champs X et Y de la boîte de dialogue Format de la zone graphique pour faire pivoter un graphique 3D afin de mieux visualiser les données. La valeur X fait pivoter le graphique autour de l'axe horizontal et la valeur Y autour de l'axe vertical. Dans cette boîte de dialogue, la perspective est également modifiable, surtout si des valeurs élevées masquent les valeurs situées derrière elles.

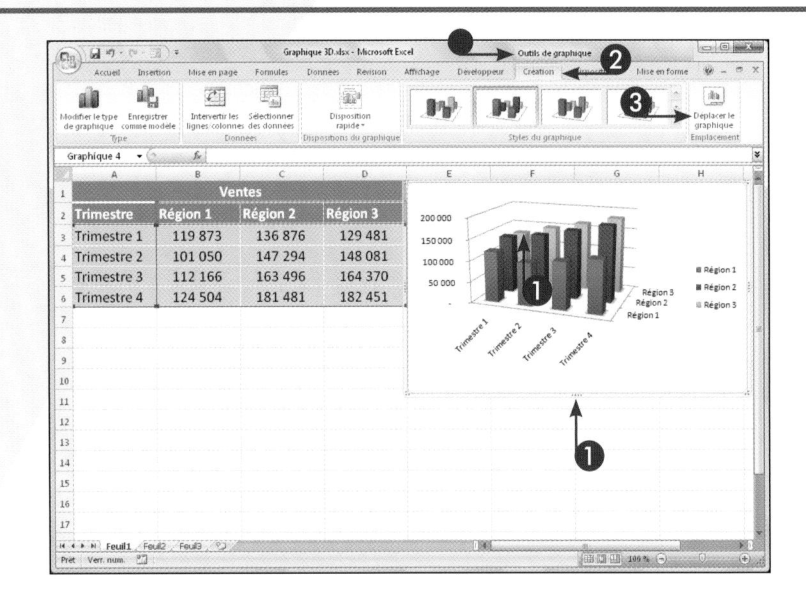

Déplacez un graphique

1. Cliquez le graphique.
   - Les outils de graphique apparaissent dans le ruban.
2. Cliquez l'onglet **Création**.
3. Cliquez **Déplacer le graphique** dans le groupe **Emplacement**.

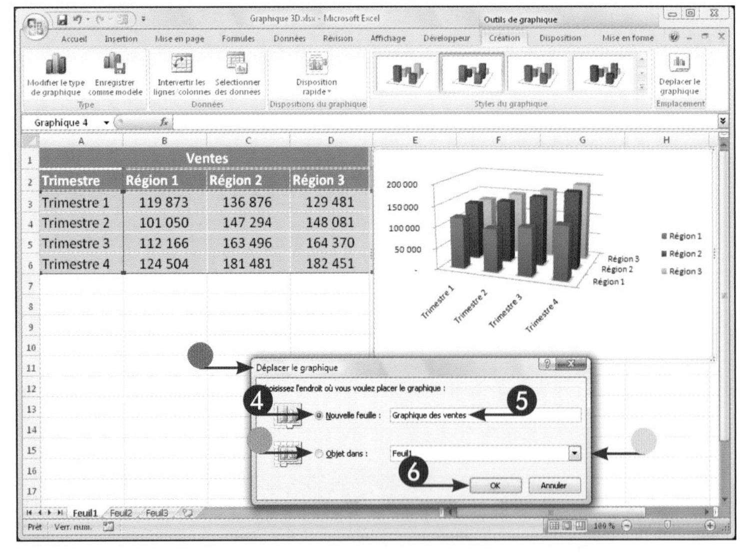

- La boîte de dialogue Déplacer le graphique apparaît.

4. Cliquez **Nouvelle feuille** (○ devient ◉).
   - Vous pouvez aussi cliquer **Objet dans** (○ devient ◉) pour déplacer le graphique sur une autre feuille.
   - Si vous cliquez **Objet dans**, cliquez ici et sélectionnez la feuille de destination.
5. Donnez un nom à la feuille.
6. Cliquez **OK**.

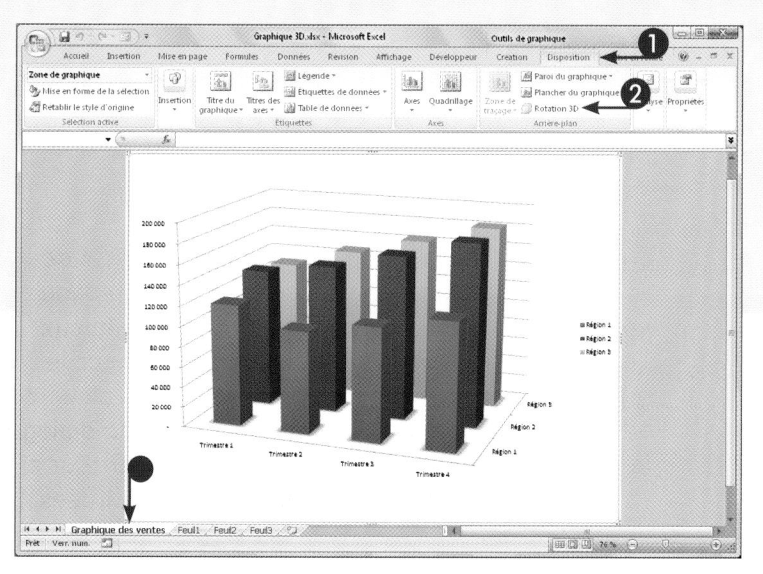

- Excel place le graphique sur une feuille graphique.

Modifiez la rotation et la perspective

1. Cliquez l'onglet **Disposition**.
2. Cliquez **Rotation 3D** dans le groupe **Arrière-plan**.

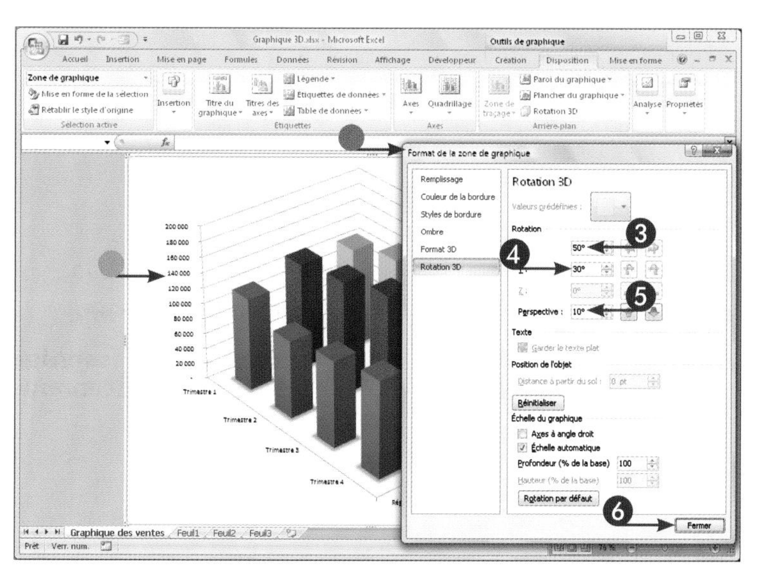

- La boîte de dialogue Format de la zone graphique apparaît.

3. Saisissez une valeur de rotation en X.
4. Saisissez une valeur de rotation en Y.
5. Modifiez la valeur de perspective.
6. Cliquez **Fermer**.

- Excel fait pivoter le graphique et change la perspective.

Le saviez-vous ?

Vous pouvez ajouter, supprimer ou modifier le remplissage de la zone de traçage d'un graphique en deux dimensions. Sélectionnez le graphique, cliquez l'onglet **Disposition**, puis **Zone de traçage** dans le groupe Arrière-plan. Sélectionnez **Autres options de traçage** pour modifier la couleur et le style de la zone de traçage.

Le saviez-vous ?

Modifiez un élément du graphique en le cliquant du bouton droit. Un menu contextuel apparaît accompagné parfois d'une minibarre d'outils. Vous pouvez supprimer ou ajouter des éléments, modifier la police et sa taille, changer l'alignement ou modifier la source de données.

Ajoutez
DES DÉTAILS

Les valeurs des axes sont définies automatiquement par Excel selon les valeurs des données. Les étiquettes d'axe décrivent les valeurs de chaque axe. Plusieurs options permettent de choisir si les valeurs des axes seront affichées et comment afficher les étiquettes et les valeurs de l'axe horizontal, vertical et de profondeur.

À la création d'un graphique, Excel trace des lignes horizontales et verticales pour marquer les unités principales des données. Vous pouvez supprimer ces lignes, afficher les lignes principales, les lignes secondaires ou les deux à la fois.

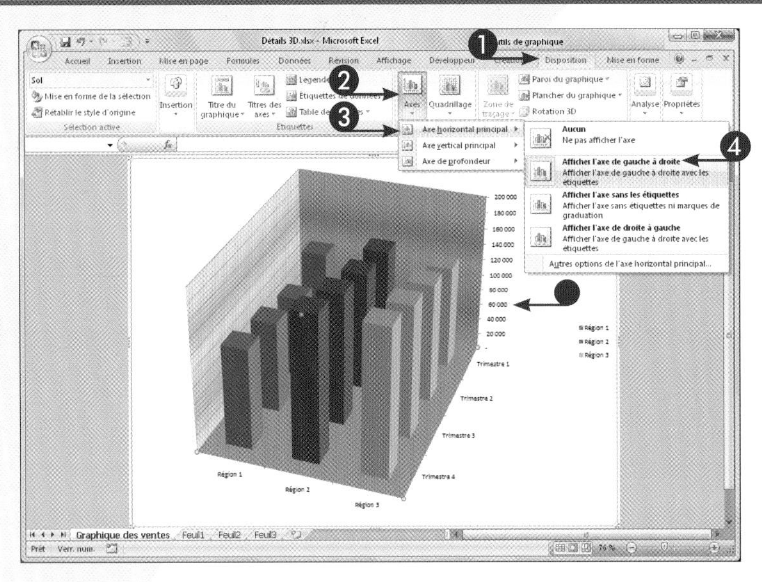

Modifiez les axes

1. Cliquez l'onglet **Disposition**.
2. Cliquez **Axes** dans le groupe **Axes**.
3. Cliquez **Axe horizontal principal**.

   Des options apparaissent.

4. Cliquez une des options d'axe horizontal principal.

- Excel modifie l'affichage de l'axe horizontal principal.

  Pour modifier l'axe vertical, cliquez **Axe vertical principal**.

  Pour modifier le troisième axe, cliquez **Axe de profondeur**.

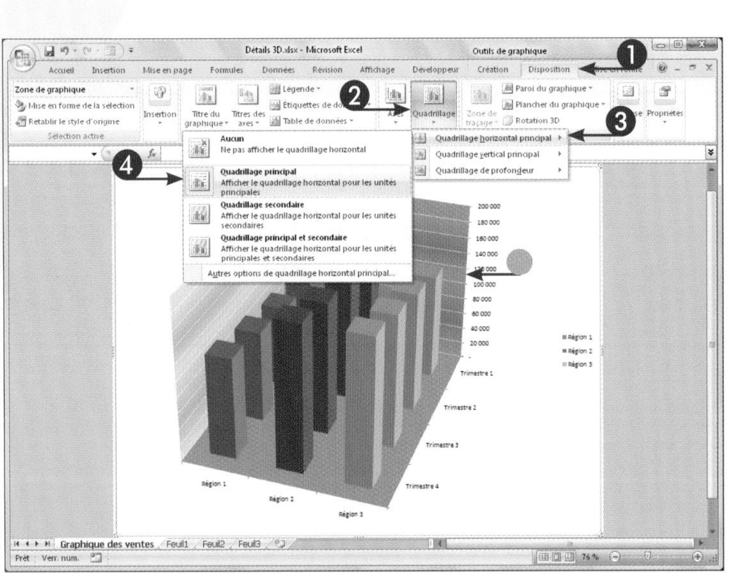

Modifiez le quadrillage

1. Cliquez l'onglet **Disposition**.
2. Cliquez **Quadrillage** dans le groupe **Axes**.
3. Cliquez **Quadrillage horizontal principal**.

   Des options apparaissent.

4. Cliquez l'une des options de quadrillage.

   Aucun n'affiche aucune ligne, **Quadrillage principal** affiche les lignes des unités principales, **Quadrillage secondaire** affiche les lignes des unités secondaires et **Quadrillage principal et secondaire** affiche les lignes des deux unités.

- Excel modifie le quadrillage de l'axe horizontal.

  Pour modifier le quadrillage vertical, cliquez **Quadrillage vertical principal**, puis cliquez une option.

  Pour modifier le troisième quadrillage, cliquez **Quadrillage de profondeur**, puis cliquez une option.

Modifiez
LE TYPE DE GRAPHIQUE

NIVEAU DE DIFFICULTÉ

De nombreux types et sous-types de graphique sont disponibles. Choisissez celui qui illustre le mieux vos données.

Utilisez un histogramme ou un graphique en barres pour tracer en lignes et colonnes des données qui évoluent dans le temps ou pour comparer des valeurs.

Un graphique en aires ou en lignes convient à des données évoluant dans le temps en illustrant la contribution de chaque partie.

Un graphique en lignes est idéal pour montrer les tendances des données, pour tracer des données mesurées à intervalles réguliers.

Un graphique en secteurs, ou camembert, sert à afficher des données placées sur une ligne ou colonne. Chaque point de données d'un graphique en secteurs représente un pourcentage du total.

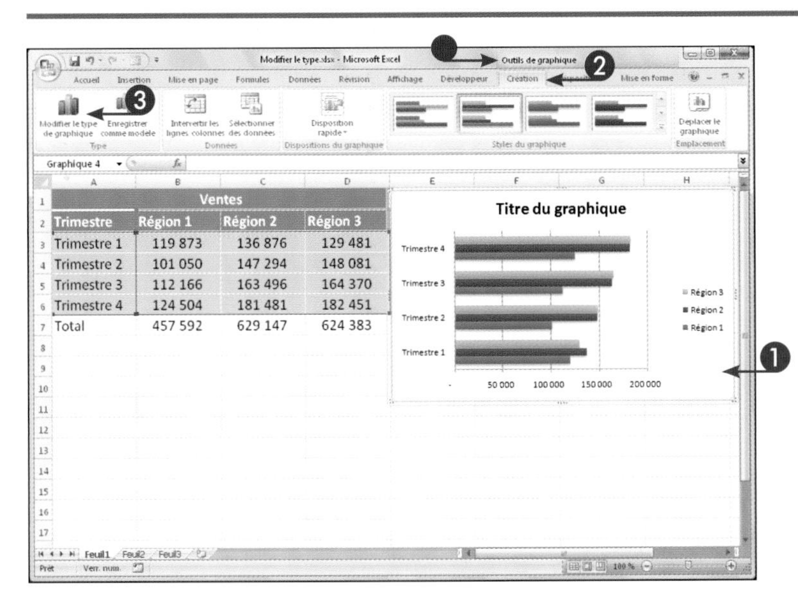

❶ Cliquez le graphique.

● Les outils de graphique deviennent disponibles.

❷ Cliquez l'onglet **Création**.

❸ Cliquez **Modifier le type de graphique** dans le groupe **Type**.

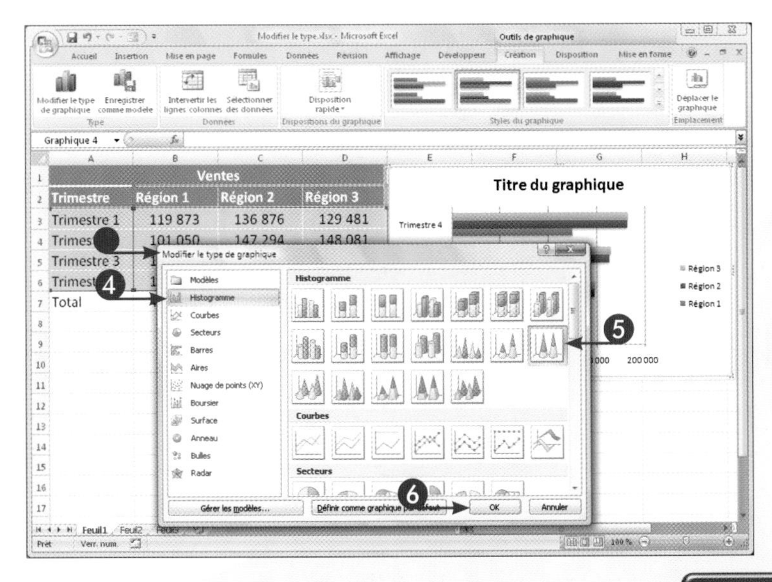

● La boîte de dialogue Modifier le type de graphique apparaît.

❹ Cliquez un type de graphique.

❺ Cliquez un sous-type.

❻ Cliquez **OK**.

Le graphique apparaît dans le type et le sous-type sélectionné.

Ajoutez
UNE COURBE DE TENDANCE

Une courbe de tendance ajoutée à un graphique permet de visualiser l'importance et la direction des variations dans les données et de calculer des valeurs futures ou passées à partir des données disponibles. Une courbe de tendance peut répondre à une question telle : « Quelle est la tendance de l'augmentation récente des nouvelles commandes ? »

Les types suivants de graphique ne permettent pas l'affichage de courbes de tendance : 3D, empilé, radar, aires, secteurs et anneau. Excel trace sur les données une courbe de tendance qui épouse au mieux chaque point d'une série. Les types de tendance disponibles sont : exponentielle, linéaire, logarithmique, polynomiale, puissance et moyenne mobile. Le type de courbe sélectionné dépend du type des données. Excel calcule le coefficient de détermination R^2 qui est une mesure du degré d'ajustement de la courbe aux données. Plus la valeur R^2 se rapproche de 1, plus la tendance est fiable. La valeur R^2 peut être affichée sur le graphique.

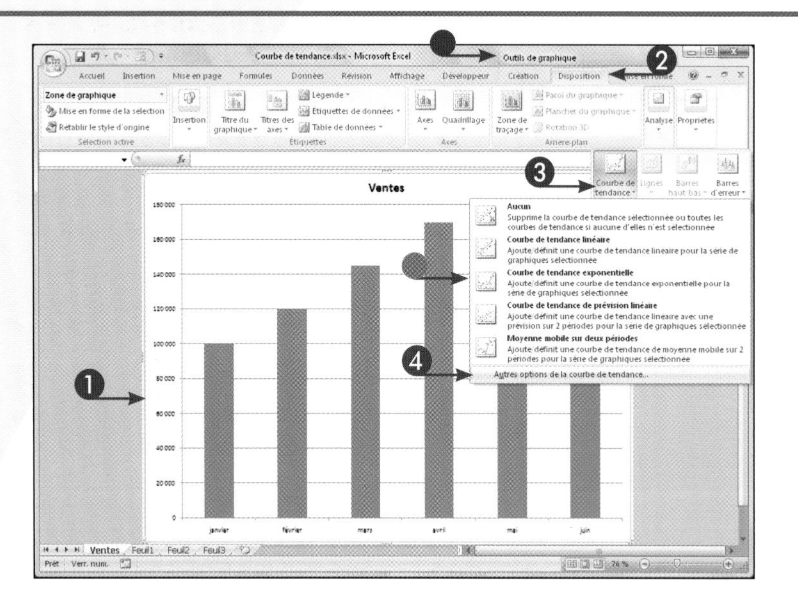

1. Cliquez le graphique.

- Les outils de graphique deviennent disponibles.

2. Cliquez l'onglet **Disposition**.
3. Cliquez **Analyse**, puis **Courbe de tendance**.

   Un menu apparaît.

4. Cliquez **Autres options de la courbe de tendance**.

- Vous pouvez sélectionner une autre des options de courbe du menu.

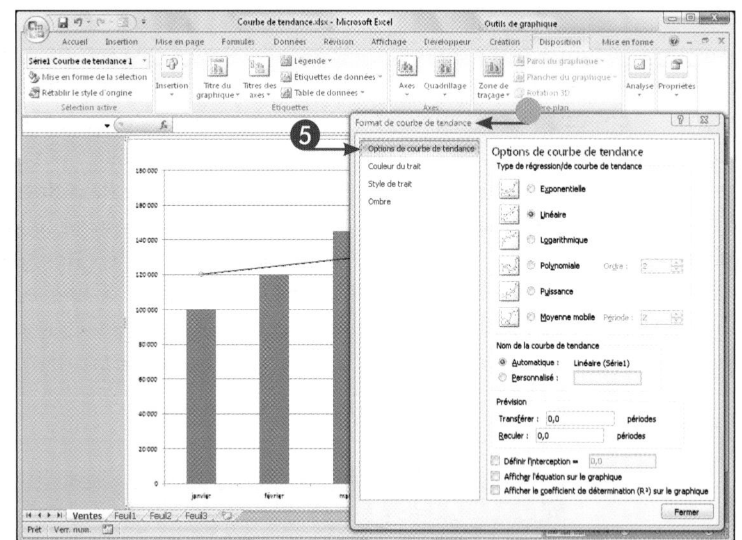

- La boîte de dialogue Ajouter une courbe de tendance apparaît.

5. Cliquez **Options de courbe de tendance**.

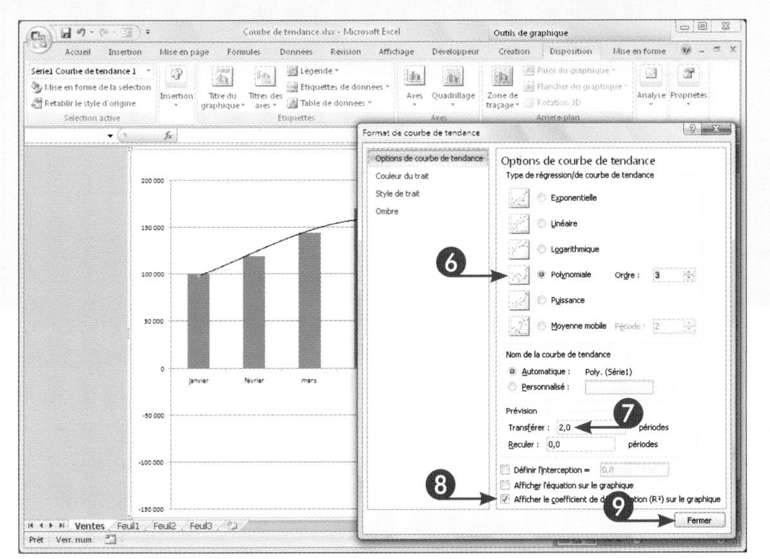

NIVEAU DE DIFFICULTÉ

6. Cliquez un type de régression (○ devient ◉).
7. Saisissez le nombre de périodes à prévoir.
8. Cochez **Afficher le coefficient de détermination (R^2) sur le graphique** (☐ devient ☑).
9. Cliquez **Fermer**.

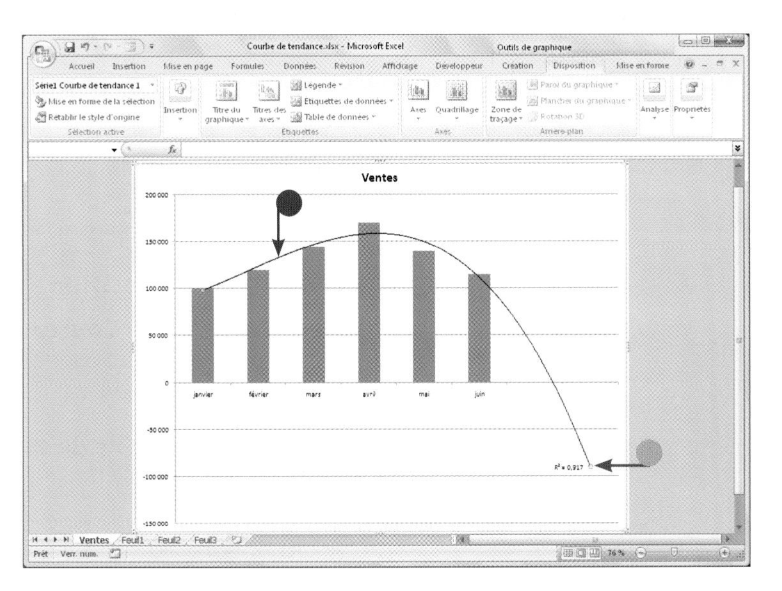

- La courbe de tendance est tracée sur le graphique.
- Si elle a été demandée, la valeur R^2 apparaît sur le graphique.

Le saviez-vous ?

Pour calculer des valeurs futures selon une tendance linéaire sans tracer de graphique, vous pouvez utiliser la recopie incrémentée. Sélectionnez au moins les deux dernières données et faites glisser la poignée de recopie.

Le saviez-vous ?

La fonction TENDANCE permet de projeter des valeurs selon une tendance linéaire et la fonction CROISSANCE selon une tendance exponentielle. Consultez l'aide d'Excel pour plus d'informations sur ces fonctions.

Le saviez-vous ?

Vous pouvez utiliser la section **Prévision** de la boîte de dialogue Ajouter une courbe de tendance pour calculer des valeurs futures et passées. Pour ouvrir cette boîte de dialogue, sélectionnez le graphique et cliquez l'onglet **Disposition**, puis **Analyse**, **Courbe de tendance**, **Autres options de la courbe de tendance**, et enfin **Options de courbe de tendance**.

Ajoutez et supprimez DES SÉRIES DE DONNÉES

Si vous voulez ajouter ou supprimer des données d'un graphique, utilisez la boîte de dialogue Modifier la source de données pour ajouter ou supprimer des lignes et des colonnes entières de données ou modifier les séries de données sans toucher au type du graphique ou à sa mise en forme.

Vous pouvez aussi ajouter des données à une série existante. Utilisez la section Entrées de légende (Série) de la boîte de dialogue Sélectionner la source de données pour définir la plage contenant les séries de données et leurs étiquettes. Cette même zone permet d'ajouter et de supprimer une série de données. Le bouton Intervertir les lignes/colonnes transpose les données dans le graphique. Il n'est pas nécessaire de régénérer le graphique lorsque des variations sont apportées aux données, il reflète automatiquement toute modification.

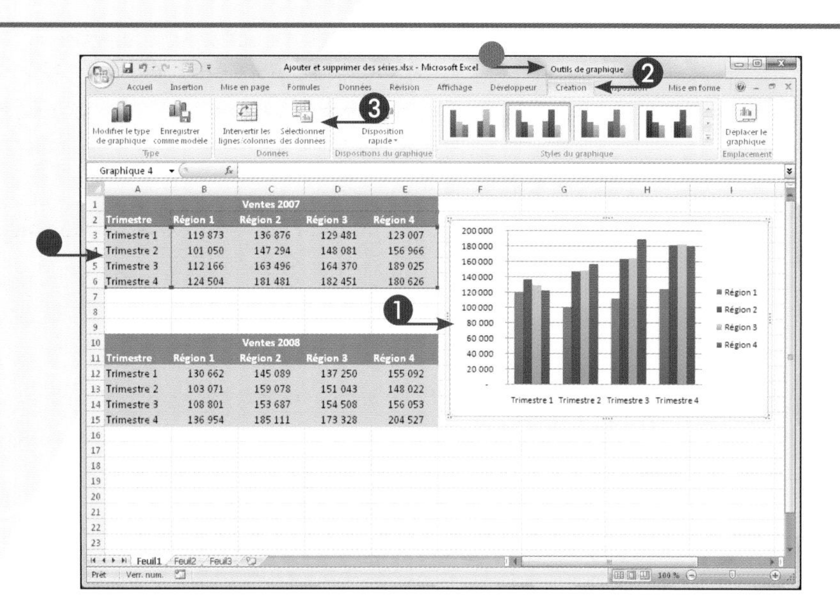

Modifiez la zone de données

Si le graphique est situé sur la feuille, positionnez-le pour qu'il ne cache pas les données.

- Données actuelles du graphique.
1. Cliquez le graphique.
- Les outils de graphique deviennent disponibles.
2. Cliquez l'onglet **Création**.
3. Cliquez **Sélectionner des données** dans le groupe **Données**.

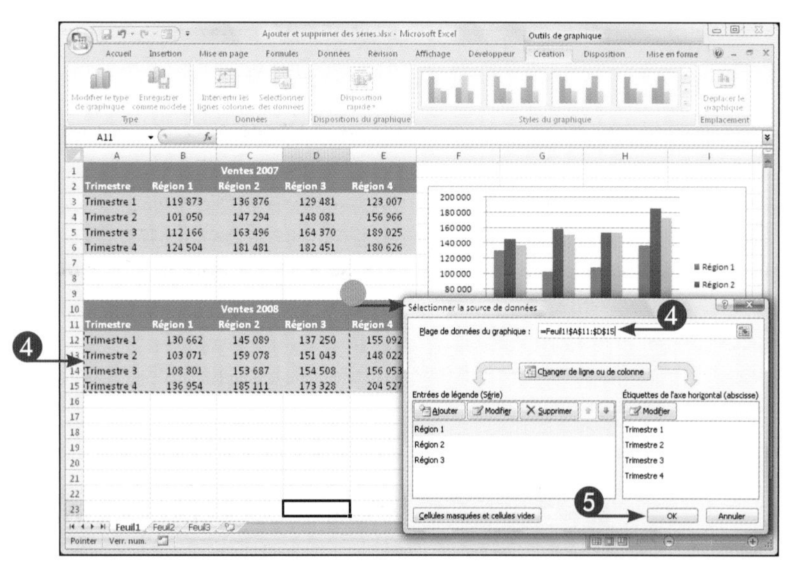

- La boîte de dialogue Sélectionner la source de données apparaît.
4. Sélectionnez les données à inclure au graphique ou saisissez-en la référence.
5. Cliquez **OK**.

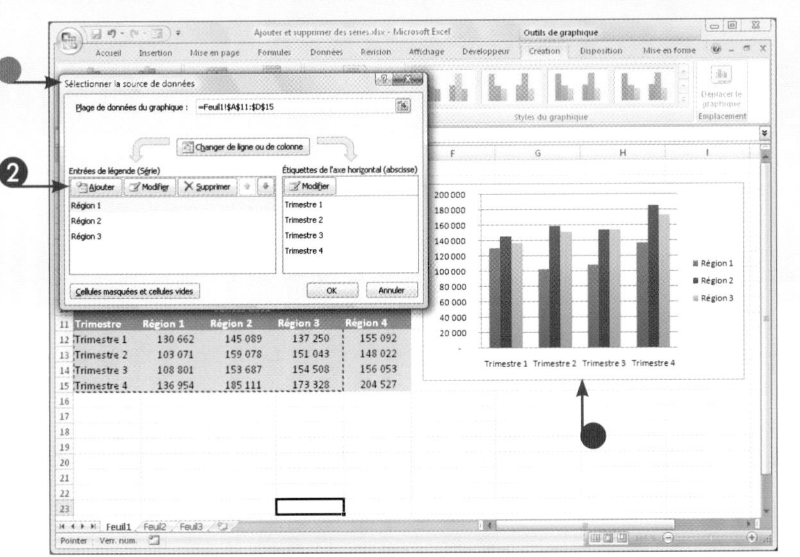

- Excel redéfinit la source des données.

Ajoutez une série de données

1. Exécutez les étapes **1** à **3** de la section précédente.

- La boîte de dialogue Sélectionner la source de données apparaît.

2. Cliquez **Ajouter**.

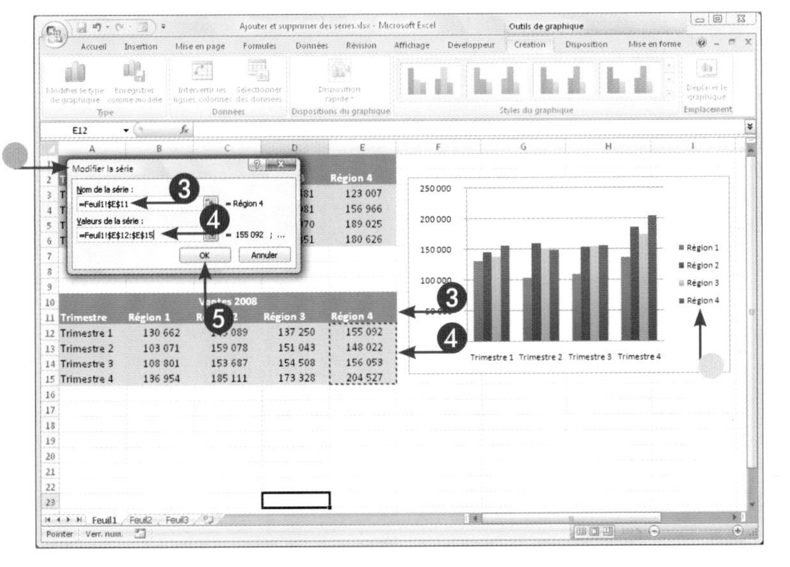

- La boîte de dialogue Modifier la série apparaît.

3. Cliquez la cellule contenant le nom de la nouvelle série ou saisissez sa référence.
4. Sélectionnez la nouvelle série de données ou saisissez sa référence.
5. Cliquez **OK**.

- Excel ajoute la nouvelle série au graphique et son nom à la légende.

Pas d'éléments inutiles !

Pour supprimer une série de données du graphique, sélectionnez son nom sous **Entrées de légende (Série)** dans la boîte de dialogue Modifier la source de données, puis cliquez **Supprimer**. Vous pouvez aussi sélectionner la série dans le graphique et appuyer sur Suppr.

Le saviez-vous ?

Il existe une méthode plus rapide pour ajouter des données à un graphique. Sélectionnez les données, copiez-les, cliquez le graphique, puis cliquez **Coller** dans l'onglet **Accueil**. Les données sont ajoutées au graphique.

Ajoutez des BARRES D'ERREUR

Il est facile d'ajouter à des données des barres d'erreur afin d'afficher les marges d'erreur de données expérimentales ou échantillonnées. Dans plusieurs domaines, tels les sciences et les sondages, des conclusions sont tirées à la suite d'expériences contrôlées ou d'échantillonnages de population. Dans ces cas, les résultats sont une approximation de la réalité. Des barres d'erreur présentent le degré de confiance dans les résultats. Elles peuvent être des valeurs positives et négatives pour chaque point ou être calculées en pourcentage de la valeur du point ou selon l'écart type. Ce dernier mesure si la valeur est représentative de la population étudiée. Ainsi, 95 % des données se distribuent entre plus deux ou moins deux écarts types de la moyenne de la population.

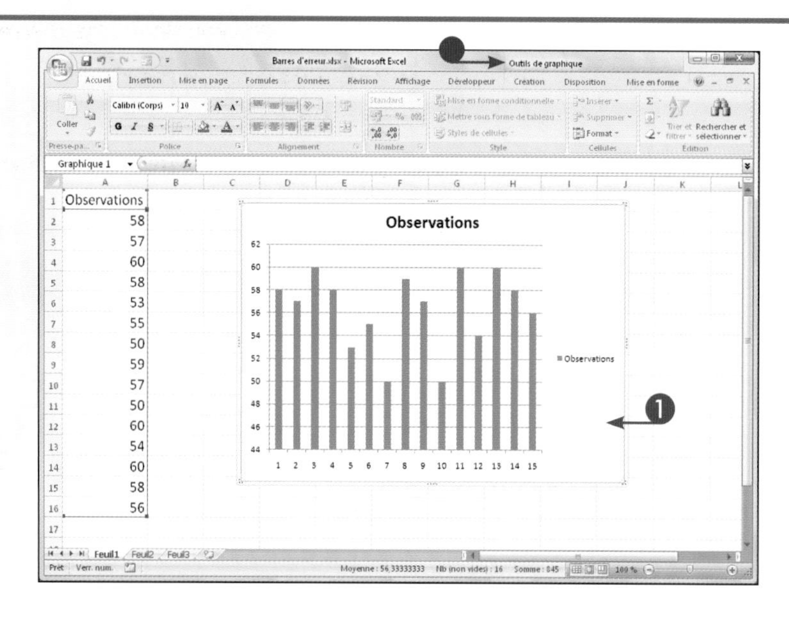

1. Cliquez le graphique.

- Les outils de graphique deviennent disponibles.

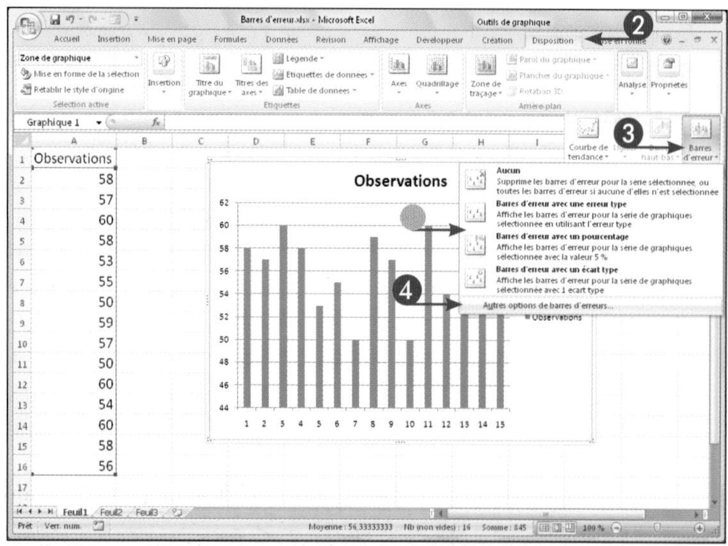

2. Cliquez l'onglet **Disposition**.
3. Cliquez **Analyse**, puis **Barres d'erreur**.

   Un menu apparaît.

4. Cliquez **Autres options de barres d'erreurs**.

- Vous pouvez aussi sélectionner une des autres options du menu.

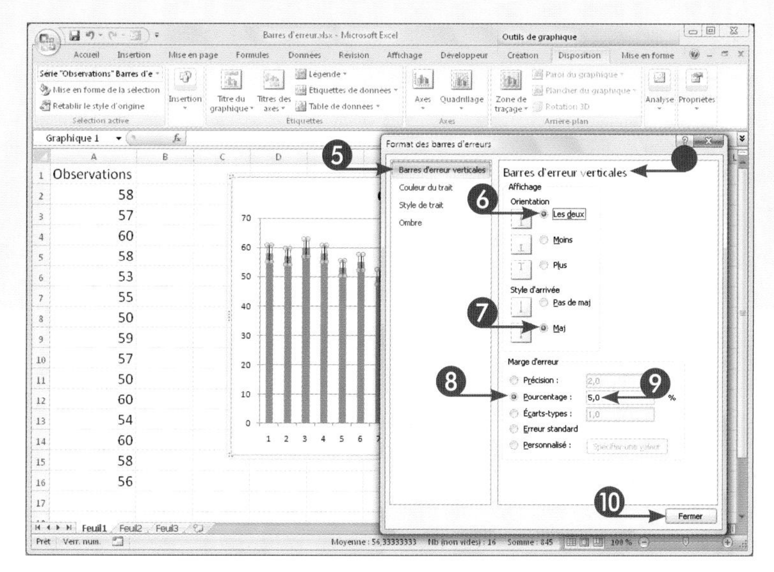

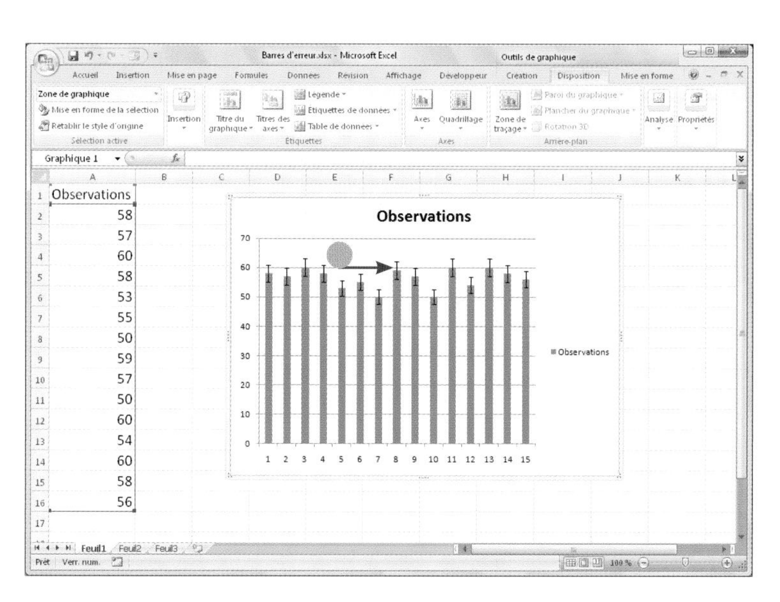

La boîte de dialogue Format des barres d'erreur apparaît.

5. Cliquez **Barres d'erreur verticales.**

- Les options de barres d'erreur verticales apparaissent.

6. Sélectionnez une orientation (○ devient ◉).

Cliquez **Les deux** pour afficher la marge d'erreur au-dessus et en dessous de la valeur observée.

Cliquez **Moins** pour afficher l'erreur sous la valeur observée.

Cliquez **Plus** pour afficher l'erreur au-dessus de la valeur observée.

7. Sélectionnez un style d'arrivée (○ devient ◉).
8. Sélectionnez un type de marge d'erreur.
9. Saisissez une valeur si nécessaire.
10. Cliquez **OK**.

- Le graphique est dessiné avec des barres d'erreur.

Le saviez-vous ?

Le degré de fiabilité de l'estimation des caractéristiques d'une population présume que les valeurs mesurées sont distribuées selon une courbe normale autour de la moyenne, comme dans une courbe de Gauss.

Le saviez-vous ?

Vous pouvez ajouter des courbes de tendance et des barres d'erreur à un graphique croisé dynamique. Les modifications apportées à un graphique croisé, tels une modification de la disposition, la suppression de champs et le masquage ou l'affichage de champs, peuvent cependant supprimer les courbes de tendance et les barres d'erreur.

Le saviez-vous ?

Seuls certains types de graphique permettent d'afficher des barres d'erreur. Les types Aires 2D, Barres, Colonne, Ligne et Nuages de points permettent de créer des barres d'erreur pour les valeurs de l'axe Y. Vous pouvez ajouter des barres d'erreur en X et Y dans un graphique à nuages de points.

Créez
UN HISTOGRAMME

Vous pouvez créer des histogrammes de distribution de fréquence afin de grouper des valeurs en catégories et de les comparer entre elles. Excel appelle *classes* ces catégories. Par exemple, pour analyser des notes d'étudiants, vous pouvez diviser les notes en cinq classes, de 0 à 4, de 5 à 8, *etc.* et compter le nombre de notes dans chaque classe.

Trois éléments sont nécessaires à la création d'un histogramme. Premièrement, définissez les données brutes à analyser. Deuxièmement, définissez les classes, qui doivent être triées en ordre croissant. Enfin, choisissez l'emplacement du résultat qui peut être sur la même feuille, sur une autre feuille ou dans un autre classeur. Les modifications apportées aux données ne sont pas reflétées automatiquement dans l'histogramme. Vous devez régénérer celui-ci.

Cet outil fait partie de l'Utilitaire d'analyse, complément qui doit être installé. Consultez la tâche n°94 à propos de l'installation des compléments.

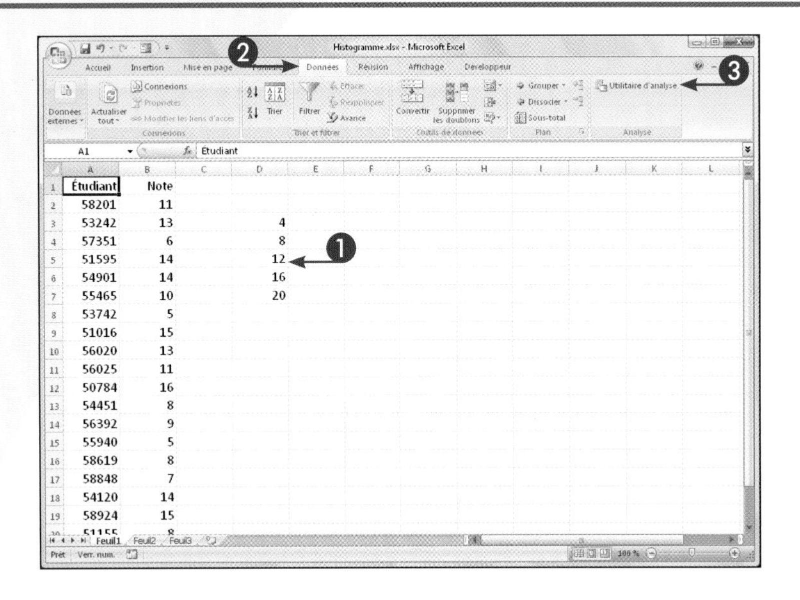

1. Saisissez les valeurs définissant les classes.

   Note. *Les classes doivent être en ordre croissant sans devoir être de la même taille.*

2. Cliquez l'onglet **Données**.
3. Cliquez **Utilitaire d'analyse** dans le groupe **Analyse**.

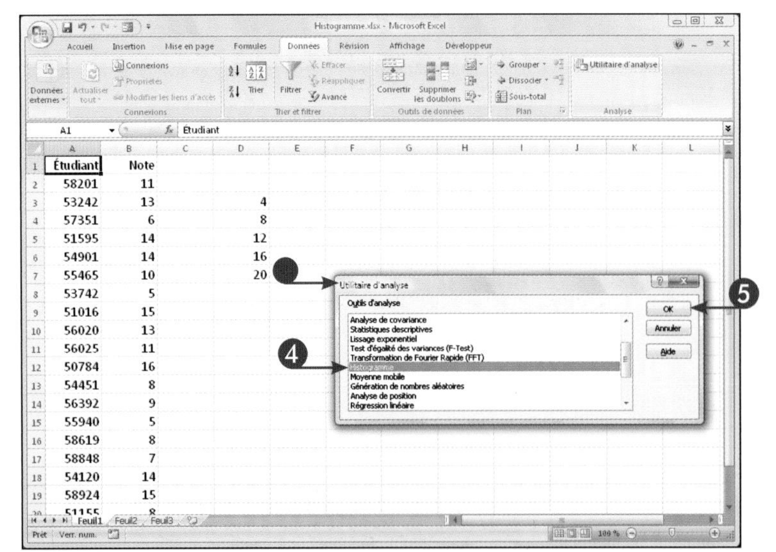

- La boîte de dialogue **Utilitaire d'analyse** apparaît.

4. Cliquez **Histogramme**.
5. Cliquez **OK**.

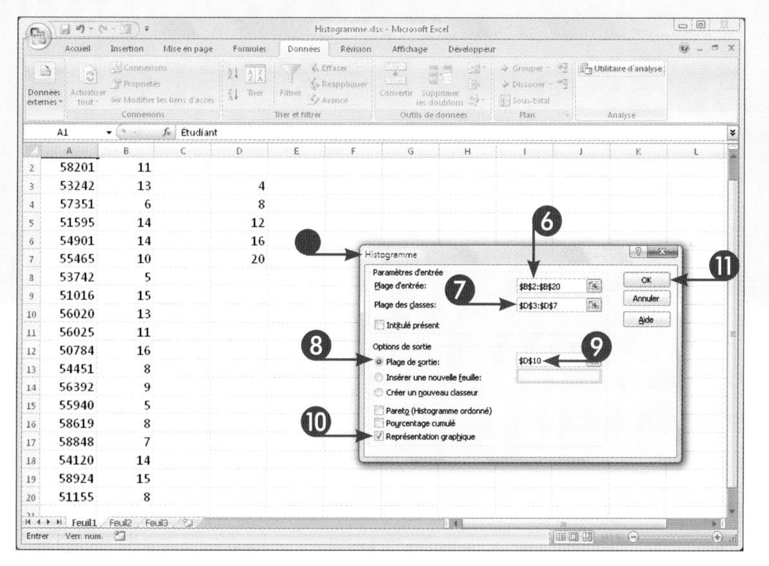

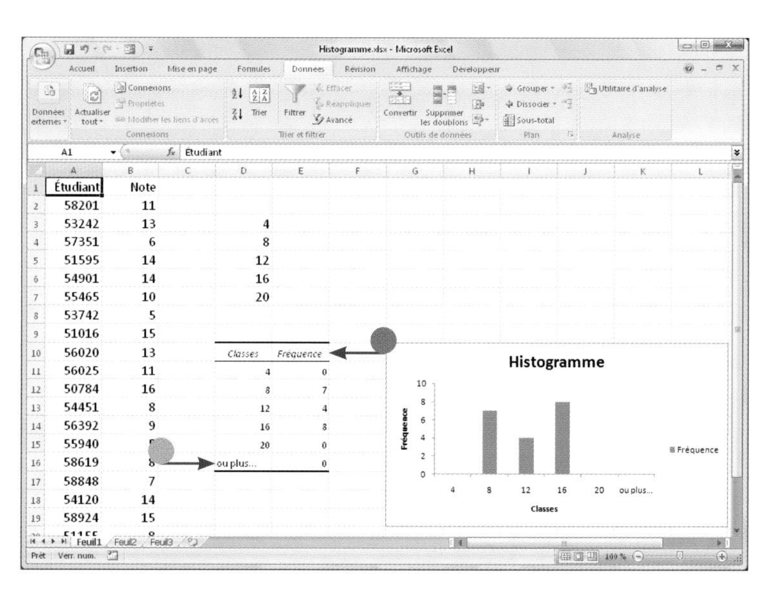

66

NIVEAU DE DIFFICULTÉ

- La boîte de dialogue Histogramme apparaît.

6. Sélectionnez les données à catégoriser ou saisissez leur référence.
7. Sélectionnez la plage définissant les classes ou saisissez sa référence.
8. Sélectionnez une destination.
9. Cliquez la première cellule du résultat ou saisissez sa référence.
10. Sélectionnez des options de sortie.

    Pareto trie les résultats en ordre décroissant de fréquence.

    Pourcentage cumulé affiche un pourcentage cumulé en plus des fréquences.

    Représentation graphique trace un graphique des fréquences.

11. Cliquez **OK**.

    Les résultats apparaissent sur la même feuille.

- La fréquence est le nombre de valeurs par catégorie.
- *ou plus* est le nombre de valeurs dépassant la catégorie la plus élevée.

Le saviez-vous ?

Cochez **Représentation graphique** (☐ devient ☑) dans la boîte de dialogue Histogramme pour créer un graphique et un tableau de fréquences. Le graphique peut être modifié comme tout autre graphique.

Le saviez-vous ?

Cochez **Pourcentage cumulé** (☐ devient ☑) dans la boîte de dialogue Histogramme pour créer un tableau de fréquences affichant les pourcentages cumulés. Cochez **Pareto** pour créer un tableau de fréquences triées en ordre décroissant.

Le saviez-vous ?

La fonction FREQUENCE permet d'obtenir le même résultat que l'outil Histogramme tout en mettant à jour automatiquement le tableau après une modification des données. Consultez l'aide d'Excel pour plus d'informations sur cette fonction.

Créez

UN GRAPHIQUE MIXTE

Si vous tracez plus d'une série sur un graphique, vous pouvez modifier le type de graphique d'une des séries pour créer un graphique mixte qui permet de distinguer plus facilement des séries différentes. Par exemple, vous pouvez créer un graphique mixte représentant le nombre de maisons vendues par un graphique en ligne et le prix de vente moyen par des colonnes.

Les échelles de valeurs de deux séries peuvent être très différentes. Par exemple, le nombre de ventes peut aller de 9 à 15 alors que le prix moyen peut varier de 683 992 à 936 966. Chaque série peut être associée à un axe vertical pour tracer ses valeurs. Dans cet exemple, vous pouvez tracer le prix moyen sur un axe vertical et le nombre de ventes sur l'autre axe vertical.

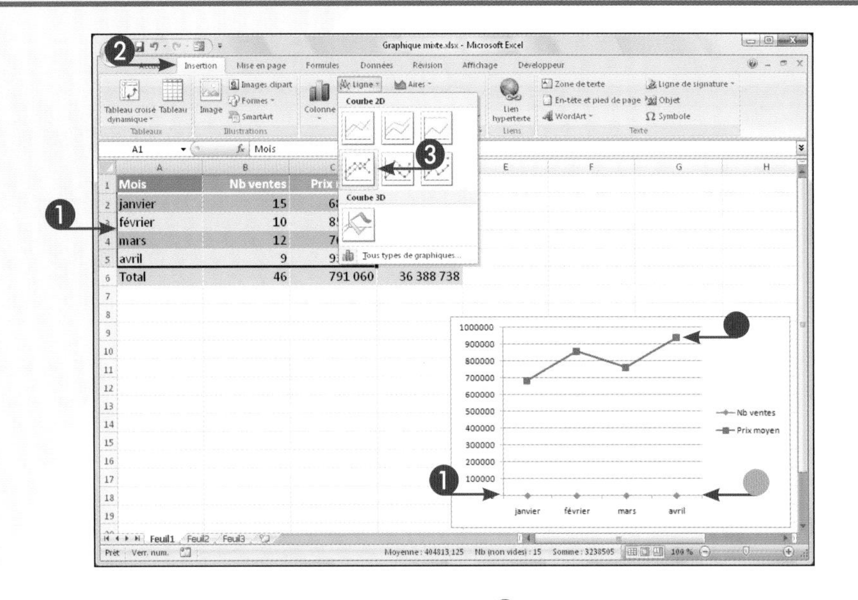

❶ Sélectionnez les données à tracer.

❷ Cliquez l'onglet **Insertion**.

❸ Sélectionnez un type de graphique.

Excel affiche le graphique.

● La série Nb ventes.

● La série Prix moyen.

Créez un axe secondaire

❶ Cliquez un point de la série à tracer sur l'axe secondaire.

● Les outils de graphique deviennent disponibles.

❷ Cliquez l'onglet **Mise en forme**.

❸ Cliquez **Mise en forme de la sélection** dans le groupe **Sélection active**.

● La boîte de dialogue Mise en forme des séries de données apparaît.

❹ Cliquez **Options des séries**.

❺ Cliquez **Axe secondaire** (○ devient ◉).

❻ Cliquez **Fermer**.

● Excel trace les données sélectionnées sur un axe secondaire.

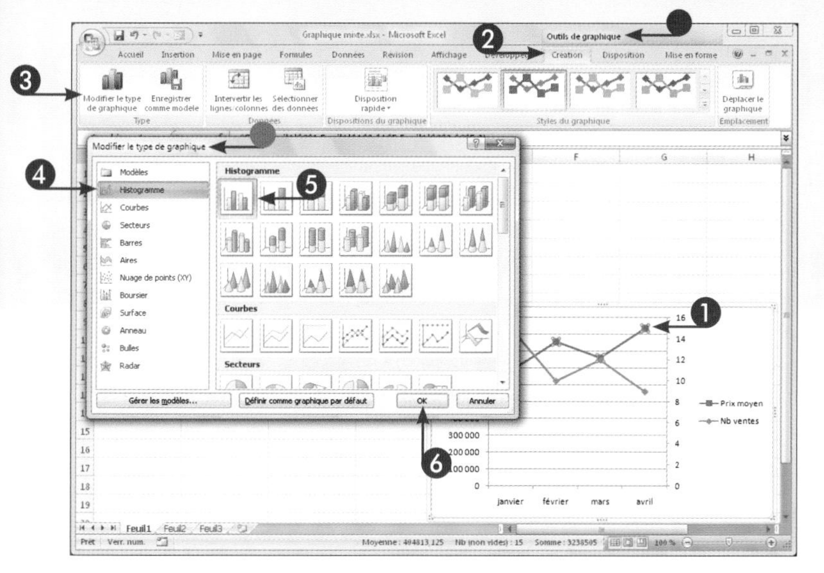

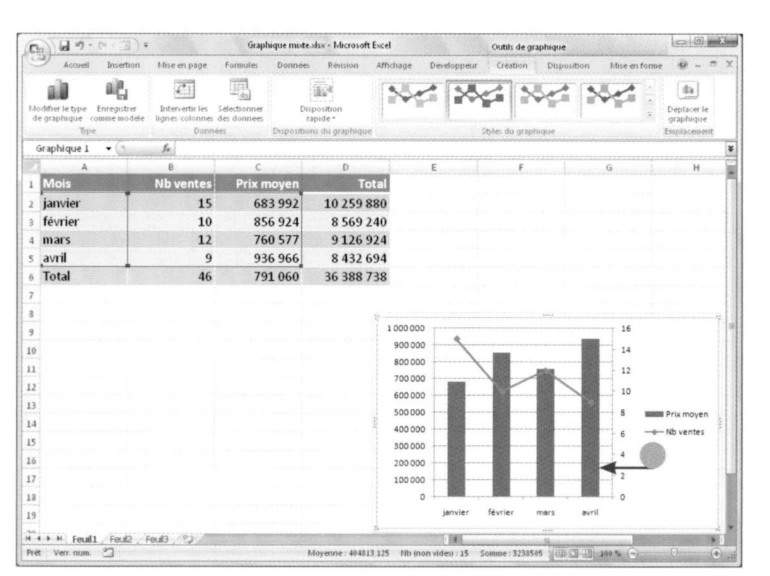

	A	B	C	D
1	Mois	Nb ventes	Prix moyen	Total
2	janvier	15	683 992	10 259 880
3	février	10	856 924	8 569 240
4	mars	12	760 577	9 126 924
5	avril	9	936 966	8 432 694
6	Total	46	791 060	36 388 738

Modifiez le type de graphique

67

NIVEAU DE DIFFICULTÉ

1. Cliquez un point de la série à tracer sur l'axe secondaire.
- Les outils de graphique deviennent disponibles.
2. Cliquez l'onglet **Création**.
3. Cliquez **Modifier le type de graphique** dans le groupe **Type**.
- La boîte de dialogue Modifier le type de graphique apparaît.
4. Cliquez un type.
5. Cliquez un sous-type.
6. Cliquez **OK**.
- Excel modifie le type de graphique de la série.

Le saviez-vous ?

Vous pouvez donner un titre à l'axe secondaire. Cliquez le graphique pour rendre disponibles les outils de graphique dans le ruban. Cliquez l'onglet **Disposition**, **Titres des axes** dans le groupe Étiquettes, **Titre de l'axe vertical secondaire**, puis sélectionnez une option du menu. Cliquez Aucun pour ne pas afficher de titre. Sélectionnez **Titre pivoté** pour afficher le titre de l'axe pivoté. Sélectionnez **Titre vertical** pour afficher le titre verticalement. Sélectionnez **Titre horizontal** pour afficher le titre dans le sens horizontal. Le graphique sera redimensionné en fonction du résultat de l'option choisie.

Chapitre

7

Soignez la présentation d'une feuille de calcul

Avec Excel, vous avez le contrôle sur à peu près tous les aspects de la présentation des feuilles. Ce contrôle va bien au-delà de la mise en gras de caractères ou du coloriage d'une cellule. La mise en forme facilite la lecture et la compréhension d'une feuille par la mise en évidence de ses éléments clés.

Ce chapitre présente des astuces de mise en forme. Vous apprendrez à mettre en forme nombres et cellules et à utiliser l'outil de reproduction d'une mise en forme pour l'appliquer en quelques clics à d'autres cellules.

Excel met à votre disposition de nombreux outils. L'onglet Accueil et la boîte de dialogue Format de cellule comprennent tous les outils nécessaires pour changer l'apparence et les propriétés des nombres et des cellules. Vous pouvez modifier la couleur, les bordures et d'autres propriétés des cellules et choisir parmi un choix large et varié de formats de nombres, de dates et d'heures.

Les formes, les zones de texte et les images permettent d'intégrer des graphismes à une feuille. Des styles prédéfinis appliqués aux graphismes leur confèrent une touche personnalisée. Des images placées en arrière-plan des données attirent l'attention ou agrémentent la feuille elle-même. Vous pouvez aussi prendre une photo d'une feuille et utiliser l'image obtenue dans Excel ou dans un autre logiciel.

Top 100

METTEZ EN FORME
les nombres, dates et heures

Excel fournit de nombreuses options de mise en forme de nombres, de dates et d'heures pour faciliter la lecture des valeurs et se conformer aux standards d'une industrie, d'une société ou d'un pays.

L'onglet Accueil comporte plusieurs boutons de mise en forme rapide des nombres. Si le format désiré n'est pas directement disponible, vous pouvez cliquer le lanceur de boîte de dialogue pour accéder à la boîte de dialogue Format de cellule.

Quatre principales catégories de format de nombres se retrouvent dans cette boîte de dialogue : Standard, Nombre, Monétaire et Comptabilité. Le format par défaut Standard, affiche les nombres tels que vous les avez saisis.

Le format Nombre permet de définir le nombre de décimales, la présence d'un séparateur de milliers et l'affichage des nombres négatifs. Dans ce format, vous pouvez choisir d'afficher les nombres négatifs en rouge avec ou sans signe moins, ou en noir avec le signe moins.

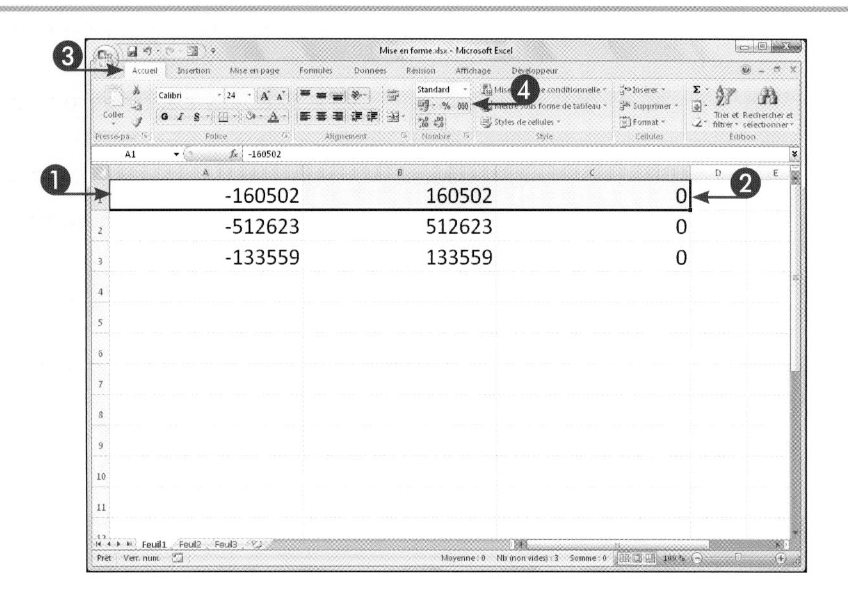

Séparateur de milliers

1. Saisissez des nombres.

   Les données sont affichées dans le format saisi.

2. Sélectionnez les cellules à mettre en forme.
3. Cliquez l'onglet **Accueil**.
4. Cliquez le bouton **Séparateur de milliers** du groupe **Nombre**.

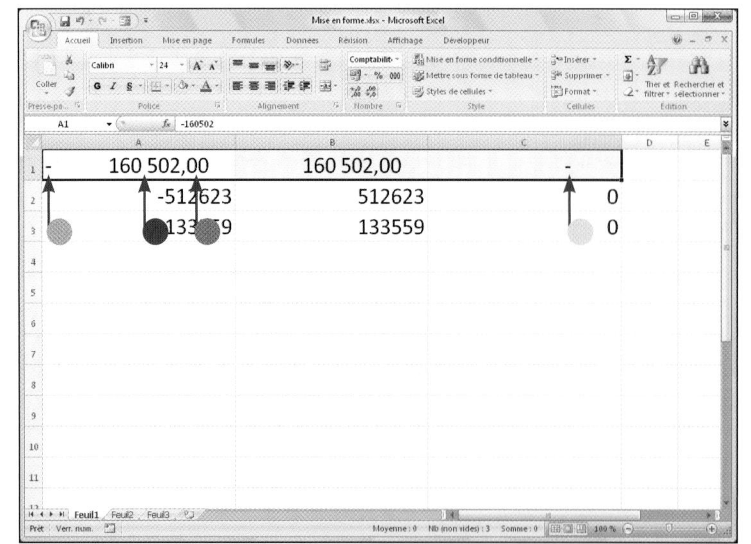

- Un espace sépare les milliers.
- Excel ajoute deux décimales.
- Les nombres négatifs sont affichés avec le signe moins.
- Un tiret représente la valeur zéro.

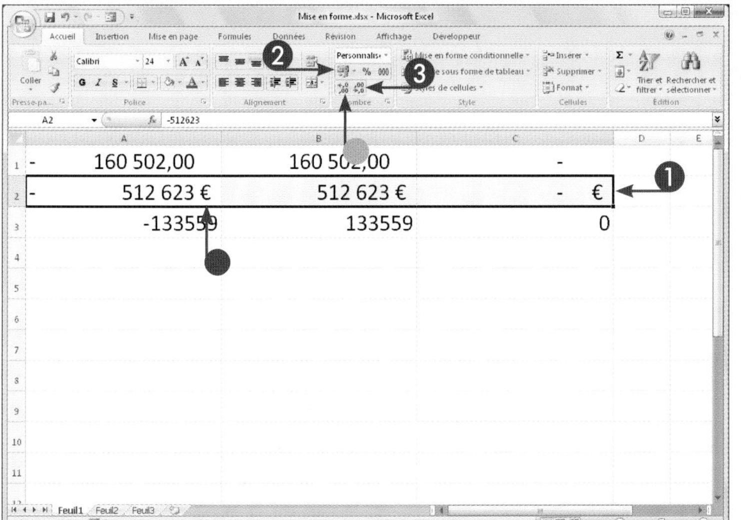

Format Comptabilité

1. Sélectionnez les cellules à mettre en forme.
2. Cliquez le bouton **Format Nombre Comptabilité**.

- Excel ajoute le symbole de l'euro à droite du nombre, affiche deux décimales et place le signe moins à l'extrême gauche de la cellule.

3. Cliquez **Réduire les décimales**. Chaque clic sur ce bouton supprime une décimale.

- Le bouton Ajouter une décimale ajoute une décimale à chaque clic.

Format Monétaire

1. Sélectionnez les cellules à mettre en forme.
2. Cliquez le lanceur de boîte de dialogue du groupe **Nombre**.

- La boîte de dialogue Format de cellule apparaît avec l'onglet Nombre.

3. Cliquez **Monétaire** dans la liste **Catégorie**.
4. Cliquez ici et sélectionnez le nombre de décimales.
5. Cliquez ici et sélectionnez un symbole monétaire.
6. Sélectionnez la représentation des nombres négatifs.
7. Cliquez **OK**.

- Excel met les nombres en forme.

Le saviez-vous ?

Modifier la taille de la police ou le format d'un nombre peut occuper plus d'espace dans la cellule. Si Excel ne peut afficher le nombre, il remplit la cellule de dièses (#####). Pour rendre le nombre visible, double-cliquez le séparateur de colonne à droite du numéro de colonne ou faites-le glisser à la largeur voulue.

Le saviez-vous ?

Le format Texte de la boîte de dialogue Format de cellule convertit un nombre en texte. Un nombre ainsi converti ne doit jamais être utilisé dans un calcul. Certains nombres, tel un numéro de téléphone, ne servent pas aux calculs et doivent être mis au format Texte pour s'afficher correctement. Un nombre est considéré comme du texte si vous le faites précéder d'une apostrophe. L'apostrophe ne s'affichera pas dans la cellule.

METTEZ EN FORME
les nombres, dates et heures

Le format Monétaire est semblable au format Nombre tout en permettant de sélectionner un symbole de devise. Le symbole choisi détermine la mise en forme. Le symbole de l'euro est placé à droite du nombre et le symbole du dollar peut être placé à gauche ou à droite. Un nombre au format Comptabilité est semblable au format Monétaire mais il affiche un tiret (-) au lieu du zéro et est aligné sur le séparateur décimal.

Les noms de mois et l'affichage des dates et des heures varient selon le pays. Si vous sélectionnez Français (France), vous avez le choix parmi plus de 20 formats de dates et d'heures. Pour plus d'informations sur les dates et les heures, consultez les tâches n°22 et 23.

Le format Pourcentage exprime un nombre en pourcentage et permet de choisir le nombre de décimales. Le format Fraction convertit la partie décimale d'un nombre en fraction.

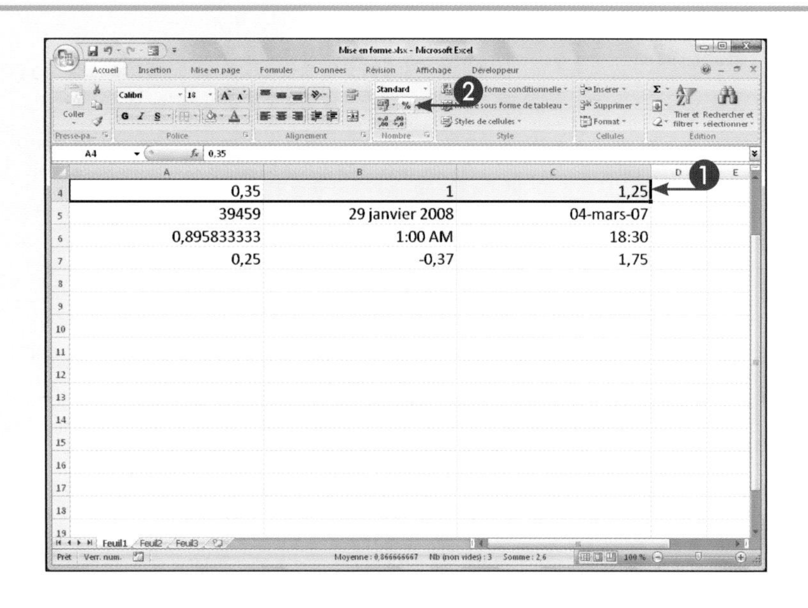

1. Sélectionnez les nombres à mettre en forme.
2. Cliquez le bouton **Style de pourcentage**.

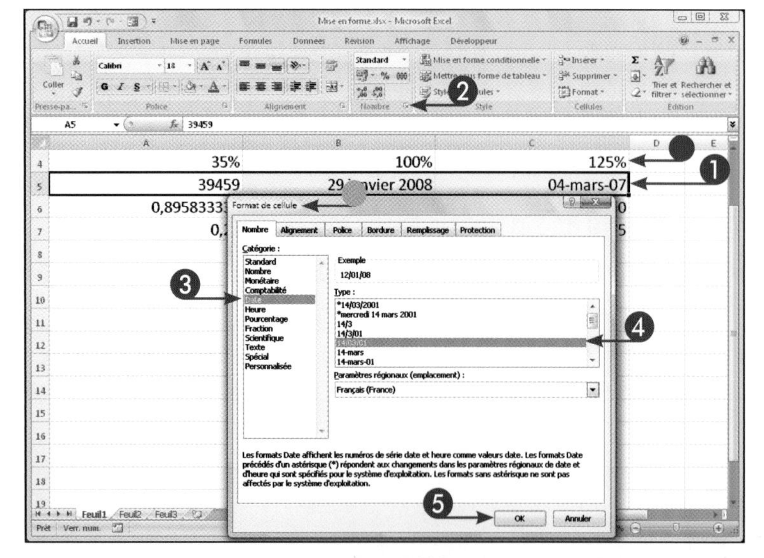

- Excel affiche le nombre sous forme de pourcentage.

Dates

1. Sélectionnez les cellules à mettre en forme.
2. Cliquez le lanceur de boîte de dialogue du groupe **Nombre**.

- La boîte de dialogue Format de cellule s'ouvre dans l'onglet Nombre.

3. Cliquez **Date**.
4. Sélectionnez un format.
5. Cliquez **OK**.

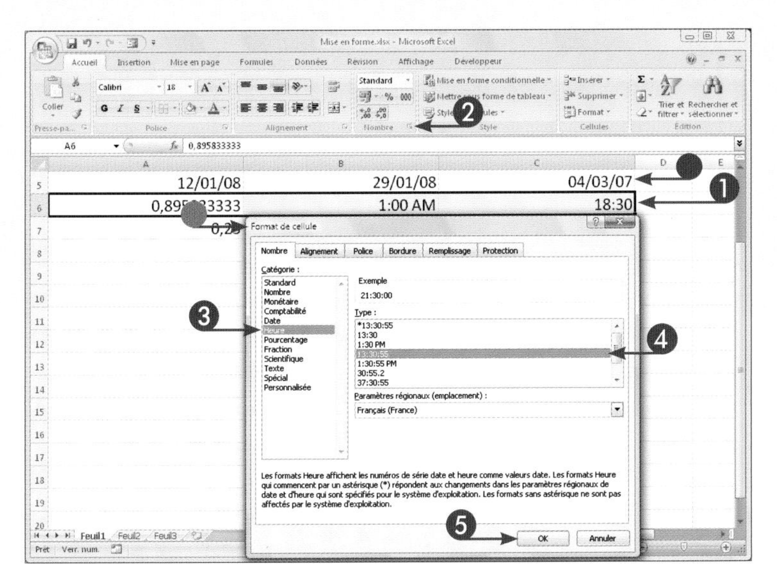

- Excel applique le format aux dates.

68 SUITE

Heures

1. Sélectionnez les cellules à mettre en forme.
2. Cliquez le lanceur de boîte de dialogue du groupe **Nombre**.
- La boîte de dialogue Format de cellule s'ouvre avec l'onglet Nombre.
3. Cliquez **Heure**.
4. Sélectionnez un format.
5. Cliquez **OK**.

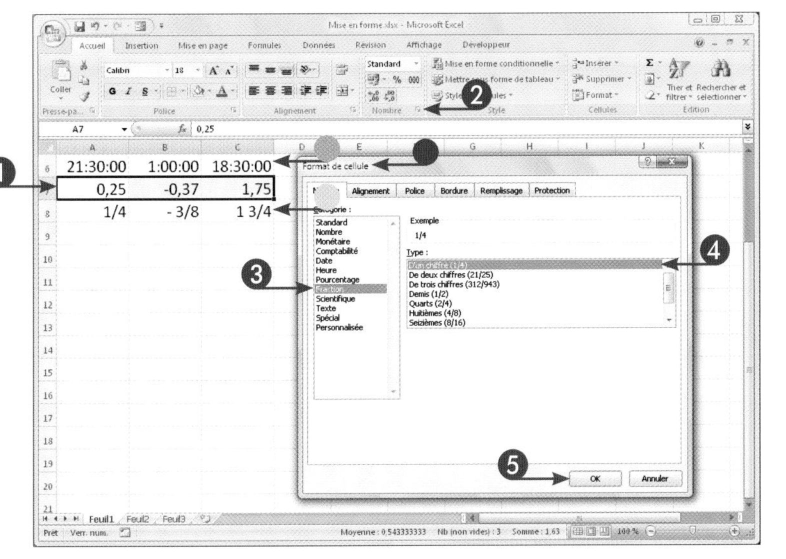

- Excel applique le format aux heures.

Fractions

1. Sélectionnez les cellules à mettre en forme.
2. Cliquez le lanceur de boîte de dialogue du groupe **Nombre**.
- La boîte de dialogue Format de cellule s'ouvre avec l'onglet Nombre.
3. Cliquez **Fraction**.
4. Sélectionnez un format.
5. Cliquez **OK**.

   Excel affiche les nombres sous forme de fractions.

- Ces cellules présentent le résultat obtenu.

Le saviez-vous ?

Vous pouvez définir le nombre de décimales affichées par défaut lorsque vous saisissez un nombre. Cliquez le bouton **Office**, puis **Options Excel**. Cliquez **Options Avancées** et vérifiez que **Décimale fixe** est cochée (☐ devient ☑). Tapez le nombre de décimales dans le champ **Place**, puis cliquez **OK**.

Le saviez-vous ?

Si vous cliquez du bouton droit dans une cellule contenant un nombre, vous pouvez sélectionner un format dans la minibarre d'outils ou ouvrir la boîte de dialogue Format de cellule en cliquant l'option du même nom dans le menu contextuel.

METTEZ EN FORME
les cellules

La mise en forme améliore la présentation des rapports. Des lignes servant d'en-têtes dirigent l'attention vers les données en mettant en lumière leur structure et leur contenu.

L'onglet Accueil permet d'appliquer de nombreuses mises en forme. Cliquer un lanceur d'un des groupes Police, Nombre ou Alignement ouvre la boîte de dialogue Format de cellule qui permet de mettre en forme les nombres, d'aligner des données dans une ou plusieurs cellules, de modifier la police, d'ajouter une bordure ou un remplissage à une cellule.

Plusieurs de ces options sont disponibles dans le ruban et un simple clic applique les mises en forme les plus fréquentes.

Vous pouvez mettre en valeur une cellule en attribuant une couleur à la police et à l'arrière-plan. Mettez aussi en évidence des colonnes ou des données avec des bordures dont vous pourrez choisir la couleur, le style et l'emplacement.

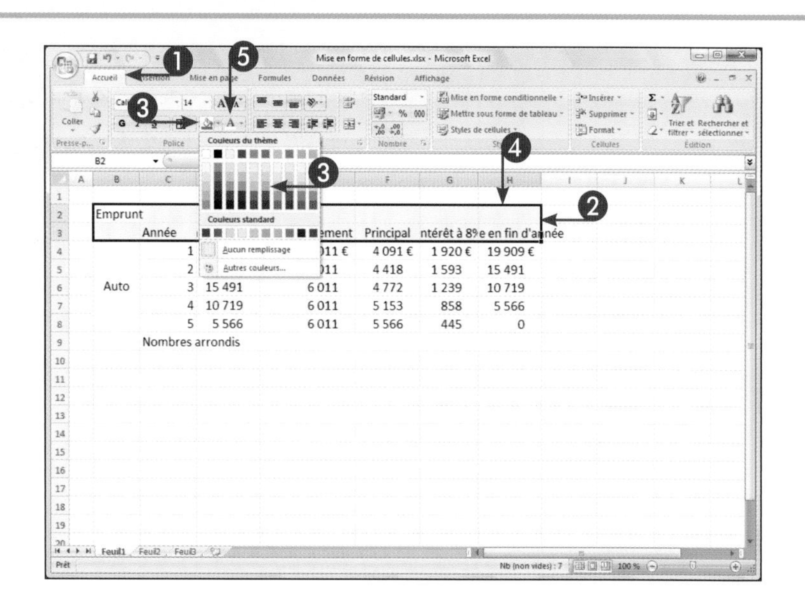

Créez un remplissage

1. Cliquez l'onglet **Accueil**.
2. Sélectionnez les cellules à mettre en forme.
3. Cliquez ici et sélectionnez une couleur de remplissage.

Changez la couleur du texte

4. Sélectionnez les cellules à mettre en forme.
5. Cliquez ici et sélectionnez une couleur de police.

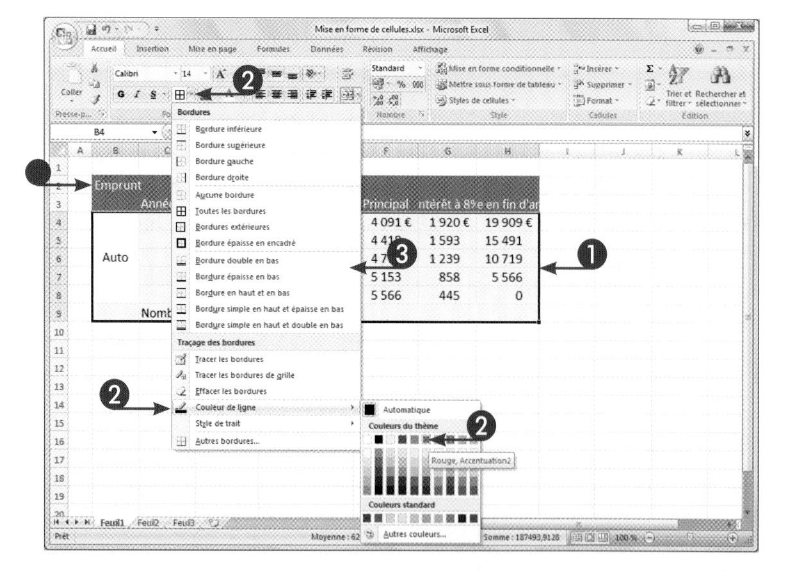

- Excel applique les couleurs sélectionnées aux cellules et au texte.

Ajoutez une bordure

1. Sélectionnez les cellules à mettre en forme.
2. Cliquez ici et sélectionnez une couleur de bordure.
3. Sélectionnez un style de bordure.

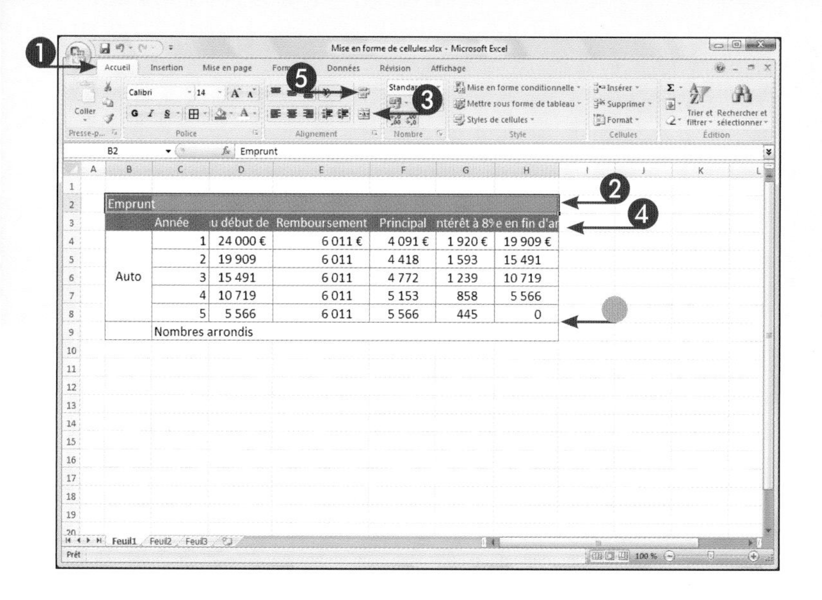

- Excel ajoute une bordure aux cellules.

Fusionnez et centrez

1. Cliquez l'onglet **Accueil**.
2. Sélectionnez les cellules à fusionner et centrer.
3. Cliquez le bouton **Fusionner et centrer**.

- Excel fusionne les cellules et centre le texte.

Renvoyez à la ligne

4. Sélectionnez les cellules dont le texte est à renvoyer à la ligne.
5. Cliquez le bouton **Renvoyer à la ligne automatiquement**.

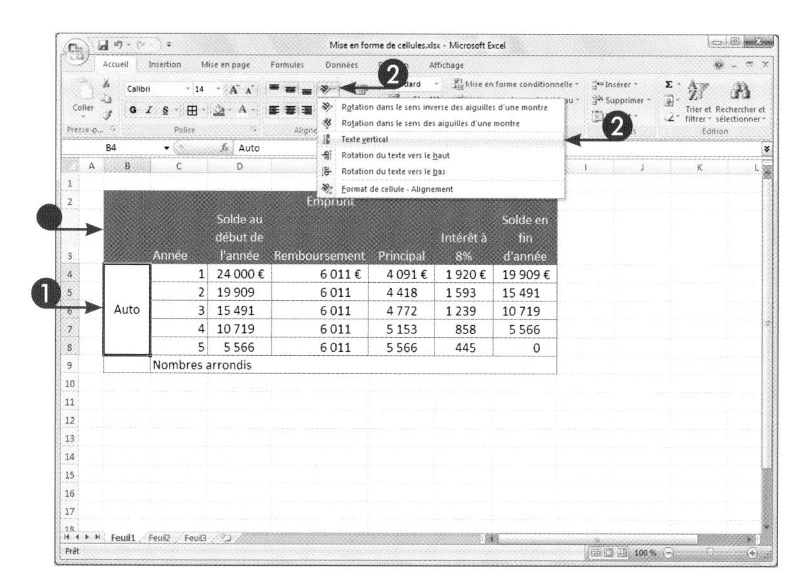

- Excel renvoie le texte à la ligne.

Changez l'orientation

1. Sélectionnez les cellules à orienter différemment.
2. Cliquez ici et sélectionnez une orientation.

Excel change l'orientation du texte.

Le saviez-vous ?

Plusieurs boutons permettent d'aligner horizontalement le texte d'une cellule. Utilisez les boutons **Aligner le texte à gauche** (≡), **Centrer** (≡) et **Aligner le texte à droite** (≡) pour placer le texte à gauche, au centre ou à droite de la cellule.

Le saviez-vous ?

Le texte peut être aligné verticalement. Utilisez les boutons **Aligner en haut** (≡), **Aligner au centre** (≡) et **Aligner en bas** (≡) pour aligner le texte en haut, au centre ou en bas de la cellule.

Remplissez une cellule AVEC UN DÉGRADÉ

Le remplissage d'une cellule peut être réalisé avec un dégradé de deux couleurs – une couleur se transformant graduellement en une autre.

Dans Excel, vous sélectionnez deux couleurs, puis un type de dégradé parmi les suivants : Horizontal, Vertical, Diagonal haut, Diagonal bas, Du coin, Du centre. Chacun des types, sauf Du centre, propose des variantes que vous pouvez visualiser avant de l'appliquer.

Le type de dégradé Horizontal présente des bandes de couleurs horizontales, le type Vertical affiche des bandes verticales et les deux types Diagonal affichent des bandes à 45 degrés. Les variantes permettent de choisir la couleur de départ du dégradé. Le dégradé Du coin affiche la première couleur dans un coin et réalise un dégradé vers la deuxième couleur dans les autres coins. Les variantes permettent de sélectionner le coin de départ.

Le dégradé Du centre affiche la première couleur au centre et réalise un dégradé vers l'extérieur.

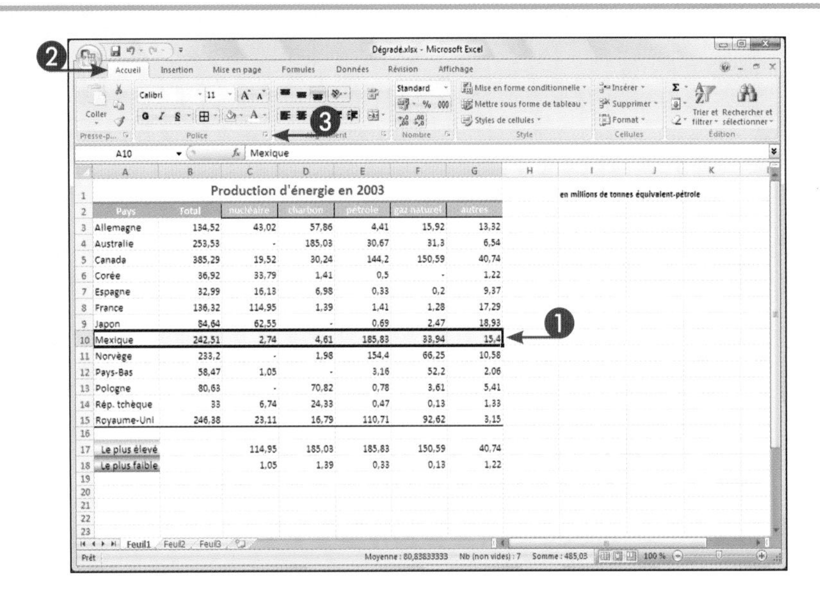

1 Sélectionnez les cellules à mettre en forme.

2 Cliquez l'onglet **Accueil**.

3 Cliquez le lanceur de boîte de dialogue Police.

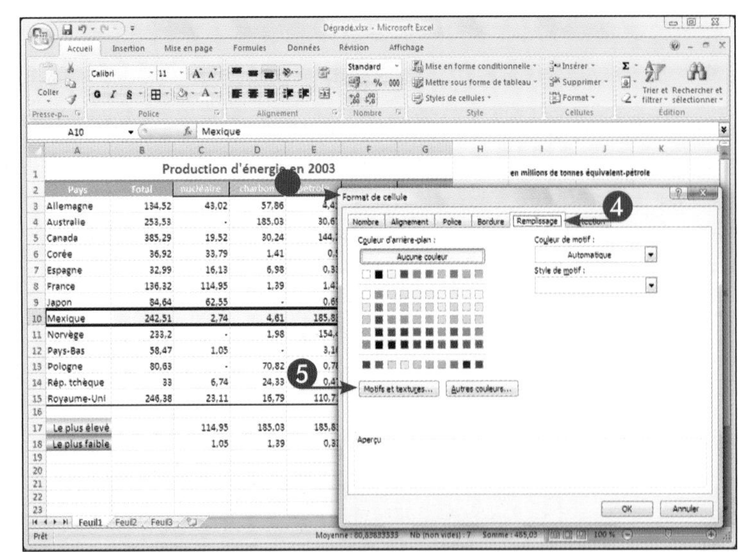

- La boîte de dialogue Format de cellule apparaît.

4 Cliquez l'onglet **Remplissage**.

5 Cliquez **Motifs et textures**.

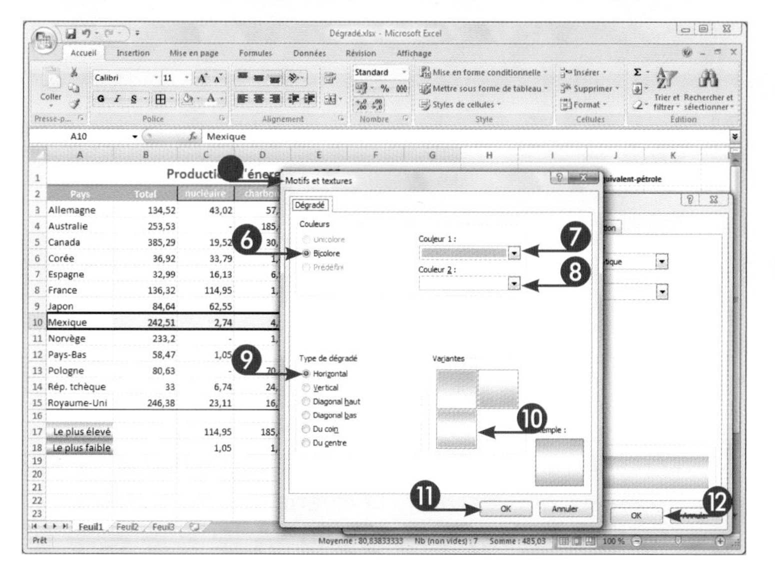

- La boîte de dialogue Motifs et textures apparaît.

6. Cliquez **Bicolore** (○ devient ◉).
7. Cliquez ici et sélectionnez la première couleur.
8. Cliquez ici et sélectionnez la deuxième couleur.
9. Sélectionnez un type de dégradé (○ devient ◉).
10. Sélectionnez une variante.
11. Cliquez **OK** pour fermer la boîte de dialogue **Motifs et textures**.
12. Cliquez **OK** pour fermer la boîte de dialogue **Format de cellule**.

70

NIVEAU DE DIFFICULTÉ

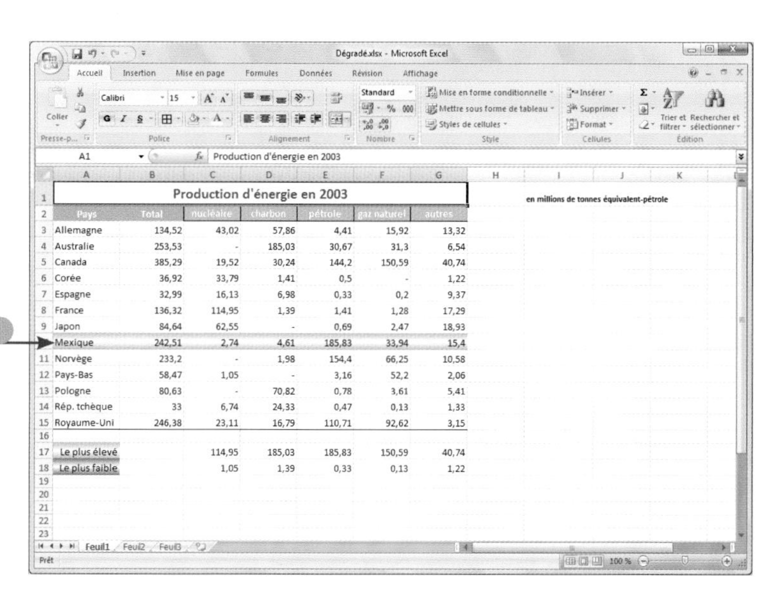

Pays	Total	nucléaire	charbon	pétrole	gaz naturel	autres
Allemagne	134,52	43,02	57,86	4,41	15,92	13,32
Australie	253,53	-	185,03	30,67	31,3	6,54
Canada	385,29	19,52	30,24	144,2	150,59	40,74
Corée	36,92	33,79	1,41	0,5	-	1,22
Espagne	32,99	16,13	6,98	0,33	0,2	9,37
France	136,32	114,95	1,39	1,41	1,28	17,29
Japon	84,64	62,55	-	0,69	2,47	18,93
Mexique	242,51	2,74	4,61	185,83	33,94	15,4
Norvège	233,2	-	1,98	154,4	66,25	10,58
Pays-Bas	58,47	1,05	-	3,16	52,2	2,06
Pologne	80,63	-	70,82	0,78	3,61	5,41
Rép. tchèque	33	6,74	24,33	0,47	0,13	1,33
Royaume-Uni	246,38	23,11	16,79	110,71	92,62	3,15
Le plus élevé		114,95	185,03	185,83	150,59	40,74
Le plus faible		1,05	1,39	0,33	0,13	1,22

- Excel applique le dégradé aux cellules sélectionnées.

Le saviez-vous ?

Vous pouvez supprimer la mise en forme d'une cellule. Sélectionnez les cellules, cliquez l'onglet **Accueil**, puis le bouton **Effacer** (◫) du groupe Édition. Cliquez **Effacer les formats** dans le menu qui apparaît.

Le saviez-vous ?

Un aspect professionnel peut être apporté par l'ajout d'un motif constitué de points ou de hachures. Utilisez l'onglet **Remplissage** de la boîte de dialogue Format de cellule pour créer un motif. Sélectionnez une couleur et un style de motif, puis cliquez **OK**. Excel applique le motif aux cellules.

Reproduisez

UNE MISE EN FORME

Excel peut vous faciliter la tâche si vous devez appliquer des mises en forme déjà présentes dans la feuille. Le moyen le plus simple de recopier un format dans une cellule ou une plage est d'utiliser l'outil de reproduction de la mise en forme. Servez-vous de cet outil pour une reproduction ponctuelle. Vous donnerez la préférence aux styles (consultez les tâches n°31 et 32) pour appliquer des mises en forme standardisées dans un classeur ou dans un ensemble de classeurs.

L'outil Reproduire la mise en forme se trouve dans le groupe Presse-papiers de l'onglet Accueil. Pour l'utiliser, cliquez dans la cellule présentant la mise en forme à copier, cliquez le « pinceau » – bouton Reproduire la mise en forme –, puis « peignez » la cellule ou la plage de destination. Plusieurs cellules peuvent être mises en forme en même temps et le résultat est instantané. Les formats de cellule et de nombre sont tous deux reproduits et vous pouvez annuler l'action en appuyant sur Ctrl+Z.

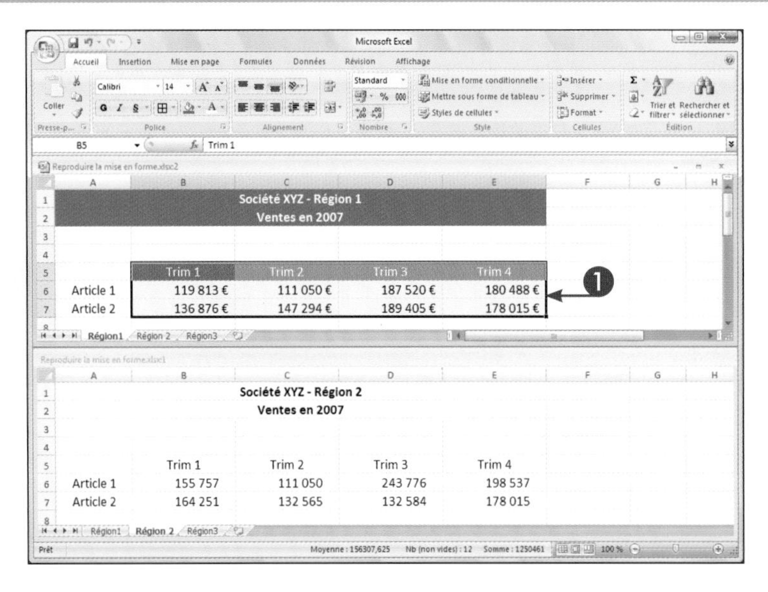

❶ Sélectionnez les cellules dont vous voulez copier la mise en forme.

Note. *Ouvrez une autre fenêtre pour avoir un accès simultané à des parties éloignées de la feuille. Voir la tâche n°96.*

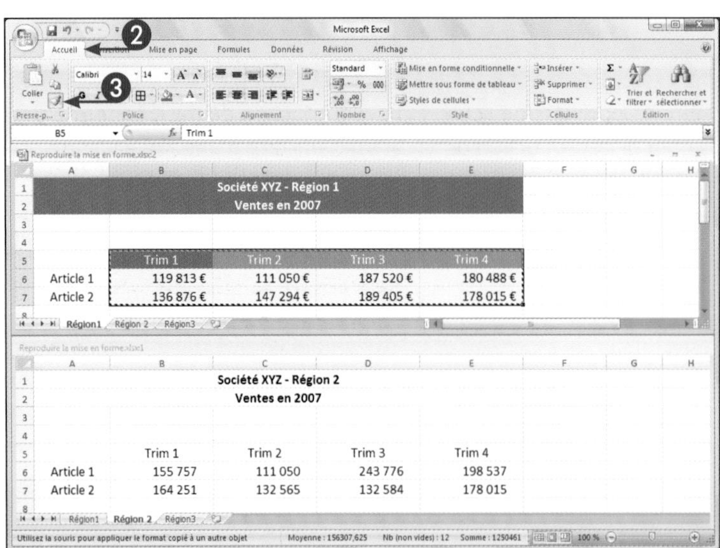

❷ Cliquez l'onglet **Accueil**.

❸ Cliquez le bouton **Reproduire la mise en forme** dans le groupe **Presse-papiers**.

Pour appliquer à plusieurs destinations différentes le format sélectionné à l'étape **1**, double-cliquez le bouton.

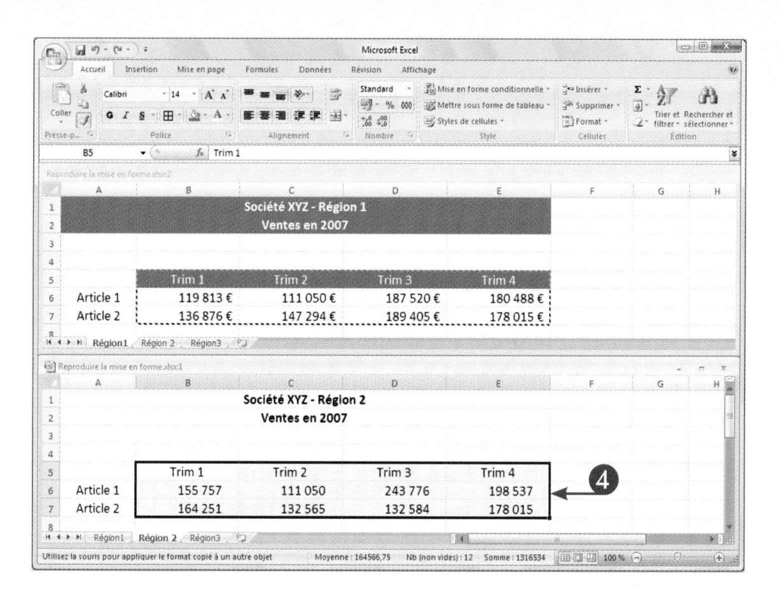

NIVEAU DE DIFFICULTÉ

4 Cliquez la cellule ou sélectionnez la plage à laquelle appliquer le format.

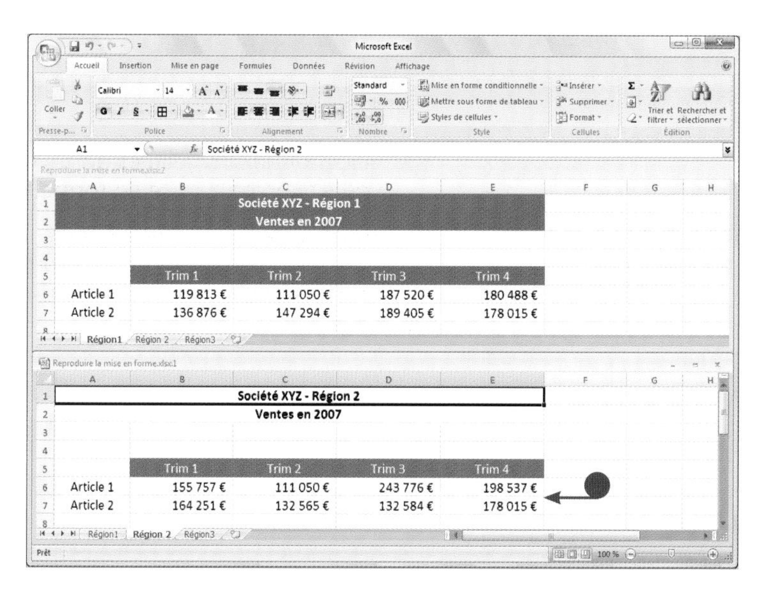

● La mise en forme est appliquée instantanément à la cellule ou à la plage.

Le saviez-vous ?

Un format ne peut être recopié qu'une seule fois par un clic sur l'outil de reproduction de mise en forme. Pour l'utiliser plusieurs fois dans des cellules non adjacentes, double-cliquez l'outil à l'étape **2**.

Le saviez-vous ?

La reproduction de mise en forme peut aussi transférer d'une image à une autre les propriétés comme la couleur d'arrière-plan, l'ombrage, la rotation, *etc.* Cliquez le graphisme mis en forme, puis le bouton **Reproduire la mise en forme**, et cliquez le graphisme à mettre en forme.

Insérez

DES FORMES

Les formes servent à de nombreuses fins. Une flèche peut relier des données et un organigramme peut en présenter la structure. Excel propose de nombreuses formes prédéfinies : lignes, rectangles, flèches, éléments d'organigramme, étoiles, bannières, *etc.*

Vous pouvez faire pivoter une forme, la déplacer, la redimensionner et la modifier. Vous pouvez lui appliquer un des nombreux styles prédéfinis. Excel affiche un aperçu dynamique de l'aspect de la forme pendant le survol d'un style avec le pointeur.

Vous pouvez également ajouter un texte à une forme. Ce texte peut être mis en forme : police, taille, couleur et alignement sont modifiables à l'aide des commandes de l'onglet Accueil.

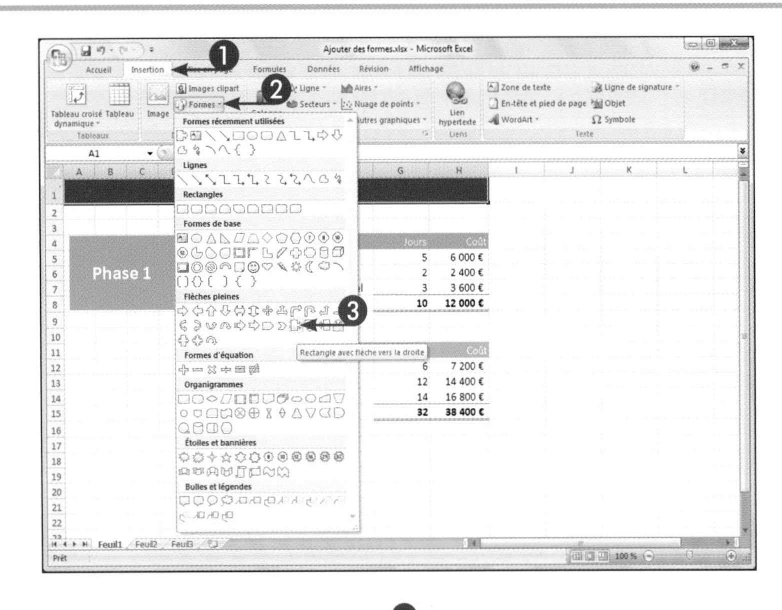

❶ Cliquez l'onglet **Insertion**.

❷ Cliquez **Formes** dans le groupe **Illustrations**.

Une galerie de formes apparaît.

❸ Sélectionnez une forme.

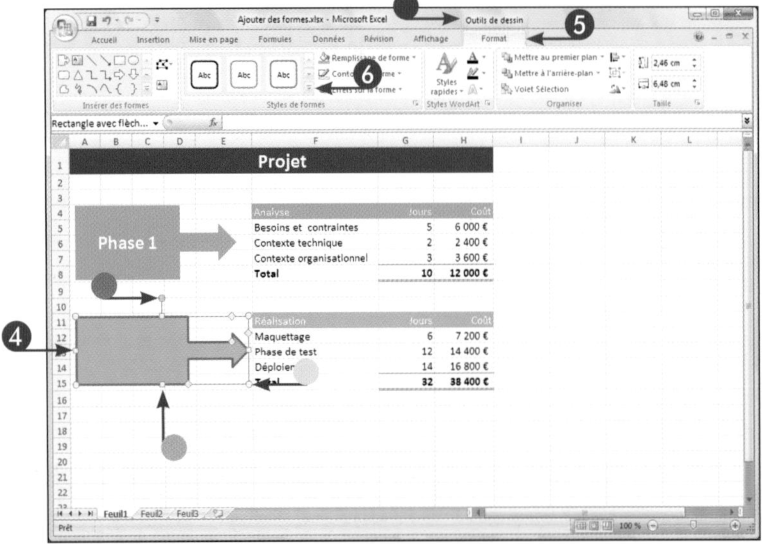

❹ Avec le pointeur, dessinez la dimension de la forme.

● Les outils de dessin deviennent disponibles.

● Cliquez et faites glisser cette poignée pour faire pivoter la forme.

● Cliquez et faites glisser cette poignée pour modifier la hauteur de la forme.

● Cliquez et faites glisser cette poignée pour modifier la largeur de la forme.

❺ Cliquez l'onglet **Format**.

❻ Cliquez ici et sélectionnez un style.

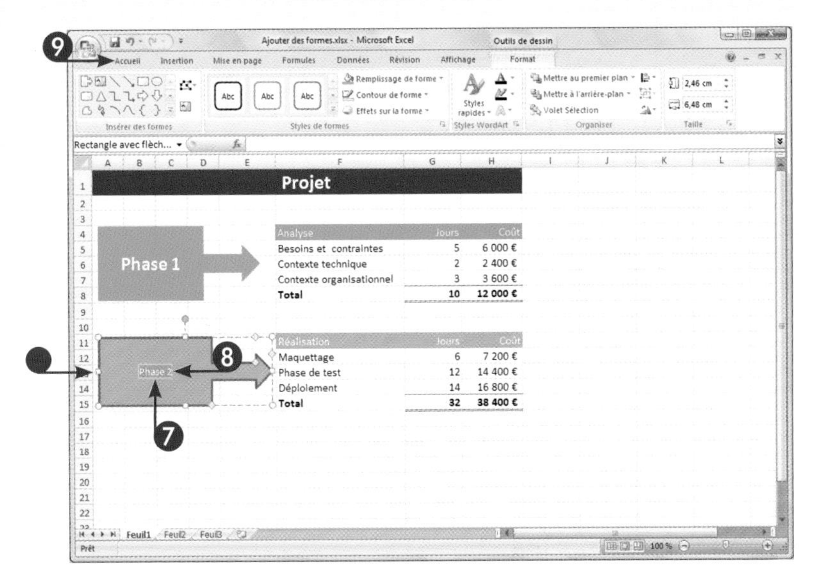

- Excel applique le style à la forme.
- 7 Sélectionnez la forme et tapez un texte.
- 8 Cliquez et faites glisser le curseur sur le texte pour le sélectionner.
- 9 Cliquez l'onglet **Accueil**.

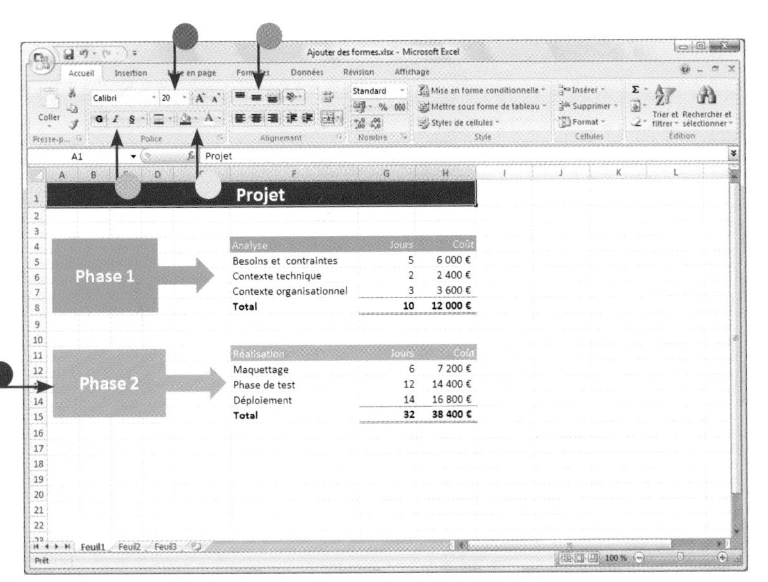

- Sélectionnez une taille.
- Sélectionnez l'alignement.
- Cliquez un format.
- Sélectionnez une couleur.
- Excel applique les options choisies.

Le saviez-vous ?

Les formes peuvent être copiées et collées. Sélectionnez la forme, cliquez l'onglet **Accueil**, puis le bouton **Copier** (), et **Coller**. Cliquez **Collage spécial** dans le menu ouvert. Dans la boîte de dialogue Collage spécial, cliquez **Objet Dessin Microsoft Office** sous *En tant que*, puis **OK**. Une copie de la forme est placée sur la feuille.

Le saviez-vous ?

Les boutons facilitent la mise en forme de texte.

Options de mise en forme

Bouton	*Rôle*	*Bouton*	*Rôle*
G	Mettre en gras	I	Mettre en italique
S	Souligner		Modifier l'orientation
	Diminuer le retrait		Augmenter le retrait
Calibri	Modifier la police		

Ajoutez une ZONE DE TEXTE

Les zones de texte sont des objets graphiques qui permettent de créer un logo ou d'ajouter du texte à une image ou à une feuille. Une zone de texte peut porter une ombre, afficher une réflexion et des biseaux, pivoter dans les trois dimensions. Chaque option comporte plusieurs sous-options et plusieurs effets peuvent être appliqués à une zone de texte.

Vous pouvez utiliser un style prédéfini ou en créer un personnalisé. Lorsque le pointeur survole un style, Excel présente un aperçu du style appliqué au texte.

Utilisez les boutons Remplissage de forme et Contour de forme pour sélectionner les couleurs de remplissage de la zone de texte et de ses bordures.

Une zone de texte est un objet qui peut être déplacé, redimensionné et tourné. La mise en forme, l'alignement et la taille de police sont modifiables de la même façon qu'un texte ajouté à une forme (consultez la tâche n° 72).

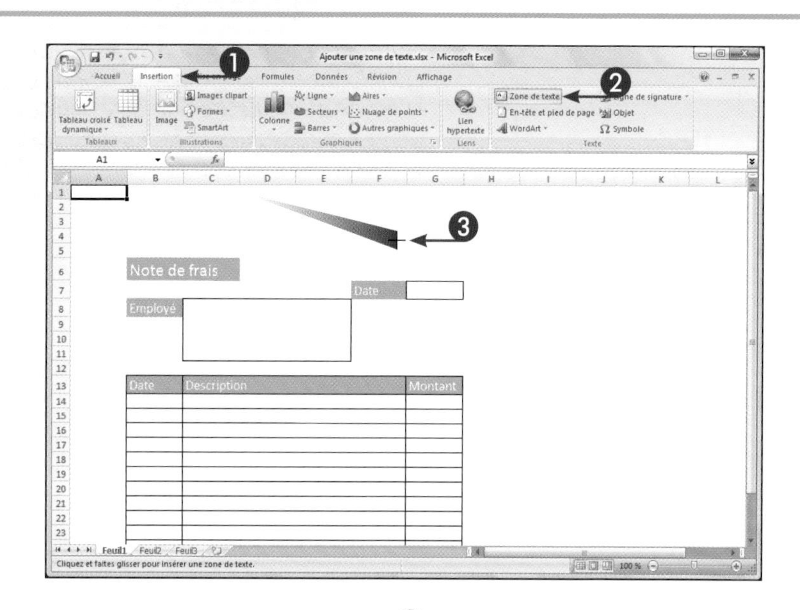

❶ Cliquez l'onglet **Insertion**.

❷ Cliquez **Zone de texte** dans le groupe **Texte**.

❸ Faites glisser le pointeur pour créer la zone de texte.

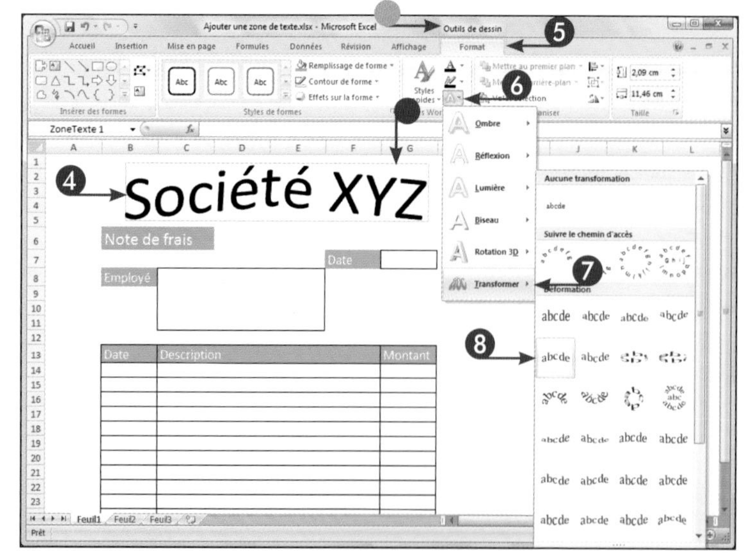

● La zone de texte apparaît.

● Les outils de dessin deviennent disponibles.

❹ Tapez le texte.

❺ Cliquez l'onglet **Format**.

❻ Cliquez **Effets sur la forme** dans le groupe **Styles de formes**.

Un menu apparaît.

❼ Cliquez une option pour ouvrir la galerie d'effets de cette option.

❽ Sélectionnez l'effet à appliquer.

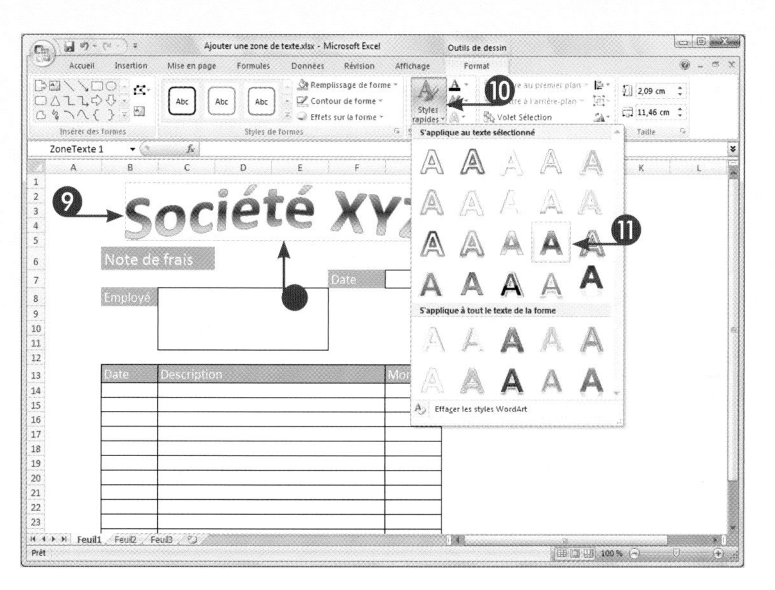

- Excel applique l'effet.

9 Cliquez et faites glisser le curseur pour sélectionner le texte.

Vous pouvez aussi appuyer sur **Ctrl+Orig**.

10 Cliquez **Styles rapides**.

Une galerie apparaît.

11 Sélectionnez un style.

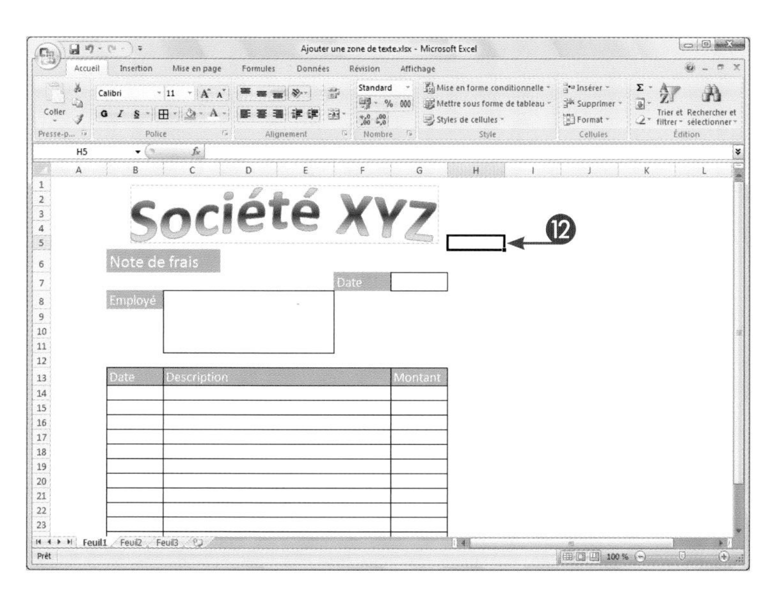

12 Cliquez à l'extérieur de la zone de texte.

Excel applique les formats.

Note. *Pour déplacer une zone de texte, sélectionnez-la et, lorsque le pointeur prend la forme d'une flèche à quatre pointes, cliquez et faites glisser la zone de texte vers un nouvel emplacement.*

Le saviez-vous ?

Un texte peut être disposé en colonnes. Cliquez le lanceur de boîte de dialogue du groupe Styles de forme pour ouvrir la boîte de dialogue Format de la forme. Cliquez **Zone de texte**, puis le bouton **Colonnes**. La boîte de dialogue Colonnes apparaît. Saisissez le nombre de colonnes et, dans la zone Espacement, la distance séparant les colonnes.

Le saviez-vous ?

Vous pouvez utiliser WordArt pour créer un texte décoratif. Cliquez l'onglet **Insertion**. Cliquez **WordArt** pour ouvrir une galerie de styles. Sélectionnez un style. Le texte *Votre texte ici* est affiché dans une zone de texte. Saisissez votre texte. Un objet WordArt peut être modifié comme une zone de texte.

Ajoutez UNE PHOTO

Une photo ajoutée à une feuille illustre le sujet et accentue le message. Pour ajouter une photo, il suffit de la localiser et de l'insérer. De nombreuses options permettent de modifier l'image.

Utilisez les styles d'images pour modifier les angles, et ajouter des bordures ou des ombres. Lorsque le pointeur survole un style, Excel donne un aperçu du style appliqué à l'image. La couleur de la bordure peut être modifiée et la luminosité et le contraste peuvent être ajustés. Vous pouvez même rogner l'image pour en supprimer les parties inutiles.

La manipulation d'une image est la même que celle d'un autre objet graphique. Vous pouvez la déplacer, la tourner et la redimensionner. Faites glisser une poignée de coin pour la redimensionner sans distorsion. Faites glisser une poignée de côté pour l'élargir et la poignée du haut ou du bas pour l'étirer verticalement.

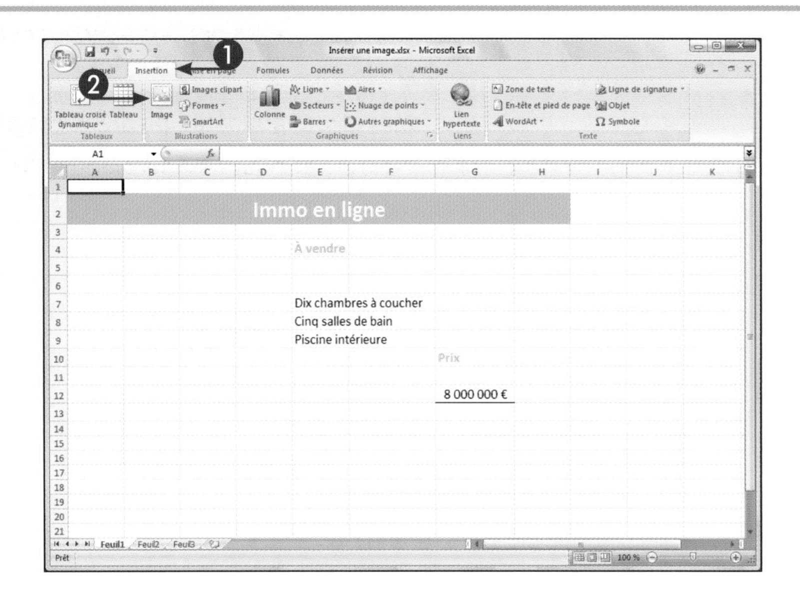

❶ Cliquez l'onglet **Insertion**.

❷ Cliquez **Image** dans le groupe **Illustrations**.

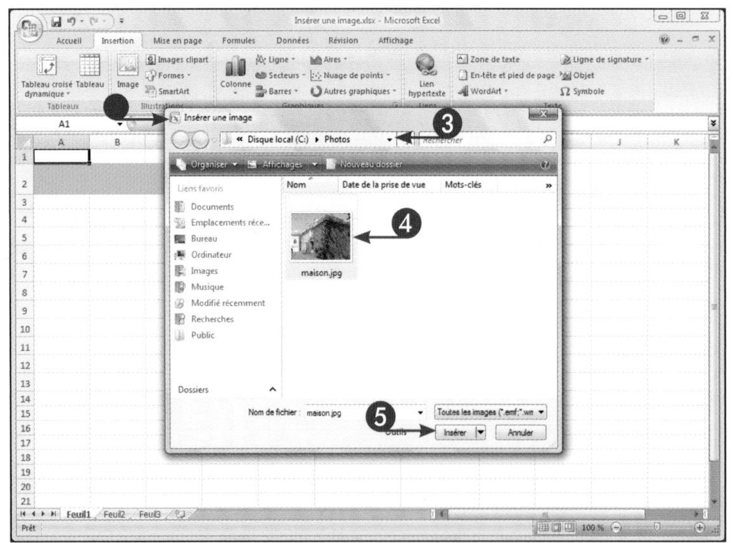

- La boîte de dialogue Insérer une image apparaît.

❸ Cliquez ici et sélectionnez le dossier contenant l'image.

❹ Cliquez l'image à insérer.

❺ Cliquez **Insérer**.

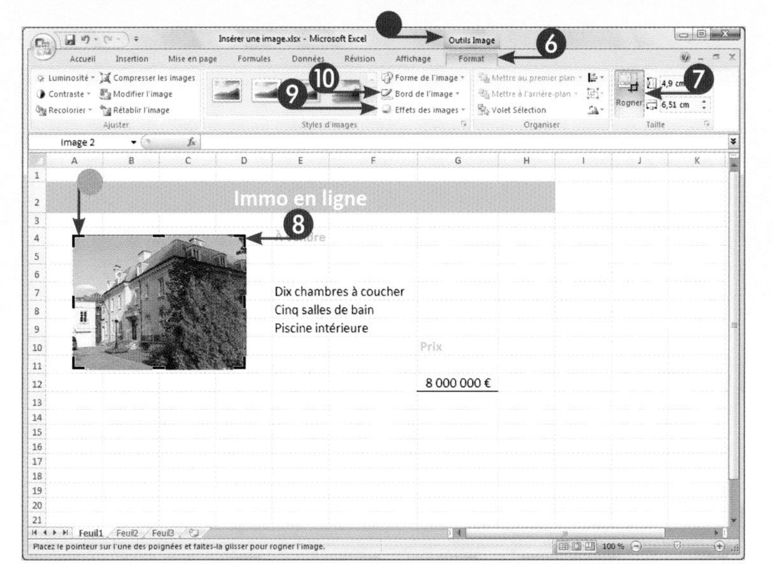

L'image est placée sur la feuille.

- Les outils de dessin deviennent disponibles.
- ❻ Cliquez l'onglet **Format**.
- ❼ Cliquez **Rogner**.
- Des marques noires apparaissent autour de l'image.
- ❽ Faites glisser les marques pour rogner l'image.
- ❾ Cliquez ici et sélectionnez un style d'image.
- ❿ Cliquez ici et sélectionnez une couleur de bordure.

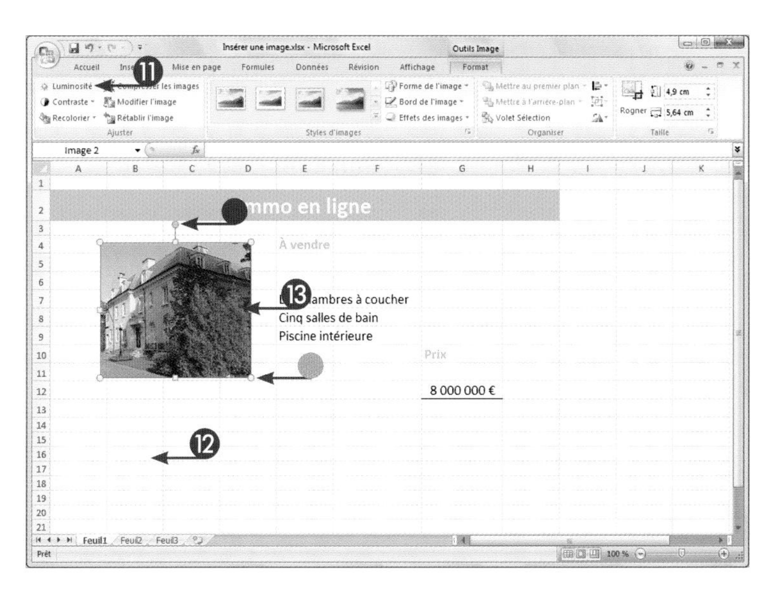

- ⓫ Cliquez ici et ajustez la luminosité.
- ⓬ Cliquez à l'extérieur de l'image.

  Excel applique les options sélectionnées.
- ⓭ Cliquez l'image.
- Faites glisser pour faire pivoter l'image.
- Faites glisser pour redimensionner l'image.

  Excel ajuste l'image.

Le saviez-vous ?

Vous pouvez intégrer un clipart à une feuille. Cliquez l'onglet **Insertion**, puis **Images clipart**. Le volet Images clipart apparaît. Tapez dans la zone de texte *Rechercher* la catégorie recherchée, puis cliquez **OK**. Excel trouve toutes les images appartenant à cette catégorie et les affiche. Double-cliquez une image pour l'insérer dans la feuille.

Le saviez-vous ?

Excel peut colorer vos photos. Sélectionnez la photo, cliquez l'onglet **Format**, puis **Recolorier** dans l'onglet Ajuster. Parmi les choix proposés, vous pouvez choisir une transformation en noir et blanc ou en sépia.

Arrangez

LES GRAPHISMES

Lorsque vous placez une forme, une zone de texte, une photo, un clipart ou un autre objet graphique, Excel l'empile. Si des objets se chevauchent, celui de plus haut niveau (le plus récent) masque celui de plus bas niveau. Ainsi, le texte que vous voulez placer sur une forme peut être caché en dessous. L'ordre d'empilement peut être modifié. Le volet Sélection et visibilité permet de déterminer exactement l'ordre d'affichage des objets graphiques.

Excel attribue un nom à chaque objet créé ou inséré dans une feuille. Les noms sont affichés dans le volet Sélection et visibilité et vous pouvez remplacer ces noms par un nom plus significatif. Excel fournit des outils pour disposer les objets graphiques. Vous pouvez sélectionner un objet, puis l'aligner ou le faire pivoter.

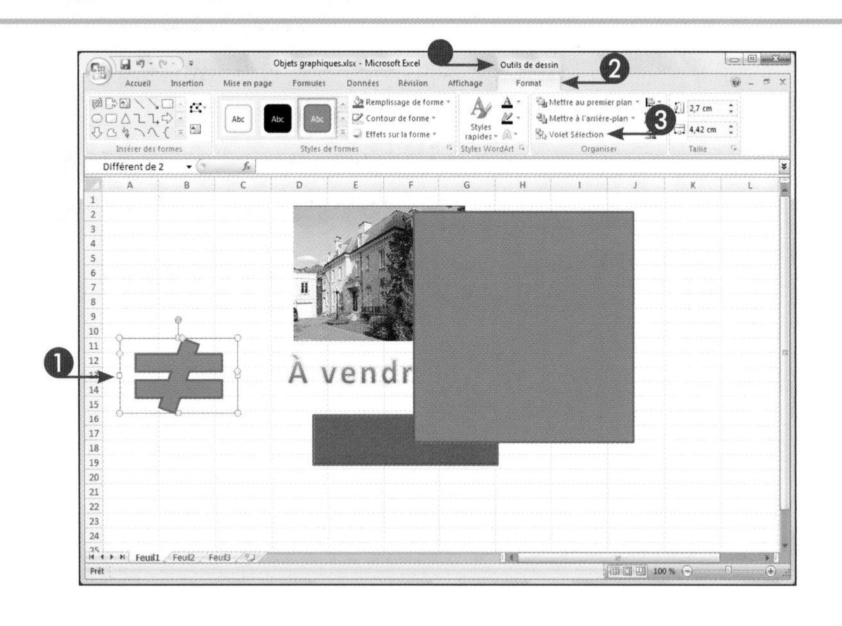

1. Sélectionnez un objet graphique.
- Les outils de dessin deviennent disponibles.
2. Cliquez l'onglet **Format**.
3. Cliquez **Volet Sélection**.

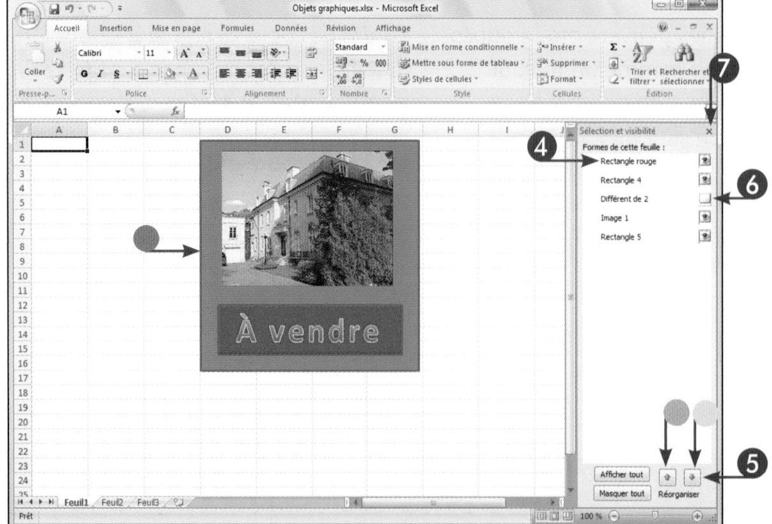

- Le volet Sélection et visibilité apparaît.
4. Double-cliquez le nom d'un objet et tapez un nouveau nom.
5. Cliquez ici pour modifier l'ordre de l'objet sélectionné.
- Cliquez pour augmenter la priorité de l'objet.
- Cliquez pour diminuer la priorité de l'objet.
6. Cliquez pour masquer l'objet.
7. Cliquez ici pour fermer le volet.

Excel dessine les objets selon l'ordre déterminé dans le volet Sélection et visibilité.

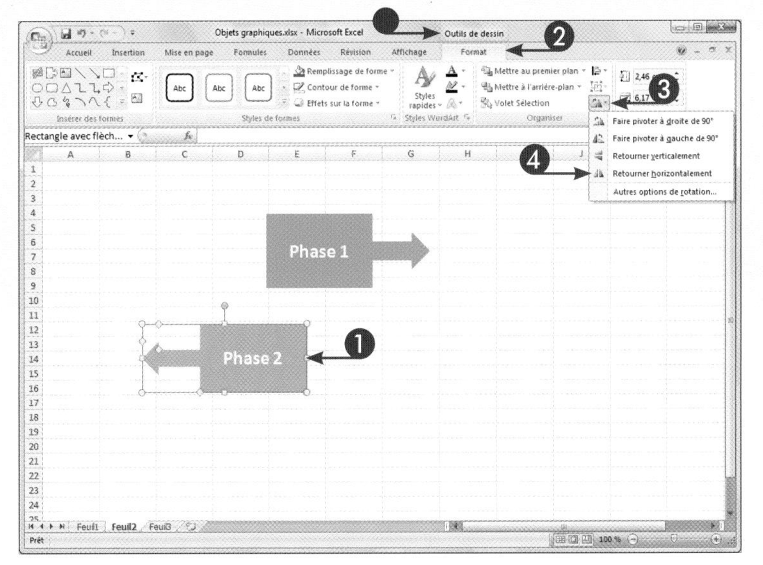

NIVEAU DE DIFFICULTÉ

Alignez et faites pivoter un objet

1. Sélectionnez un objet graphique.

- Les outils de dessin deviennent disponibles.

2. Cliquez l'onglet **Format**.
3. Cliquez le bouton **Rotation** dans le groupe **Organiser**.

   Un menu apparaît.

4. Cliquez une option de rotation.

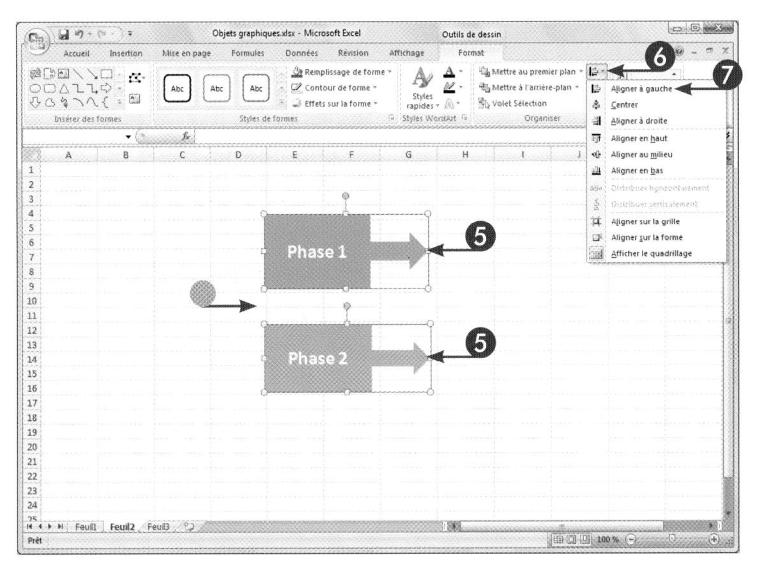

Excel fait pivoter l'objet.

5. Maintenez enfoncée la touche **Maj** et sélectionnez les objets à aligner.
6. Cliquez le bouton **Aligner**.

   Un menu apparaît.

7. Cliquez une option d'alignement.

- Excel aligne les objets sélectionnés.

Le saviez-vous ?

Des objets graphiques peuvent être groupés afin de les manipuler comme un tout. Si vous déplacez un objet du groupe, tous les objets du groupe sont déplacés. Pour grouper des objets, sélectionnez-les en maintenant enfoncée la touche **Maj**. Cliquez l'onglet **Format**, le bouton **Grouper** (), puis **Grouper**.

Le saviez-vous ?

L'ordre des objets graphiques peut être modifié avec les commandes **Mettre au premier-plan** et **Mettre à l'arrière-plan** du groupe **Organiser** de l'onglet **Format**. Mettre à l'arrière-plan place l'objet au bas de la pile et Reculer le fait descendre d'un niveau. Mettre au premier-plan place l'objet au sommet de la pile et Avancer le fait monter d'un niveau.

Ajoutez une image
EN ARRIÈRE-PLAN

Une image ajoutée en arrière-plan d'une feuille peut attirer l'attention et atténuer l'aspect rébarbatif de colonnes de chiffres. Un arrière-plan donne un ton et le logo d'une société apporte un aspect officiel. Il peut donner un effet spectaculaire ou décoratif lié au contenu de la feuille.

Un arrière-plan affiche une couleur ou une image sous la feuille et couvre la feuille en entier. Si nécessaire, Excel le reproduit en plusieurs exemplaires côte à côte. Vous pouvez utiliser des images de format standard, tels JPG, BMP, PNG ou GIF.

L'image d'arrière-plan n'apparaît qu'à l'écran. Si vous imprimez la feuille ou la publiez sur le Web, l'image n'est pas imprimée et n'est pas affichée sur la page Web.

Si une feuille fait partie d'une présentation, vous pouvez l'afficher en mode Plein écran.

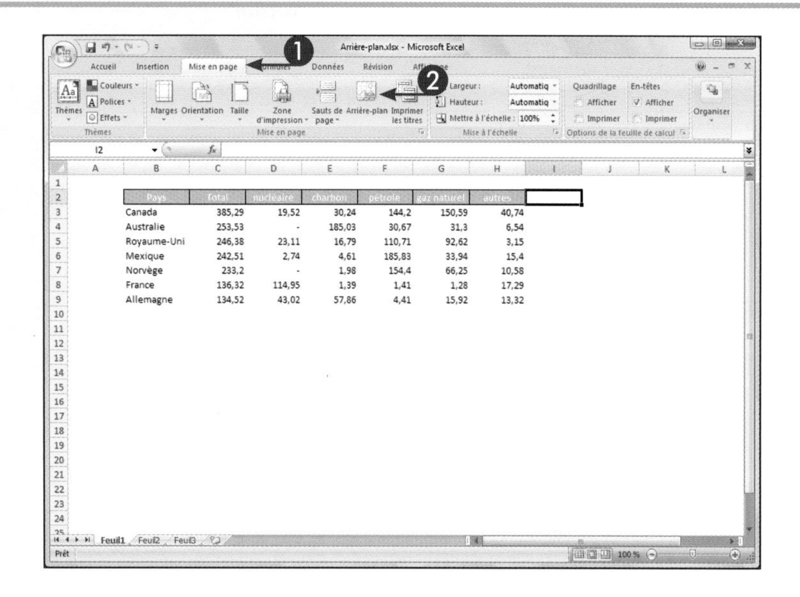

❶ Cliquez l'onglet **Mise en page**.

❷ Cliquez **Arrière-plan**.

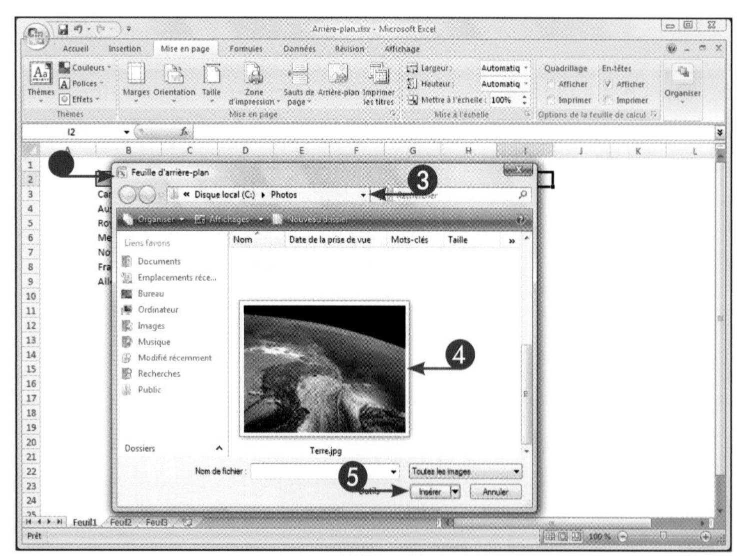

- La boîte de dialogue Feuille d'arrière-plan apparaît.

❸ Cliquez ici et sélectionnez le dossier.

❹ Cliquez l'image.

❺ Cliquez **Insérer**.

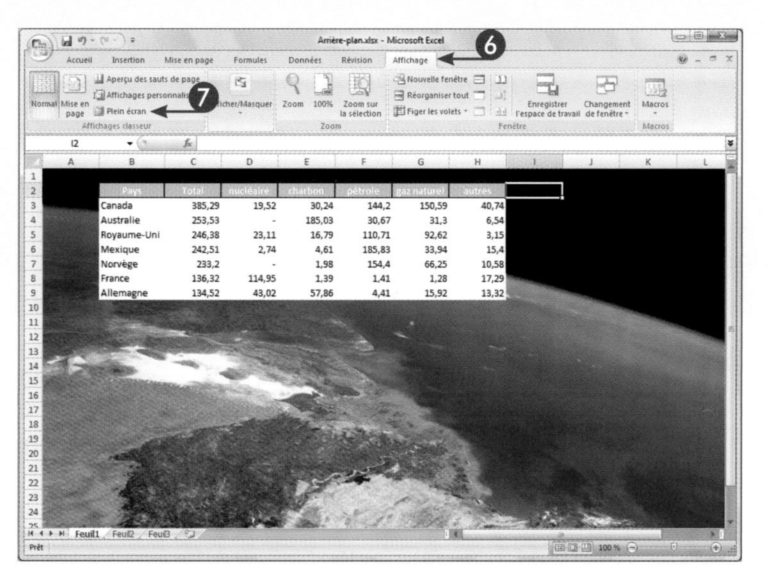

Pays	Total	nucléaire	charbon	pétrole	gaz naturel	autres
Canada	385,29	19,52	30,24	144,2	150,59	40,74
Australie	253,53	-	185,03	30,67	31,3	6,54
Royaume-Uni	246,38	23,11	16,79	110,71	92,62	3,15
Mexique	242,51	2,74	4,61	185,83	33,94	15,4
Norvège	233,2	-	1,98	154,4	66,25	10,58
France	136,32	114,95	1,39	1,41	1,28	17,29
Allemagne	134,52	43,02	57,86	4,41	15,92	13,32

L'image apparaît dans la feuille.

Note. *Cliquez* ***Supprimer l'arrière-plan*** *dans le groupe* ***Mise en page*** *pour supprimer l'arrière-plan existant.*

6. Cliquez l'onglet **Affichage**.
7. Cliquez **Plein écran** dans le groupe **Affichages classeur**.

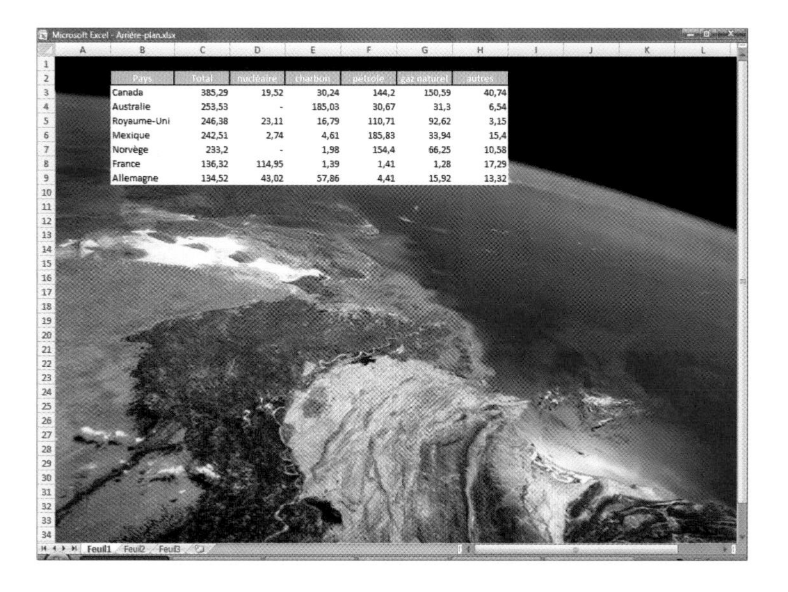

Pays	Total	nucléaire	charbon	pétrole	gaz naturel	autres
Canada	385,29	19,52	30,24	144,2	150,59	40,74
Australie	253,53	-	185,03	30,67	31,3	6,54
Royaume-Uni	246,38	23,11	16,79	110,71	92,62	3,15
Mexique	242,51	2,74	4,61	185,83	33,94	15,4
Norvège	233,2	-	1,98	154,4	66,25	10,58
France	136,32	114,95	1,39	1,41	1,28	17,29
Allemagne	134,52	43,02	57,86	4,41	15,92	13,32

La feuille occupe tout l'écran.

Note. *Appuyez sur* ***Echap*** *pour revenir en mode Normal.*

Le saviez-vous ?

Vous pouvez masquer la barre de formule, le quadrillage ou les titres des lignes et des colonnes. Cliquez l'onglet **Affichage**, puis **Afficher/Masquer**, et décochez les éléments à masquer (☑ devient ☐).

Le saviez-vous ?

D'autres objets Excel peuvent recevoir un arrière-plan. Pour ajouter un arrière-plan à un graphique, cliquez-le du bouton droit près de sa bordure. Cliquez **Format de la zone de graphique** dans le menu contextuel. Cliquez **Remplissage** dans la boîte de dialogue, puis **Remplissage avec image ou texture** pour ajouter une texture ou importer une image.

PHOTOGRAPHIEZ
une feuille de calcul

L'outil Copier en tant qu'image permet de prendre un instantané d'une plage. Cet outil transforme ce qui est copié en objet graphique manipulable comme tout autre graphisme. Vous pouvez appliquer des styles ou des effets et ajouter des formes et des bordures. L'intensité et le contraste sont ajustables et la couleur modifiable. L'image peut être copiée dans le Presse-papiers et collée dans un programme Office, tel Word, ou dans un programme n'appartenant pas à cette suite, tel Photoshop.

Copier en tant qu'image est aussi facile que copier et coller. Ce type de copie ne conserve pas l'information sous-jacente comme les formules, mais il crée une image graphique que vous pouvez modifier. Il est possible de déplacer ou redimensionner l'image, mais vous ne pouvez pas éditer les valeurs présentes dans l'image.

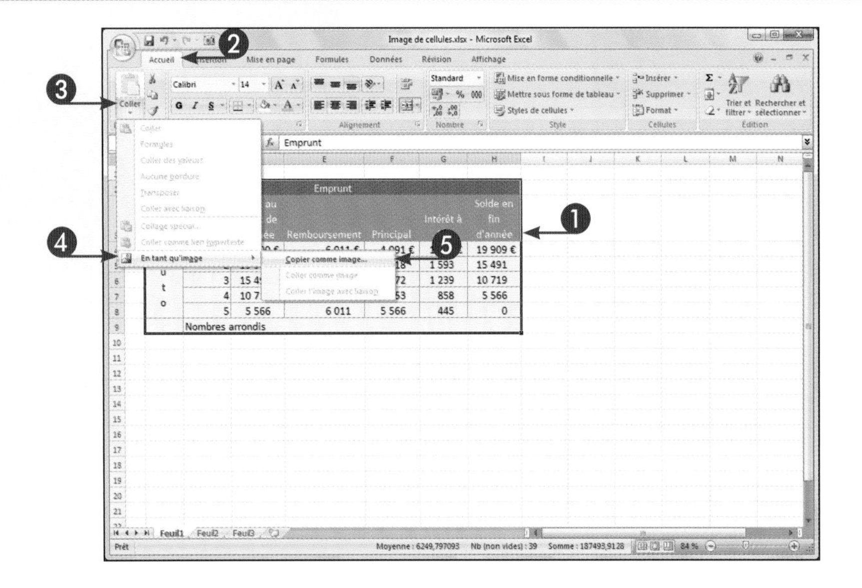

1. Sélectionnez les cellules.

   Note. *Si la plage ne contient aucune ligne ou colonne vide, vous pouvez ne sélectionner qu'une des cellules de la plage.*

2. Cliquez l'onglet **Accueil**.
3. Cliquez **Coller**.

   Un menu apparaît

4. Cliquez **En tant qu'image**.
5. Cliquez **Copier comme image**.

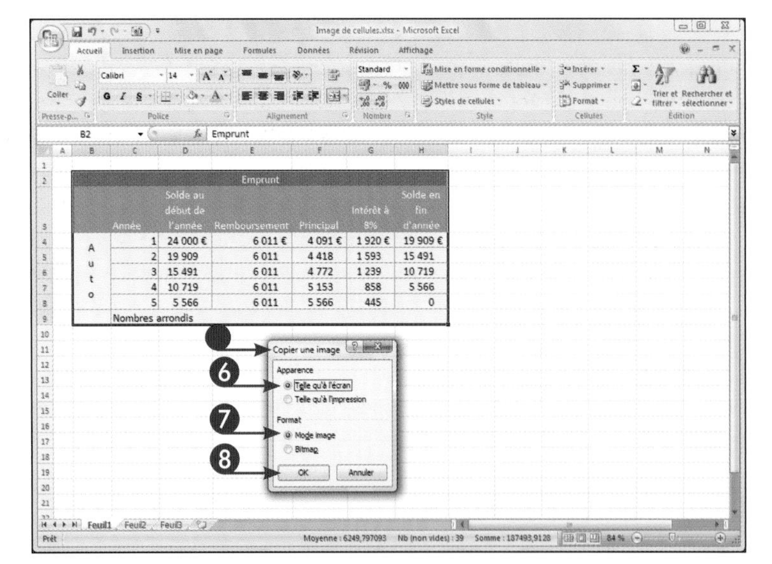

- La boîte de dialogue Copier une image apparaît.

6. Cliquez **Telle qu'à l'écran** (○ devient ◉).
7. Cliquez **Mode image** (○ devient ◉).
8. Cliquez **OK**.

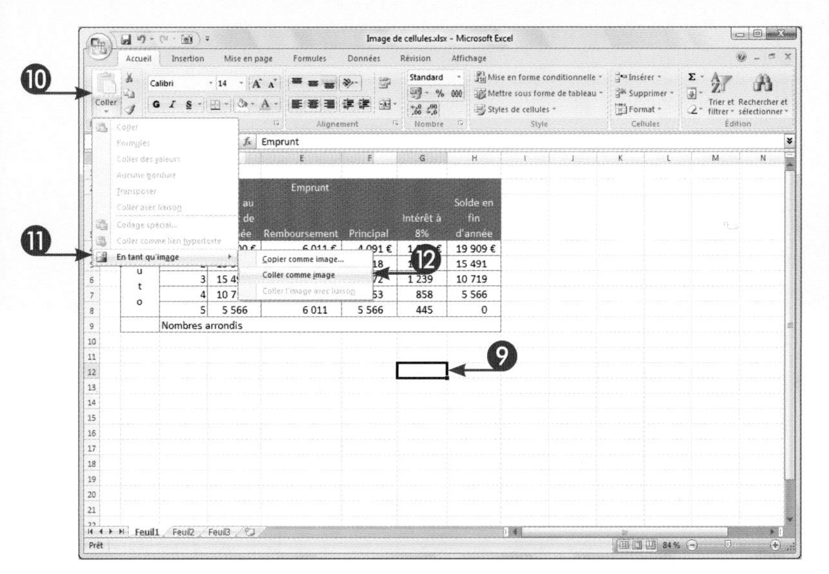

9. Cliquez l'emplacement de destination de l'image.
10. Cliquez le bouton **Coller**.

    Un menu apparaît
11. Cliquez **En tant qu'image**.
12. Cliquez **Coller comme image**.

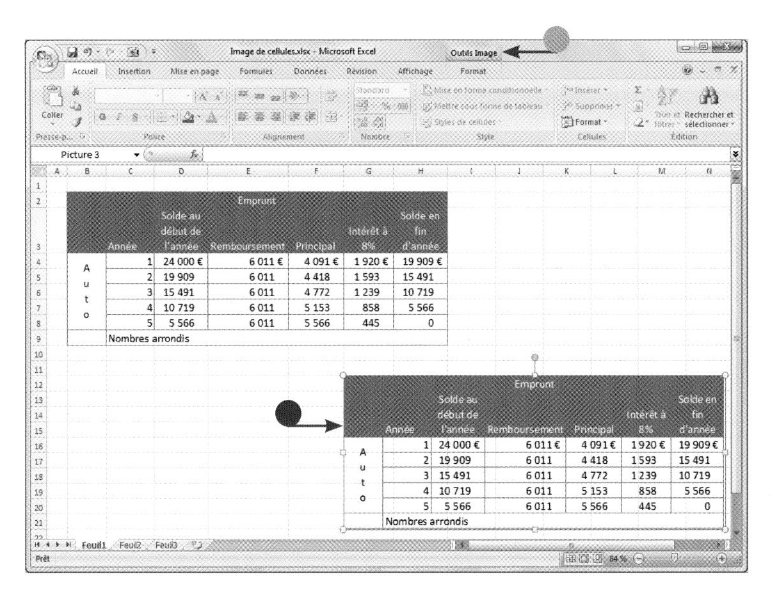

- Excel colle une image des cellules.
- Les outils Image deviennent disponibles.

Le saviez-vous ?

Vous pouvez aussi ajouter le bouton Photo () à la barre d'outils Accès rapide pour photographier une plage. Sélectionnez les cellules, cliquez le bouton, puis cliquez l'emplacement de la photo. L'image obtenue est alors liée aux données d'origine. Vous ne pouvez pas utiliser les outils Image, mais toute modification aux cellules source apparaît automatiquement dans la photo. Consultez la tâche n°95 pour ajouter un bouton à la barre d'outils Accès rapide.

Le saviez-vous ?

Vous pouvez copier des cellules en tant qu'image dans d'autres programmes pour les utiliser dans une présentation ou un rapport, mais aucun lien n'existe avec les données Excel. Pour refléter dans Word les modifications aux données Excel, sélectionnez les cellules et collez-les avec liaison dans Word.

Chapitre

8

Protégez, enregistrez et imprimez vos données

Vous avez saisi, mis en forme, analysé et mis en graphique vos données, et vous souhaitez maintenant les partager. Le partage peut se faire en enregistrant le classeur et en distribuant le fichier ou une copie papier. Les astuces de ce chapitre facilitent la transmission de votre travail.

Un classeur peut être protégé pour empêcher les modifications par un tiers tout en permettant l'affichage du contenu. Vous pouvez aussi enregistrer un classeur comme modèle pour éviter de devoir recréer à maintes reprises la même feuille dédiée à une tâche. Un document peut être enregistré dans plusieurs formats et ce chapitre en présente quelques-uns ainsi que leurs avantages.

Les astuces d'impression portent sur l'impression de plusieurs feuilles et de plusieurs classeurs. Vous verrez comment sélectionner et imprimer des plages discontinues et comment répéter les en-têtes de lignes et de colonnes sur plusieurs pages. Familiarisez-vous avec les nombreuses possibilités offertes par les deux principaux outils d'impression : la boîte de dialogue Mise en page et l'aperçu avant impression.

Le chapitre 9 développe le thème de la communication des données en présentant l'échange de données entre Excel et d'autres applications.

Top 100

PROTÉGEZ
un classeur

Vous pouvez protéger un classeur partagé pour empêcher qu'on y apporte des modifications tout en permettant cependant l'affichage et l'impression. La protection peut aussi servir à verrouiller des zones d'un classeur non partagé afin d'éviter d'y apporter des modifications non intentionnelles.

Grâce au verrouillage, certaines modifications seront autorisées, et d'autres interdites. Par exemple, vous pouvez permettre ou refuser la modification des formats, l'insertion ou la suppression de lignes, de colonnes ou de liens hypertextes, le tri, le filtrage, la création de tableaux croisés ou la modification d'objets ou de scénarios.

Par défaut, le verrouillage d'un classeur implique celui de toutes les cellules tout en permettant à l'utilisateur de visualiser les formules. Vous pouvez déverrouiller des cellules et masquer les formules.

Saisissez un mot de passe dans la boîte de dialogue Protéger la feuille pour activer la protection du classeur. Conservez la liste de vos mots de passe dans un endroit sûr car un mot de passe perdu ou oublié ne peut être récupéré et vous n'aurez donc plus accès aux zones verrouillées de la feuille.

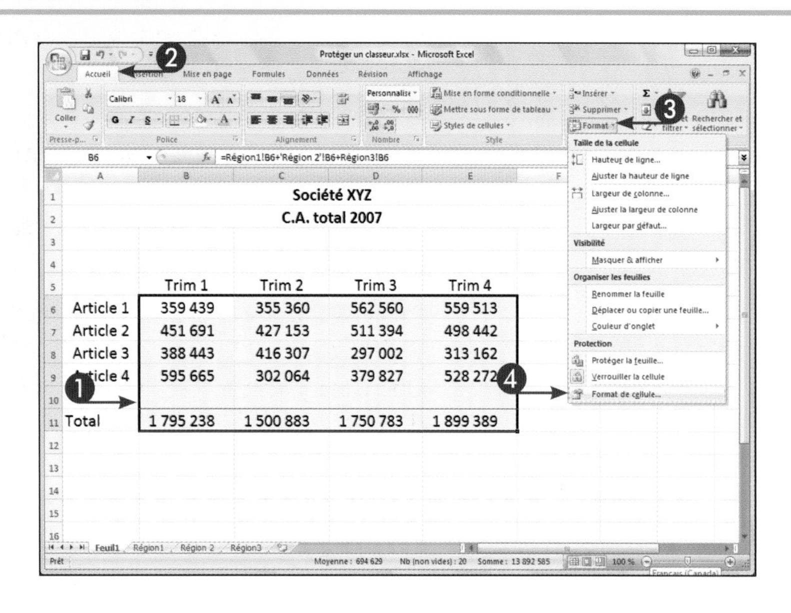

1. Sélectionnez les cellules à déverrouiller ou contenant les formules à masquer.
2. Cliquez l'onglet **Accueil**.
3. Cliquez **Format** dans le groupe **Cellules**.

   Un menu apparaît.
4. Cliquez **Format de cellule**.

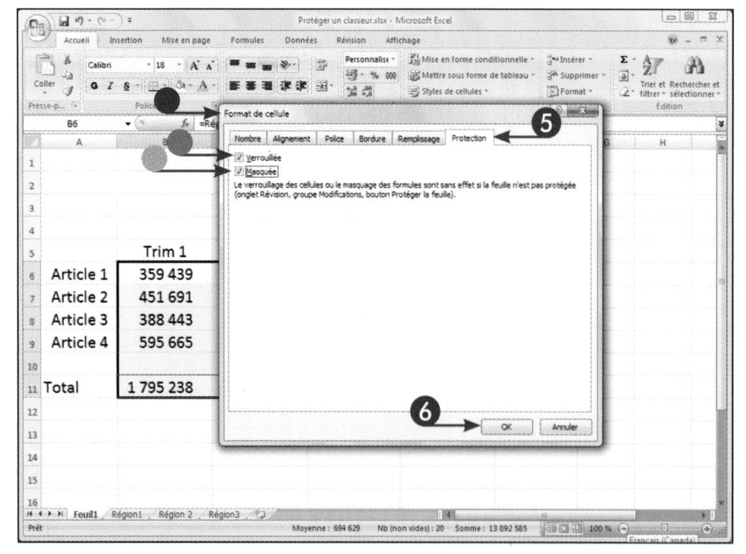

- La boîte de dialogue Format de cellule apparaît.

5. Cliquez l'onglet **Protection**.

- La case Verrouillée est cochée par défaut.

  Cocher la case **Verrouillée** verrouille les cellules sélectionnées et ôter cette coche les laisse non verrouillées.
- La case Masquée n'est pas cochée par défaut. Cochez cette case pour masquer les formules.

6. Cliquez **OK**.

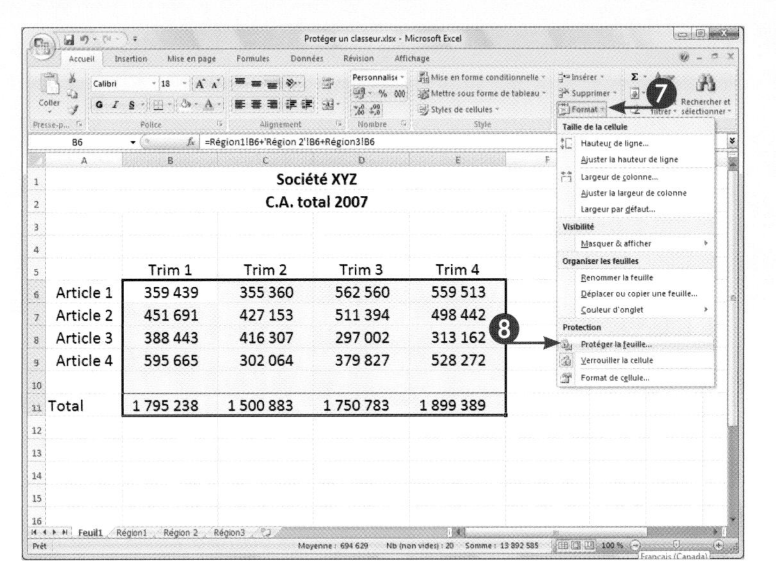

7. Cliquez **Format** dans le groupe **Cellules**.

   Un menu apparaît.

8. Cliquez **Protéger la feuille**.

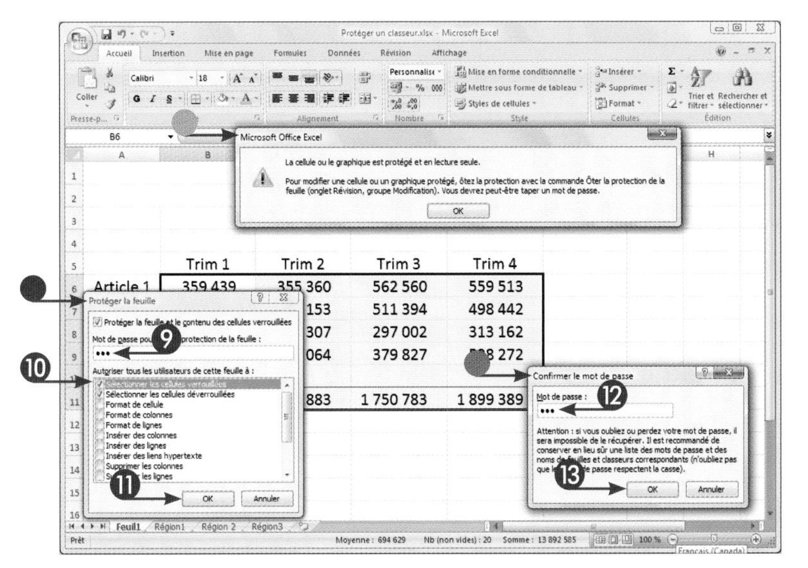

- La boîte de dialogue Protéger la feuille apparaît.

9. Saisissez un mot de passe (facultatif).
10. Cochez les opérations que vous souhaitez autoriser (☐ devient ☑).
11. Cliquez **OK**.

- La boîte de dialogue Confirmer le mot de passe apparaît.

12. Saisissez de nouveau le mot de passe.
13. Cliquez **OK**.

    Excel verrouille les cellules de la feuille et masque le contenu des cellules sélectionnées.

- Un message apparaît si l'utilisateur essaie de modifier une cellule verrouillée.

Le saviez-vous ?

Vous pouvez aussi protéger un classeur. Cliquez l'onglet **Révision**, **Protéger le classeur**, puis **Protéger la structure et les fenêtres**. Dans la boîte de dialogue ouverte, cochez **Structure** (☐ devient ☑) pour interdire le déplacement, l'ajout et la suppression de feuilles. Cochez **Fenêtres** (☐ devient ☑) pour interdire la modification de la position et de la taille des fenêtres. Vous pouvez exiger un mot de passe pour modifier la protection du classeur.

Le saviez-vous ?

Cliquez **Permettre la modification des plages** dans le groupe Modifications de l'onglet Révision pour définir dans une boîte de dialogue les plages modifiables par les utilisateurs. Cliquez le bouton **Nouvelle** et complétez les champs de la boîte de dialogue Nouvelle plage. Chaque plage autorisée peut être protégée par un mot de passe.

Enregistrez un classeur COMME MODÈLE

Un modèle est un type particulier de classeur servant à la création d'un nouveau classeur. Il peut contenir des mises en forme ou des styles et un contenu propre, tels des images, des en-têtes de colonne et des dates que vous voulez réutiliser dans d'autres feuilles. Un modèle évite de devoir recréer des classeurs dédiés à une tâche récurrente, comme des factures ou des rapports mensuels. Lorsque vous créez un nouveau classeur selon un modèle, vous en faites une copie et conservez le modèle intact pour un emploi futur. Un classeur d'Excel 2007 porte l'extension .xlsx et un modèle, l'extension .xltx.

Le saviez-vous ?

Pour utiliser un modèle, cliquez le bouton **Office**, puis **Nouveau**. La boîte de dialogue Nouveau classeur apparaît. Cliquez **Mes modèles**. Cliquez le modèle désiré, puis **OK**. Excel crée un nouveau classeur copie conforme du modèle. Lorsque vous enregistrez le nouveau classeur, veillez à ne pas l'enregistrer dans le dossier *Templates*.

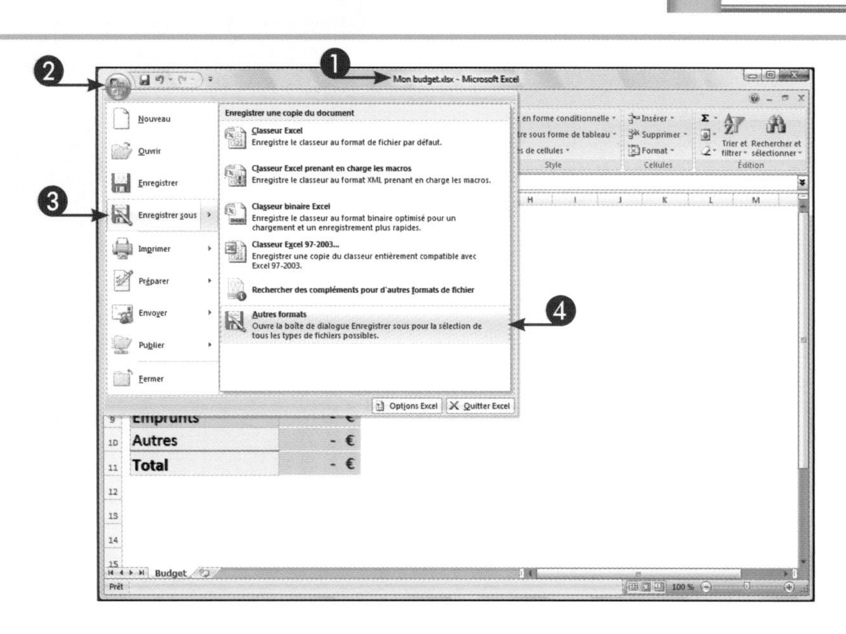

❶ Ouvrez le classeur à utiliser comme modèle.

Un modèle peut contenir des données, des étiquettes de colonne et des cellules vides mises en forme.

❷ Cliquez le bouton **Office**.

Un menu apparaît.

❸ Cliquez **Enregistrer sous**.

❹ Cliquez **Autres formats**.

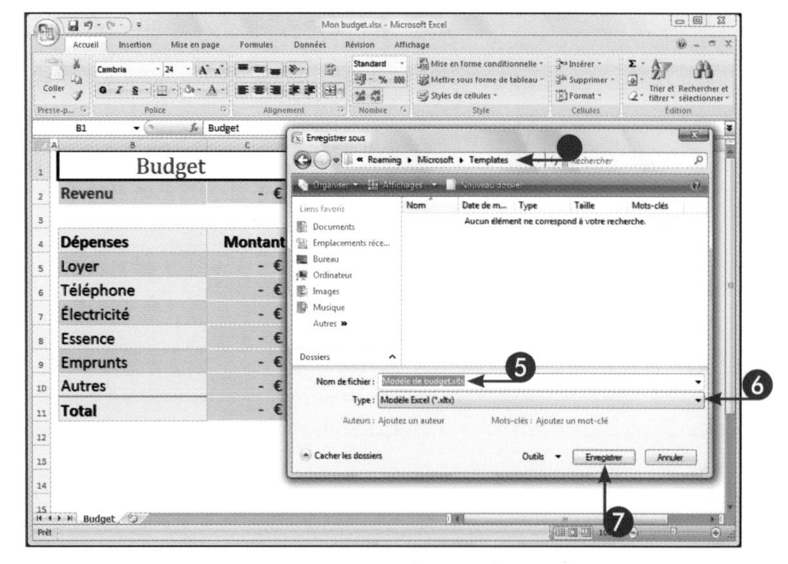

La boîte de dialogue Enregistrer sous apparaît.

❺ Saisissez le nom du modèle.

❻ Cliquez ici et sélectionnez Modèle Excel (*.xltx).

● Le dossier de destination devient *Templates*.

❼ Cliquez **Enregistrer**.

Excel crée le modèle.

CHOISISSEZ UN FORMAT d'enregistrement

NIVEAU DE DIFFICULTÉ

Pour distribuer un classeur Excel, il faut que les autres utilisateurs puissent le lire. Le format par défaut d'enregistrement est Classeur Excel (.xlsx) qui est le nouveau format d'Excel 2007. Ce format génère des fichiers plus petits, facilement accessibles à d'autres programmes car ils sont au format .xml, une norme d'échange de données.

Les versions précédentes d'Excel n'utilisaient pas ce format, mais plutôt le format .xls. Si vous voulez partager un classeur avec des utilisateurs d'une version précédente d'Excel, il vaut mieux l'enregistrer en tant que Classeur Excel 97 - 2003. Les caractéristiques nouvelles d'Excel 2007 sont perdues lorsqu'elles sont enregistrées dans ce format compatible avec les versions antérieures.

D'autres formats sont disponibles, y compris sous forme de fichiers texte tels Texte (séparateur : tabulation), Texte (Macintosh) et CSV (séparateur : point-virgule). Ces formats texte peuvent être lus par d'autres programmes.

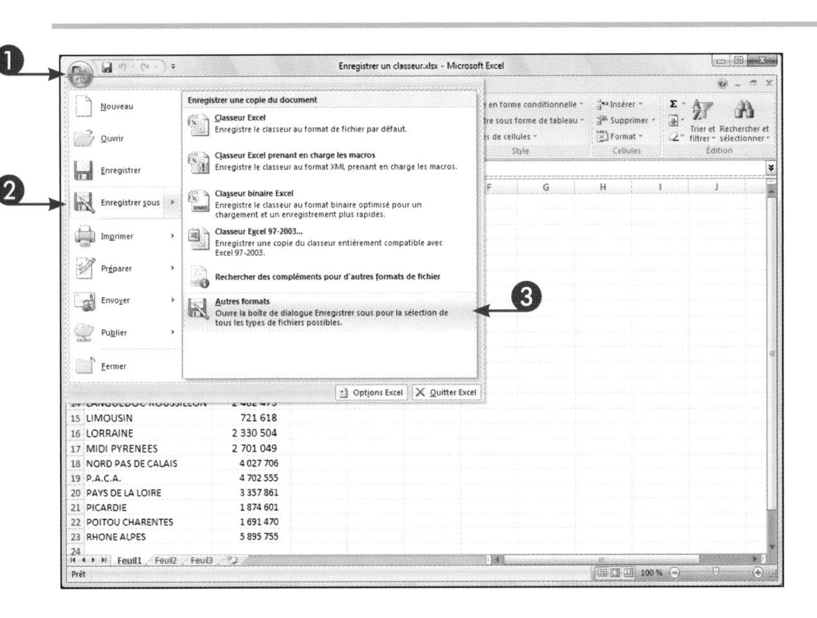

1. Cliquez le bouton **Office**.

   Un menu apparaît.

2. Cliquez **Enregistrer sous**.
3. Cliquez **Autres formats**.

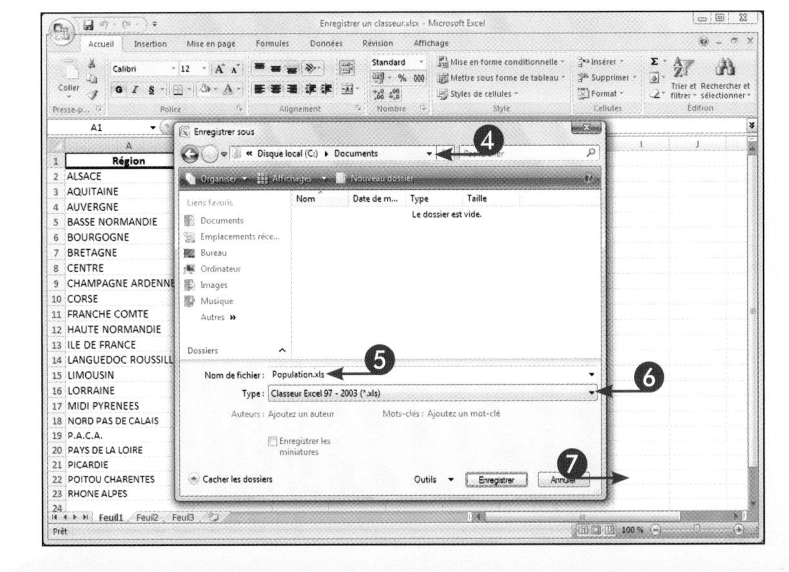

La boîte de dialogue Enregistrer sous apparaît.

4. Cliquez ici et sélectionnez le dossier de destination.
5. Saisissez le nom du fichier.
6. Cliquez ici et sélectionnez le type du fichier.
7. Cliquez **Enregistrer**.

   Un message d'avertissement de compatibilité peut apparaître.

   Excel enregistre le classeur au format sélectionné.

   Ici, le fichier est enregistré au format Classeur Excel 97 - 2003.

IMPRIMEZ PLUSIEURS ZONES
d'un classeur

Vous pouvez imprimer des plages non adjacentes d'une feuille pour limiter l'impression aux données importantes. Cette possibilité ne requiert guère plus que la sélection des cellules à imprimer.

Plusieurs raisons motivent ce choix d'impression. Par exemple, si une feuille contient les ventes de plusieurs produits disposés en colonnes, vous pouvez sélectionner et imprimer uniquement les colonnes qui vous intéressent. La sélection de plages non adjacentes se fait en maintenant enfoncée la touche Ctrl tout en sélectionnant les plages. Après avoir sélectionné les plages, vous définissez l'ensemble comme zone d'impression.

Vous pouvez indiquer des lignes à répéter en haut de chaque page et des colonnes à imprimer dans le côté.

Chaque plage discontinue est imprimée sur une page différente.

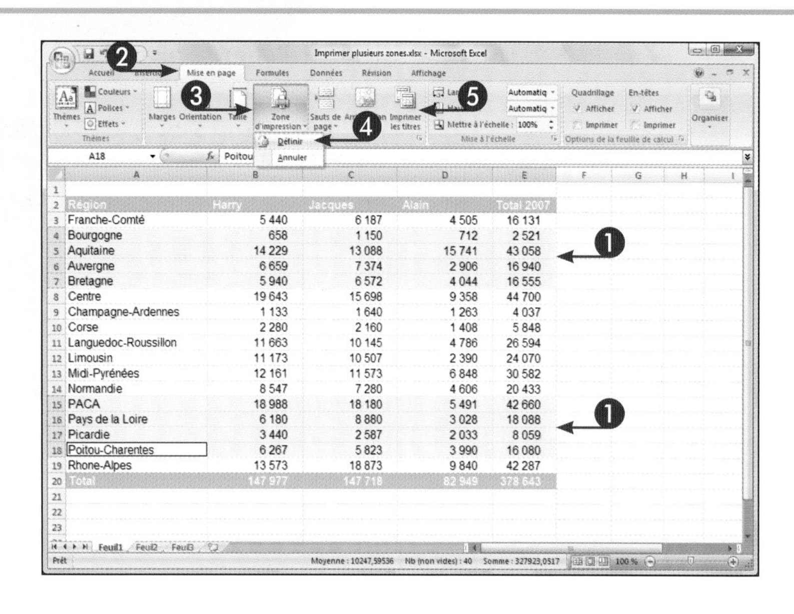

1. Maintenez enfoncée la touche **Ctrl** pendant la sélection des plages.
2. Cliquez l'onglet **Mise en page**.
3. Cliquez **Zone d'impression**.
4. Cliquez **Définir**.
5. Cliquez **Imprimer les titres**.

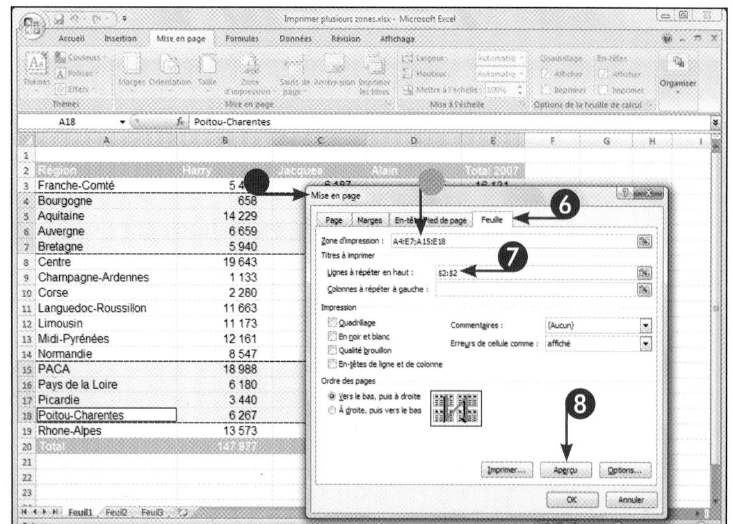

- La boîte de dialogue Mise en page apparaît.

6. Cliquez l'onglet **Feuille**.

- Les plages sélectionnées à l'étape **1** sont affichées ici.

7. Sélectionnez les lignes ou les colonnes à répéter ou saisissez-en la référence.
8. Cliquez **Aperçu**.

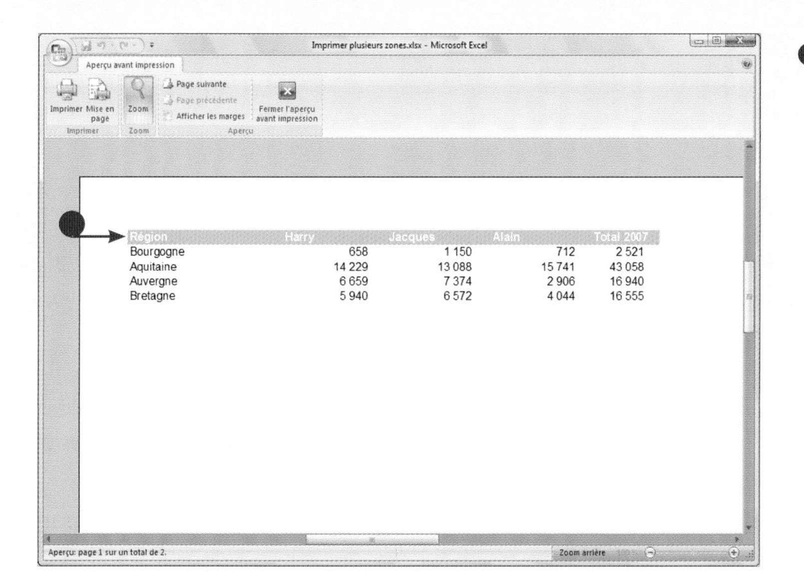

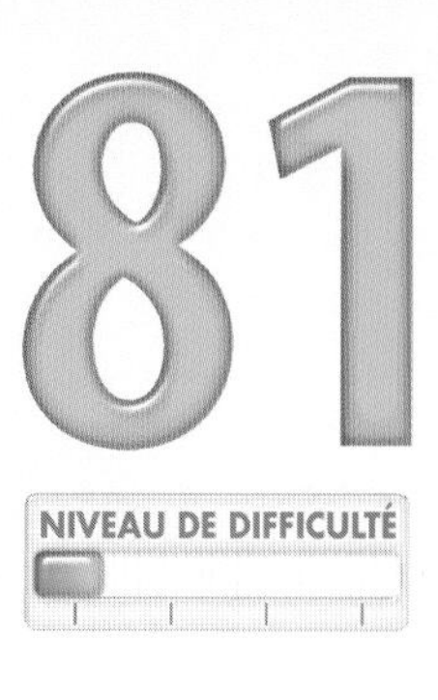

- La fenêtre Aperçu avant impression affiche la première page de la zone sélectionnée à l'étape **1**.

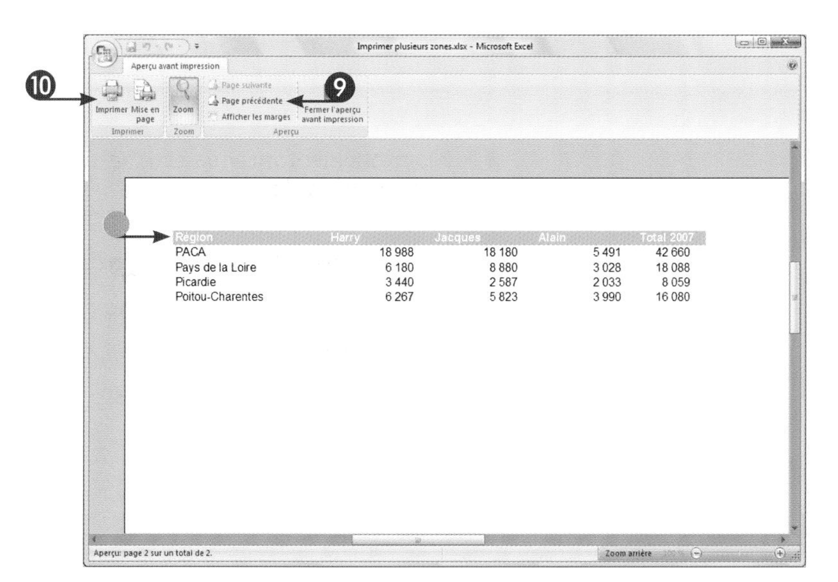

9. Cliquez **Page suivante** ou **Page précédente** pour parcourir les pages.

- La fenêtre d'aperçu affiche la page suivante de l'impression comprenant une zone sélectionnée à l'étape **1**.

10. Cliquez **Imprimer** si vous êtes satisfait de la présentation.

    Excel imprime les cellules sélectionnées.

Le saviez-vous ?

Pour annuler la définition de la zone d'impression, cliquez **Mise en page**, **Zone d'impression**, puis **Annuler**. La zone d'impression définie demeure en vigueur jusqu'à son annulation. Vous pouvez ajouter des cellules à cette zone en cliquant **Mise en page**, **Zone d'impression**, puis **Ajouter à la zone d'impression**.

Le saviez-vous ?

Cliquez le lanceur de boîte de dialogue du groupe Mise en page pour ouvrir la boîte de dialogue du même nom. L'onglet En-tête/Pied de page contient les boutons En-tête personnalisé et Pied de page personnalisé qui permettent d'ajouter une date, un numéro de page et même une image dans l'en-tête et/ou le pied de chaque page.

IMPRIMEZ PLUSIEURS FEUILLES
d'un classeur

Par défaut, Excel imprime tout le contenu de la feuille active ou les cellules de la feuille active définies comme zone d'impression, mais vous pouvez imprimer plusieurs feuilles en une seule opération. Cette option se révèle utile si le classeur contient des données et un graphique sur des feuilles séparées.

Pour sélectionner des feuilles adjacentes à imprimer, cliquez l'onglet de la première feuille, puis cliquez l'onglet de la dernière en maintenant enfoncée la touche Maj. Si les feuilles ne sont pas adjacentes, cliquez chacun des onglets en maintenant enfoncée la touche Ctrl. Pour imprimer toutes les feuilles, cliquez du bouton droit un des onglets, puis cliquez Sélectionner toutes les feuilles dans le menu contextuel.

La sélection de plusieurs onglets groupe les feuilles et toute donnée saisie ou toute modification apportée dans une feuille s'applique à toutes les feuilles du groupe. Pour supprimer le groupement, cliquez n'importe quel onglet. Vous pouvez aussi cliquer un onglet du bouton droit et cliquer Dissocier les feuilles dans le menu contextuel.

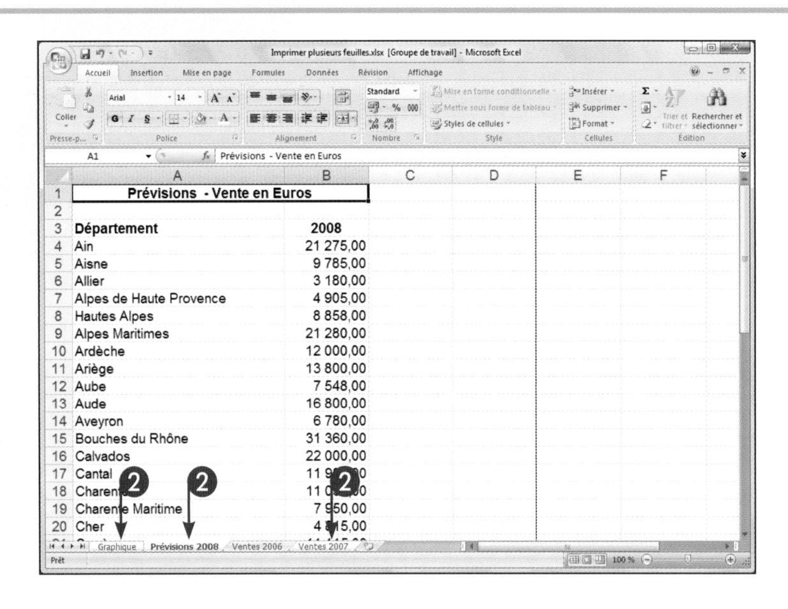

1. Appuyez et maintenez enfoncée la touche **Ctrl**.
2. Cliquez les onglets à imprimer.

   Vous pouvez sélectionner les onglets Feuil, Graph et les onglets renommés.
3. Relâchez la touche **Ctrl**.

   Les onglets sélectionnés apparaissent sur fond blanc.

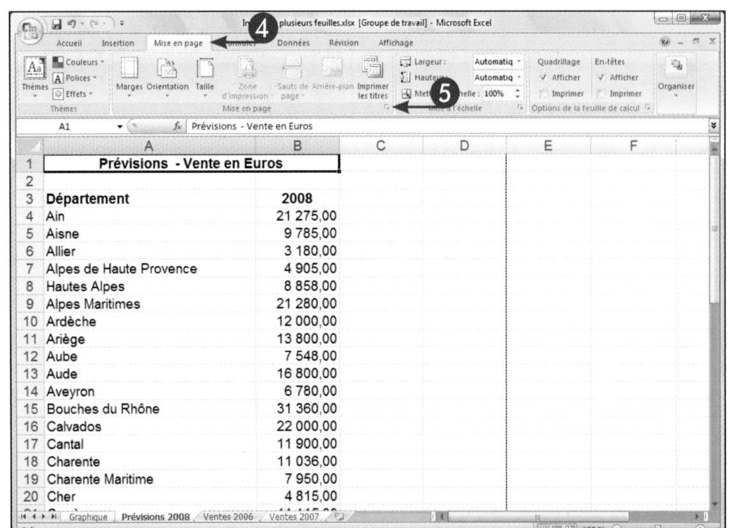

4. Cliquez l'onglet **Mise en page**.
5. Cliquez le lanceur de boîte de dialogue de ce groupe.

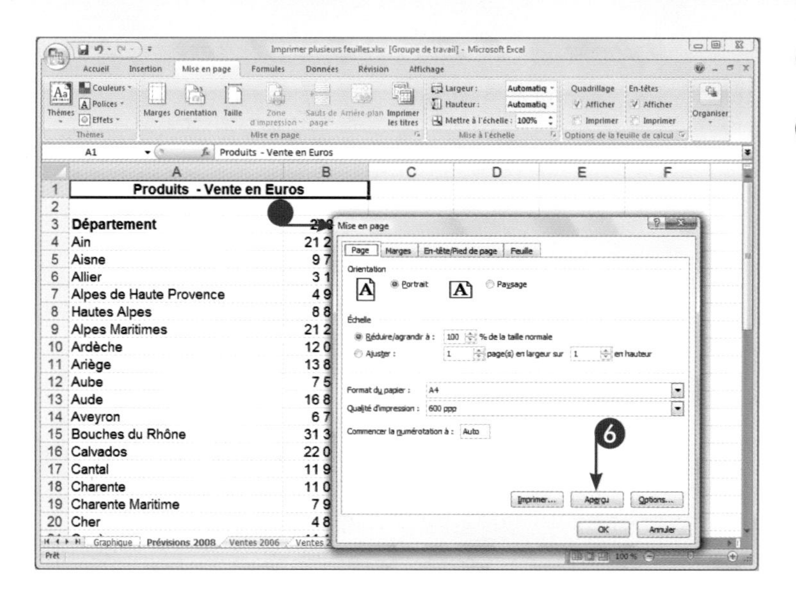

- La boîte de dialogue Mise en page apparaît.

6. Cliquez **Aperçu**.

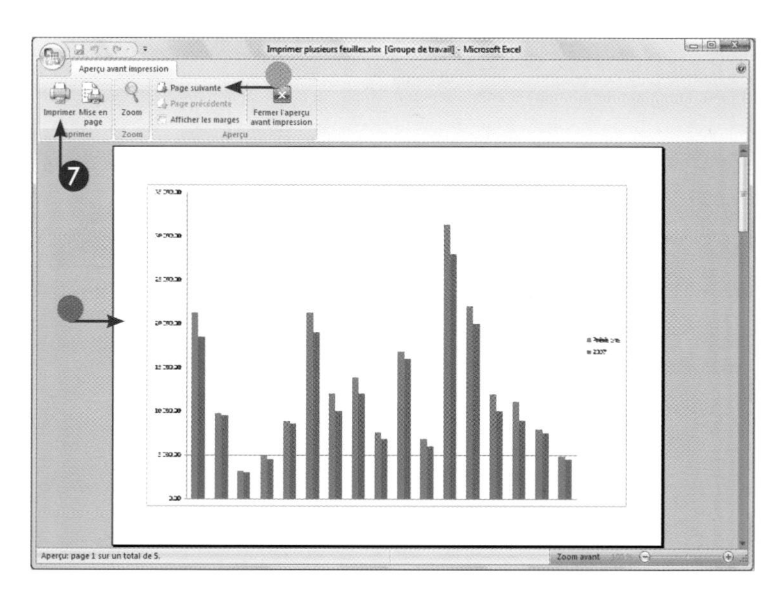

- Chaque feuille apparaît sur sa propre page en commençant par la première feuille sélectionnée à l'étape **2**.
- Cliquez **Page suivante** et **Page précédente** pour parcourir les pages à imprimer.

7. Cliquez **Imprimer**.

Excel imprime les feuilles sélectionnées.

Le saviez-vous ?

Vous pouvez imprimer sur chaque page les numéros de ligne et les lettres de colonne. Cliquez le lanceur de boîte de dialogue du groupe Mise en page de l'onglet du même nom pour ouvrir la boîte de dialogue Mise en page. Dans l'onglet Feuille, cochez **En-têtes de ligne et de colonne** (☐ devient ☑). Les commentaires peuvent être imprimés par la sélection de **Tel que sur la feuille** ou **À la fin de la feuille** dans le champ Commentaires.

Le saviez-vous ?

Pour imprimer plusieurs classeurs, cliquez le bouton **Office**, puis **Ouvrir**. Dans la boîte de dialogue Ouvrir, sélectionnez les classeurs à imprimer en maintenant enfoncée la touche **Ctrl**. Cliquez **Outils** au bas de la boîte de dialogue, puis cliquez **Imprimer**.

Chapitre 9

Associez Excel à d'autres programmes

Avec Excel, vous pouvez faire beaucoup plus que créer et travailler dans des feuilles de calcul et des classeurs. Grâce à l'échange de données, étendre les possibilités d'Excel est possible. Tout d'abord, vous pouvez utiliser les données d'autres programmes et leur appliquer tous les outils et ressources d'Excel. En second lieu, vous pouvez exploiter des données provenant d'Excel avec d'autres logiciels et étendre ainsi vos possibilités d'utilisation, d'analyse et de présentation de vos données. Ce chapitre examine les nombreuses techniques d'intégration entre Excel, Word, PowerPoint et Access, les requêtes dans un site Web, l'importation et l'exportation de données et les requêtes dans une base de données Access.

À l'aide d'une requête, vous pouvez importer dans Excel des données provenant par exemple d'une table Microsoft Access. En créant la requête, il est possible de trier et de filtrer les données. Vous pouvez ensuite les analyser et en tirer un graphique comme vous le feriez avec n'importe quelle feuille de calcul.

Les requêtes constituent de puissants outils de gestion de base de données. Avec quelques modifications, vous irez plus loin et importerez des données provenant de base de données d'affaires utilisant Oracle, SQL Server ou d'autres produits de ce type.

Une majorité d'utilisateurs d'Excel ignorent que celui-ci est capable d'exécuter une requête dans un site Web afin d'importer un contenu Web dans une feuille de calcul. Vous pouvez par exemple importer des statistiques présentées dans un tableau HTML.

Vous pouvez aussi créer des liens depuis vos feuilles de calcul vers d'autres documents et d'autres programmes. Par exemple, un lien peut ouvrir un classeur ou un document Word apparenté.

Top 100

COLLEZ AVEC LIAISON
dans Word ou PowerPoint

En collant avec liaison une feuille de calcul Excel dans Word ou PowerPoint, vous pouvez ajouter des opérations complexes créées avec Excel. Dans Word, par exemple, vous pouvez utiliser des feuilles de calcul Excel pour présenter des rapports trimestriels ou d'autres documents financiers.

Lorsque vous collez avec liaison, si vous modifiez les données Excel alors que vous y travaillez avec Word ou PowerPoint, Office actualise automatiquement les données dans la feuille de calcul Excel. L'inverse est aussi vrai. Lorsque vous modifiez une cellule Excel, Office actualise le document collé dans Word ou PowerPoint. Le collage avec liaison permet de maintenir la synchronisation des documents et vous ne devez pas vérifier continuellement si les modifications ont été mises à jour dans les différents documents.

Pour modifier une feuille de calcul Excel collée avec liaison alors que vous êtes dans Word ou PowerPoint, double-cliquez la feuille de calcul. L'application ouvre alors la feuille de calcul dans Excel et toutes les commandes Excel deviennent disponibles pour y travailler.

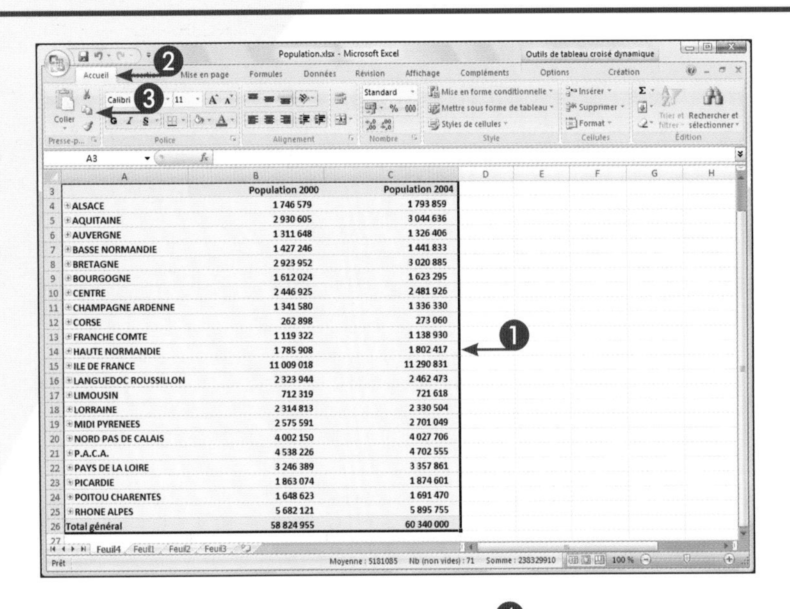

	Population 2000	Population 2004
ALSACE	1 746 579	1 793 859
AQUITAINE	2 930 605	3 044 636
AUVERGNE	1 311 648	1 326 406
BASSE NORMANDIE	1 427 246	1 441 833
BRETAGNE	2 923 952	3 020 885
BOURGOGNE	1 612 024	1 623 295
CENTRE	2 446 925	2 481 926
CHAMPAGNE ARDENNE	1 341 580	1 336 330
CORSE	262 898	273 060
FRANCHE COMTE	1 119 322	1 138 930
HAUTE NORMANDIE	1 785 908	1 802 417
ILE DE FRANCE	11 009 018	11 290 831
LANGUEDOC ROUSSILLON	2 323 944	2 462 473
LIMOUSIN	712 319	721 618
LORRAINE	2 314 813	2 330 504
MIDI PYRENEES	2 575 591	2 701 049
NORD PAS DE CALAIS	4 002 150	4 027 706
P.A.C.A.	4 538 226	4 702 555
PAYS DE LA LOIRE	3 246 389	3 357 861
PICARDIE	1 863 074	1 874 601
POITOU CHARENTES	1 648 623	1 691 470
RHONE ALPES	5 682 121	5 895 755
Total général	58 824 955	60 340 000

1. Sélectionnez les données à inclure en collant un lien.
2. Cliquez l'onglet **Accueil**.
3. Cliquez le bouton **Copier** dans le groupe **Presse-papiers**.

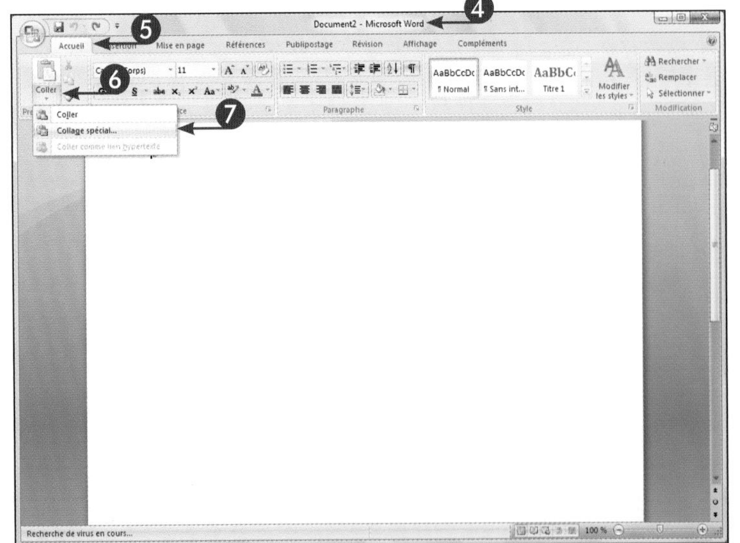

4. Passez au document Word.
5. Cliquez l'onglet **Accueil**.
6. Cliquez **Coller** dans le groupe **Presse-papiers**.

   Un menu apparaît.
7. Cliquez **Collage spécial**.

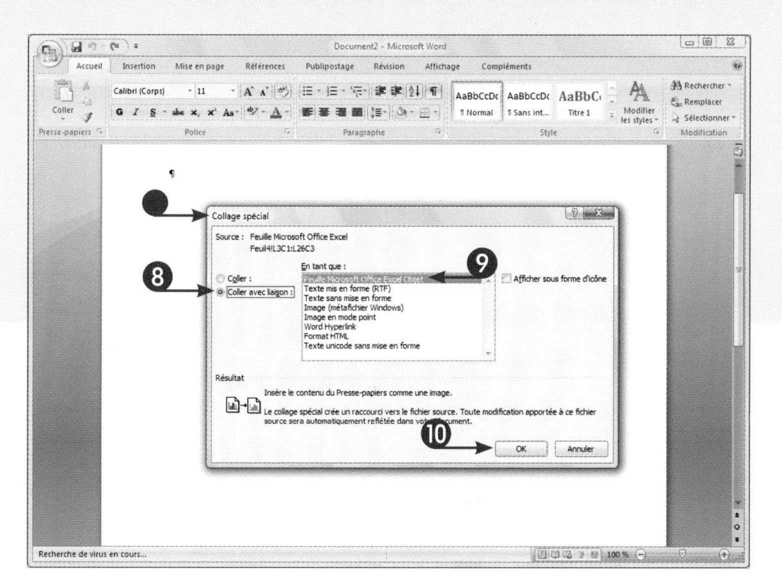

- La boîte de dialogue Collage spécial apparaît.

8. Cliquez **Coller avec liaison** (○ devient ◉).
9. Cliquez **Feuille Microsoft Office Excel Objet**.
10. Cliquez **OK**.

NIVEAU DE DIFFICULTÉ

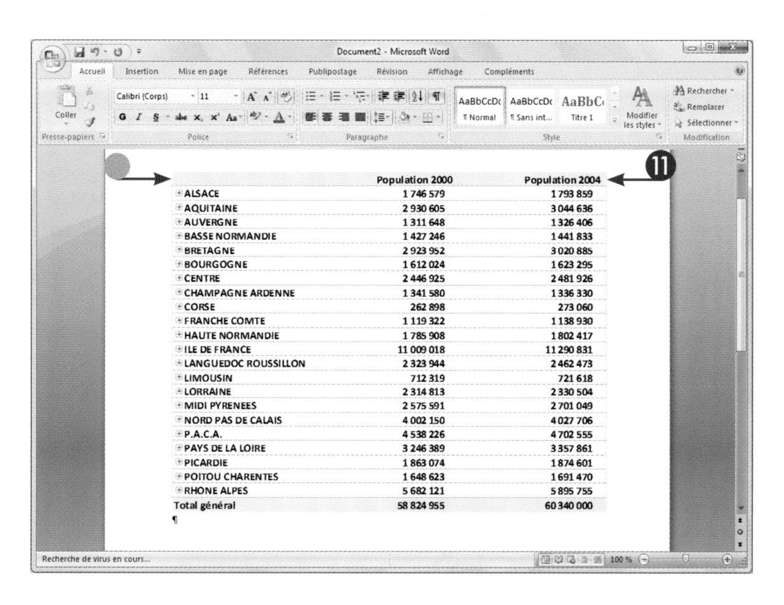

	Population 2000	Population 2004
ALSACE	1 746 579	1 793 859
AQUITAINE	2 930 605	3 044 636
AUVERGNE	1 311 648	1 326 406
BASSE NORMANDIE	1 427 246	1 441 833
BRETAGNE	2 923 952	3 020 885
BOURGOGNE	1 612 024	1 623 295
CENTRE	2 446 925	2 481 926
CHAMPAGNE ARDENNE	1 341 580	1 336 330
CORSE	262 898	273 060
FRANCHE COMTE	1 119 322	1 138 930
HAUTE NORMANDIE	1 785 908	1 802 417
ILE DE FRANCE	11 009 018	11 290 831
LANGUEDOC ROUSSILLON	2 323 944	2 462 473
LIMOUSIN	712 319	721 618
LORRAINE	2 314 813	2 330 504
MIDI PYRENEES	2 575 591	2 701 049
NORD PAS DE CALAIS	4 002 150	4 027 706
P.A.C.A.	4 538 226	4 702 555
PAYS DE LA LOIRE	3 246 389	3 357 861
PICARDIE	1 863 074	1 874 601
POITOU CHARENTES	1 648 623	1 691 470
RHONE ALPES	5 682 121	5 895 755
Total général	58 824 955	60 340 000

- La feuille de calcul apparaît dans Word.

11. Double-cliquez la feuille pour la modifier.

    La feuille de calcul apparaît dans Excel et vous pouvez y travailler.

    Lorsque vous avez terminé de modifier la feuille, enregistrez le classeur et fermez Excel, et revenez à votre document Word.

Le saviez-vous ?

Cet exemple crée une liaison entre Excel et Word. Suivez les mêmes étapes en choisissant PowerPoint au lieu de Word à l'étape **4** pour créer une liaison entre Excel et PowerPoint.

Le saviez-vous ?

Vous pouvez coller une liaison vers Word dans une feuille de calcul Excel. La procédure est la même, sauf que vous sélectionnez dans Word les données à coller avant de cliquer Copier. Dans Excel, cliquez **Accueil → Coller → Collage spécial**. La boîte de dialogue Collage spécial apparaît. Cliquez **Coller avec liaison** (○ devient ◉).

INCORPOREZ
une feuille de calcul

Vous pouvez créer une présentation PowerPoint ou un document Word contenant une feuille de calcul modifiable avec Excel sans quitter l'application où vous travaillez. Cela signifie que vous pouvez démontrer plusieurs scénarios d'affaires au cours d'une présentation PowerPoint ou réaliser des opérations mathématiques complexes tout en restant dans Word. Pour vous servir de cette possibilité, vous devez incorporer votre feuille de calcul dans le fichier PowerPoint ou Word. Vous pouvez utiliser un classeur Excel existant ou générer un fichier Excel complètement nouveau depuis l'autre application.

Lorsque vous incorporez un document Excel, cette feuille de calcul est partie prenante du document Word ou PowerPoint et n'est accessible que par ce document. L'incorporation diffère du collage avec liaison. Lorsque vous apportez des modifications à une feuille de calcul incorporée dans un document, les modifications n'affectent que ce document. Lorsque vous collez une feuille de calcul avec liaison et que vous modifiez cette feuille de calcul depuis Word ou PowerPoint, Office actualise simultanément le fichier Excel.

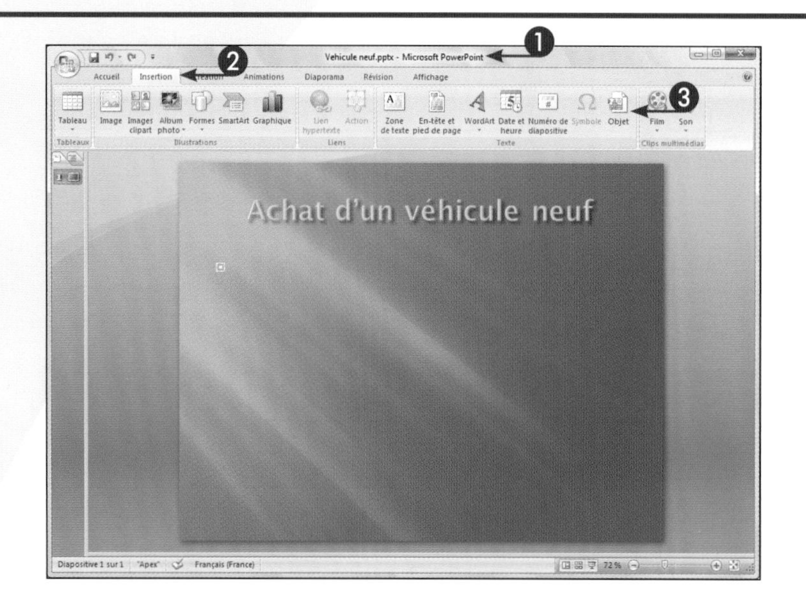

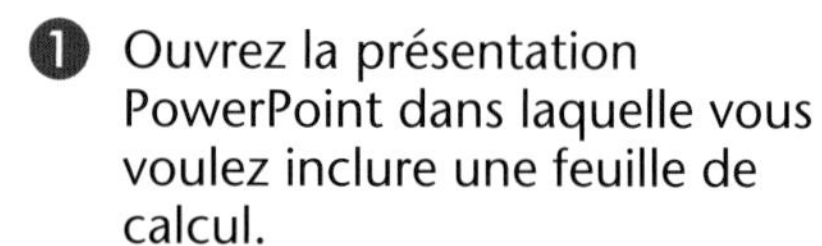

❶ Ouvrez la présentation PowerPoint dans laquelle vous voulez inclure une feuille de calcul.

***Note.** Cet exemple utilise PowerPoint. Vous pourriez utiliser Word de façon tout à fait similaire pour incorporer une feuille de calcul dans un document.*

❷ Cliquez l'onglet **Insertion**.

❸ Cliquez **Objet**.

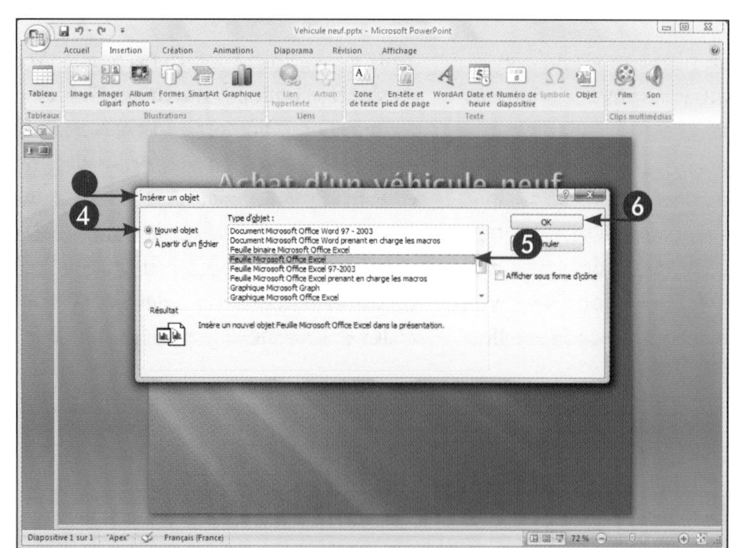

- La boîte de dialogue Insérer un objet apparaît.

❹ Cliquez **Nouvel objet** pour générer une nouvelle feuille de calcul (○ devient ◉).

Vous pouvez aussi cliquer **À partir du fichier** (○ devient ◉) pour ouvrir un fichier existant.

❺ Cliquez **Feuille Microsoft Office Excel**.

❻ Cliquez **OK**.

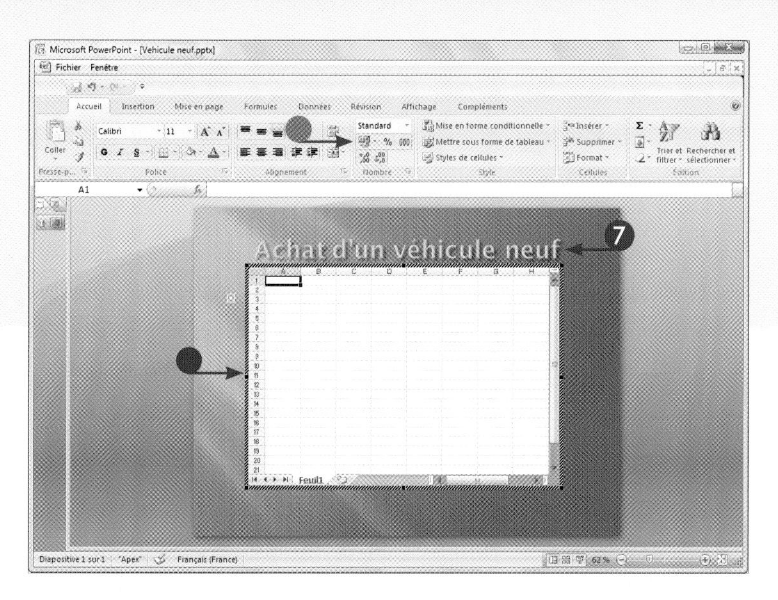

NIVEAU DE DIFFICULTÉ

- Une feuille de calcul vierge apparaît.
- Toutes les commandes Excel sont disponibles.

7 Créez votre feuille de calcul.

Cliquez à l'extérieur de la feuille lorsque vous avez terminé.

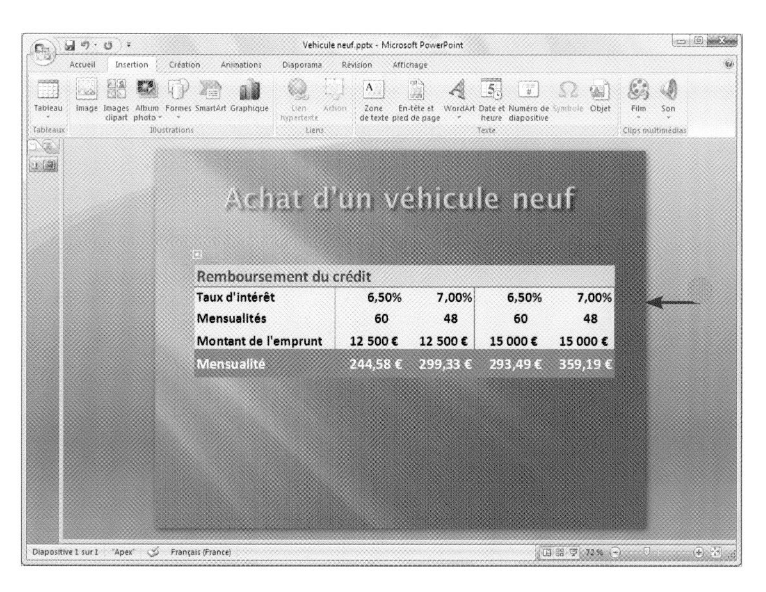

Remboursement du crédit				
Taux d'intérêt	6,50%	7,00%	6,50%	7,00%
Mensualités	60	48	60	48
Montant de l'emprunt	12 500 €	12 500 €	15 000 €	15 000 €
Mensualité	244,58 €	299,33 €	293,49 €	359,19 €

- Excel ajoute la feuille de calcul à la présentation.

Le saviez-vous ?

Lorsque vous créez un nouveau graphique Excel dans PowerPoint, vous voyez de fausses données et le graphique associé. Modifiez les données en les remplaçant par les vôtres, soit en les saisissant directement, soit en copiant et collant les données d'une feuille existante. Ces nouvelles données servent alors de base au graphique que vous pouvez modifier à votre guise. Pour plus d'informations sur la création des graphiques, consultez le chapitre 6.

Le saviez-vous ?

Vous pouvez incorporer une feuille de calcul existante. Cliquez **À partir du fichier** (○ devient ◉) à l'étape **4** de l'exemple. La boîte de dialogue change et vous demande le nom du fichier. Saisissez-le ou cliquez **Parcourir** pour localiser le nom du fichier à incorporer. Vous pouvez aussi créer une feuille de calcul vierge comme dans l'exemple et y coller des données copiées.

CRÉEZ UN LIEN
à partir d'un classeur Excel

En utilisant Internet, vous avez certainement découvert tous les avantages des liens. En cliquant sur un lien, vous passez directement à une autre page Web, qui offre d'autres liens, vous plaçant dans une gigantesque toile d'informations qui semble sans limites. Comme la plupart des applications Office, Excel permet de créer des liens. Ils vous mèneront ailleurs dans le même document ou dans une autre feuille de calcul, dans un document créé par une autre application Office ou même sur une page Web.

Lier vers un document est différent du collage avec liaison. Au lieu d'extraire vers Excel les données créées par une autre application, un lien permet de vous déplacer d'une feuille de calcul vers un document connexe.

Vous pouvez utiliser un lien pour passer directement à un graphique ou à un tableau croisé dynamique basé sur les données. Ou bien, vous pouvez lier une feuille de calcul à un document Word fournissant une information complémentaire ou identifiant les éléments de la feuille de calcul. L'option pour créer un lien de messagerie électronique est également utile lorsque vous enregistrez votre feuille en tant que page Web. Le lien permet aux lecteurs de la page de vous envoyer un courriel d'un simple clic.

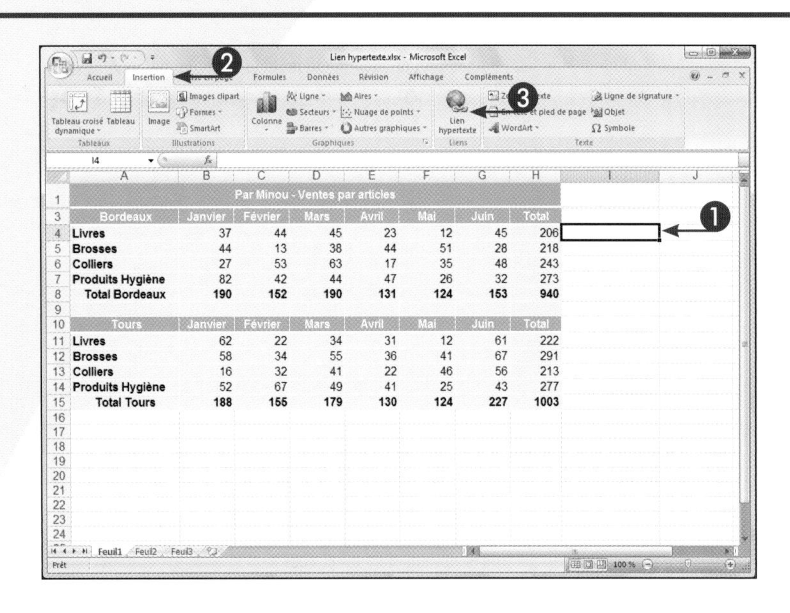

Par Minou - Ventes par articles							
Bordeaux	Janvier	Février	Mars	Avril	Mai	Juin	Total
Livres	37	44	45	23	12	45	206
Brosses	44	13	38	44	51	28	218
Colliers	27	53	63	17	35	48	243
Produits Hygiène	82	42	44	47	26	32	273
Total Bordeaux	190	152	190	131	124	153	940
Tours	Janvier	Février	Mars	Avril	Mai	Juin	Total
Livres	62	22	34	31	12	61	222
Brosses	58	34	55	36	41	67	291
Colliers	16	32	41	22	46	56	213
Produits Hygiène	52	67	49	41	25	43	277
Total Tours	188	155	179	130	124	227	1003

1. Cliquez la cellule où vous souhaitez placer le lien.
2. Cliquez l'onglet **Insertion**.
3. Cliquez **Lien hypertexte**.

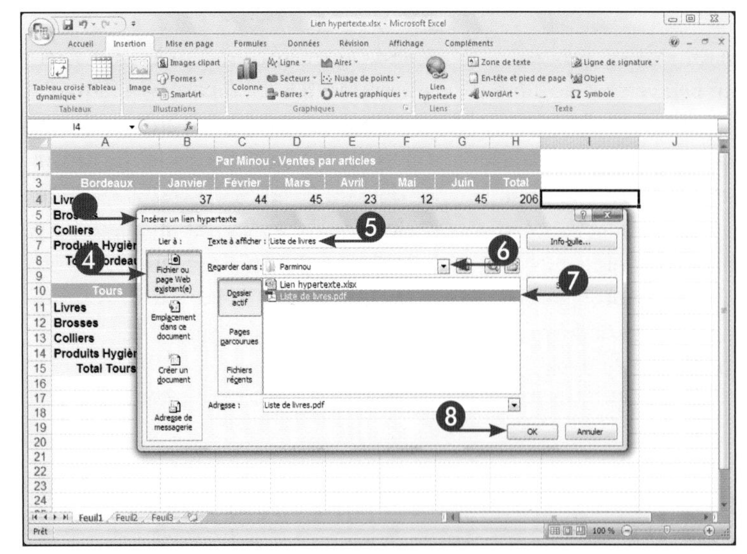

- La boîte de dialogue Insérer un lien hypertexte apparaît.

4. Cliquez un emplacement dans la zone **Lier à**.

   Cet exemple utilise **Fichier ou Page Web existant(e)**.

5. Saisissez le texte à afficher dans la feuille de calcul.
6. Cliquez ici et sélectionnez le dossier dans lequel se trouve le fichier.
7. Cliquez le fichier qui sera la cible du lien.
8. Cliquez **OK**.

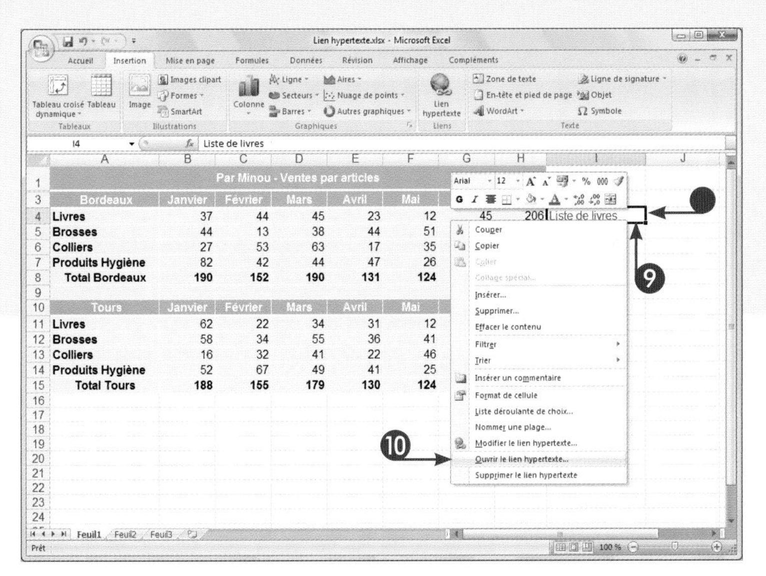

- Le contenu de la cellule reçoit la mise en forme d'un lien.

  Vous pouvez survoler le lien avec le pointeur sans cliquer pour voir le nom du fichier lié.

9. Cliquez du bouton droit le nouveau lien.

   Un menu apparaît.

10. Cliquez **Ouvrir le lien hypertexte**.

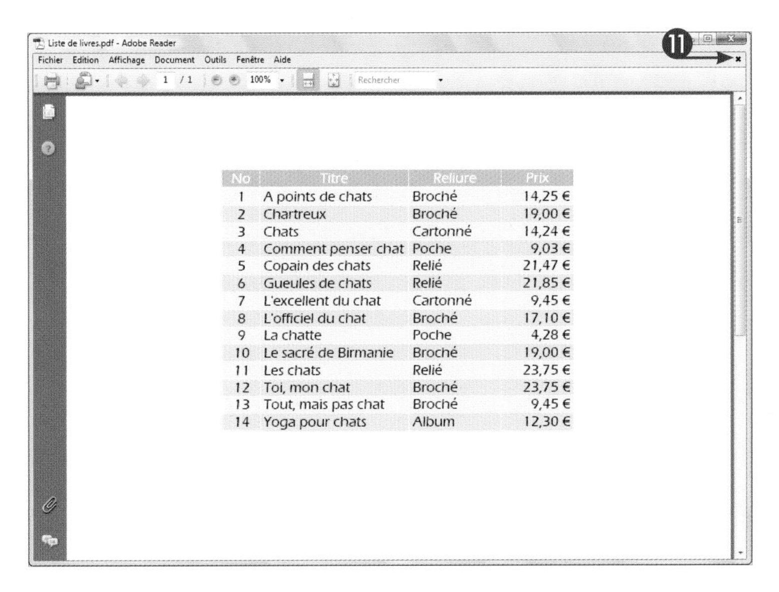

No	Titre	Reliure	Prix
1	A points de chats	Broché	14,25 €
2	Chartreux	Broché	19,00 €
3	Chats	Cartonné	14,24 €
4	Comment penser chat	Poche	9,03 €
5	Copain des chats	Relié	21,47 €
6	Gueules de chats	Relié	21,85 €
7	L'excellent du chat	Cartonné	9,45 €
8	L'officiel du chat	Broché	17,10 €
9	La chatte	Poche	4,28 €
10	Le sacré de Birmanie	Broché	19,00 €
11	Les chats	Relié	23,75 €
12	Toi, mon chat	Broché	23,75 €
13	Tout, mais pas chat	Broché	9,45 €
14	Yoga pour chats	Album	12,30 €

Le document lié s'ouvre.

11. Fermez le document pour revenir à votre feuille de calcul.

    Pour supprimer le lien, cliquez-le du bouton droit et sélectionnez **Supprimer le lien hypertexte**.

Le saviez-vous ?

Outre les commentaires et les zones de texte, la création d'un lien vers un document Word permet d'ajouter des informations à une feuille de calcul. Contrairement aux commentaires d'Excel, le document Word peut avoir n'importe quelle taille et être un document complexe. Contrairement aux zones de texte, un lien hypertexte ne chevauche pas les données et ne détourne pas de la feuille l'attention du lecteur.

Le saviez-vous ?

Vous pouvez créer un lien à partir d'un graphisme, tels un clipart, une forme, une photo ou un texte WordArt. Cliquez le graphisme, cliquez l'onglet **Insertion** et **Lien hypertexte**. Utilisez la boîte de dialogue **Insérer un lien hypertexte** pour sélectionner l'emplacement de la cible dans le même document, dans un autre document ou sur le Web.

Effectuez une requête dans UN SITE WEB

Excel permet de lancer une requête dans un site Web afin d'en extraire des données que vous pourrez analyser. Il existe sur le Web de nombreuses sources de données sous de multiples formes, y compris des feuilles de calcul Excel. Excel reconnaît aussi les tableaux de pages Web ordinaires si elles sont structurées en tableau, c'est-à-dire en lignes et colonnes contenant des données.

Excel propose deux options pour ouvrir et utiliser des tableaux de données provenant du Web : cliquez le bouton Office, puis Ouvrir. Dans la boîte de dialogue Ouvrir, donnez l'adresse Web d'un fichier dans le champ Nom du fichier et cliquez Ouvrir ; ou bien, cliquez l'onglet Données et dans le groupe Données externes, cliquez l'option À partir du Web pour lancer une requête dans une page Web.

Ces deux techniques permettent d'afficher et de modifier les données, mais la requête d'un site Web comporte des avantages. L'importation de données par une requête permet de filtrer les données afin d'afficher seulement les enregistrements qui vous intéressent. Une requête peut aussi être actualisée en cas de besoin. Une fois les données dans une feuille de calcul Excel, servez-vous des outils Excel pour les analyser et les présenter, y compris les fonctions, les tableaux croisés dynamiques et les graphiques.

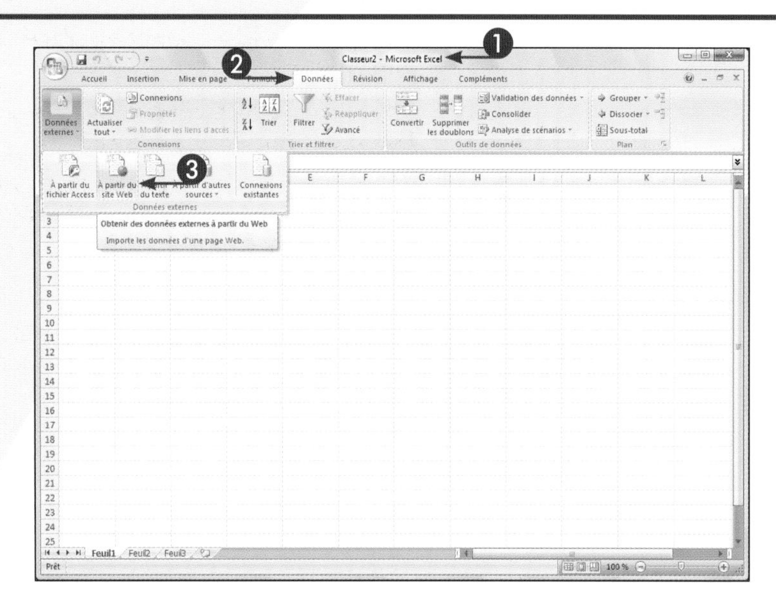

❶ Ouvrez une nouvelle feuille de calcul.

❷ Cliquez l'onglet **Données**.

❸ Cliquez **À partir du Web** dans le groupe **Données externes**.

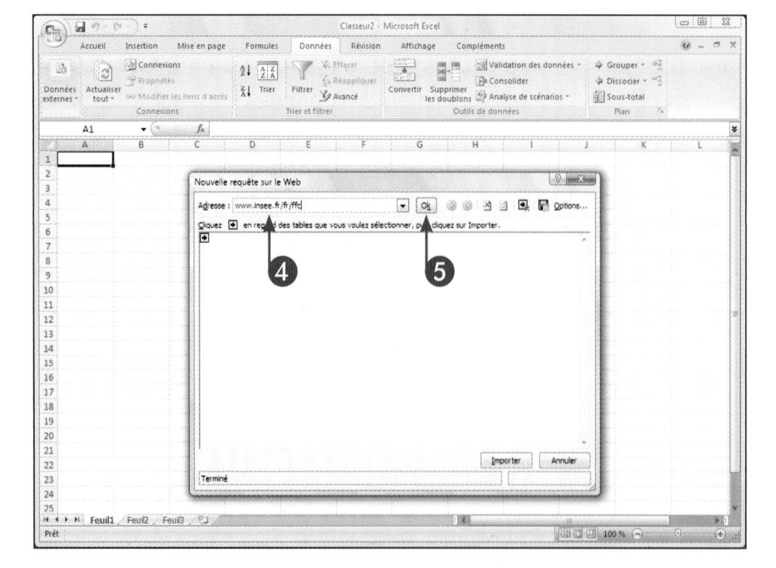

La boîte de dialogue Nouvelle requête sur le Web apparaît.

❹ Tapez l'adresse Web du site dont vous voulez extraire les données.

Note. *Vous pouvez naviguer sur le Web pour atteindre la page cherchée.*

Cet exemple utilise les données de « La France en faits et chiffres » du site `www.insee.fr`.

❺ Cliquez **OK**.

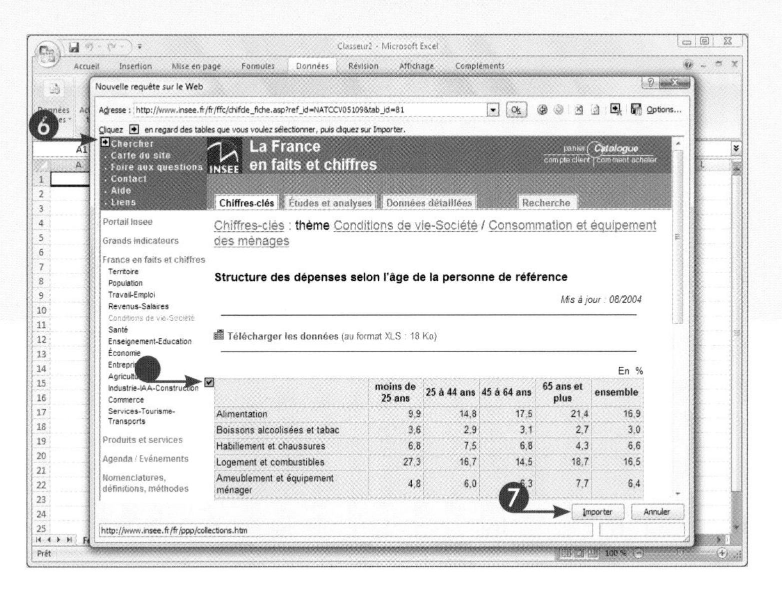

La page Web apparaît dans la boîte de dialogue.

6 Cliquez la flèche jouxtant les éléments à importer par votre requête.

- Une coche indique un élément prêt à être importé. Une flèche signale un élément qui ne sera pas importé.

7 Cliquez **Importer**.

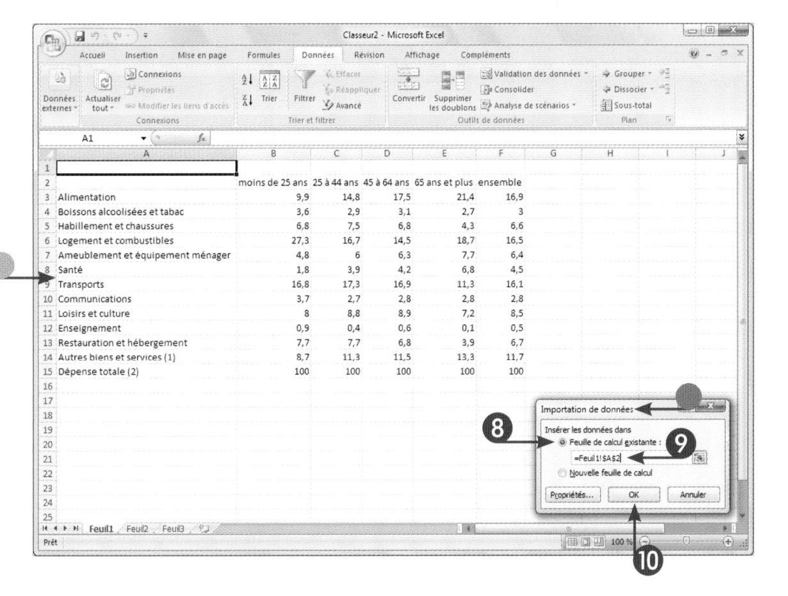

- La boîte de dialogue Importation de données apparaît.

8 Cliquez pour sélectionner où placer les données importées (◯ devient ◉).

Choisissez **Feuille de calcul existante** ou **Nouvelle feuille de calcul**.

9 Cliquez la cellule ou saisissez l'adresse d'une plage si vous avez sélectionné **Feuille de calcul existante**.

10 Cliquez **OK**.

- Les éléments Web sélectionnés apparaissent dans la feuille de calcul, prêts à être analysés, mis en graphique, *etc.*

Le saviez-vous ?

Pour trouver des statistiques sur le Web, le moteur de recherche Google est efficace. Les sites de grandes organisations comme l'OCDE ou l'INSEE offrent également de nombreuses tables de données téléchargeables. Des données nationales et régionales sont aussi disponibles sur de nombreux sites officiels.

Le saviez-vous ?

La définition de la requête est un fichier contenant une définition des données importées dans Excel à partir d'une source externe. La définition de requête indique la source des données, les lignes à inclure, comment les enregistrements ajoutés à la source sont gérés par la requête et la fréquence à laquelle la requête est actualisée. Pour consulter et modifier les propriétés de la requête, cliquez dans une cellule de la plage importée, cliquez l'onglet **Données**, puis **Propriétés** dans le groupe Connexions.

COPIEZ UN TABLEAU WORD
dans Excel

Si vous créez un tableau ou une autre structure de données organisée en lignes et colonnes dans Word, il est possible d'importer ces données dans Excel et de les exploiter dans une feuille de calcul. Créer un tableau avec Word peut suffire à vos besoins, mais parfois, l'opération de préparation du tableau devient fastidieuse faute d'outils spécialisés. Il vaut alors la peine de passer à une feuille de calcul Excel pour préparer ces données.

Avec Excel, vous pouvez effectuer des calculs complexes sur les données, utiliser des fonctions et appliquer des filtres, types d'opérations difficiles, voire impossibles à réaliser avec Word. Lorsque vous copiez un tableau de Word pour le coller dans Excel, vous pouvez perdre certains éléments de mise en forme, et des données sont parfois transférées en texte au lieu de nombres. On remédie pourtant facilement à ces problèmes. Pour plus de détails sur la conversion de texte en nombres, consultez la tâche n°26. Pour des renseignements sur la mise en forme, consultez les tâches n°68, 69 et 70. Après avoir importé le tableau dans une feuille de calcul, vous pouvez lui ajouter des données en vous servant d'un formulaire, consultez la tâche n°36.

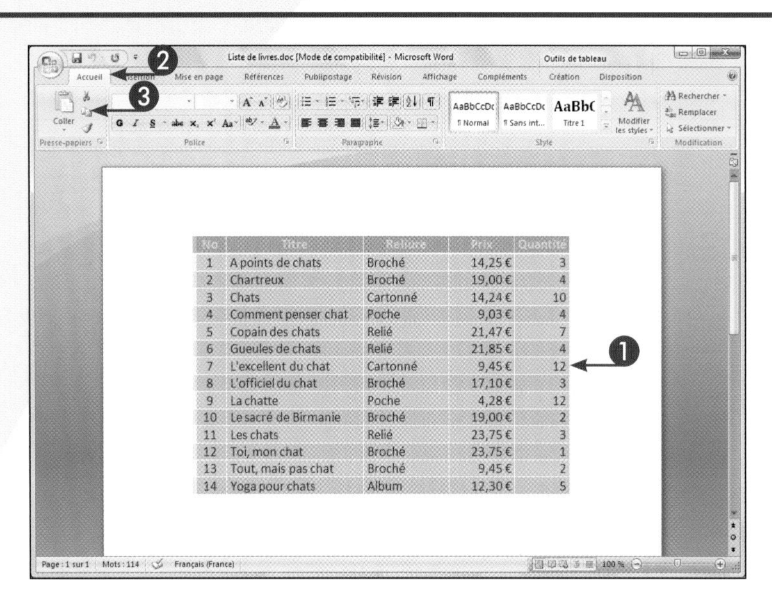

No	Titre	Reliure	Prix	Quantité
1	A points de chats	Broché	14,25 €	3
2	Chartreux	Broché	19,00 €	4
3	Chats	Cartonné	14,24 €	10
4	Comment penser chat	Poche	9,03 €	4
5	Copain des chats	Relié	21,47 €	7
6	Gueules de chats	Relié	21,85 €	4
7	L'excellent du chat	Cartonné	9,45 €	12
8	L'officiel du chat	Broché	17,10 €	3
9	La chatte	Poche	4,28 €	12
10	Le sacré de Birmanie	Broché	19,00 €	2
11	Les chats	Relié	23,75 €	3
12	Toi, mon chat	Broché	23,75 €	1
13	Tout, mais pas chat	Broché	9,45 €	2
14	Yoga pour chats	Album	12,30 €	5

1. Dans Word, sélectionnez les données à copier.
2. Cliquez l'onglet **Accueil**.
3. Cliquez **Copier**.

   Word copie le tableau dans le Presse-papiers.

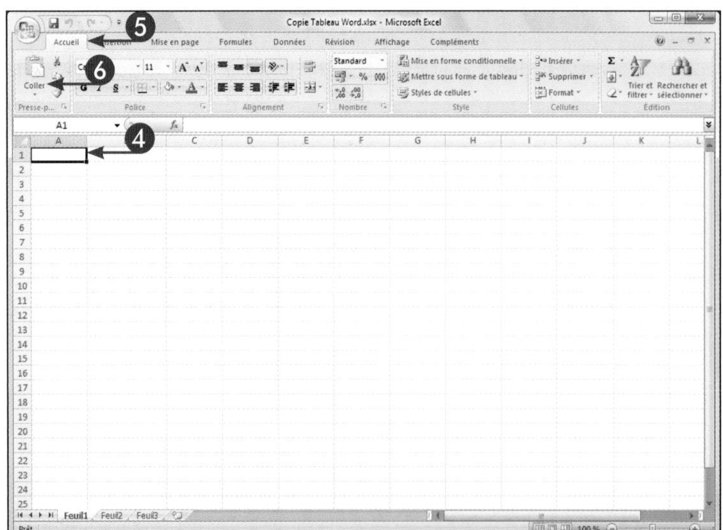

4. Dans Excel, cliquez une cellule en vérifiant que la feuille comprend assez de place à droite et en dessous de cette cellule pour recevoir le tableau de Word.
5. Cliquez l'onglet **Accueil**.
6. Cliquez **Coller**.

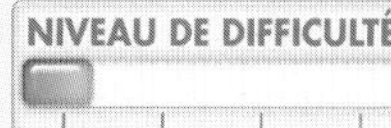

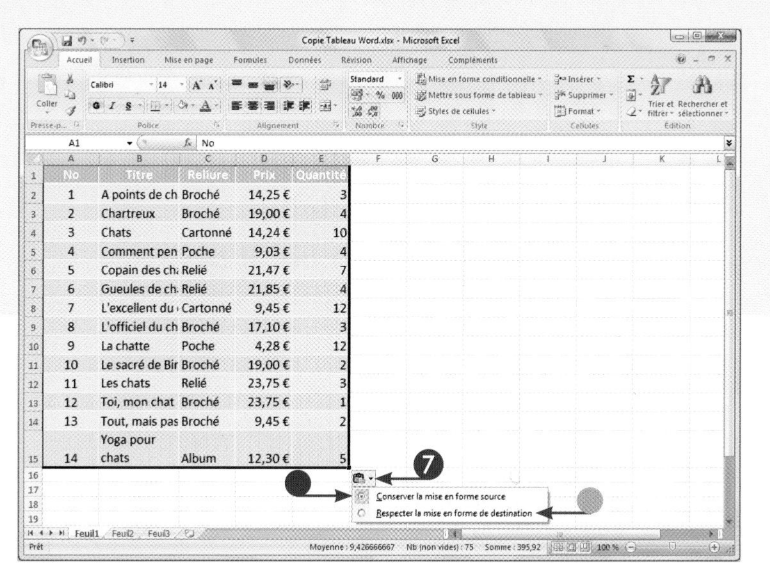

Le tableau est copié dans la feuille de calcul.

Une balise active apparaît.

7 Cliquez la balise **Options de collage**.

- La mise en forme d'origine est appliquée par défaut.

- Cliquez ici si vous souhaitez appliquer la mise en forme des cellules de destination (○ devient ◉).

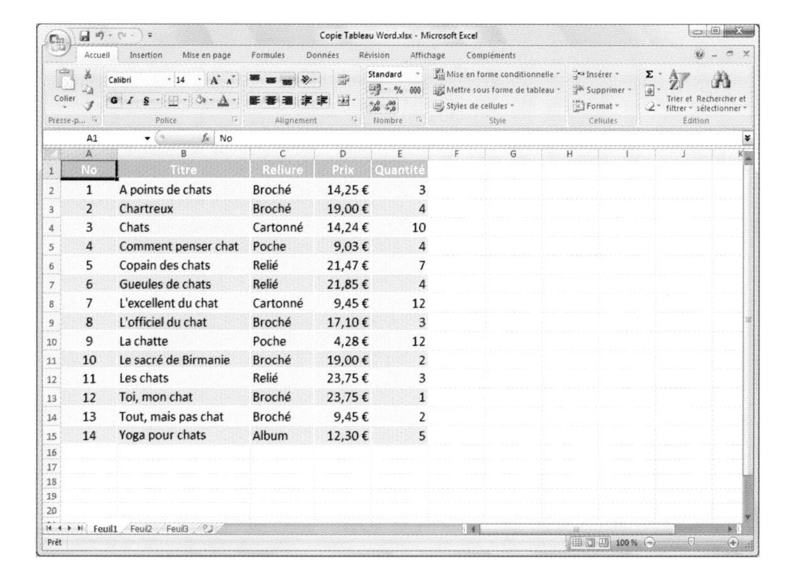

No	Titre	Reliure	Prix	Quantité
1	A points de chats	Broché	14,25 €	3
2	Chartreux	Broché	19,00 €	4
3	Chats	Cartonné	14,24 €	10
4	Comment penser chat	Poche	9,03 €	4
5	Copain des chats	Relié	21,47 €	7
6	Gueules de chats	Relié	21,85 €	4
7	L'excellent du chat	Cartonné	9,45 €	12
8	L'officiel du chat	Broché	17,10 €	3
9	La chatte	Poche	4,28 €	12
10	Le sacré de Birmanie	Broché	19,00 €	2
11	Les chats	Relié	23,75 €	3
12	Toi, mon chat	Broché	23,75 €	1
13	Tout, mais pas chat	Broché	9,45 €	2
14	Yoga pour chats	Album	12,30 €	5

Ajustez au besoin la largeur des colonnes.

Vous pouvez modifier la mise en forme des données.

Le saviez-vous ?

Vous pouvez importer des données formées de texte séparées par des virgules, des tabulations, des points-virgules et d'autres délimiteurs. Cliquez l'onglet **Données**, puis, dans le groupe Données externes, cliquez le bouton **À partir du texte** (). La boîte de dialogue Importer Fichier Texte apparaît. Localisez votre fichier, cliquez son nom et cliquez **Importer**. L'assistant Importation de texte apparaît. Les étapes de l'assistant vous guident à travers l'importation du fichier.

Personnalisez-le !

Lorsque vous transférez des données dans Excel, le bouton Options de collage apparaît à côté de la copie. Pour empêcher l'importation d'une mise en forme non souhaitée avec le tableau importé, cliquez l'option Respecter la mise en forme de destination (○ devient ◉). Le menu des options de collage reste accessible jusqu'à ce que vous commenciez une autre tâche Excel.

IMPORTEZ UN FICHIER TEXTE
dans Excel

De nombreuses applications logicielles permettent d'exporter les données dans un fichier texte. Vous pouvez importer un tel fichier dans une feuille de calcul Excel à l'aide de l'assistant Importation de texte. Les données sont alors disponibles pour tous les traitements, qu'il s'agisse de créer un tableau croisé dynamique, un graphique ou d'une analyse classique avec les outils d'Excel.

À la première page de l'assistant Importation de texte, le champ Commencer l'importation à la ligne permet de limiter l'étendue des données importées.

Si vos données comportent des titres ou d'autres informations que vous ne désirez pas importer, omettez ces lignes.

L'assistant Importation de texte peut gérer n'importe quel fichier délimité ou à largeur fixe. Un fichier délimité utilise une virgule, un point-virgule, une tabulation, une espace ou un autre caractère pour marquer la fin de chaque colonne. Dans un fichier à largeur fixe, les colonnes ont une largeur imposée et sont alignées.

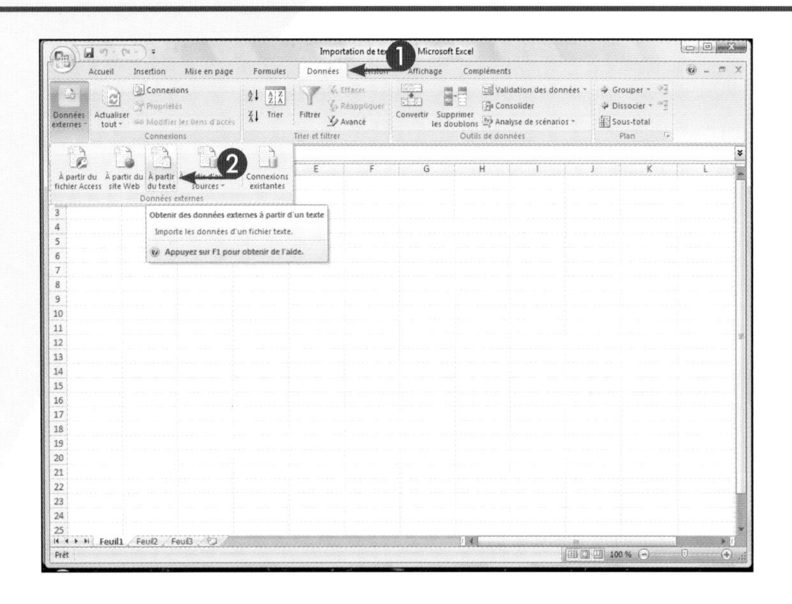

1. Cliquez l'onglet **Données**.
2. Cliquez **À partir du texte** dans le groupe **Données externes**.

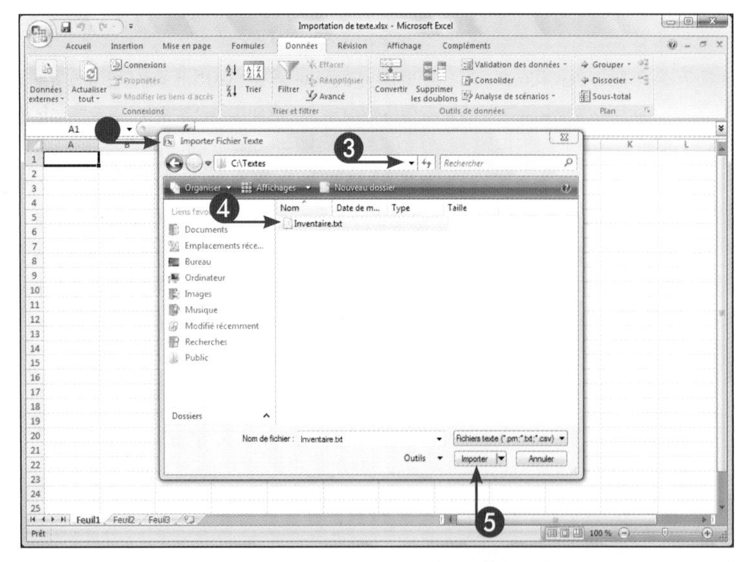

- La boîte de dialogue Importer Fichier Texte apparaît.

3. Cliquez ici et localisez le dossier dans lequel se trouve le fichier texte.
4. Cliquez le fichier.
5. Cliquez **Importer**.

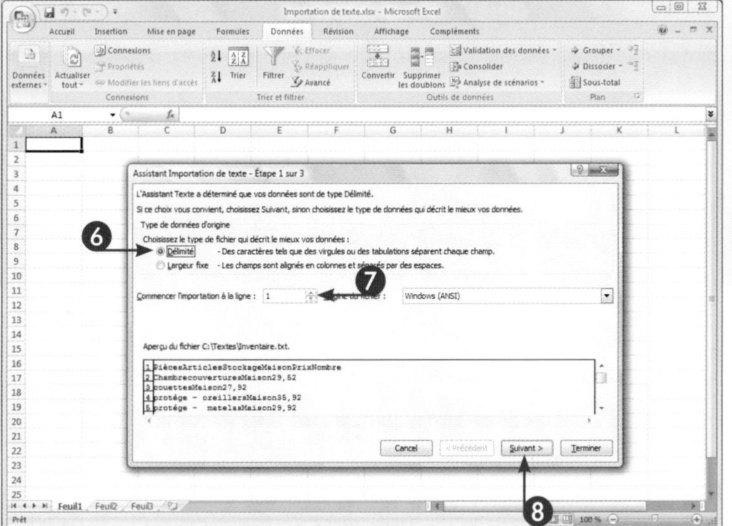

L'assistant Importation de texte apparaît.

88

6 Cliquez pour sélectionner le type de fichier décrivant le mieux vos données (○ devient ◉).

Cliquez **Délimité** si les colonnes sont séparées par une virgule ou un autre caractère.

Cliquez **Largeur fixe** si les colonnes ont une largeur précise.

7 Cliquez pour sélectionner la ligne à partir de laquelle l'importation doit commencer.

8 Cliquez **Suivant**.

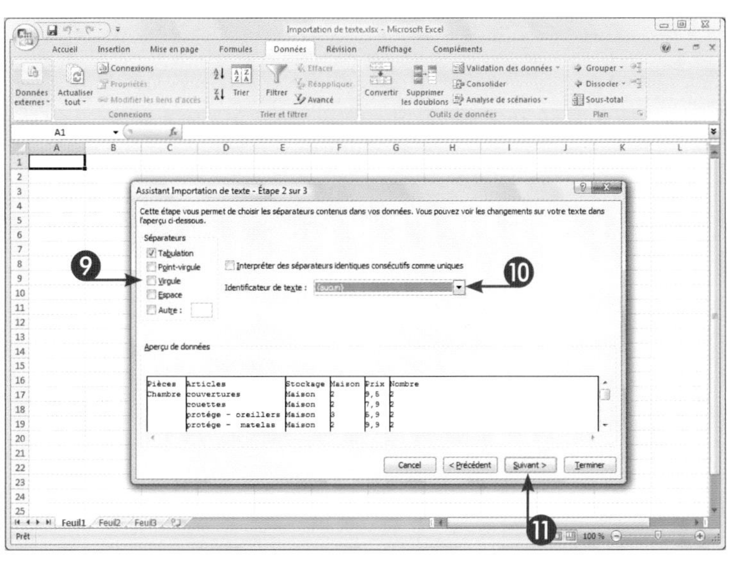

9 Cliquez pour sélectionner le type de séparateur utilisé par vos données (☐ devient ☑).

10 Cliquez pour sélectionner le type d'identificateur de texte utilisé par vos données.

11 Cliquez **Suivant**.

Le saviez-vous ?

Si vous importez un fichier à largeur fixe, vous indiquez à Excel le début exact de chaque colonne en cliquant l'emplacement dans la fenêtre d'aperçu des données. Excel insère un séparateur de colonne. Vous pouvez ajuster l'emplacement de ce séparateur ou le supprimer.

Le saviez-vous ?

Excel dispose d'un outil permettant de séparer une cellule individuelle en colonnes. Cet outil fonctionne de la même façon que l'assistant Importation de texte. Vous sélectionnez la cellule à diviser et vous cliquez **Convertir** dans le groupe Outils de données, onglet Données. L'assistant Conversion apparaît. Utilisez-le pour définir la division en colonnes.

IMPORTEZ UN FICHIER TEXTE
dans Excel

Lorsque vous importez un fichier délimité, vous indiquez à Excel le type de séparateur utilisé. Il peut y avoir plusieurs séparateurs. Certains formats de fichiers délimités entourent le texte par des identificateurs, comme des guillemets. L'assistant Importation de texte propose un champ Identificateur de texte que vous remplissez si nécessaire.

Après avoir défini la disposition des données, vous devez définir le type de données contenues dans chaque colonne. Trois options sont possibles : Standard, Texte et Date. Le format Standard convertit les données numériques en format Nombre, les dates en format Date et considère tout le reste comme du texte. Si vous avez des données numériques qui sont du texte, utilisez l'option Texte pour qu'Excel les convertisse en format Texte. Si vous avez des dates, choisissez l'option Date et indiquez le format que vous voulez utiliser.

Si une colonne ne doit pas être importée, cliquez l'option Colonne non distribuée.

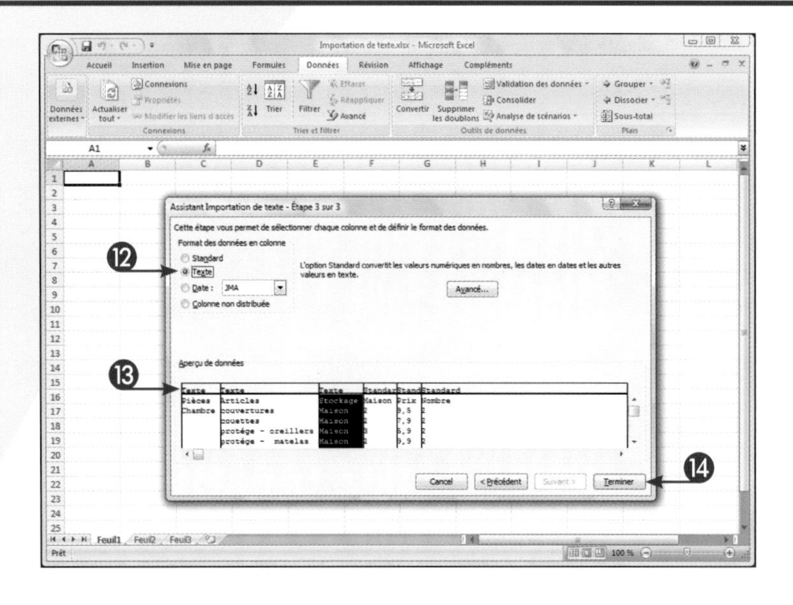

12 Cliquez l'en-tête de colonne.

13 Cliquez pour sélectionner un type de données ou pour ignorer cette colonne (○ devient ◉).

Répétez les étapes **12** et **13** si nécessaire.

14 Cliquez **Terminer**.

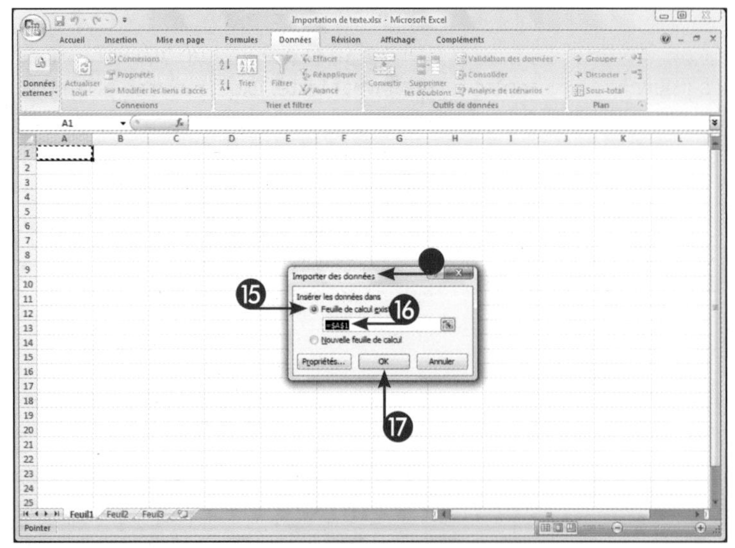

● La boîte de dialogue Importer des données apparaît.

15 Cliquez pour sélectionner l'emplacement des données (○ devient ◉).

Choisissez **Feuille de calcul existante** ou **Nouvelle feuille de calcul**.

16 Cliquez la cellule ou saisissez son adresse si vous avez sélectionné **Feuille de calcul existante**.

17 Cliquez **OK**.

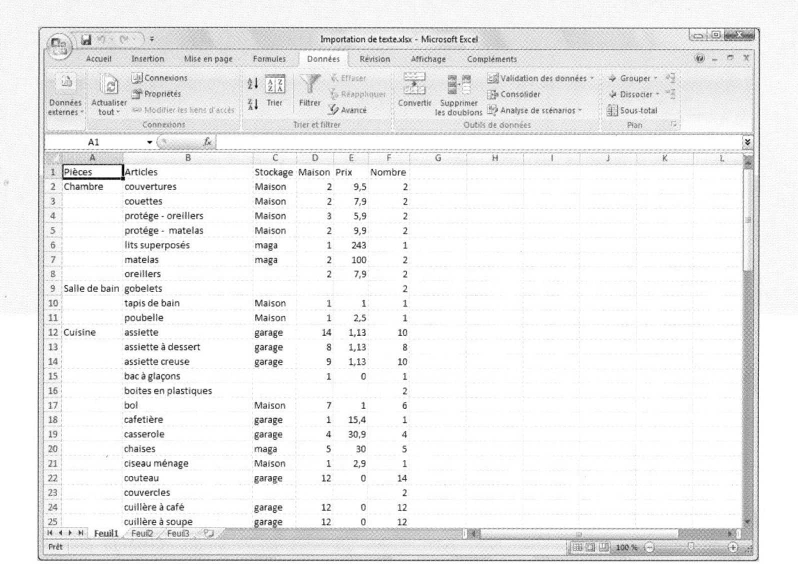

	A	B	C	D	E	F
1	Pièces	Articles	Stockage	Maison	Prix	Nombre
2	Chambre	couvertures	Maison	2	9,5	2
3		couettes	Maison	2	7,9	2
4		protège - oreillers	Maison	3	5,9	2
5		protège - matelas	Maison	2	9,9	2
6		lits superposés	maga	1	243	1
7		matelas	maga	2	100	2
8		oreillers		2	7,9	2
9	Salle de bain	gobelets				2
10		tapis de bain	Maison	1	1	1
11		poubelle	Maison	1	2,5	1
12	Cuisine	assiette	garage	14	1,13	10
13		assiette à dessert	garage	8	1,13	8
14		assiette creuse	garage	9	1,13	10
15		bac à glaçons		1	0	1
16		boites en plastiques				2
17		bol	Maison	7	1	6
18		cafetière	garage	1	15,4	1
19		casserole	garage	4	30,9	4
20		chaises	maga	5	30	5
21		ciseau ménage	Maison	1	2,9	1
22		couteau	garage	12	0	14
23		couvercles				2
24		cuillère à café	garage	12	0	12
25		cuillère à soupe	garage	12	0	12

Excel importe les données.

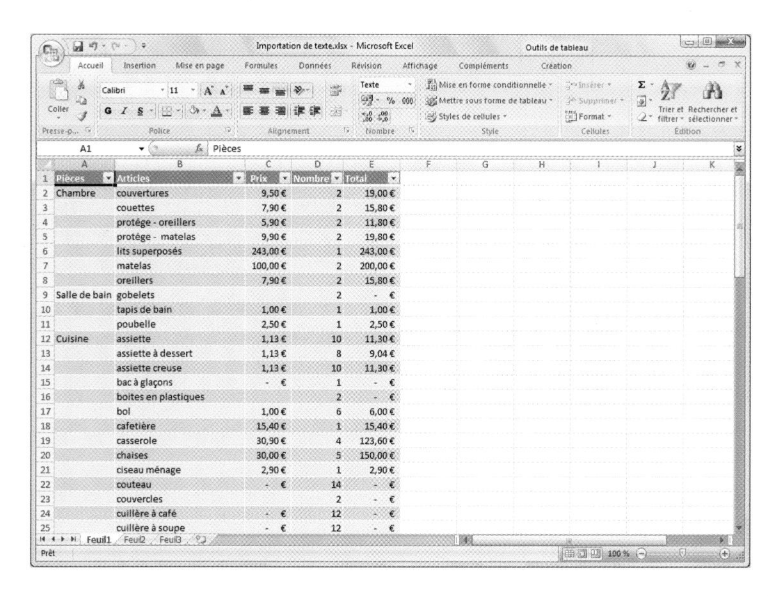

	A	B	C	D	E
1	Pièces	Articles	Prix	Nombre	Total
2	Chambre	couvertures	9,50 €	2	19,00 €
3		couettes	7,90 €	2	15,80 €
4		protège - oreillers	5,90 €	2	11,80 €
5		protège - matelas	9,90 €	2	19,80 €
6		lits superposés	243,00 €	1	243,00 €
7		matelas	100,00 €	2	200,00 €
8		oreillers	7,90 €	2	15,80 €
9	Salle de bain	gobelets		2	- €
10		tapis de bain	1,00 €	1	1,00 €
11		poubelle	2,50 €	1	2,50 €
12	Cuisine	assiette	1,13 €	10	11,30 €
13		assiette à dessert	1,13 €	8	9,04 €
14		assiette creuse	1,13 €	10	11,30 €
15		bac à glaçons	- €	1	- €
16		boites en plastiques		2	- €
17		bol	1,00 €	6	6,00 €
18		cafetière	15,40 €	1	15,40 €
19		casserole	30,90 €	4	123,60 €
20		chaises	30,00 €	5	150,00 €
21		ciseau ménage	2,90 €	1	2,90 €
22		couteau	- €	14	- €
23		couvercles		2	- €
24		cuillère à café	- €	12	- €
25		cuillère à soupe	- €	12	- €

Vous pouvez mettre en forme les données et les analyser.

Le saviez-vous ?

Les fichiers texte créés par d'autres applications logicielles peuvent se présenter sous de nombreux formats de fichier. On identifie alors un format par son extension. Les fichiers dont l'extension est .csv sont séparés par des virgules. Une autre extension répandue est .txt. Les programmes d'exportation séparent généralement les données des fichiers .txt par des tabulations.

Le saviez-vous ?

Vous pouvez exporter un fichier Excel en format texte. Excel propose plusieurs formats, notamment .prn, .txt, .csv, .dif et .slk. Pour exporter un fichier au format texte, cliquez le bouton **Office**, puis **Enregistrer sous** et choisissez **Autres formats**. Dans la boîte de dialogue Enregistrer sous, choisissez le format voulu dans le champ Type de fichier.

IMPORTEZ UNE BASE DE DONNÉES ACCESS

dans Excel

De nombreuses entreprises utilisent plusieurs applications pour gérer les données. Excel est un excellent choix pour le traitement, l'analyse et la présentation de valeurs numériques. Les systèmes de gestion de base de données comme Access sont spécialisés dans l'enregistrement et l'extraction de grandes quantités de données de tous types. En important des données Access dans Excel, vous pouvez appliquer de nombreuses techniques d'analyse à des bases de données Access complexes.

Access demande une organisation des données en tables plutôt qu'en feuilles de calcul. Chaque table contient les données concernant un aspect de l'ensemble : clients, produits, employés, transactions, *etc*. Pour relier ces différentes tables, Access utilise des identificateurs uniques, appelés *clés*, qui sont attribués à chaque client, produit, employé, transaction, *etc*.

Excel simplifie l'utilisation des tables de données Access. Lorsque vous importez des données Access, vous pouvez choisir la table ou les colonnes à importer et afficher les résultats dans une feuille de calcul.

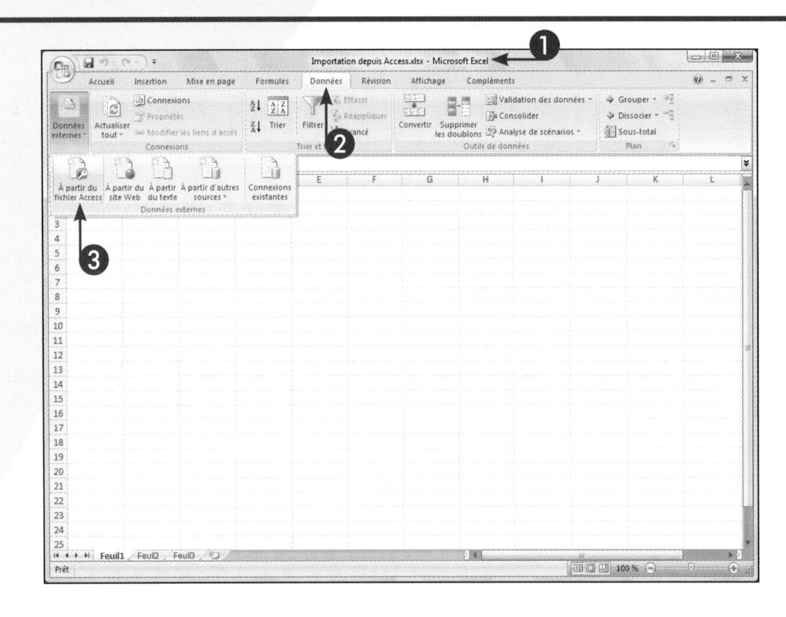

1. Ouvrez le classeur dans lequel vous voulez importer les données Access.
2. Cliquez l'onglet **Données**.
3. Cliquez **À partir du fichier Access** dans le groupe **Données externes**.

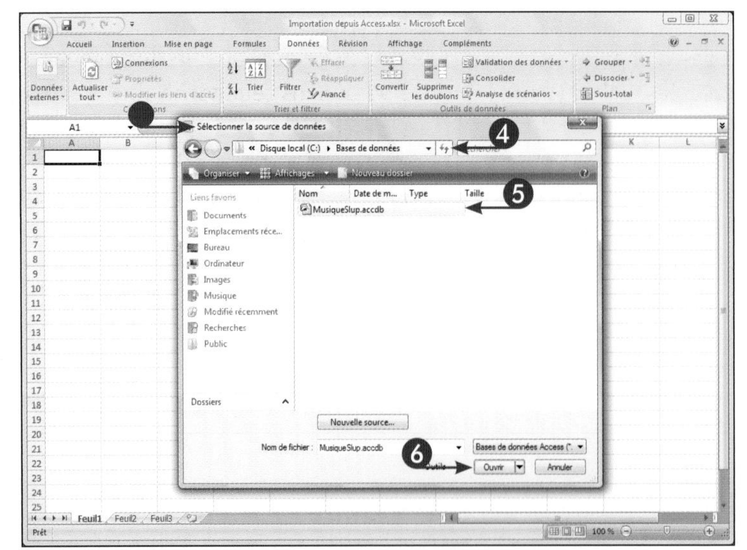

- La boîte de dialogue Sélectionner la source de données apparaît.

4. Cliquez ici pour sélectionner le dossier dans lequel la base de données Access est située.
5. Cliquez votre base de données.
6. Cliquez **Ouvrir**.

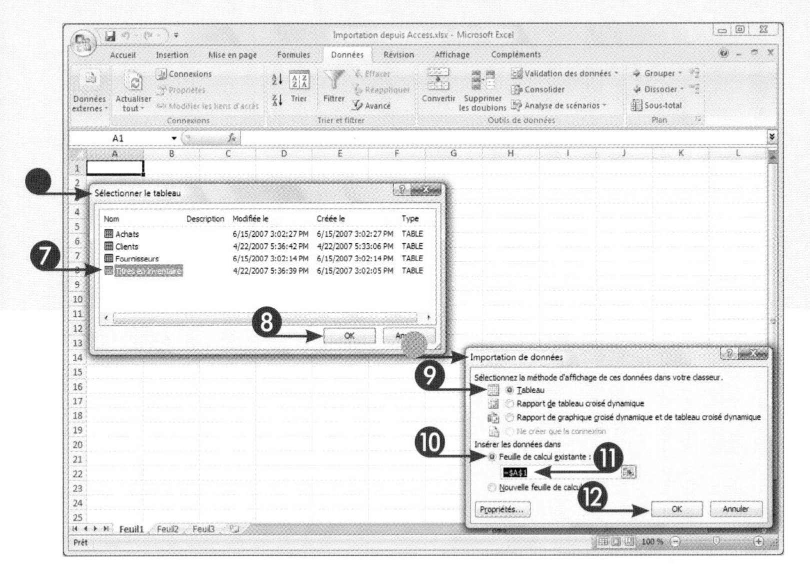

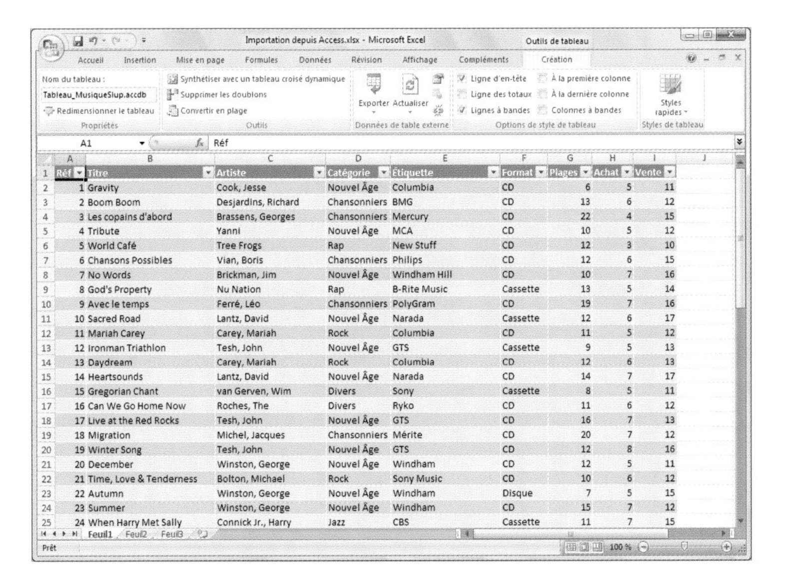

	Réf	Titre	Artiste	Catégorie	Étiquette	Format	Plages	Achat	Vente
2	1	Gravity	Cook, Jesse	Nouvel Âge	Columbia	CD	6	5	11
3	2	Boom Boom	Desjardins, Richard	Chansonniers	BMG	CD	13	6	12
4	3	Les copains d'abord	Brassens, Georges	Chansonniers	Mercury	CD	22	4	15
5	4	Tribute	Yanni	Nouvel Âge	MCA	CD	10	5	12
6	5	World Café	Tree Frogs	Rap	New Stuff	CD	12	3	10
7	6	Chansons Possibles	Vian, Boris	Chansonniers	Philips	CD	12	6	15
8	7	No Words	Brickman, Jim	Nouvel Âge	Windham Hill	CD	10	7	16
9	8	God's Property	Nu Nation	Rap	B-Rite Music	Cassette	13	5	14
10	9	Avec le temps	Ferré, Léo	Chansonniers	PolyGram	CD	19	7	16
11	10	Sacred Road	Lantz, David	Nouvel Âge	Narada	Cassette	12	6	17
12	11	Mariah Carey	Carey, Mariah	Rock	Columbia	CD	11	5	12
13	12	Ironman Triathlon	Tesh, John	Nouvel Âge	GTS	Cassette	9	5	13
14	13	Daydream	Carey, Mariah	Rock	Columbia	CD	12	6	13
15	14	Heartsounds	Lantz, David	Nouvel Âge	Narada	CD	14	7	17
16	15	Gregorian Chant	van Gerven, Wim	Divers	Sony	Cassette	8	5	11
17	16	Can We Go Home Now	Roches, The	Divers	Ryko	CD	11	6	12
18	17	Live at the Red Rocks	Tesh, John	Nouvel Âge	GTS	CD	16	7	13
19	18	Migration	Michel, Jacques	Chansonniers	Mérite	CD	20	7	12
20	19	Winter Song	Tesh, John	Nouvel Âge	GTS	CD	12	8	16
21	20	December	Winston, George	Nouvel Âge	Windham	CD	12	5	11
22	21	Time, Love & Tenderness	Bolton, Michael	Rock	Sony Music	CD	10	6	12
23	22	Autumn	Winston, George	Nouvel Âge	Windham	Disque	7	5	15
24	23	Summer	Winston, George	Nouvel Âge	Windham	CD	15	7	12
25	24	When Harry Met Sally	Connick Jr., Harry	Jazz	CBS	Cassette	11	7	15

- La boîte de dialogue Sélectionner le tableau apparaît.

7. Cliquez la table à ouvrir.
8. Cliquez **OK**.

- La boîte de dialogue Importation de données apparaît.

89

9. Cliquez pour sélectionner la méthode d'affichage des données (○ devient ◉).

   Choisissez parmi **Tableau**, **Rapport de tableau croisé dynamique** et **Rapport de graphique croisé dynamique et de tableau croisé dynamique**.

10. Cliquez pour sélectionner l'emplacement des données (○ devient ◉).

    Choisissez **Feuille de calcul existante** ou **Nouvelle feuille de calcul**.

11. Cliquez la cellule de destination ou saisissez-en l'adresse si vous avez sélectionné **Feuille de calcul existante**.
12. Cliquez **OK**.

    Vos données apparaissent dans Excel.

Le saviez-vous ?

La base de données Les Comptoirs est une vaste base de données élaborée au fil des ans et distribuée avec Access dans la suite Office. Elle contient des données sur les produits, les clients, les employés et d'autres aspects d'une épicerie fine fictive. Pour exécuter cette tâche ou faire des expérimentations avec l'importation et les requêtes dans une base de données, installez la base de données Les Comptoirs.

Le saviez-vous ?

Vous pouvez appliquer les techniques exposées dans cette tâche à n'importe quel système de gestion de base de données ayant un pilote ODBC (*Open Database Connectivity*), l'interface standard. Excel permet d'importer depuis des bases de données comme Oracle, Microsoft SQL Server ou Visual FoxPro.

Effectuez une requête dans une BASE DE DONNÉES ACCESS

L'assistant Requête est un élément de Microsoft Query, une application distincte fournie avec Microsoft Office. Elle facilite la génération de requêtes en langage SQL, une norme dans ce domaine.

L'assistant Requête fournit une interface conviviale facilitant l'importation de tables ou de colonnes dans Excel. Une fois la table ou les colonnes sélectionnées, vous pouvez filtrer ou trier les données. L'assistant Requête propose le choix de 16 critères de filtre. En outre, vous pouvez créer des filtres complexes à l'aide des opérateurs et et ou.

Utilisez ou lorsque vous souhaitez que l'assistant sélectionne les données qui remplissent au moins une des conditions. Par exemple, demandez à l'assistant de sélectionner tous les vêtements qui sont rouges ou qui ont des boutons bleus. Avec l'opérateur et, demandez par exemple tous les vêtements qui sont rouges et qui ont des boutons bleus. Le critère de sélection et est plus restrictif, car il ne donne accès qu'aux seuls éléments qui remplissent les deux conditions.

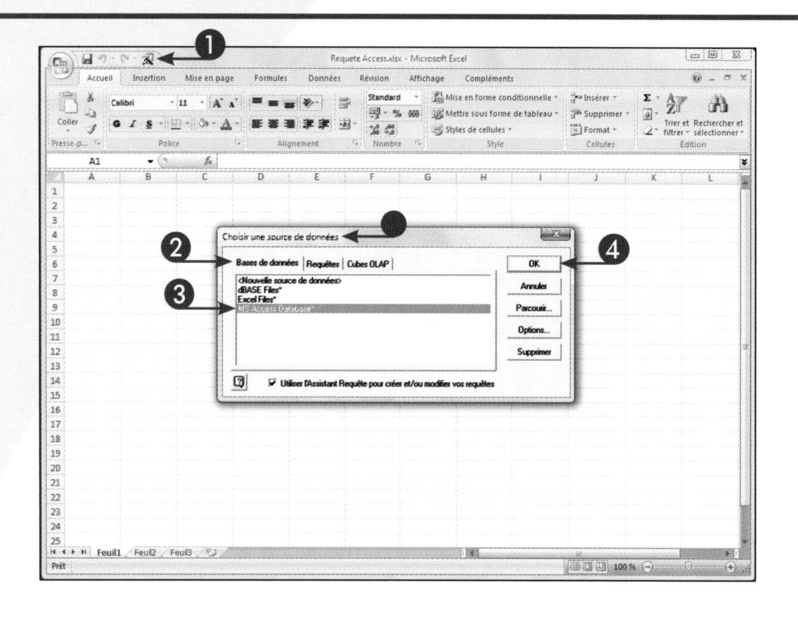

1. Cliquez le bouton **Créer une requête**.

   Note. *Vous devez ajouter le bouton Créer une requête dans la barre d'outils Accès rapide. Consultez la tâche n°95 pour apprendre à personnaliser la barre d'outils Accès rapide.*

- La boîte de dialogue Choisir une source de données apparaît.

2. Cliquez l'onglet **Bases de données**.
3. Cliquez **MS Access Database**.
4. Cliquez **OK**.

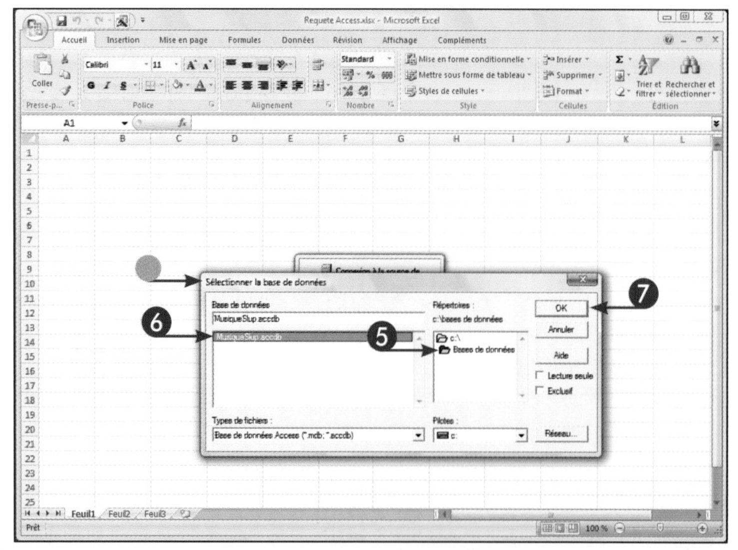

- La boîte de dialogue Sélectionner la base de données apparaît.

5. Cliquez pour sélectionner le dossier dans lequel la base de données Access est enregistrée.
6. Cliquez votre base de données.
7. Cliquez **OK**.

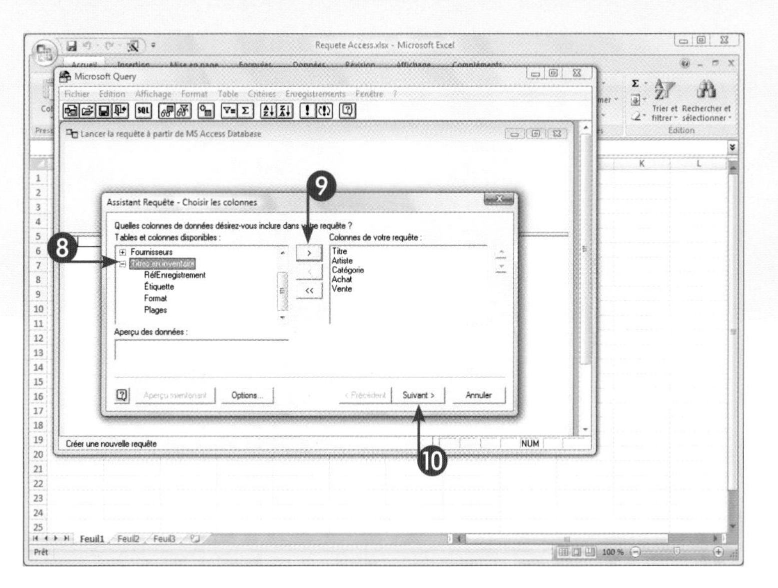

L'assistant Requête - Choisir les colonnes apparaît.

8. Cliquez la table et/ou les champs à importer.
9. Cliquez le bouton **Ajouter**.

   Si vous voulez ouvrir plusieurs tables ou ajouter plusieurs champs, répétez les étapes **8** et **9**.

10. Cliquez **Suivant**.

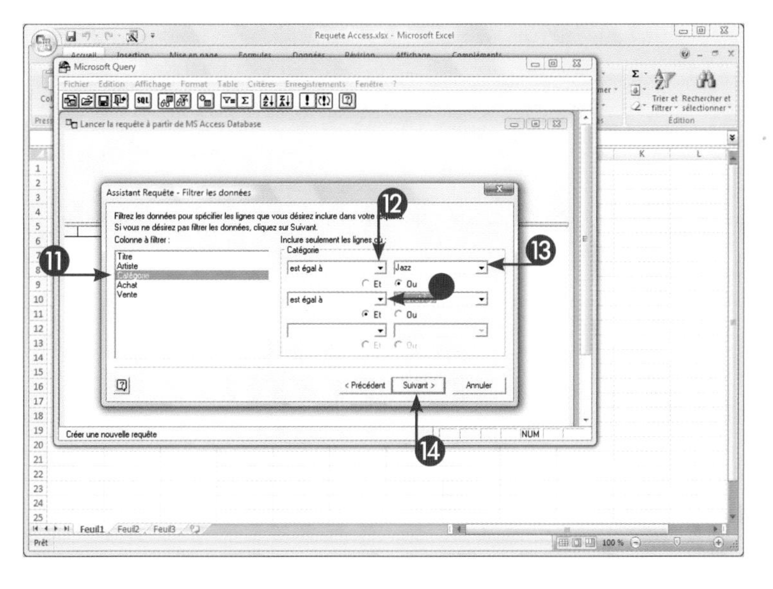

L'assistant Requête - Filtrer les données apparaît.

11. Cliquez la colonne servant à filtrer.
12. Cliquez ici et sélectionnez un opérateur de comparaison.
13. Cliquez ici et sélectionnez la valeur selon laquelle vous voulez filtrer.

- Vous pouvez ajouter d'autres critères.

14. Cliquez **Suivant**.

Important !

Dans cette tâche, vous cliquez le bouton **Créer une requête** () pour ouvrir la boîte de dialogue Choisir la source de données. Cette tâche suppose que vous ayez installé le bouton Créer une requête dans la barre d'outils Accès rapide. Consultez la tâche n°95 pour apprendre à personnaliser la barre d'outils Accès rapide.

Le saviez-vous ?

Vous utilisez la boîte de dialogue **Choisir la source de données** pour importer une base de données Access. Pour ouvrir cette boîte de dialogue, placez le bouton **Créer une requête** dans la barre d'outils Accès rapide ou cliquez l'onglet **Données**, puis **À partir d'autres sources** et sélectionnez **Provenance : Microsoft Query**.

Effectuez une requête dans une BASE DE DONNÉES ACCESS

L'assistant Requête réalise aussi des tris imbriqués. Par exemple, vous pouvez trier par ordre alphabétique la liste des régions, des départements et des villes de la façon suivante : pour commencer, les régions sont données dans l'ordre alphabétique, les départements sont triés dans chaque région et enfin, les villes sont triées dans chaque département.

Après avoir importé les données dans Excel, les outils du tableur permettent de raffiner encore les tris et les filtres. Vous pouvez même outrepasser l'assistant et manipuler directement les tables Access dans lesquelles la requête est effectuée.

À la page finale de l'assistant, cliquez Afficher les données ou modifier la requête dans Microsoft Query, puis cliquez Terminer pour obtenir une interface donnant accès à la table de données sous-jacente. Vous y travaillerez directement avec les critères, ajouterez une table et connecterez des tables par des champs partagés. Vous pourrez aussi exécuter et afficher des requêtes.

Après avoir terminé la création de votre requête, vous pouvez l'enregistrer. Les requêtes enregistrées sont disponibles depuis Excel et fonctionnent de la même façon. Pour apprendre à exécuter une requête enregistrée, consultez la tâche n°91.

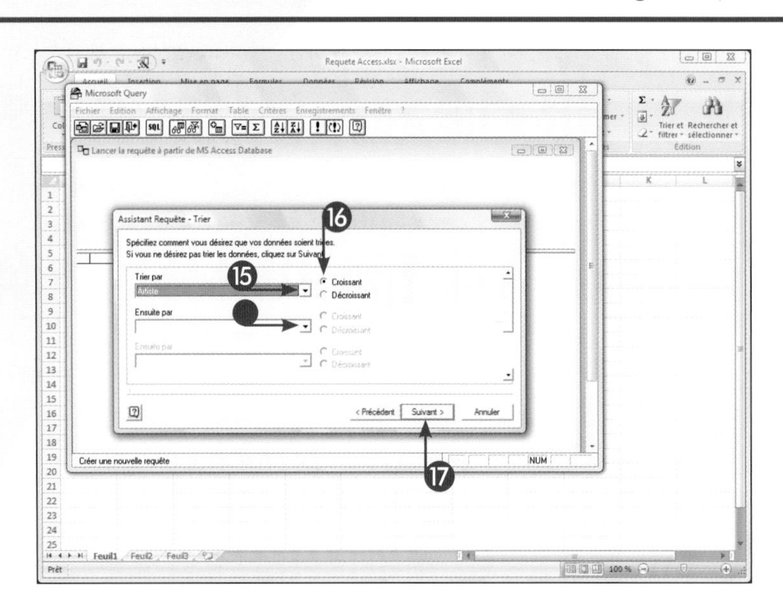

L'assistant Requête - Trier apparaît.

⓯ Cliquez ici et sélectionnez la colonne selon laquelle vous voulez trier les données.

⓰ Cliquez **Croissant** ou **Décroissant** pour choisir un ordre de tri (○ devient ◉).

● Vous pouvez aussi ajouter d'autres critères de tri.

⓱ Cliquez **Suivant**.

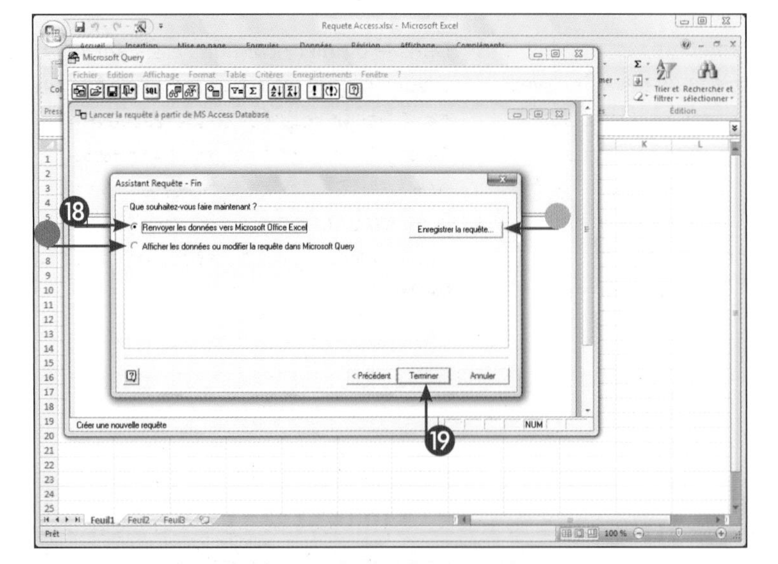

L'assistant Requête - Fin apparaît.

⓲ Cliquez **Renvoyer les données vers Microsoft Office Excel**.

● Cliquez **Afficher les données ou modifier la requête dans Microsoft Query**, puis cliquez **Terminer** pour obtenir l'affichage des tables de données sous-jacentes.

● Cliquez ici pour enregistrer votre requête.

⓳ Cliquez **Terminer**.

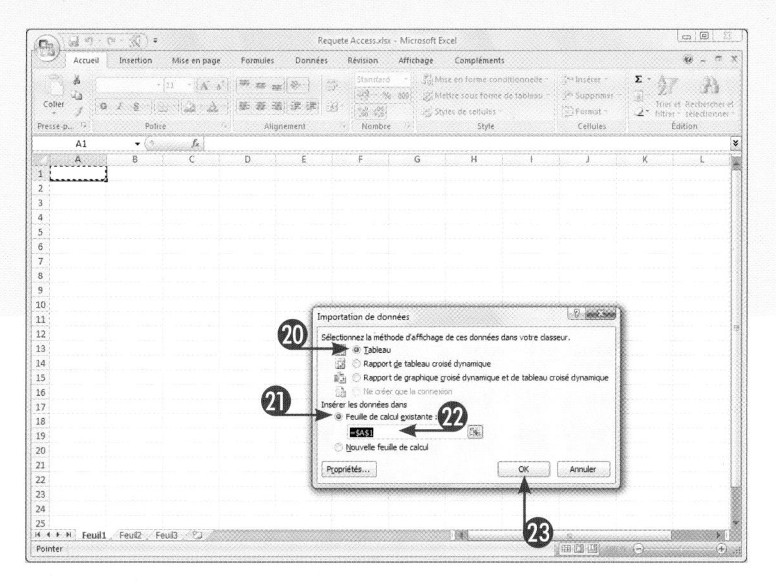

La boîte de dialogue Importation de données apparaît.

⑳ Cliquez pour sélectionner la méthode d'affichage des données.

Choisissez parmi **Tableau**, **Rapport de tableau croisé dynamique** et **Rapport de graphique croisé dynamique et de tableau croisé dynamique**.

㉑ Cliquez pour sélectionner l'emplacement des données (○ devient ◉).

Choisissez **Feuille de calcul existante** ou **Nouvelle feuille de calcul**.

㉒ Cliquez la cellule de destination ou saisissez-en l'adresse si vous avez sélectionné **Feuille de calcul existante**.

㉓ Cliquez **OK**.

Vos données Access apparaissent dans Excel.

90 SUITE

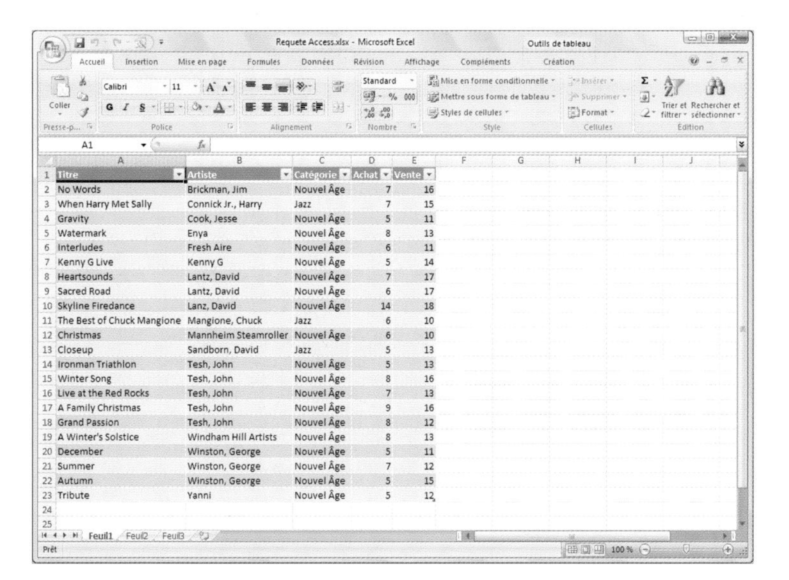

Titre	Artiste	Catégorie	Achat	Vente
No Words	Brickman, Jim	Nouvel Âge	7	16
When Harry Met Sally	Connick Jr., Harry	Jazz	7	15
Gravity	Cook, Jesse	Nouvel Âge	5	11
Watermark	Enya	Nouvel Âge	8	13
Interludes	Fresh Aire	Nouvel Âge	6	11
Kenny G Live	Kenny G	Nouvel Âge	5	14
Heartsounds	Lantz, David	Nouvel Âge	7	17
Sacred Road	Lantz, David	Nouvel Âge	6	17
Skyline Firedance	Lanz, David	Nouvel Âge	14	18
The Best of Chuck Mangione	Mangione, Chuck	Jazz	6	10
Christmas	Mannheim Steamroller	Nouvel Âge	6	10
Closeup	Sandborn, David	Jazz	5	13
Ironman Triathlon	Tesh, John	Nouvel Âge	5	13
Winter Song	Tesh, John	Nouvel Âge	8	16
Live at the Red Rocks	Tesh, John	Nouvel Âge	7	13
A Family Christmas	Tesh, John	Nouvel Âge	9	16
Grand Passion	Tesh, John	Nouvel Âge	8	12
A Winter's Solstice	Windham Hill Artists	Nouvel Âge	8	13
December	Winston, George	Nouvel Âge	5	11
Summer	Winston, George	Nouvel Âge	7	12
Autumn	Winston, George	Nouvel Âge	5	15
Tribute	Yanni	Nouvel Âge	5	12

Le saviez-vous ?

Filtrer les données améliore les performances lorsque vous travaillez avec de vastes bases de données. Microsoft Query peut aussi accélérer le processus. Si vous devez souvent effectuer des requêtes dans de vastes bases de données en utilisant différents filtres et ordres de tri, vous trouverez beaucoup d'avantages à apprendre Microsoft Query.

Le saviez-vous ?

Dans le dernier écran de l'assistant Requête, si vous cliquez **Afficher les données ou modifier la requête dans Microsoft Query** (○ devient ◉), puis **Terminer**, Excel présente une interface prête à recevoir la modification de la requête. Cliquez le menu d'aide pour apprendre à utiliser cette fonction.

Réutilisez une REQUÊTE ENREGISTRÉE

L'avantage de réutiliser une requête n'est pas seulement l'ouverture de la base de données depuis Excel. Dans une vaste base de données, utiliser des filtres vous aidera à restreindre les lignes et colonnes à afficher. En enregistrant la requête, vous revenez rapidement aux données d'origine, vous pouvez actualiser les données et réaliser toutes les opérations possibles avec Excel comme l'application de fonctions, l'emploi des tableaux croisés dynamiques et la création de graphiques.

Indépendamment de la source de données, les requêtes ont des formats semblables et elles sont facilement exécutables. Dans l'onglet Données, cliquez Propriétés pour passer en revue les propriétés et les modifier si nécessaire.

En actualisant les données, vous voyez les modifications apportées dans Access depuis la dernière actualisation. Pour rompre la connexion avec la base de données Access, cliquez l'onglet Données, puis Connexions. Dans la boîte de dialogue Connexions du classeur, cliquez le nom de la requête puis Supprimer.

Vous pouvez importer des requêtes dans une autre feuille de calcul. Après l'importation, la feuille de calcul ne semble pas différente. Enregistrer les modifications du classeur laisse inchangée la définition originale de la requête, si bien que vous pouvez réutiliser la requête ultérieurement.

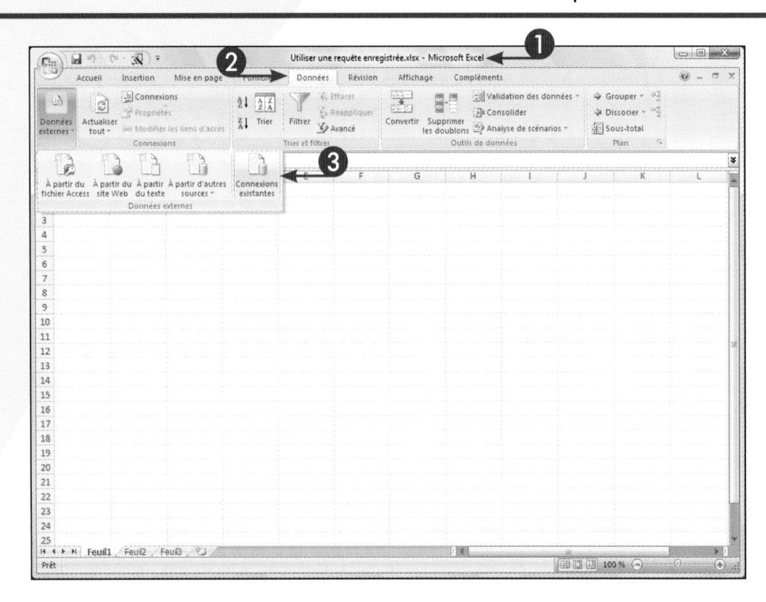

1. Ouvrez le classeur dans lequel vous voulez importer les données.
2. Cliquez l'onglet **Données**.
3. Cliquez **Connexions existantes** dans le groupe **Données externes**.

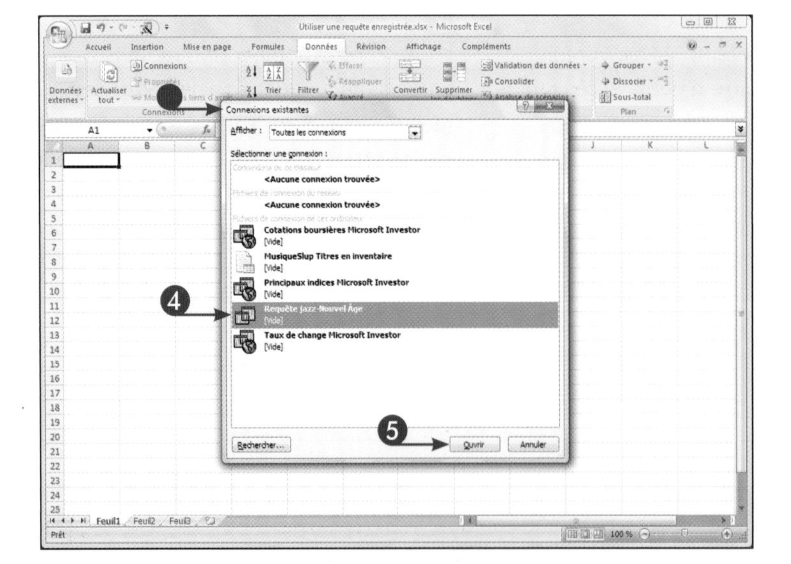

- La boîte de dialogue Connexions existantes apparaît.

4. Cliquez le nom de la requête enregistrée.
5. Cliquez **Ouvrir**.

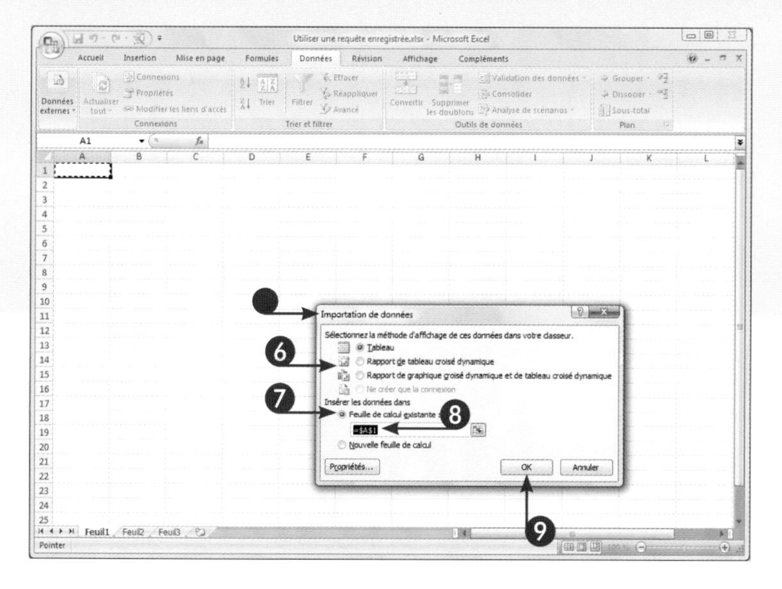

- La boîte de dialogue Importation de données apparaît.

6. Cliquez pour sélectionner la méthode d'affichage des données.

   Choisissez parmi **Tableau**, **Rapport de tableau croisé dynamique** et **Rapport de graphique croisé dynamique et de tableau croisé dynamique**.

7. Cliquez pour sélectionner l'emplacement des données (○ devient ◉).

   Choisissez **Feuille de calcul existante** ou **Nouvelle feuille de calcul**.

8. Cliquez la cellule de destination ou saisissez-en l'adresse si vous avez sélectionné **Feuille de calcul existante**.

9. Cliquez **OK**.

   Les résultats de votre requête apparaissent dans la feuille de calcul.

10. Cliquez l'onglet **Création**.

11. Cliquez **Actualiser**.

    Excel actualise les données.

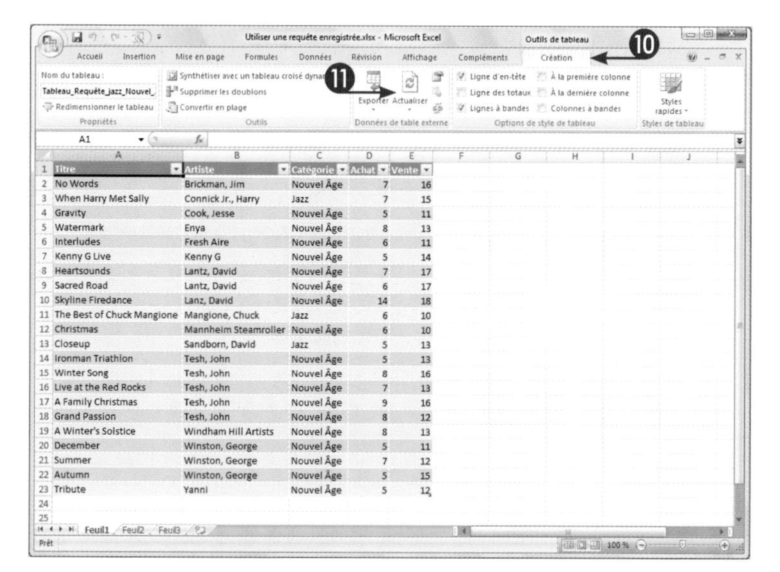

Titre	Artiste	Catégorie	Achat	Vente
No Words	Brickman, Jim	Nouvel Âge	7	16
When Harry Met Sally	Connick Jr., Harry	Jazz	7	15
Gravity	Cook, Jesse	Nouvel Âge	5	11
Watermark	Enya	Nouvel Âge	8	13
Interludes	Fresh Aire	Nouvel Âge	6	11
Kenny G Live	Kenny G	Nouvel Âge	5	14
Heartsounds	Lantz, David	Nouvel Âge	7	17
Sacred Road	Lantz, David	Nouvel Âge	6	17
Skyline Firedance	Lanz, David	Nouvel Âge	14	18
The Best of Chuck Mangione	Mangione, Chuck	Jazz	6	10
Christmas	Mannheim Steamroller	Nouvel Âge	6	10
Closeup	Sandborn, David	Jazz	5	13
Ironman Triathlon	Tesh, John	Nouvel Âge	5	13
Winter Song	Tesh, John	Nouvel Âge	8	16
Live at the Red Rocks	Tesh, John	Nouvel Âge	7	13
A Family Christmas	Tesh, John	Nouvel Âge	9	16
Grand Passion	Tesh, John	Nouvel Âge	8	12
A Winter's Solstice	Windham Hill Artists	Nouvel Âge	8	13
December	Winston, George	Nouvel Âge	5	11
Summer	Winston, George	Nouvel Âge	7	12
Autumn	Winston, George	Nouvel Âge	5	15
Tribute	Yanni	Nouvel Âge	5	12

Le saviez-vous ?

Vous pouvez ajouter le bouton Données externes (▣) à la barre d'outils Accès rapide pour ouvrir la boîte de dialogue Choisir une source de données. Dans cette boîte de dialogue, cliquez le nom de la requête enregistrée et cliquez **Ouvrir**. Excel exécute la requête. Consultez la tâche n°95 pour apprendre à ajouter un bouton à la barre d'outils Accès rapide.

Le saviez-vous ?

Vous pouvez modifier une requête enregistrée. Cliquez l'onglet **Données**, puis **À partir d'autres sources** et cliquez **Provenance : Microsoft Query**. La boîte de dialogue Choisir une source de données s'ouvre. Cliquez l'onglet **Requêtes**, choisissez le nom de la requête et cliquez **Ouvrir**. Votre requête peut alors être modifiée.

Importez une feuille de calcul DANS ACCESS

Dans le domaine de la gestion des bases de données, les tableaux Excel permettent une gestion basique comprenant le tri et le filtrage. Mais en important les données d'une feuille de calcul dans Access, vous pouvez gérer les longues listes de façon plus approfondie en vous servant des outils de base de données. En tant que système relationnel de base de données, Access offre les avantages d'un assistant ou d'outils de création permettant de créer des formulaires, des requêtes et des rapports personnalisés. Access n'est pas limité par la quantité de données. La seule limite est la capacité du support des données.

Avant d'importer une feuille de calcul dans Access, vous devez mettre les données sous forme de tableau. Les colonnes doivent avoir des en-têtes et il est préférable d'essayer d'éliminer les colonnes, les lignes et les cellules vides. Les listes de données Excel exportées doivent de préférence ne pas comporter d'informations répétitives. Par exemple, au lieu de reprendre le nom et l'adresse du client dans chaque enregistrement d'une liste de transaction, il faut diviser la feuille en deux listes : l'une contiendra les informations sur les clients et l'autre les données des transactions. Les deux listes deviendront dans Access deux tables reliées par un champ clé.

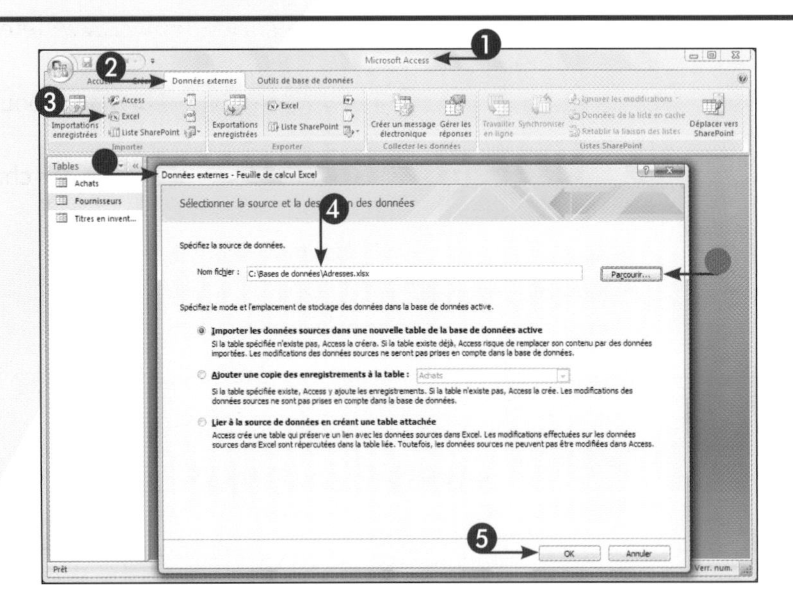

1. Ouvrez une base de données Access.
2. Cliquez l'onglet **Données externes**.
3. Cliquez **Excel** dans le groupe Importation.

- La boîte de dialogue Données externes - Feuille de calcul Excel apparaît.

4. Saisissez le chemin d'accès du fichier à importer.

- Vous pouvez aussi cliquer **Parcourir** et localiser votre fichier.

5. Cliquez **OK**.

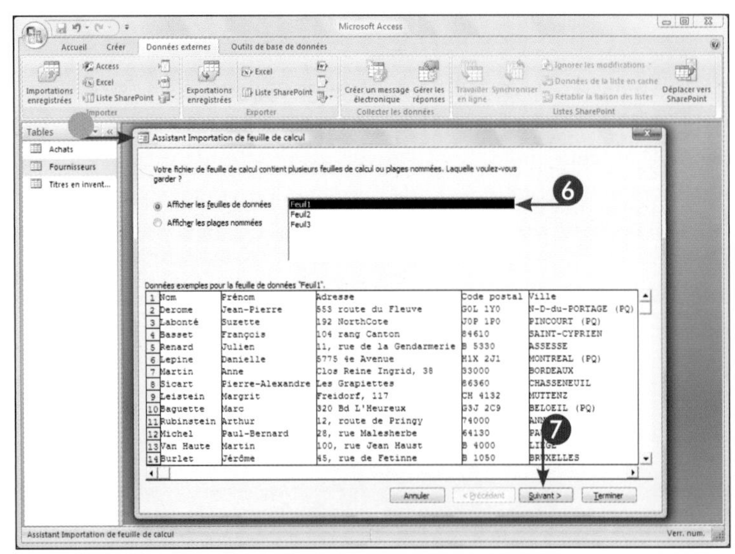

- La boîte de dialogue Assistant Importation de feuille de calcul apparaît.

6. Cliquez la feuille de calcul à importer.
7. Cliquez **Suivant**.

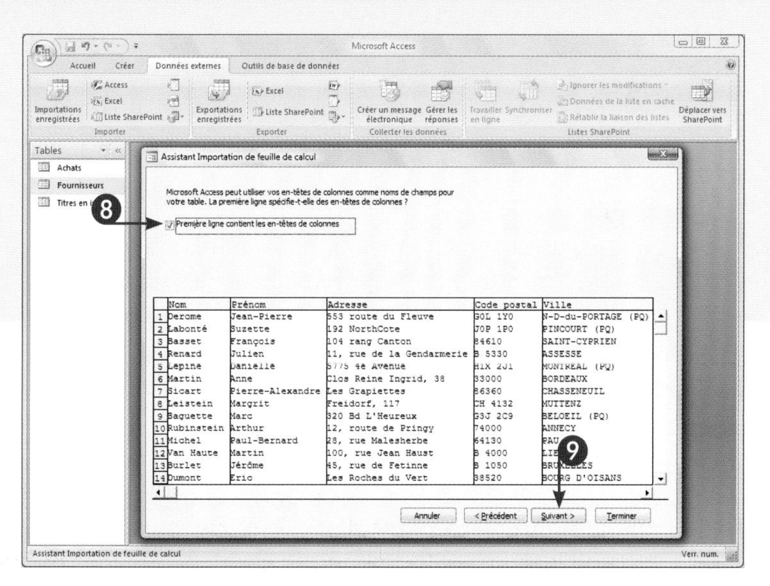

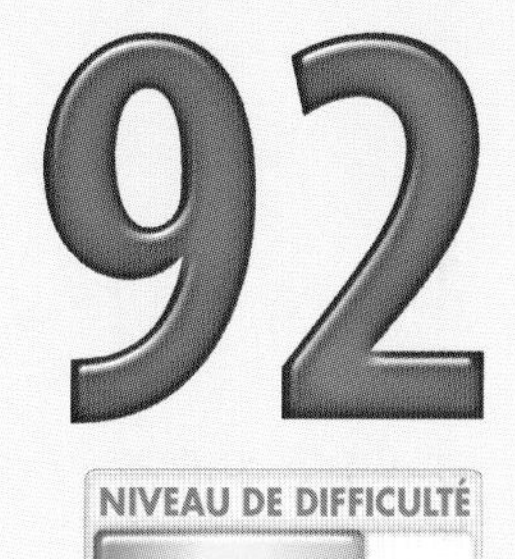

La page suivante de l'assistant Importation de feuille de calcul apparaît.

8. Cliquez si vos données n'ont pas d'en-têtes de colonnes (☐ devient ☑).
9. Cliquez **Suivant**.

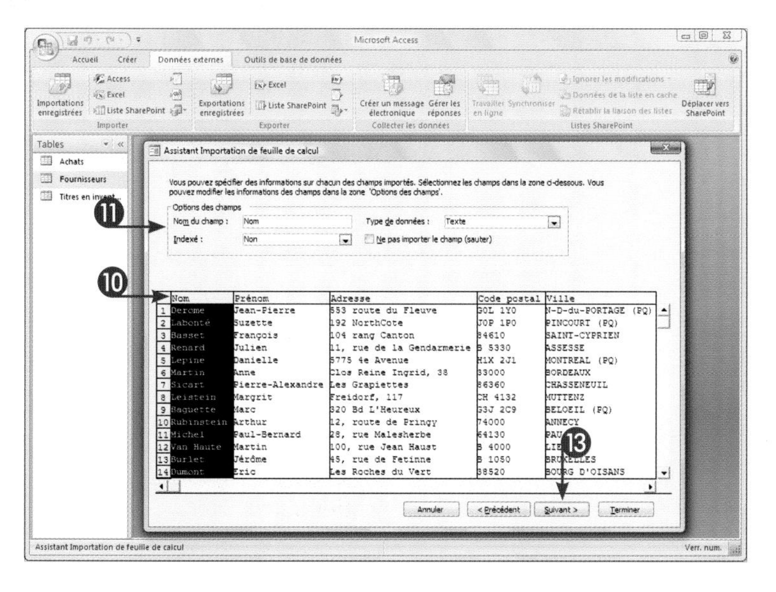

La page suivante de l'assistant Importation de feuille de calcul apparaît.

10. Cliquez pour sélectionner un en-tête de colonne.
11. Définissez les options du champ pour la colonne.
12. Répétez les étapes **10** et **11** pour chaque colonne.
13. Cliquez **Suivant**.

Le saviez-vous ?

Vous ne pouvez pas importer plus de 255 colonnes dans Access car c'est le nombre maximal de champs d'une table Access.

Le saviez-vous ?

Lorsque vous exportez, chaque ligne d'une colonne doit contenir le même type de données. Une colonne contenant plusieurs types de données peut provoquer des erreurs durant l'importation. Access examine les huit premières rangées d'une colonne pour déterminer le type de données.

Importez une feuille de calcul
DANS ACCESS

Chaque enregistrement d'une base de données Access doit être unique. Une clé primaire est un champ, tel un numéro d'enregistrement, dont la caractéristique est d'assurer que chaque enregistrement est unique. Access peut créer pour vous un champ de clé primaire ou vous laisser le créer vous-même. Par exemple, si le numéro d'employé attribué dans votre entreprise à chaque employé est unique, vous pouvez l'utiliser comme clé primaire. Les données Access sont enregistrées dans plusieurs tables. Les champs clés servent à relier les tables entre elles.

Vous pouvez importer dans Access toute liste de données ou plage nommée. Utilisez l'assistant Importation Feuille de calcul Excel. Cet assistant permet de définir plusieurs options de champ durant le processus d'importation comme changer les noms de champ et les types de données, ou choisir de ne pas importer un champ particulier.

Un champ peut être indexé durant l'importation. Un index accélère l'extraction des données. Il faut toujours indexer le champ de clé primaire. Sélectionnez l'option Oui (aucun doublon) pour le champ indexé. Cela garantit que toutes les données du champ clé primaire seront uniques.

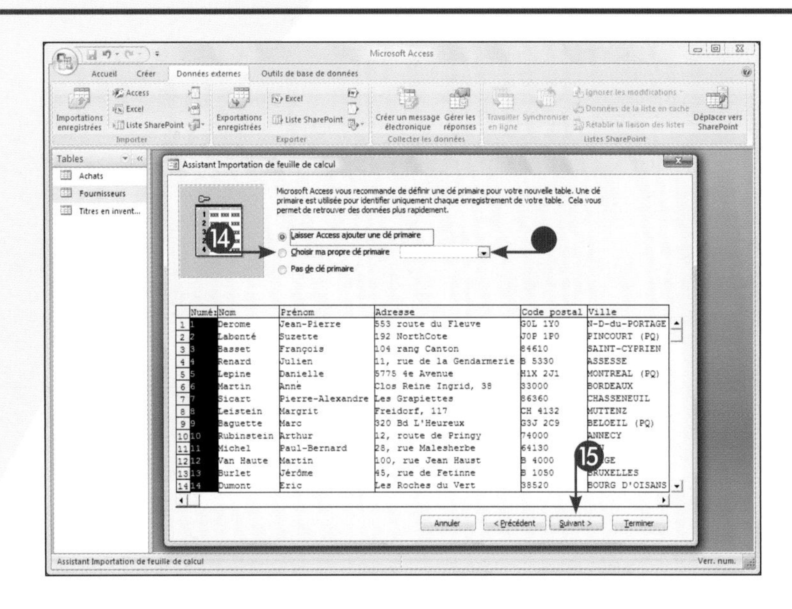

La page suivante de l'assistant Importation de feuille de calcul apparaît.

⑭ Cliquez pour sélectionner une option de clé primaire (◯ devient ◉).

● Si vous choisissez de définir la clé primaire, cliquez ici et sélectionnez un champ.

⑮ Cliquez **Suivant**.

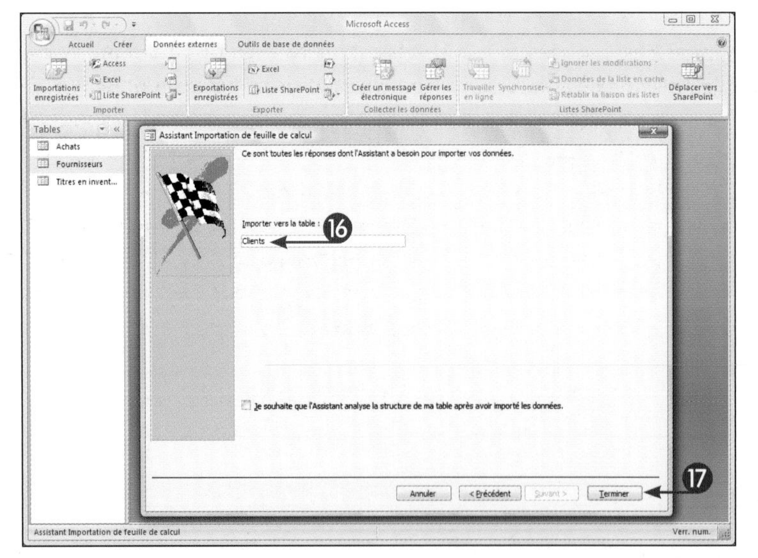

La page suivante de l'assistant Importation de feuille de calcul apparaît.

⑯ Saisissez un nom pour votre table.

⑰ Cliquez **Terminer**.

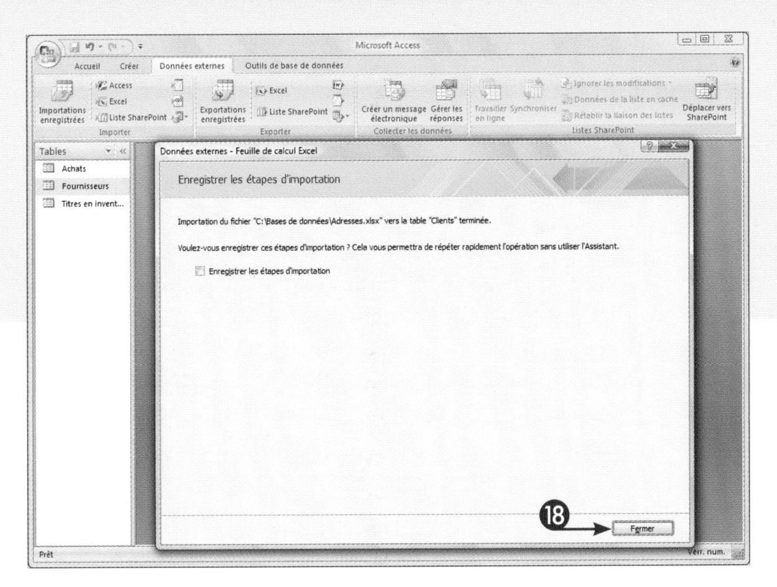

La fenêtre Données externes - Feuille de calcul Excel apparaît.

⑱ Cliquez **Fermer**.

L'assistant Importation de feuille de calcul se ferme.

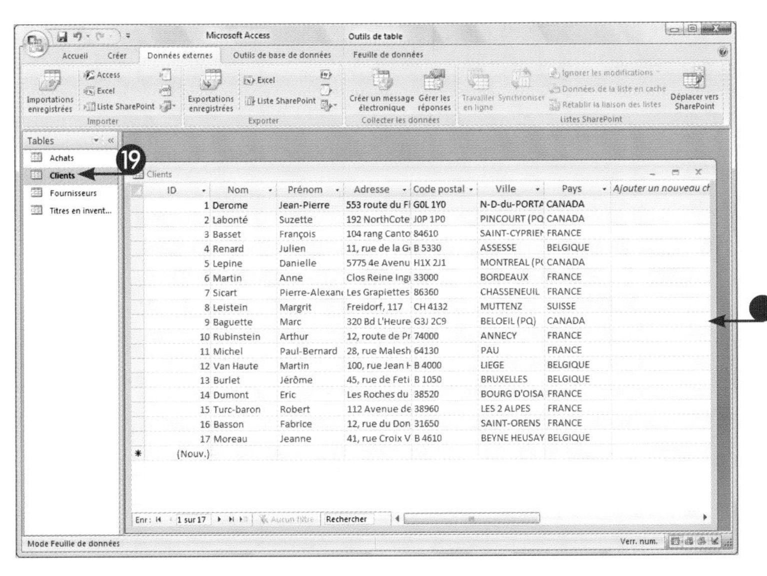

⑲ Double-cliquez le nom de votre table.

- Votre feuille de calcul apparaît dans la table Access.

Le saviez-vous ?

Vous pouvez ajouter des données Excel à une table Access existante. À la première page de l'assistant, cliquez **Ajouter une copie des enregistrements à la table** (◯ devient ◉) et sélectionnez la table à laquelle vous souhaitez ajouter les données.

Le saviez-vous ?

À la première page de l'assistant, vous pouvez choisir de lier vos données Access à Excel. Si vous liez les données, toute modification apportée aux données Excel sera répercutée dans Access. Access peut être utilisé pour effectuer des requêtes de données ou créer des rapports, mais vous ne pouvez pas modifier les données dans Access.

Utilisez Excel pour le PUBLIPOSTAGE

Les applications Office se complètent l'une l'autre. Word, par exemple, permet de jongler avec les mots, tandis qu'Excel fournit un environnement plus structuré pour travailler essentiellement avec des nombres. Word comporte un outil de publipostage donnant la possibilité de fusionner les données d'Excel dans un document contenant un texte personnalisé. Le publipostage sert à créer des étiquettes d'expédition, des formulaires, des enveloppes préadressées, des annuaires et autres documents de ce type.

L'utilisation d'Excel dans le publipostage passe par trois étapes. Pour commencer, créez une liste Excel contenant les adresses ou les autres informations structurées. Ouvrez ensuite cette liste depuis Word. En troisième lieu, utilisez le publipostage pour fusionner les données de la liste dans le document.

Le publipostage est idéal pour composer des lettres personnalisées, réaliser des badges nominatifs, des étiquettes de CD, des cartes professionnelles, des invitations, *etc.* Dans l'onglet publipostage, cliquez Démarrer la fusion et le publipostage et sélectionnez une option. Word met automatiquement en forme le résultat en fonction de vos besoins.

Après avoir importé la liste Excel dans Word, utilisez l'option Modifier la liste des destinataires pour apporter tous les ajustements voulus.

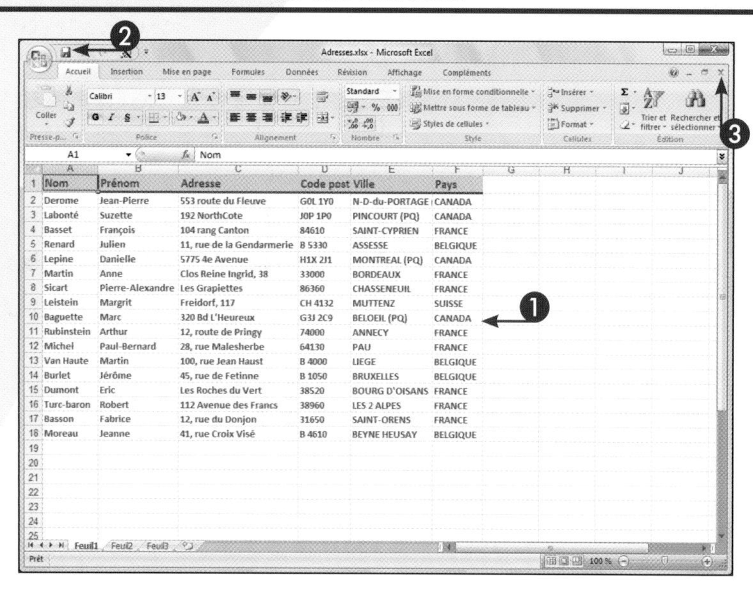

Nom	Prénom	Adresse	Code post	Ville	Pays
Derome	Jean-Pierre	553 route du Fleuve	G0L 1Y0	N-D-du-PORTAGE	CANADA
Labonté	Suzette	192 NorthCote	J0P 1P0	PINCOURT (PQ)	CANADA
Basset	François	104 rang Canton	84610	SAINT-CYPRIEN	FRANCE
Renard	Julien	11, rue de la Gendarmerie	B 5330	ASSESSE	BELGIQUE
Lepine	Danielle	5775 4e Avenue	H1X 2J1	MONTREAL (PQ)	CANADA
Martin	Anne	Clos Reine Ingrid, 38	33000	BORDEAUX	FRANCE
Sicart	Pierre-Alexandre	Les Grapiettes	86360	CHASSENEUIL	FRANCE
Leistein	Margrit	Freidorf, 117	CH 4132	MUTTENZ	SUISSE
Baguette	Marc	320 Bd L'Heureux	G3J 2C9	BELOEIL (PQ)	CANADA
Rubinstein	Arthur	12, route de Pringy	74000	ANNECY	FRANCE
Michel	Paul-Bernard	28, rue Malesherbe	64130	PAU	FRANCE
Van Haute	Martin	100, rue Jean Haust	B 4000	LIEGE	BELGIQUE
Burlet	Jérôme	45, rue de Fetinne	B 1050	BRUXELLES	BELGIQUE
Dumont	Eric	Les Roches du Vert	38520	BOURG D'OISANS	FRANCE
Turc-baron	Robert	112 Avenue des Francs	38960	LES 2 ALPES	FRANCE
Basson	Fabrice	12, rue du Donjon	31650	SAINT-ORENS	FRANCE
Moreau	Jeanne	41, rue Croix Visé	B 4610	BEYNE HEUSAY	BELGIQUE

❶ Créez une liste avec Excel.

❷ Enregistrez le document.

❸ Fermez le classeur.

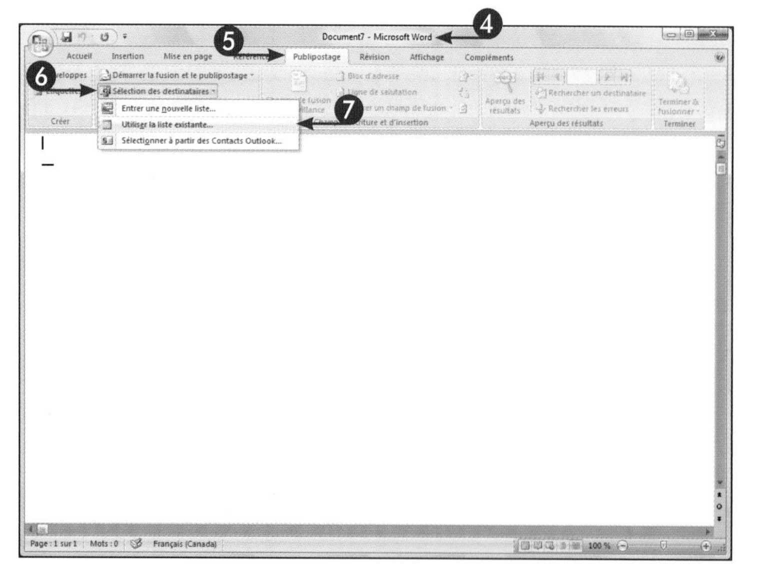

❹ Ouvrez le document Word.

❺ Cliquez l'onglet **Publipostage**.

❻ Cliquez **Sélection des destinataires**.

Un menu apparaît.

❼ Cliquez **Utiliser la liste existante**.

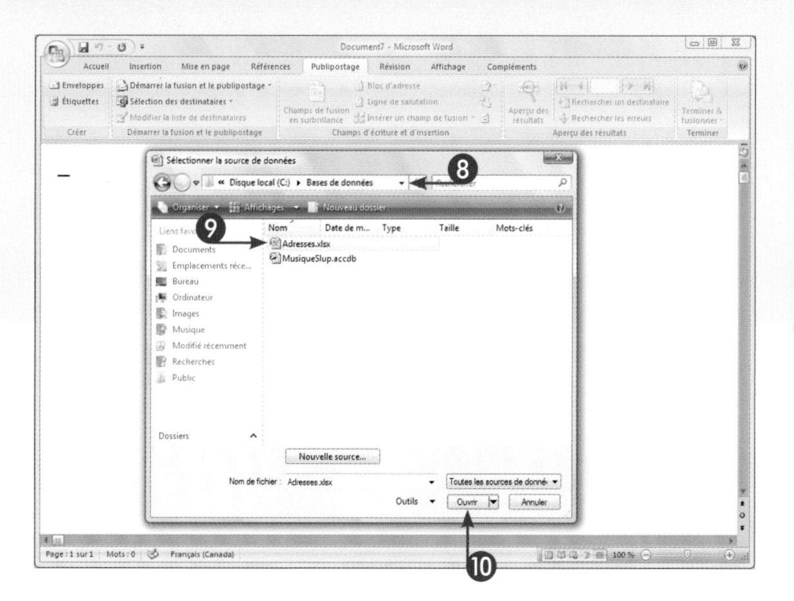

La boîte de dialogue Sélectionner la source de données apparaît.

8. Cliquez ici et sélectionnez le dossier dans lequel vous avez enregistré le classeur Excel.
9. Cliquez le nom du fichier.
10. Cliquez **Ouvrir**.

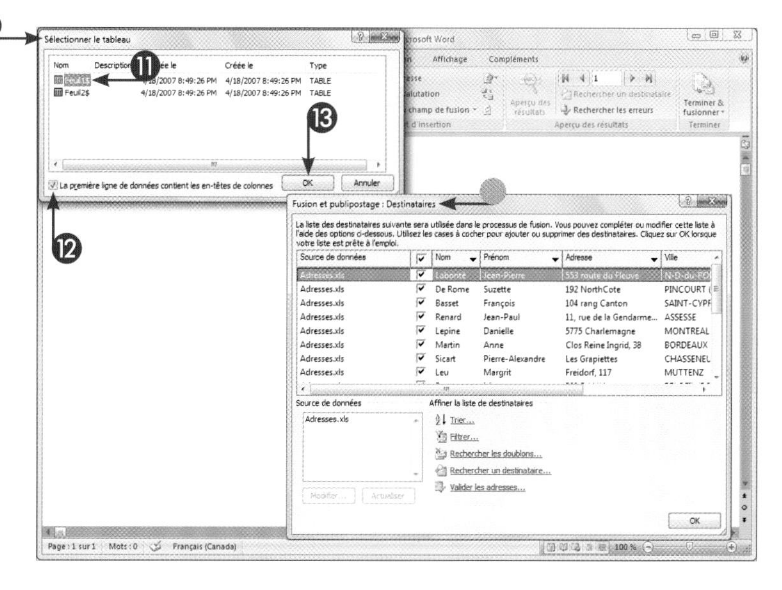

- La boîte de dialogue Sélectionner le tableau apparaît.

11. Sélectionnez la feuille de calcul contenant la liste.
12. Cliquez si votre liste ne comporte pas d'en-têtes de colonne (☐ devient ☑).
13. Cliquez **OK**.

 Excel importe la liste Excel.

14. Cliquez **Modifier la liste de destinataires**.

- La boîte de dialogue Fusion et publipostage : Destinataires apparaît.

 La liste est prête à l'emploi dans un publipostage.

Le saviez-vous ?

Lorsque vous créez une liste Excel destinée à un publipostage, commencez par identifier vos besoins. Pour créer des badges nominatifs, par exemple, vous n'avez pas besoin des adresses, mais vous pourriez avoir besoin d'un champ Titre, ou d'une autre appellation particulière. Pour des étiquettes d'expédition, vous pourriez avoir besoin d'un numéro de client. Lorsque vous gérez régulièrement des listes, utilisez des listes existantes comme modèles pour de nouvelles listes.

Le saviez-vous ?

La boîte de dialogue Fusion et publipostage : Destinataires affiche toutes les données de la liste. Utilisez-la pour sélectionner, trier et filtrer votre liste avant d'effectuer le publipostage. Vous pouvez aussi vous en servir pour repérer les doublons dans la liste ou pour sélectionner un destinataire particulier.

Chapitre 10

Personnalisez Excel

Excel comporte de nombreux outils que vous pouvez personnaliser et adapter à vos besoins. Ce chapitre présente les meilleures méthodes de personnalisation d'Excel.

Une technique simple consiste à installer des outils supplémentaires contenus dans un complément, une extension logicielle de l'application. Vous apprendrez à installer les compléments fournis avec Excel et à en trouver d'autres.

Taillez-vous un Excel sur mesure en plaçant vos outils préférés dans la barre d'outils Accès rapide. Ces commandes sont indépendantes des onglets du ruban et vous y avez accès d'un simple clic. Ce chapitre vous aidera à découvrir de nombreuses commandes absentes du ruban.

Lorsque vous travaillez avec une grande feuille de calcul, vous pouvez ouvrir plusieurs fenêtres pour afficher simultanément différentes parties de la feuille. Vous apprendrez aussi à créer des affichages personnalisés. Lorsque vous filtrez les données, masquez des lignes ou des colonnes, ou définissez des paramètres d'impression particuliers, vous pouvez enregistrer tous ces éléments dans un affichage personnalisé et le rappeler lorsque vous en avez besoin. Une autre tâche vous apprendra à créer un format de nombre personnalisé prêt à l'emploi dans un classeur.

La tâche présentant les macros introduit un très vaste sujet, qui vous donne, plus que tout autre, le moyen de personnaliser et d'étendre les possibilités de votre tableur. Après avoir appris à créer une macro, vous verrez comment l'affecter à un bouton et comment ajouter ce dernier à la barre d'outils Accès rapide.

Top 100

Ajoutez des outils en

INSTALLANT UN COMPLÉMENT

Les *compléments*, des logiciels qui se greffent à Excel, procurent des outils supplémentaires qui ne sont pas disponibles dans la version de base. Certains d'entre eux sont fournis avec Excel, mais ne sont pas installés automatiquement. Parmi ceux-ci vous trouvez les assistants Recherche et Somme conditionnelle, qui simplifient tous deux des fonctions complexes. Le complément Outils pour l'euro permet de calculer les taux de change entre l'euro et d'autres devises. Les tâches n°56 et 66 vous présentent deux des outils statistiques de l'Utilitaire d'analyse.

Un complément s'installe à partir de la boîte de dialogue Options Excel. Une fois installé, il reste disponible.

En outre, il existe des compléments conçus par des sociétés externes. Ce type de logiciel fournit des outils spécialisés dans des domaines comme la chimie, l'analyse de risque, la modélisation, la gestion de projet, les statistiques et plus encore. Chaque complément peut avoir un processus d'installation et un mode d'utilisation particuliers. Consultez le concepteur du complément pour plus de renseignements.

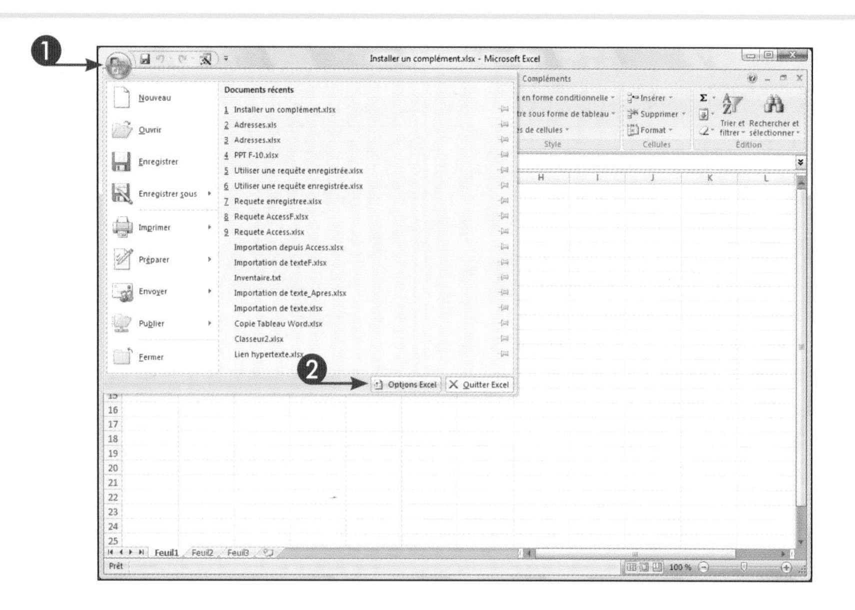

1. Cliquez le bouton **Office**.

   Un menu apparaît.

2. Cliquez **Options Excel**.

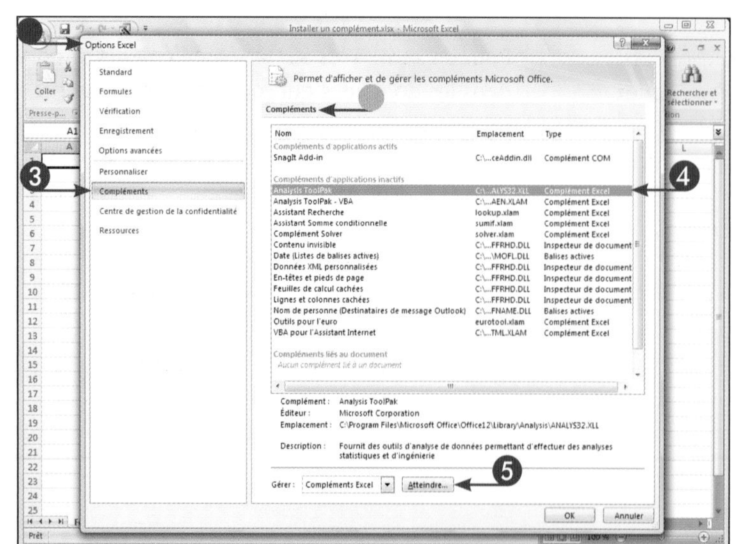

- La fenêtre Options Excel apparaît.

3. Cliquez **Compléments**.

- Le panneau de gestion des compléments apparaît.

4. Cliquez un complément.

   Cet exemple utilise l'Utilitaire d'analyse.

5. Cliquez **Atteindre**.

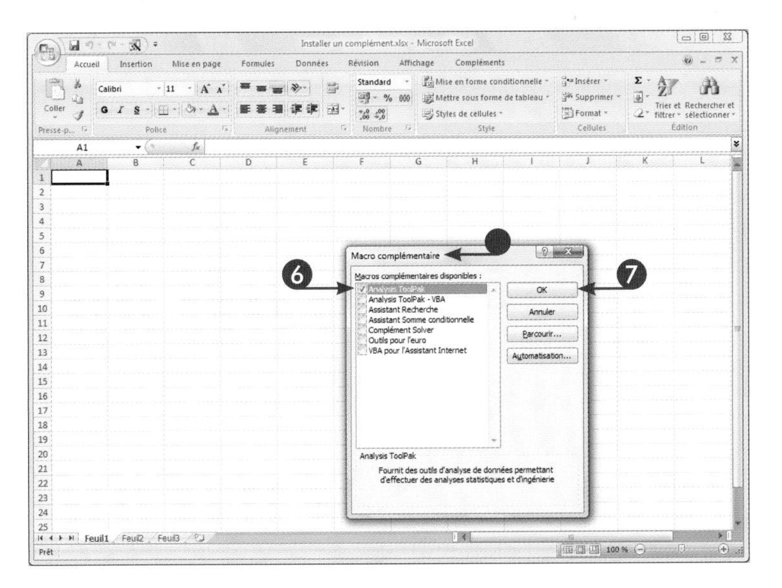

- La boîte de dialogue Macro complémentaire apparaît, présentant plusieurs options.

6. Cliquez pour sélectionner un complément (☐ devient ☑).
7. Cliquez **OK**.

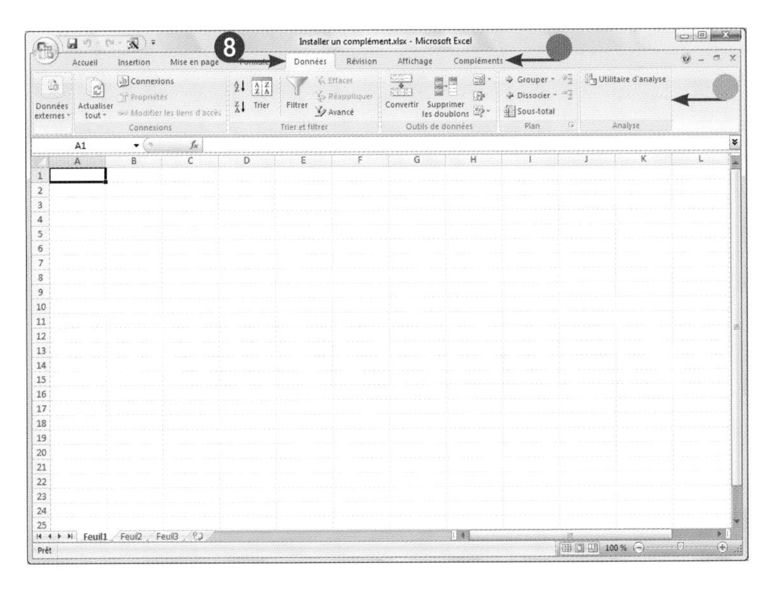

8. Cliquez l'onglet **Données**.

- Excel a placé l'utilitaire d'analyse dans l'onglet Données.
- Excel place de nombreux compléments dans l'onglet Compléments.

Supprimez-le !

Il est facile de supprimer un complément installé. Cliquez le bouton **Office**, puis **Options Excel**, et **Compléments**, sélectionnez **Compléments Excel** dans la zone Gérer et cliquez **Atteindre**. La boîte de dialogue Macro complémentaire apparaît. Décochez le complément à supprimer (☑ devient ☐) et cliquez **OK**. Excel supprime le complément.

Le saviez-vous ?

Pour en savoir plus sur les compléments disponibles dans les domaines qui vous intéressent, lancez une recherche sur Internet à l'aide d'un moteur de recherche. Vos mots-clés devraient comprendre « Excel », le domaine d'intérêt, par exemple « chimie » et éventuellement d'autres informations utiles comme le nom du concepteur. Le site Microsoft Online peut aussi vous fournir des liens vers des compléments externes. Les concepteurs externes ou leurs revendeurs se chargent du support de leurs produits.

Personnalisez la

BARRE D'OUTILS ACCÈS RAPIDE

Vous pouvez ajouter à la barre d'outils Accès rapide tous les outils que vous utilisez fréquemment. La barre d'outils Accès rapide permet d'accéder aux commandes d'un simple clic. Cliquer du bouton droit une commande du ruban propose l'ajout direct de cette commande dans la barre d'outils Accès rapide.

Vous pouvez aussi ajouter à la barre d'outils Accès rapide des commandes qui ne figurent pas dans le ruban en passant par l'écran Personnaliser la barre d'outils Accès rapide. Excel répartit les commandes en catégories pour vous faciliter la tâche de repérage d'une commande. Il est utile de préciser si la personnalisation apparaîtra dans tous les classeurs ou seulement dans un classeur défini. Par défaut, la barre d'outils Accès rapide sera accessible par tous les classeurs. Les tâches n°8, 20, 36, 77 et 90 présentent des commandes qui doivent être ajoutées à la barre d'outils Accès rapide avant de pouvoir être utilisées. La barre d'outils Accès rapide peut apparaître au-dessus ou en dessous du ruban.

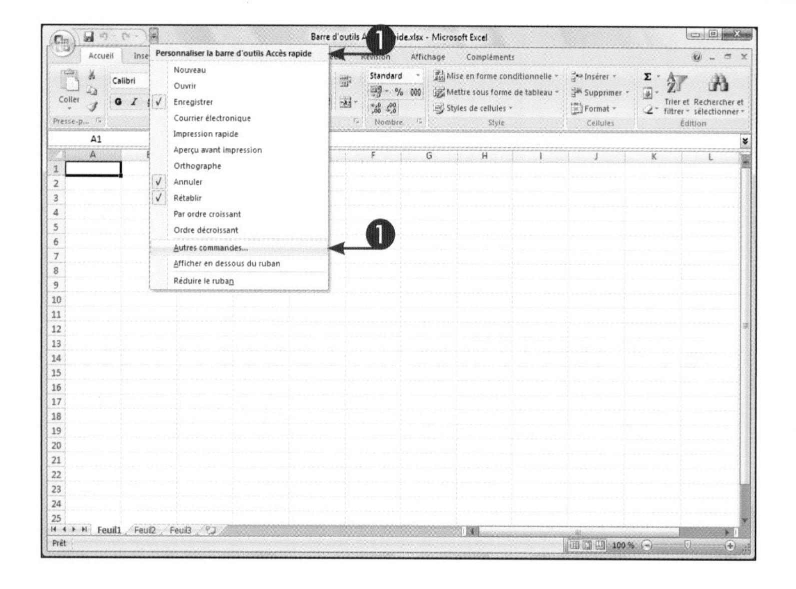

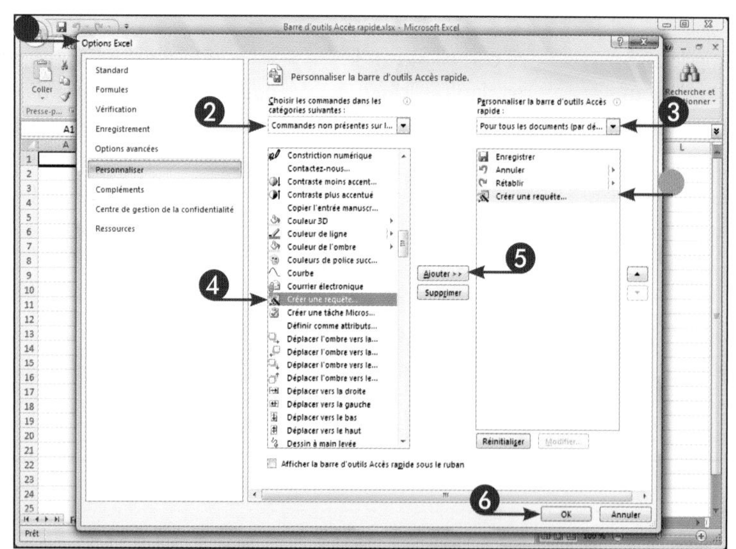

Ajoutez une commande à la barre d'outils Accès rapide

1. Cliquez ici et sélectionnez **Autres commandes**.

- La fenêtre Options Excel apparaît avec le panneau Personnaliser la barre d'outils Accès rapide.

2. Cliquez ici et sélectionnez une catégorie de commandes.
3. Cliquez ici et sélectionnez la portée de la personnalisation.

   Cliquez **Pour tous les documents** si vous voulez disposer de cette commande dans tous les documents.

   Cliquez le nom du classeur si vous voulez personnaliser la barre d'outils dans ce classeur seulement.

4. Cliquez la commande à ajouter dans la barre d'outils.
5. Cliquez **Ajouter**.

- La commande passe dans la liste de droite.

6. Cliquez **OK**.

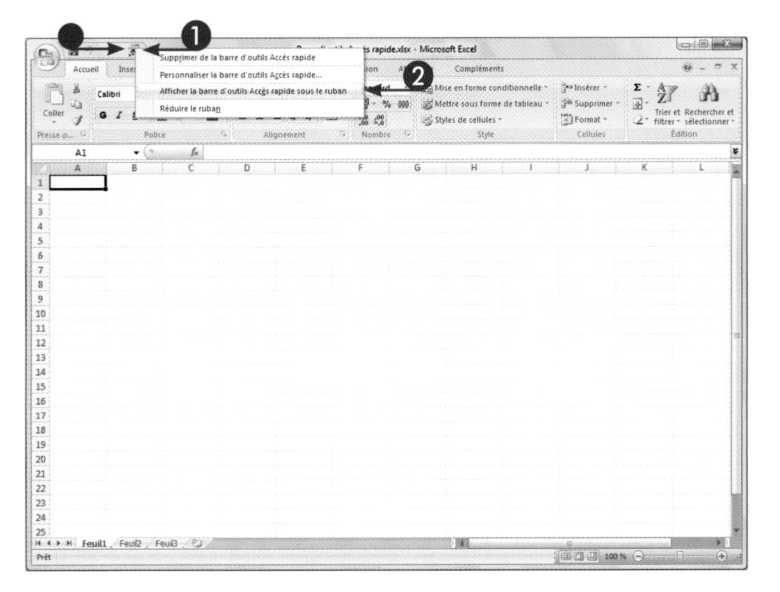

- Excel place la commande dans la barre d'outils Accès rapide.

  Cliquez la commande pour l'utiliser.

  Note. *Cet exemple utilise la commande* ***Créer une requête****. Consultez la tâche n°90 pour en savoir plus à propos de cette commande.*

Placez la barre d'outils Accès rapide sous le ruban

1. Cliquez du bouton droit la commande ajoutée.

   Un menu apparaît.

2. Cliquez **Afficher en dessous du ruban**.

- Excel place la barre d'outils Accès rapide en dessous du ruban.

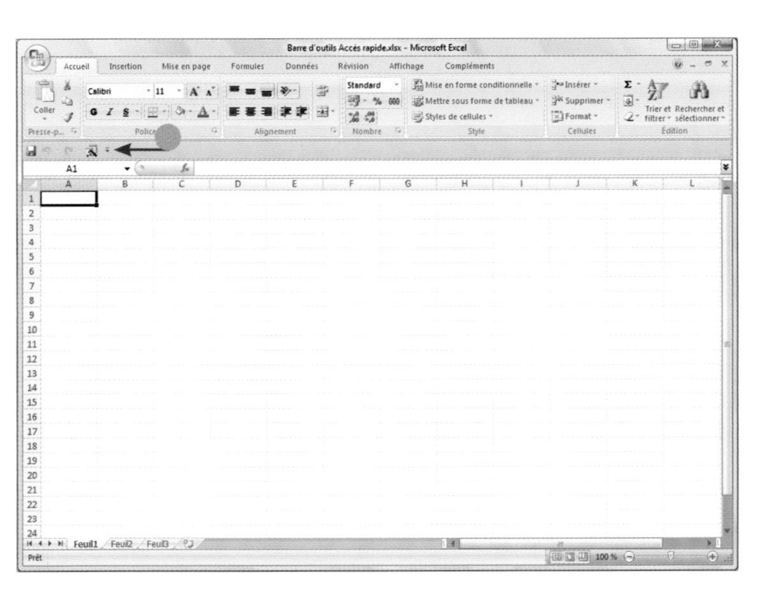

Le saviez-vous ?

Il est intéressant de passer en revue les commandes de la catégorie Commandes non présentes dans le ruban, particulièrement si vous êtes habitué à une version précédente d'Excel. Vous localiserez ainsi certaines commandes que vous ne trouvez pas dans le ruban. Par exemple, dans les versions précédentes, vous utilisiez la commande **Format automatique** pour mettre rapidement vos données en forme. Excel 2007 utilise les styles, mais vous accéderez encore à la commande **Format automatique** en l'ajoutant à la barre d'outils Accès rapide.

Le saviez-vous ?

Vous rétablirez les commandes par défaut de la barre d'outils accès rapide en cliquant le bouton **Réinitialiser** dans le panneau Personnaliser la barre d'outils Accès rapide.

Travaillez avec

PLUSIEURS FENÊTRES

96

NIVEAU DE DIFFICULTÉ

Lorsqu'une feuille de calcul contient de nombreuses données, vous ne pouvez les avoir toutes à l'écran en même temps. Excel permet d'ouvrir d'autres copies de la feuille, chacune dans sa propre fenêtre. Il est aussi possible d'ouvrir d'autres feuilles, y compris dans d'autres classeurs et de les voir simultanément, tout en les manipulant indépendamment. Les fenêtres peuvent s'afficher côte à côte, empilées, en mosaïque ou en cascade. Le contrôle de zoom permet de définir la quantité visible de données dans une fenêtre.

Le saviez-vous ?

Dans une grande feuille de calcul, si vous voulez afficher simultanément différentes parties, fractionnez la fenêtre. Cliquez l'onglet **Affichage**, puis le bouton **Fractionner** (). Excel fractionne la fenêtre en quatre. Pour supprimer une barre de fractionnement, faites-la glisser hors de l'écran ou cliquez de nouveau le bouton **Fractionner**.

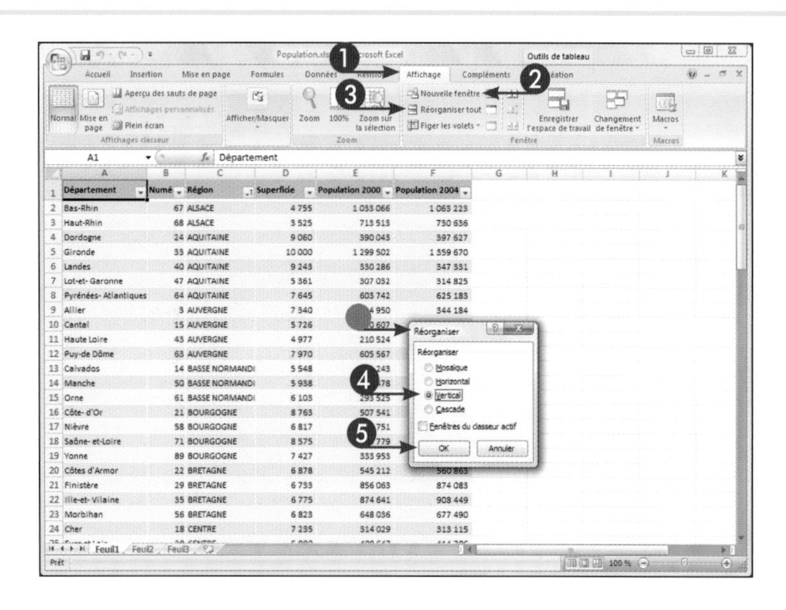

1. Cliquez l'onglet **Affichage**.
2. Cliquez **Nouvelle fenêtre**.

- Excel ouvre une nouvelle fenêtre.

Note. *Excel ouvre une copie de la même feuille de calcul dans une autre fenêtre. La copie pourrait être affichée exactement au-dessus de la fenêtre originale de sorte que vous n'en voyez qu'une.*

3. Cliquez **Réorganiser tout**.

- La boîte de dialogue Réorganiser apparaît.

4. Cliquez une option (○ devient ◉).

Note. *Mosaïque place les fenêtres en lignes et en colonnes. Horizontal place les fenêtres l'une au-dessus de l'autre. Vertical place les fenêtres côte à côte. Avec Cascade, les fenêtres se chevauchent de façon décalée rendant toutes les barres de titre visibles.*

5. Cliquez **OK**.

Excel dispose toutes les fenêtres ouvertes.

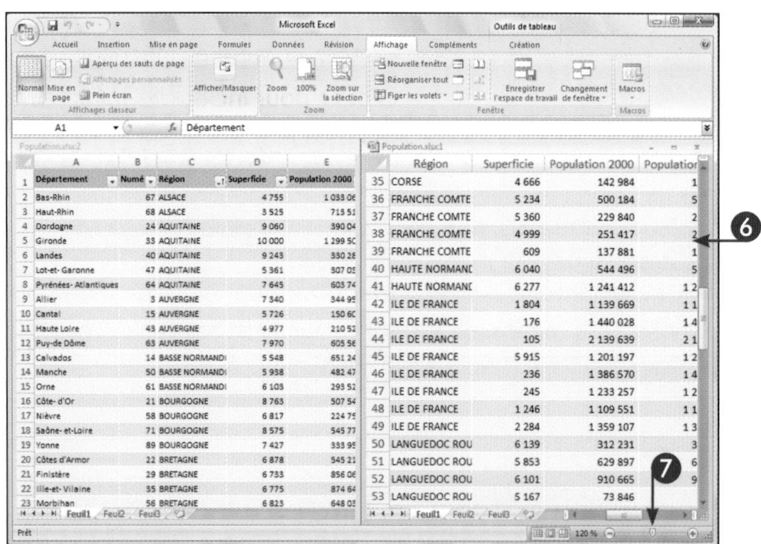

6. Cliquez une fenêtre pour l'activer.

Vous pouvez naviguer dans chaque fenêtre indépendamment des autres.

7. Faites glisser le curseur pour ajuster le facteur de zoom.

Excel redimensionne le contenu de la fenêtre.

Gagnez du temps avec UN AFFICHAGE PERSONNALISÉ

Après avoir créé une feuille de calcul, vous pouvez filtrer les données, masquer des colonnes ou des lignes, ou définir des paramètres d'impression particuliers. Par exemple, si votre feuille contient les résultats des quatre trimestres de l'année, vous pouvez les présenter un à la fois. Filtrez vos données, masquez des colonnes, définissez l'impression et enregistrez ces paramètres en créant un affichage personnalisé. Vous ouvrirez cet affichage chaque fois que vous en aurez besoin.

Le saviez-vous ?

Pour masquer des lignes ou des colonnes, sélectionnez-les. Cliquez l'onglet **Accueil**, puis **Format** dans le groupe Cellules. Un menu apparaît. Cliquez **Masquer & Afficher**. Un autre menu apparaît. Choisissez **Masquer les lignes** ou **Masquer les colonnes**. Lorsque vous souhaitez réafficher les rangées masquées, sélectionnez les en-têtes des lignes ou des colonnes entourant les cellules masquées, puis cliquez **Accueil** → **Format** → **Masquer & Afficher** → **Afficher les lignes** ou **Afficher les colonnes**.

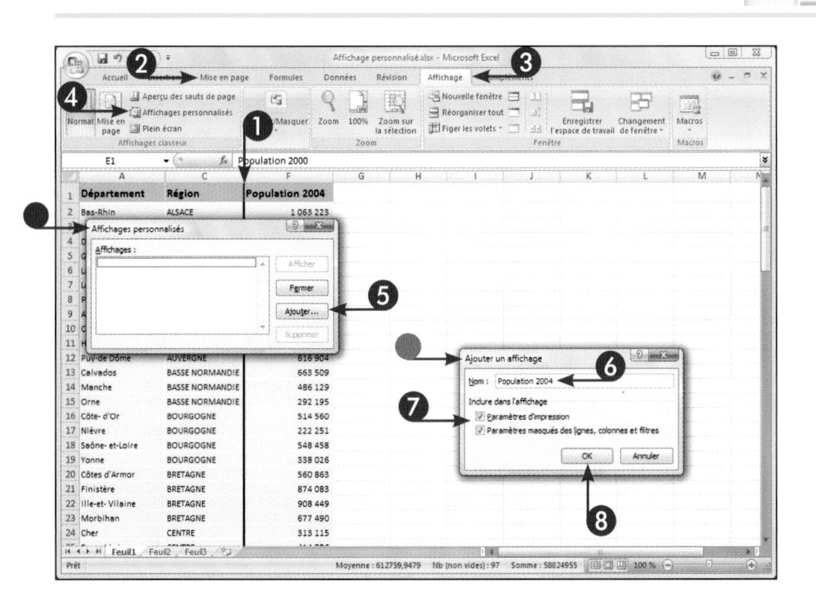

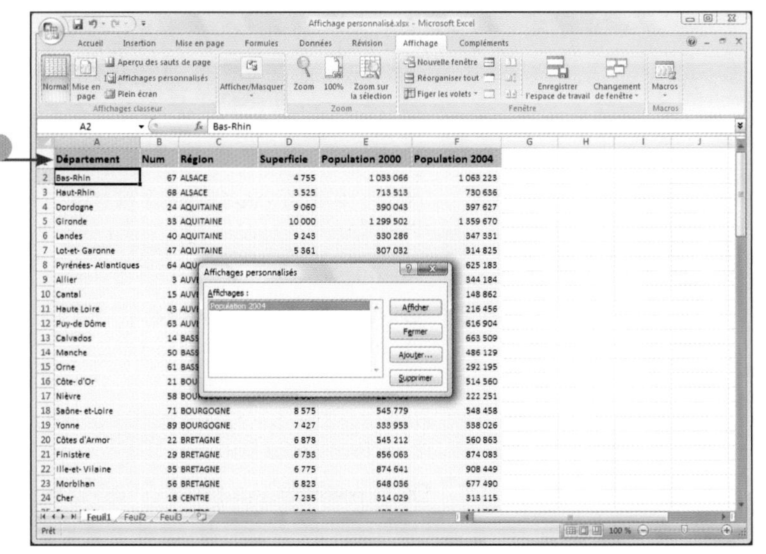

1. Masquez des lignes ou des colonnes de la feuille de calcul.

   Les lettres ou les numéros manquants dans les en-têtes indiquent les lignes ou colonnes masquées.

2. Définissez les options d'impression dans l'onglet **Mise en page**.
3. Cliquez l'onglet **Affichage**.
4. Cliquez **Affichages personnalisés**.

- La boîte de dialogue Affichages personnalisés apparaît.

  Note. *Les affichages personnalisés sont désactivés dans les tableaux.*

5. Cliquez **Ajouter**.

- La boîte de dialogue Ajouter un affichage apparaît.

6. Donnez un nom à l'affichage.
7. Cliquez pour inclure les paramètres d'impression et/ou les paramètres masqués des lignes, colonnes et filtres (☐ devient ☑).
8. Cliquez **OK**.

- Excel ajoute l'affichage personnalisé.

  Pour utiliser un affichage personnalisé, ouvrez le classeur, cliquez **Affichage**, **Affichages personnalisés**, le nom de l'affichage enregistré, puis **Afficher**.

Créez un

FORMAT DE NOMBRE PERSONNALISÉ

Excel propose de nombreux formats d'affichage des nombres, des dates, des heures, des valeurs monétaires et d'autres types de données comprenant des chiffres. Excel permet aussi de créer des formats personnalisés répondant à des caractéristiques précises. Par exemple, vous pourriez inclure les lettres NSS avant un numéro de sécurité sociale ou mettre un code régional entre parenthèses avant un numéro de téléphone. Créer un format passe par l'emploi de codes de format. Parmi les codes courants, vous trouvez 0 ou # pour indiquer un chiffre. Vous utiliserez 0 si vous voulez qu'un 0 soit affiché lorsqu'il n'y a pas de chiffre. Par exemple, un numéro de téléphone en France sera représenté par 00 00 00 00 00. Lorsque vous utilisez un format de ce type, le numéro peut être saisi sans les espaces. Excel les ajoutera automatiquement. Pour placer d'autres caractères dans le format, comme des lettres, placez-les simplement entre guillemets, comme ceci : «NSS-»0 00 00 00 000 000.

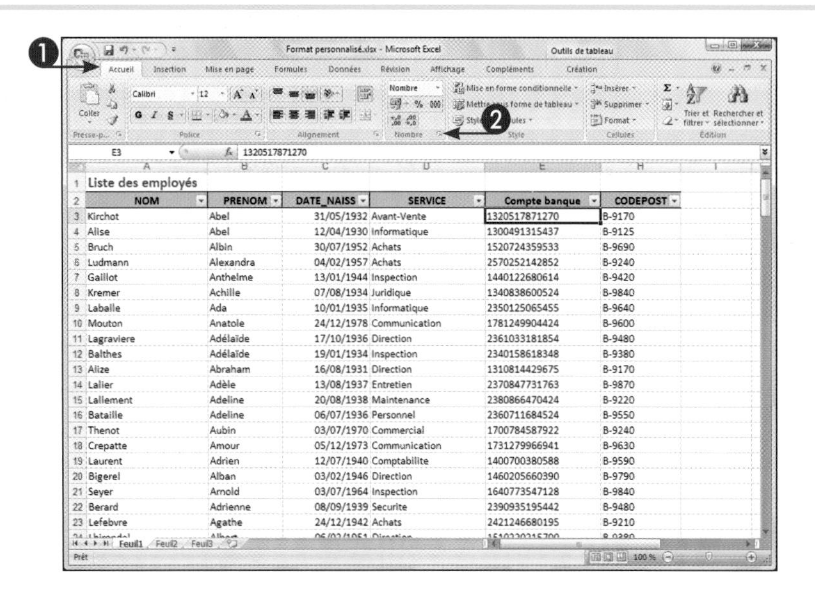

1. Cliquez l'onglet **Accueil**.
2. Cliquez le lanceur de boîte de dialogue du groupe **Nombre**.

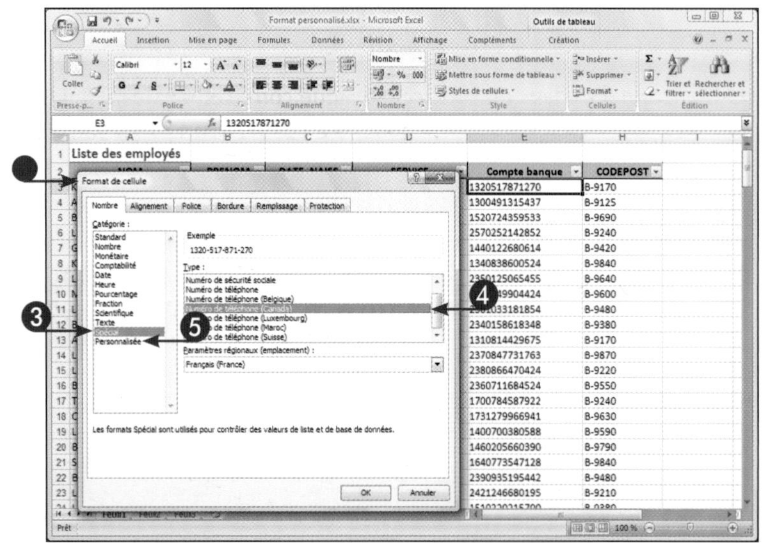

- La boîte de dialogue Format de cellule apparaît avec l'onglet Nombre.

3. Si possible, cliquez une catégorie dont les formats se rapprochent de celui que vous voulez créer.
4. Cliquez un format proche du format à créer.
5. Cliquez **Personnalisée**.

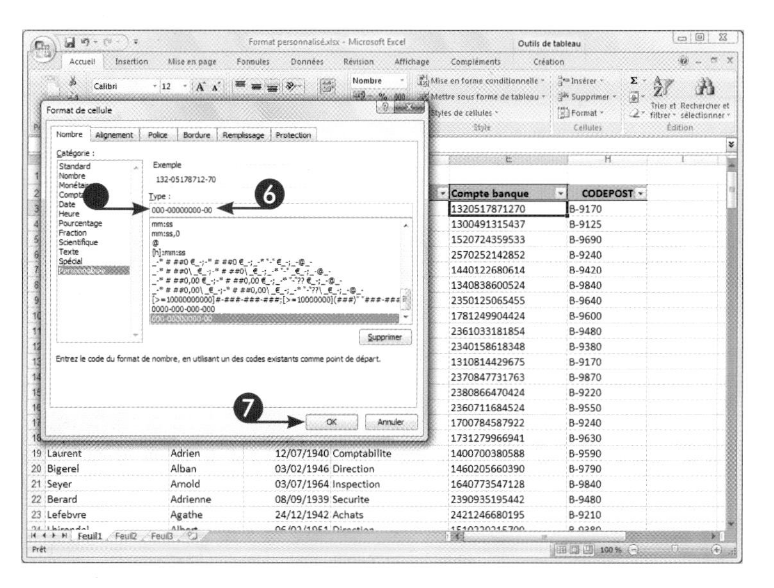

- La zone Type apparaît dans la boîte de dialogue.

6. Tapez les codes représentant votre format.

   Si nécessaire, utilisez les séparateurs correspondant à ceux de vos paramètres régionaux (en France, par défaut, la virgule est le séparateur décimal et l'espace le séparateur de milliers).

   Note. *Consultez l'aide d'Excel pour obtenir le guide complet des codes.*

7. Cliquez **OK**.

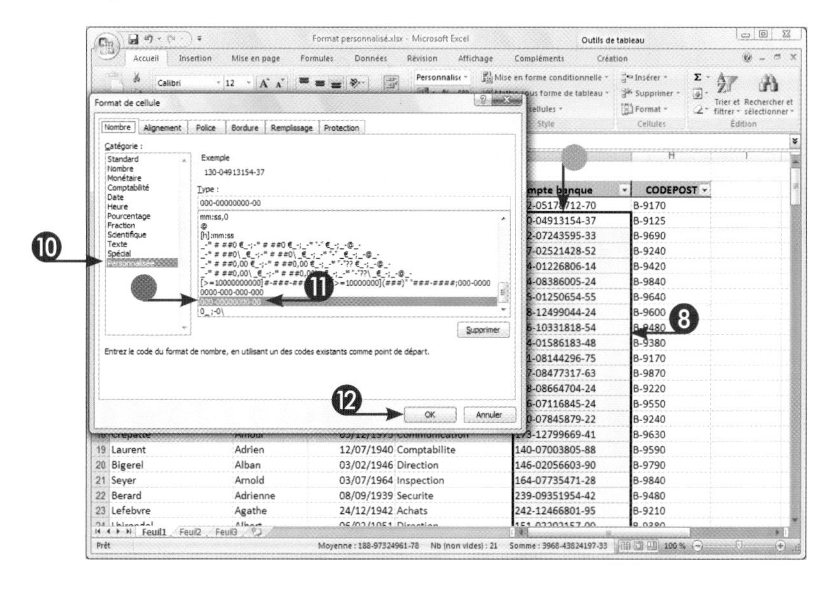

- Votre format apparaît au bas de la liste des formats personnalisés.

8. Pour appliquer le format, sélectionnez les cellules.
9. Répétez l'étape **2** pour ouvrir la boîte de dialogue Format de cellule.
10. Cliquez **Personnalisée**.
11. Cliquez votre format personnalisé.
12. Cliquez **OK**.

- Excel applique le format personnalisé aux cellules sélectionnées.

Le saviez-vous ?

Pour utiliser un format personnalisé dans un autre classeur, copiez une cellule mise en forme avec ce format et collez-la dans l'autre classeur. Le format devient alors disponible dans la boîte de dialogue Format de cellule.

Attention !

Excel applique correctement les formats de nombre à condition que vous saisissiez le bon nombre de chiffres. Par exemple, pour le format ##-##, si vous tapez trop de chiffres, Excel place correctement les deux premiers chiffres de droite, mais n'appliquera pas la bonne mise en forme aux chiffres excédentaires dans la partie de gauche.

Automatisez une feuille de calcul AVEC UNE MACRO

Une macro a pour but d'automatiser des tâches courantes, comme la saisie d'une série de dates ou la mise en forme d'une colonne de nombres. Vous créez une macro en enregistrant chaque étape d'une manœuvre et en affectant un raccourci à l'exécution de toutes ces étapes. Il suffit alors de taper le raccourci pour lancer l'exécution de la manœuvre.

Le champ Enregistrer la macro dans de la boîte de dialogue Enregistrer une macro permet de définir la portée de la macro. Si vous choisissez Classeur de macros personnelles, Excel enregistre la macro dans un classeur nommé Personal.xlsb et rend les macros de ce classeur disponibles quand vous ouvrez Excel.

Pour exécuter une macro, vous utilisez le raccourci défini pour la macro à l'enregistrement, ou vous pouvez l'affecter à un bouton, placer celui-ci dans la barre d'outils Accès rapide et le cliquer pour exécuter la macro. Pour apprendre à placer un bouton de macro dans la barre d'outils Accès rapide, consultez la tâche n°100.

Lorsque vous enregistrez un classeur contenant une macro, vous devez choisir le format Classeur Excel prenant en charge les macros.

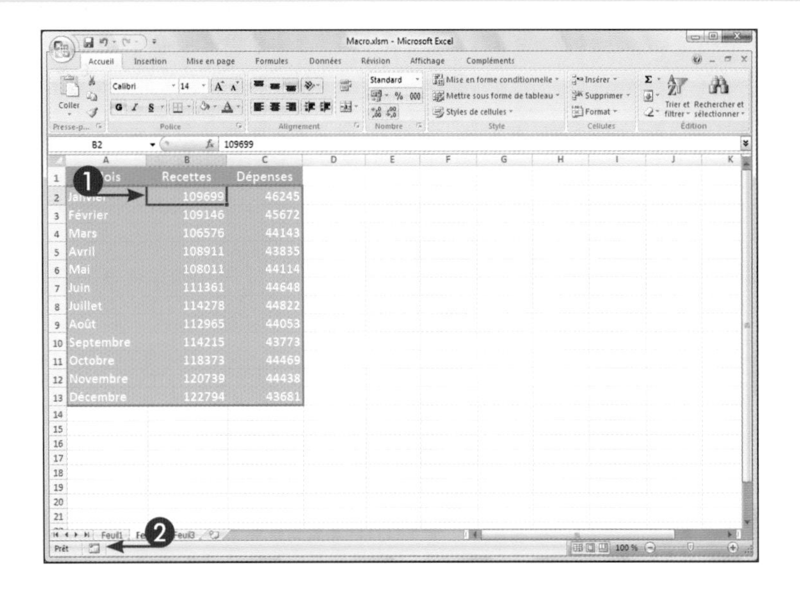

1. Cliquez pour sélectionner une cellule.
2. Cliquez le bouton **Enregistrer une macro**.

   Vous pouvez aussi cliquer l'onglet **Affichage**, **Macros**, puis **Enregistrer une macro**.

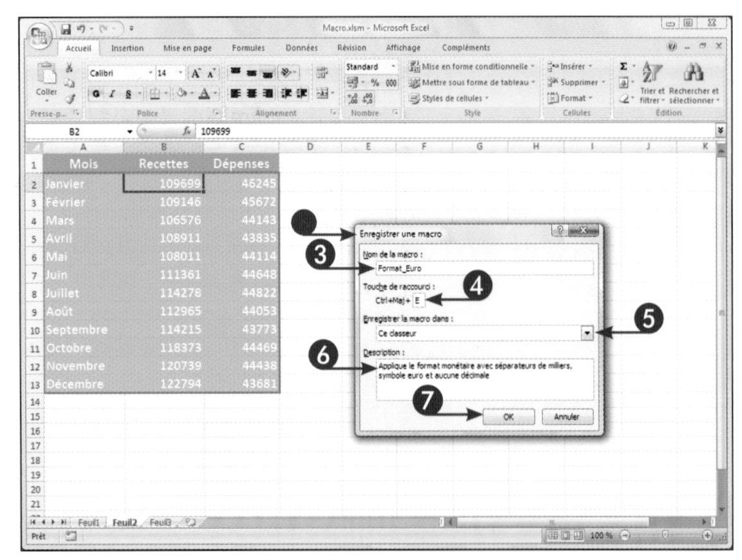

- La boîte de dialogue Enregistrer une macro apparaît.

3. Donnez un nom à la macro.
4. Saisissez une lettre qui servira de raccourci.

   Vous pouvez utiliser la touche **Maj** pour saisir une majuscule.

5. Cliquez ici et sélectionnez une portée.

   Sélectionnez **Ce classeur** pour rendre votre macro disponible dans le classeur actif seulement.

   Sélectionnez **Nouveau classeur** pour placer la macro dans un nouveau classeur.

   Sélectionnez **Classeur de macros personnelles** pour rendre la macro accessible dans tous les classeurs.

6. Donnez une description de la macro.
7. Cliquez **OK**.

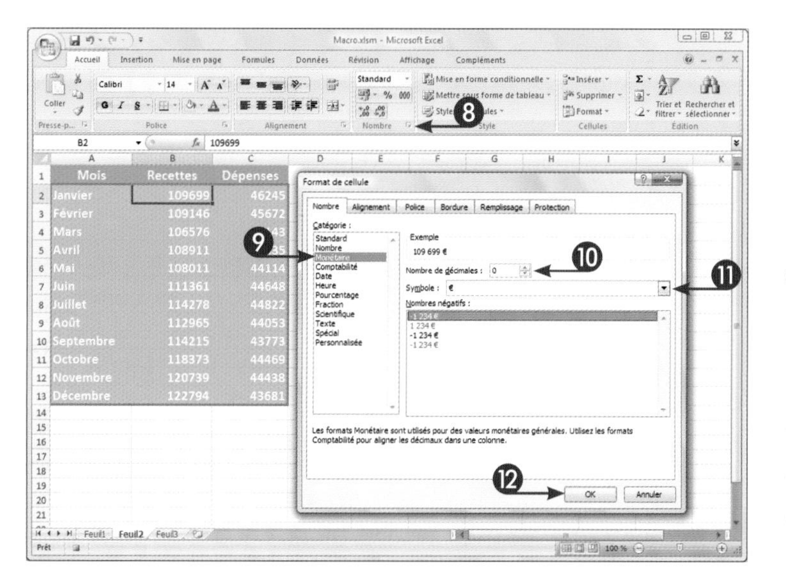

Excel commence à enregistrer la macro.

Vous pouvez enregistrer n'importe quelle suite d'actions. Cet exemple applique un format Monétaire.

NIVEAU DE DIFFICULTÉ

8. Cliquez le lanceur de boîte de dialogue du groupe Nombre.
9. Cliquez une catégorie de mise en forme.
10. Donnez le nombre de décimales.
11. Cliquez ici et sélectionnez un symbole.
12. Cliquez **OK**.

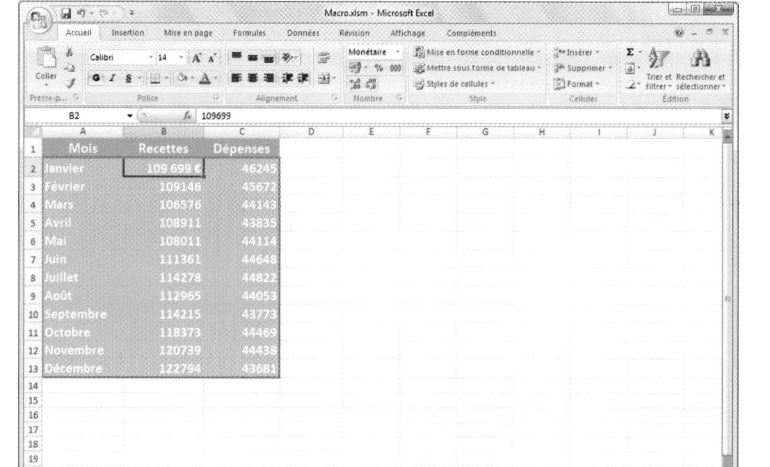

13. Cliquez **Arrêtez l'enregistrement**.

Vous pouvez à présent utiliser cette macro partout dans le classeur en sélectionnant les cellules à mettre en forme et en tapant le raccourci clavier choisi à l'étape **4**.

Le saviez-vous ?

Supprimez ou ajoutez le bouton Enregistrement de macro dans la barre d'état. Vous décidez du contenu de la barre d'état par le menu contextuel affiché en cliquant la barre d'état du bouton droit.

Le saviez-vous ?

Les macros sont limitées dans le type de tâches qu'elles peuvent automatiser. Si vous avez un peu d'expérience en programmation, vous pouvez modifier et étendre grandement les possibilités des macros en utilisant l'éditeur Visual Basic, accessible par le raccourci **Alt+F11**.

Ajoutez un bouton pour

EXÉCUTER UNE MACRO

Vous pouvez ajouter un bouton pour exécuter une macro. Dans le cas d'une opération courante comme l'application d'une mise en forme, un bouton accélère le travail et évite de devoir ouvrir une boîte de dialogue de façon répétitive pour y faire les mêmes sélections.

Pour affecter une macro à un bouton, vous devez créer la macro, comme expliqué à la tâche n°99. Vous choisissez ensuite un bouton pour représenter la macro et vous le placez dans la barre d'outils Accès rapide. Une fois le bouton dans la barre, il suffit de le cliquer pour exécuter la macro.

L'autre solution pour lancer la macro est le raccourci clavier. Appuyez sur Alt+F8 pour ouvrir la boîte de dialogue Macro. Choisissez l'emplacement de la macro dans la zone Macros dans. Pour lancer l'exécution de la macro, cliquez son nom, puis le bouton Exécuter. Pour modifier le raccourci, cliquez Options. Dans la boîte de dialogue Options de macro, donnez un nouveau raccourci, puis cliquez OK. Vous pouvez supprimer la macro en cliquant le bouton Supprimer.

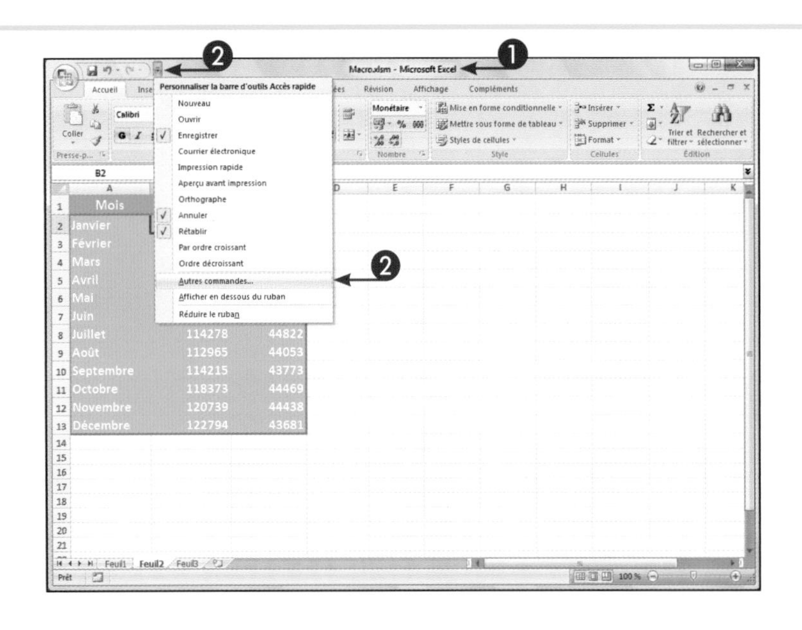

❶ Ouvrez un classeur contenant des macros.

***Note.** Consultez la tâche n°99 pour en savoir plus sur la création d'une macro.*

❷ Cliquez ici et sélectionnez **Autres commandes**.

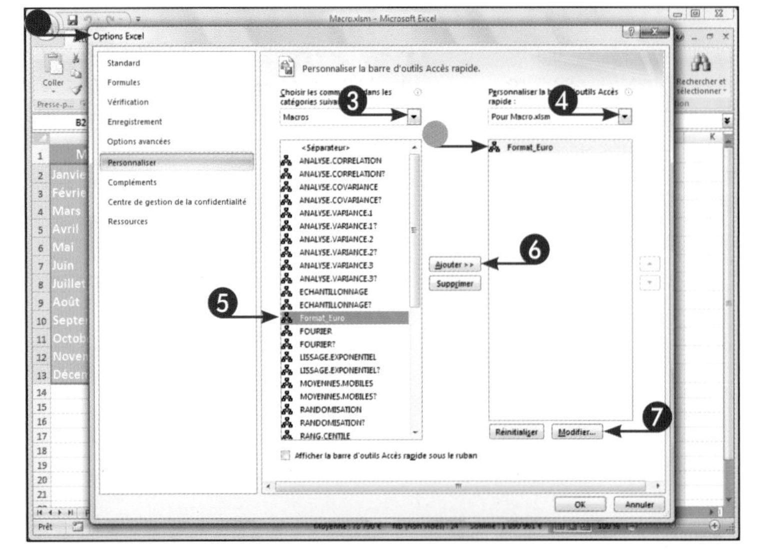

● La fenêtre Options Excel apparaît.

❸ Cliquez ici et sélectionnez **Macros**.

❹ Cliquez ici et sélectionnez le nom de votre classeur.

Excel fait précéder ce nom par « Pour ».

❺ Cliquez le nom de la macro à ajouter à la barre d'outils Accès rapide.

❻ Cliquez **Ajouter**.

● Excel déplace la macro dans la liste de droite.

❼ Cliquez **Modifier**.

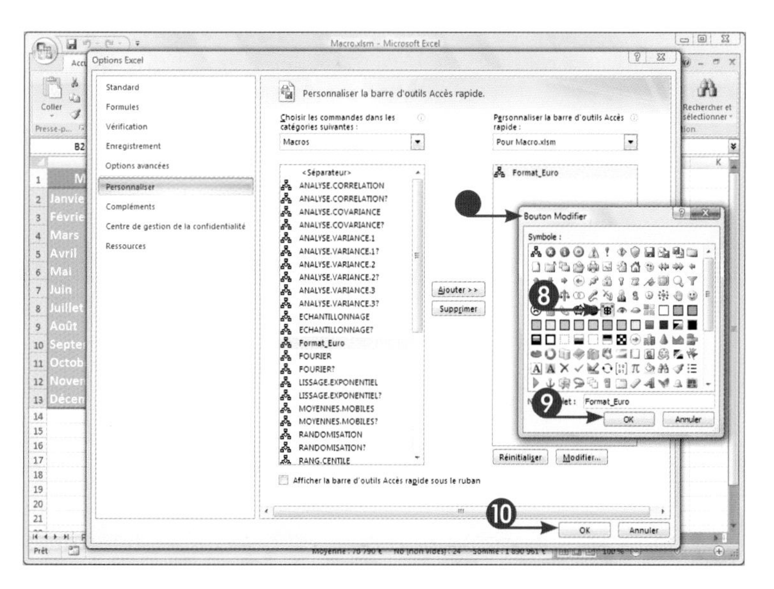

- La boîte de dialogue Bouton Modifier apparaît.

8. Cliquez une icône.
9. Cliquez **OK** pour fermer la boîte de dialogue.
10. Cliquez **OK** pour fermer la boîte de dialogue Options Excel.

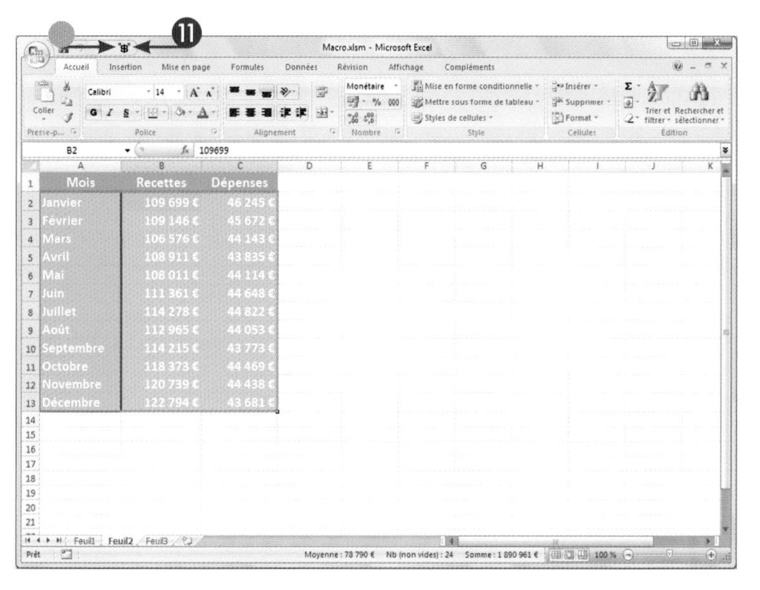

- Le bouton apparaît dans la barre d'outils Accès rapide.

11. Cliquez le bouton pour exécuter la macro.

Le saviez-vous ?

Pour affecter une macro à un graphisme, commencez par placer l'objet dans votre feuille de calcul. Cliquez-le du bouton droit. Dans le menu contextuel, cliquez **Affecter une macro**. Dans la boîte de dialogue Affecter une macro, cliquez le nom de la macro à affecter au graphisme, puis cliquez **OK**. Il suffit maintenant de cliquer le graphisme pour exécuter la macro.

Le saviez-vous ?

L'onglet Développeur contient les outils à utiliser pour créer des macros. Pour afficher l'onglet Développeur, cliquez le bouton **Office**, puis **Options Excel** et, dans le panneau Standard, cliquez l'option **Afficher l'onglet Développeur dans le ruban**. De retour dans Excel, vous pourrez accéder à l'onglet Développeur.

Index

Index

G

Index

O

P

R

S